Maine

Traduit de l'anglais (américain) par Camille Lavacourt
Titre de l'édition originale : *Maine*
Publié par Alfred A. Knopf, une division de Random House
Photographie de couverture : © Keith Levit - Corbis

J. COURTNEY SULLIVAN

Maine

roman

Éditions rue *f*romentin
Paris

MAINE

À Trish.

« Une mère, hélas, ne craint jamais
La colère envers ses enfants,
Puisque l'amour justifie l'amour. »

Aurora Leigh,
Elizabeth Barrett Browning

« Fais exactement le contraire de ce que nous
avons fait, et tout ira bien. »

Lettre de F. Scott Fitzgerald à sa fille Frances

ALICE

Alice alluma une cigarette et s'allongea sur l'une des chaises longues que la brise marine laissait toujours un peu humides. Elle avait décidé de faire une pause dans les rangements. Elle contempla ce qui restait des affaires de sa famille. Chaque verre, chaque salière, chaque cadre, était soigneusement enveloppé de papier journal, et l'on comptait au moins deux cartons par pièce. Elle voulait s'assurer qu'Emmaüs passerait bien les prendre avant que les enfants arrivent. C'était leur maison de vacances depuis plus de soixante ans et Alice était effarée par le nombre d'objets accumulés. Elle voulait que personne n'ait à s'occuper de ces vieilleries une fois qu'elle ne serait plus là.

De lourds nuages dans le ciel annonçaient la pluie. À Cape Neddick, dans le Maine, ce mois de mai, l'orage grondait tous les jours. Cela ne la dérangeait pas. Elle ne descendait plus jamais à la plage. Après le déjeuner, elle s'installait en général sous le porche. Elle y passait des heures à lire les romans qu'Ann Marie, sa belle-fille, lui avait prêtés pendant l'hiver, à boire du vin rouge, et à regarder les vagues se briser sur les rochers jusqu'à ce qu'il soit l'heure de préparer le dîner. Elle ne ressentait plus jamais le besoin d'enfiler un maillot de bain et de plonger dans la mer, ou d'abîmer son vernis à ongles en marchant dans le sable. Elle préférait désormais regarder tout cela de loin, tandis que les souvenirs passaient comme des fantômes.

Elle menait une vie minutieusement réglée. Elle se levait tous les jours à six heures du matin pour faire un peu de ménage et s'occuper du jardin. Puis elle buvait une tasse de Tetley, en prenant soin de laisser le sachet de thé dans une assiette au frigo afin de pouvoir le réutiliser encore une fois avant le déjeuner. À neuf heures et demie, elle prenait sa voiture pour se rendre à la messe de dix heures, à l'église de Saint-Michael-by-the-Sea.

La région avait tellement changé depuis leur tout premier été dans le Maine, il y a si longtemps. D'immenses maisons avaient poussé le long de la côte. Les villes regorgeaient de boutiques de souvenirs, de restaurants à la mode et d'épiceries fines. Il restait bien quelques pêcheurs, mais, depuis les années soixante-dix, nombre d'entre eux s'étaient reconvertis dans le tourisme et proposaient des croisières, petit déjeuner compris, pour observer les baleines.

Certaines choses cependant restaient immuables. Ruby's Market et la pharmacie fermaient toujours à six heures. Alice continuait à laisser ses clés sur le contact à n'importe quel moment de la journée. Et, comme tout le monde ici, elle ne fermait jamais sa maison à clé. Quant à la plage et aux grands pins de Briarwood Road, ils semblaient être là depuis des siècles.

L'église elle-même n'avait pas changé. C'était une chapelle en pierre traditionnelle, avec des coussins de velours écarlate et des vitraux dont les couleurs resplendissaient dans le soleil du matin. Elle avait été construite en haut d'une colline, à l'écart de Shore Road, pour que les marins puissent voir la croix de son clocher, même en pleine mer. Alice s'asseyait invariablement au troisième rang, à droite de l'autel. Elle essayait de retenir les sermons du père Donnelly, afin de les transmettre à ceux de ses enfants ou de ses petits-enfants qui en avaient le plus besoin — même s'ils n'y prêtaient pas la moindre attention. Elle écoutait intensément, chantait les airs familiers et récitait avec ferveur les prières qu'elle connaissait depuis l'enfance. Les yeux fermés, elle demandait à Dieu ce qu'elle lui avait toujours demandé : de l'aider à être bonne, de l'aider à mieux faire. La plupart du temps, Il l'entendait, croyait-elle.

Les lundis, mercredis et vendredis après la messe, la légion de Marie de Saint-Michael se retrouvait au sous-sol de l'église et récitait le rosaire pour les malades de la paroisse, pour tous les pauvres et, de façon générale, pour la sainteté de la vie sous toutes ses formes. Ils récitaient un *Je vous salue Marie,* puis bavardaient en buvant du décaféiné. Mary Fallon leur rappelait qui devrait apporter des muffins la prochaine fois et qui accompagnerait le père Donnelly lors de sa visite hebdomadaire au domicile des infirmes, où il priait pour une guérison qui ne venait en général jamais. Bien qu'il lui soit douloureux de voir des étrangers de son âge au seuil de la mort, Alice aimait ses après-midi avec le père Donnelly. Il réconfortait tellement ceux à qui il rendait visite. Il n'avait que trente-quatre ans. Ses cheveux bruns et son sourire chaleureux rappelaient les crooners des années cinquante. Jamais Alice n'aurait cru quelqu'un d'aussi jeune capable de tant de bienveillance. Il est vrai que la vocation qu'il avait suivie semblait, elle aussi, d'un autre temps.

Alice ressentait son profond dévouement quand elle le voyait prier pour ses paroissiens. Aujourd'hui, la plupart des prêtres ne prenaient plus le temps de faire des visites. Quand ils avaient fini, le père Donnelly l'emmenait déjeuner, ce qu'il ne faisait avec aucun autre membre de la légion, Alice le savait. Il avait tant fait pour elle. Il l'aidait même à la maison de temps en temps : il changeait l'ampoule du porche, ou il débarrassait le jardin des branches tombées après une tempête. Peut-être que ce traitement de faveur découlait de leur petit arrangement, mais, à vrai dire, elle s'en fichait.

Le père Donnelly et les sept membres de la légion de Marie (dont cinq s'appelaient d'ailleurs Marie) étaient les seules personnes qu'Alice fréquentait de façon régulière à cette période de l'année. Elle était la seule à ne venir que l'été, leur « étudiante étrangère » comme elle aimait à se surnommer en plaisantant. D'habitude, celles qui vivaient là toute l'année se méfiaient des étrangers. Mais elles avaient accepté qu'elle les rejoigne pour la saison après la fermeture de Sainte-Agnès, deux années plus tôt.

Sainte-Agnès était sa paroisse là-bas, à Canton. Le baptême de ses enfants ainsi que l'office funèbre de son mari avaient eu lieu dans cette église. Elle y avait assisté chaque jour à la messe pendant soixante ans. Elle s'occupait à la fois de l'école du dimanche, quand ses enfants étaient petits, et de la légion de Marie, lorsqu'ils eurent grandi. Elle avait codirigé la campagne pour la sauvegarde de l'église avec une jeune mère de quatre enfants qui s'appelait Abigail Curley. Elle avait une peau diaphane et une voix douce et enfantine. Ensemble, elles avaient rassemblé cinq cents signatures et envoyé des douzaines de lettres. Elles écrivirent même au cardinal en personne.

Pendant la dernière messe, Alice avait pleuré en silence. Ces fermetures d'églises étaient devenues monnaie courante. On en entendait parler tout le temps, mais on pensait que cela ne pouvait arriver qu'aux autres. Abigail Curley, accompagnée de quelques fidèles, refusa d'abandonner Sainte-Agnès. Trente mois plus tard, ils occupaient toujours l'église jour et nuit. Ils montaient la garde même lorsqu'il n'y avait plus de prêtre, plus de lumière, ni de chauffage. Alice s'était mise à fréquenter l'église de Milton, à quelques kilomètres, mais elle ne s'y était jamais sentie chez elle. Désormais, son église d'été était la seule chose qui la rattachait à sa foi et à son passé, et les membres de la légion l'avaient ainsi adoptée.

C'étaient, pour la plupart, des veuves qui se laissaient un peu aller. Elles s'habillaient de survêtements et de tennis informes, et leurs coiffures étaient à l'avenant : un désastre. Alice était la seule à avoir conservé un peu d'allure. Il n'y avait que ces satanées rides, si profondes, qui laissaient deviner son âge : quatre-vingt-trois ans. Avait-on idée de vivre si vieux ? Comme les autres femmes, elle vivait seule. Ce qui expliquait, d'après Alice, qu'elles prenaient toutes autant à cœur leurs sessions de prières. Sans la Légion, n'importe laquelle aurait pu succomber à une attaque sur la table de sa cuisine un matin, sans que personne ne s'en aperçoive.

Son mari, Daniel, avait gagné la propriété en 1945, juste après la fin de la guerre, lors d'un pari stupide avec Ned Barnell, un ancien camarade de régiment. Un ivrogne, même selon les standards de ses compagnons de la Marine. Il avait grandi dans un village de pêcheurs du Maine, mais passait désormais son temps dans les bars les plus fameux de Boston et dans les salles de jeux clandestines. Il avait parié cinquante dollars avec Daniel sur un match de basket-ball, ce qui avait mis Alice hors d'elle. Ils étaient mariés depuis deux ans et elle était enceinte de Kathleen. Mais Daniel disait qu'il était sûr de remporter ce pari. Et il gagna.

Ned n'avait pas de quoi le payer.

« Quelle surprise, persifla Alice lorsque Daniel rentra pour lui raconter ce qui s'était passé.

Il arborait pourtant un large sourire.

— Tu ne devineras jamais ce qu'il m'a donné à la place.

— Une voiture ? » demanda Alice.

Leur coupé Ford, qui allait sur ses douze ans, calait et toussait à chaque fois qu'elle essayait de démarrer. À l'époque, habitués au rationnement d'essence, ils marchaient, ou bien prenaient le bus. Mais la guerre était terminée maintenant, et un nouvel hiver approchait en Nouvelle-Angleterre. Alice refusait de se retrouver comme ces mères aux prises avec un nourrisson hurlant sous l'œil réprobateur des autres passagers.

« Mieux, dit Daniel.

— Mieux qu'une voiture ? demanda Alice.

— C'est un terrain, dit-il, un grand terrain qui donne sur la mer, dans le Maine.

Elle n'arrivait pas à le croire.

— J'espère que vous plaisantez, Daniel Kelleher.

— Je vous jure que non, madame Kelleher, lui répondit-il en s'approchant d'elle.

Il appuya son visage contre son estomac.

— Tu entends ça, haricot ? dit-il à son ventre.

— Daniel ! s'indigna-t-elle, en tentant de l'éloigner.

Elle détestait qu'il s'adresse directement au bébé, comme s'il s'y était déjà attaché. Il l'ignora.

— L'été prochain, nous ferons des châteaux de sable. Papa t'a obtenu ta propre plage.

Il se redressa.

— Le grand-père de Ned a donné du terrain à tous ses petits-enfants, mais celui de Ned ne l'intéressait pas. Il est à nous maintenant !

— Pour un pari de cinquante dollars ? demanda Alice.

— Disons que c'était le dernier pari de cinquante dollars d'une longue lignée de paris qui n'auraient sans doute jamais été honorés.

— Daniel !

Malgré la bonne nouvelle, la colère commença à monter en elle.

— Chérie, ne t'inquiète pas, tu as épousé un homme chanceux », lui lança-t-il avec un clin d'œil.

Alice ne croyait pas à la chance. Si elle existait, elle n'en avait pas souvent vu la couleur. En deux ans de mariage, elle avait déjà fait trois fausses couches. Sa mère avait perdu deux enfants en bas âge avant que les autres viennent au monde. Alice n'osait jamais lui en parler. Tout ce que sa mère avait pu dire sur le sujet, c'était que Dieu avait choisi de l'éprouver en lui retirant ce qu'elle aimait le plus. Alice, se demandait si les enfants qu'elle portait avaient choisi de ne pas naître parce qu'ils devinaient qu'ils n'étaient pas désirés — ou, plus précisément, qu'elle n'avait pas envie d'être mère.

C'était presque devenu une routine : d'abord, l'absence de tache sombre sur ses sous-vêtements à la date habituelle, suivie de quelques semaines où elle souffrait de nausées et de maux de tête, pour finir par la vue du sang sur la porcelaine blanche des toilettes. Une autre âme s'était envolée.

Elle avait entendu une fille dans l'ascenseur de son bureau à New York chuchoter à son amie qu'un docteur lui avait posé un diaphragme.

« Quel soulagement, avait dit la fille. Dieu sait qu'Harry ne prend aucune précaution.

— Si les hommes mettaient les enfants au monde, je pense bien qu'ils feraient plus attention. Tu imagines Ronald en train de souffler et de pousser ? »

Elle ferma la bouche et gonfla les joues en roulant les yeux jusqu'à ce toutes deux éclatent de rire.

Alice avait envie de leur parler, pour en savoir plus. Mais elle ne les connaissait pas, et comment aborder un sujet aussi vulgaire avec des inconnues ? Elle ne savait pas à qui s'adresser, alors elle décida d'aller voir un prêtre un matin avant le travail, dans une paroisse éloignée de la sienne. La confession était soit disant un acte anonyme, mais vous aperceviez le prêtre avant son entrée dans le confessionnal, et lui-même voyait votre visage. Celui-là était âgé, avec des cheveux très blancs. La plaque au-dessus du box indiquait « Père Delponte ». Un Italien, vraisemblablement. Les Italiennes étaient précoces, c'était bien connu. Elle espérait qu'il ne la prendrait pas pour l'une d'entre elles. Après tout, elle était mariée.

Dans le box obscur, elle s'agenouilla, ferma les yeux et se signa.

« Mon père, pardonnez-moi, car j'ai péché. Cela fait un mois que je ne me suis pas confessée, commença-t-elle.

Ses joues virèrent au rouge vif lorsqu'elle lui parla des bébés qu'elle avait perdus.

— Je pense que ce n'est pas le bon moment pour moi ; je me demande si je peux faire quelque chose pour… retarder. Ma sœur est morte il y a deux ans et je ne suis toujours pas moi-même. J'ai peur de me retrouver mère. Je ne pense pas avoir en moi l'amour nécessaire, en tout cas pas maintenant.

Elle n'avait pas terminé, mais il la coupa :

— Quel âge avez-vous ?

— Vingt-quatre ans.

Alice devinait son expression perplexe, à travers l'écran grillagé.

— Vous avez tout à fait l'âge, ma chère, dit-il doucement. Dieu a un dessein pour chacun de nous. Nous devons Lui faire confiance et ne rien tenter pour en contrarier le cours.

Elle ne savait pas s'il avait compris. Peut-être aurait-elle dû être plus claire.

— J'ai cru comprendre qu'il y existait des moyens d'éviter…, commença-t-elle, en trébuchant sur chaque mot. Je sais que l'Église juge cela sévèrement.

— L'Église l'interdit », coupa-t-il.

Et ce fut tout.

Elle pleura un moment dans le parking, puis repartit travailler. Elle n'en dit jamais rien à Daniel.

Alice en était à son sixième mois de grossesse et elle était terrifiée. Elle marchait sur la pointe des pieds, effrayée à l'idée même de respirer. Pour arriver à s'endormir, elle devait boire un demi-verre de whisky tous les soirs. Elle fumait deux fois plus que d'habitude et descendait marcher autour du pâté de maison les après-midi. Cela faisait déjà trois fois que son chef lui reprochait de ne pas être à son bureau. M. Kristal était particulièrement énervé contre elle parce qu'il se rendait bien compte de son état et savait par expérience qu'elle ne tarderait pas à démissionner.

Le samedi suivant le jour où Daniel avait gagné le terrain, ils partirent en excursion à Cape Neddick. Alice ne savait pas trop à quoi s'attendre. Elle n'était allée dans le Maine qu'une seule fois dans son adolescence, avec ses frères et sa sœur. Ils s'étaient entassés dans la Pontiac familiale qui filait vers le nord, toutes vitres baissées. À midi, ils avaient mangé des palourdes dans une cahute au bord de la route. Ils avaient ensuite roulé vers l'est jusqu'à ce qu'ils trouvent une plage. Les garçons s'étaient amusés à lancer des cailloux dans l'eau pendant qu'Alice et Mary étaient restées assises sur le sable à discuter. Alice fit un croquis des dunes dans son carnet. Ils ne savaient pas dans quelle ville ils se trouvaient et ils ne restèrent pas longtemps. Ils ne pouvaient pas se permettre de passer une nuit dehors, pas même dans l'un de ces motels bon marché en bordure de la route côtière. Quelques années seulement avaient passé, mais cela semblait faire partie d'une autre vie.

Daniel conduisit jusqu'au centre-ville d'Ogunquit, ils dépassèrent un garage, une salle de danse, un drugstore Perkins et le cinéma Leavitt. On y jouait *Escale à Hollywood* à la séance de deux heures. Puis, ils passèrent devant le bâtiment de pierre de la bibliothèque, l'église baptiste, et une série d'hôtels, avant d'atteindre l'extrémité de la ville, où se succédaient des casiers de pêcheurs et des pièges à homards. Des bateaux de pêche allaient et venaient dans le port. L'eau les encerclait de toutes parts. Vers l'ouest et en face d'eux, se détachait la côte rocheuse de l'Atlantique ; sur la droite, une passerelle enjambait un bras de mer pour atteindre une petite crique. Les mots « Perkins Grove » étaient gravés dans la pierre de l'un des piliers. Alice haussa les sourcils. :

« Mon Dieu, est-ce que tout le monde dans cette ville s'appelle Perkins ?

— Quasiment, dit Daniel, très fier de connaître la réponse. D'après Ned, ils possèdent la moitié des terres par ici. Des pêcheurs, comme sa famille. Ned était au lycée avec l'une des cousines Perkins.

— Quelle chance…, persifla Alice.

— Allons, allons, répliqua Daniel. Hé, Ned m'a appris un petit poème que l'une d'entre elles a écrit. Tu veux l'entendre ? »

Avant même qu'elle puisse protester, il se mit à réciter, presque en chantant, avec sa plus belle voix à la James Cagney.

L'épicier est un Perkins.

La banque est tenue par un Perkins.

C'est un Perkins qui d'essence remplit vos bidons.

Un Perkins vend les journaux, un autre le poisson.

Vous irez chez les Perkins pour à peu près tout ce que vous voulez.

Vous trouverez toujours les doigts d'un Perkins dans votre porte-monnaie.

Et quand je mourrai, je pense que, je partirai dans un corbillard Perkins.

« Chéri, je crois que j'ai compris », coupa Alice.

La voiture vira pour prendre Shore Road. Daniel conduisait lentement, en scrutant le bord de la route, parsemée ici ou là de maisons en bardeaux avec des drapeaux américains et des pelouses vertes. On devinait l'océan à travers la longue rangée de pins sur la gauche. Des vaches paissaient dans les champs.

« C'est quelque part le long de cette route », expliqua Daniel.

Elle tenait une carte dépliée sur ses genoux. Daniel avait compté sur Alice pour le guider, mais elle n'y voyait qu'un entrelacement de veines et de muscles, semblable aux schémas de ses livres de biologie au lycée. Elle espérait qu'il la lui reprendrait, excédé. Mais ce n'était pas le genre de Daniel. Il se contenta de rire :

« Je crois que nous n'avons plus qu'à nous fier à notre instinct, puisque mon copilote a la tête dans les nuages. »

C'est alors qu'Alice les vit, un petit groupe d'hommes et de femmes portant des tabliers, assis sur une colline, en train de peindre face à leurs chevalets.

« Il y a une colonie d'artistes par ici, commenta Daniel. Ned m'a expliqué que tous ces bohêmes rachètent les baraques des pêcheurs. Je me suis dit que cela te plairait. Ils ont une école d'été, tu pourrais peut-être y aller. »

Alice hocha la tête, bien qu'elle sentît son corps se raidir. Elle se promit de ne pas s'assombrir et de ne rien laisser paraître. Mais son humeur changea, presque malgré elle. Elle s'efforça de regarder par la fenêtre.

Sur la droite, un écriteau en bois très simple indiquait « Ruby's Market ». À gauche se dressait un petit bâtiment vert qu'on aurait pu prendre pour une simple maison sans l'enseigne « Pharmacie » accrochée au-dessus de la porte.

Aucun panneau n'indiquait Briarwood Road. Ned avait dit à Daniel de prendre Shore Road pendant deux miles, jusqu'à ce qu'il arrive à un croisement. Il fallait ensuite tourner à gauche sur un petit chemin et le suivre jusqu'à l'océan. Alice soupira, se préparant à voir un morceau de terrain vague, que Ned avait décidé d'appeler « le sien ».

À deux reprises, ils dépassèrent l'entrée et durent faire demi-tour. Mais au troisième essai, ils prirent ce qui semblait être un embranchement. Alice poussa un cri d'étonnement. La route ressemblait à un conte de fées, une longue bande de sable à l'intérieur d'un tunnel de pins. Quand ils parvinrent au bout, ils tombèrent sur l'océan d'un bleu sombre, étincelant sous le soleil, et sur une petite plage de sable, blottie entre deux parties de côtes rocheuses.

« Bienvenue chez nous, dit Daniel.

— C'est vraiment à nous ? demanda Alice.

— Eh bien, sur un hectare, oui. Et le plus beau ! Tout ce terrain le long de l'océan, là, c'est à nous. »

Elle était aux anges. En ville, elle ne connaissait personne qui ait sa maison au bord de la mer. Elle avait hâte de voir la tête de Rita, sa meilleure amie, quand elle viendrait ici.

Elle embrassa Daniel. Il sourit.

« On dirait que ça te plaît.

— J'ai déjà choisi les rideaux.

— Bien ! Maintenant, il ne nous manque plus qu'une maison pour les accrocher. »

Sur le chemin du retour, il arrêta la voiture à l'embranchement et ramassa une pierre pointue. Il grava les lettres M.A. dans l'écorce tendre d'un saule et ajouta :

« Maintenant, on ne pourra plus rater ce tournant.

— M.A., qui est-ce ?

Il désigna chaque lettre lentement comme un professeur faisant cours :

— La Maison d'Alice. »

Daniel et ses frères construisirent le cottage de leurs mains, planche par planche. Les cinq chambres du rez-de-chaussée formaient une boucle. Une cuisine étroite menait au salon, avec son piano noir de chez J. & C. Fischer, New York, son poêle en fonte dans le coin, et la table pour dix qui accueillait souvent jusqu'à seize convives serrés les uns contre les autres. Ensuite venaient une petite chambre, prévue pour un couple, puis une salle de bain jaune soleil, laquelle s'ouvrait sur une autre chambre, aussi grande que toutes les autres réunies, avec deux lits jumeaux et quatre lits superposés. À l'étage, le grenier constituait le seul espace un peu intime de la maison. Les frères avaient bâti une véranda devant la cuisine et une terrasse devant le salon — et, sur l'arrière, une douche extérieure pleine de toiles d'araignées, depuis laquelle vous pouviez regarder les étoiles pendant que vous vous laviez les cheveux. Tel était leur petit coin de paradis. La famille Kelleher y avait passé tous les étés depuis.

Dans les années cinquante, des citadins aisés bâtirent des maisons autour d'Ogunquit et de Cape Neddick. Mais personne ne construisit jamais rien le long de Briarwood Road, aussi avaient-ils l'impression que la sublime allée d'arbres qui menait jusqu'à la maison leur appartenait également.

Ils venaient tous les mois de juin et restaient le plus longtemps possible. Quand son travail à la compagnie d'assurances retenait Daniel, Alice invitait Rita à la rejoindre. Elles faisaient le tour des antiquaires à Kennebunkport, chacune avec un bébé sur le bras, puis buvaient des manhattan sur la plage en face de la maison. Les jours de pluie, elles allaient au cinéma ou bien partaient faire un tour en voiture le long de la côte. Tallulah Bankhead [1] se produisit pendant quatre semaines à Ogunquit, et elles assistèrent deux fois au spectacle, même s'il se révéla finalement assez mauvais. En ville se mêlaient les pêcheurs, les gens du coin, les touristes, les acteurs et les artistes. Où que vous alliez, vous tombiez sur un peintre amateur en train de mettre la touche finale à un paysage marin, un coucher de soleil ou des casiers à homards. Alice évitait les artistes autant que possible. Un matin, l'un d'entre eux, assez séduisant, lui demanda s'il pouvait faire son portrait. Elle sourit mais continua son chemin, faisant comme si elle n'avait pas compris.

Certains week-ends, les familles d'Alice et de Daniel venaient leur rendre visite. Tout le monde restait tard. Ils mangeaient, buvaient et entonnaient des chants irlandais qu'Alice accompagnait au piano. Chaque matin, après la messe, Alice et ses belles-sœurs s'allongeaient des heures dans le sable, leurs jambes nues au soleil. Elle prenait toujours un livre, car elles n'étaient pas les compagnes les plus divertissantes que l'on puisse imaginer : elles s'interdisaient les ragots et étaient visiblement jalouses de sa beauté. Alice regrettait amèrement que sa sœur Mary ne soit pas là. Elle s'attendait à la voir surgir au coin de la rue, à n'importe quel moment.

Avant le dîner, les femmes épluchaient du maïs et cuisaient des pommes de terre dans la cuisine en écoutant Dean Martin. Pendant ce temps, les hommes se rassemblaient dehors autour du

---

1. Actrice américaine très célèbre dans les années vingt et trente, connue pour sa vie amoureuse mouvementée, avec des hommes mais aussi des femmes, ainsi que pour son sens de la répartie cinglante.

grill et remuaient les braises comme s'il fallait être au moins huit pour faire partir le feu.

Puis vinrent d'autres enfants. Trois d'Alice et de Daniel, en plus des quarante-deux neveux et nièces autour d'eux. Pendant des années, une armée d'enfants envahit les lieux et Alice abandonna toute ambition de rendre la maison présentable. Quand arrivait le 4 juillet, le soleil avait déjà coloré les enfants en rouge brique et fait ressortir leurs taches de rousseur. Leurs cheveux étaient décolorés, surtout ceux des filles, qui les rinçaient au jus de citron tous les matins après le petit déjeuner pour imiter leurs mères. La plante de leurs pieds, douce et tendre à leur arrivée, se recouvrait de corne après quelques semaines à marcher sans chaussures à travers les dunes ou sur les pierres de la jetée. Daniel avait coutume de plaisanter qu'ils seraient sans doute capables de marcher pieds nus sur du verre brisé à la fin de l'été.

À Cape Neddick, entourée de gens souriants et reconnaissants, Alice parvenait à se changer les idées. Les enfants couraient en groupe entre cousins, la laissant en paix. Elle regardait le ciel rosir sur l'océan tous les soirs, comme pour lui rappeler que Dieu avait créé autant de beauté que de douleur. L'été, ici, elle devenait quelqu'un d'autre.

Chez elle, à Canton, dans le Massachusetts, les souvenirs étaient si lourds qu'elle se sentait souvent perdre prise quand elle se retrouvait seule à la maison avec les enfants. Son humeur s'assombrissait soudainement, de fortes migraines la clouaient au lit tout l'après-midi. Sa vie était par essence ennuyeuse et elle ne supportait pas l'ennui. Malgré tous ses efforts, elle ne pouvait se contenter de préparer gaiement le dîner, de plier le linge et de frotter le sol de la cuisine, comme si c'était tout ce que la vie pouvait lui offrir. Sa maison dans le Maine était la seule chose qui différenciait sa vie de celle des autres.

Quand sa fille aînée Kathleen — le mouton noir de la famille —, eut douze ou treize ans, elle déclara qu'elle détestait aller dans le Maine. L'air était trop humide, l'eau, trop froide. Il n'y avait pas de télévision et rien à y faire. Du début à la fin de l'été, elle ne cessait de se plaindre. « On va rentrer bientôt ?

Quand est-ce qu'on y va ? » « C'est tout de même bizarre », avait soupiré une fois Daniel. Alice lui avait répondu : « Oh, je ne trouve pas. Elle a vu combien j'aime cet endroit. Par principe, elle a décidé de le haïr. »

Les années passèrent. Elle ne s'habituait pas à la façon qu'avait le temps d'accélérer sa course. Il y eut des petits-enfants. Daniel prit sa retraite. Ses enfants venaient désormais dans le Maine quand cela leur chantait, sans jamais prendre la peine de prévenir. Ils se contentaient d'apporter des hot-dogs, des bières, des gâteaux ou une tarte aux myrtilles de chez Ruby's Market. Chaque été, Daniel et elle restaient les deux points de repère dans ce tourbillon. Des invités s'entassaient dans le cottage et dormaient où ils pouvaient : des enfants sous des couvertures sur le sol en bois du salon ; des adolescents sur des matelas gonflables, là-haut dans le grenier ; Ryan, son petit-fils, dans le parc niché dans l'étroite cuisine.

Le matin, alors que tout le monde dormait encore, Alice préparait du café. Elle faisait griller des muffins et frire une douzaine d'œufs avec du bacon. Elle installait une bassine d'eau chaude sur le porche, pour enlever le sable des pieds des enfants. Un peu plus tard, elle aidait Ann Marie ou Kathleen à enduire les gosses de crème solaire indice 50, ce qui — elles avaient fini par le comprendre — était indispensable aux peaux irlandaises. Malgré cela, ils prenaient des coups de soleil. Les brûlures douloureuses se transformaient en cloques qu'il fallait apaiser avec de la Biafine. Les petits-enfants — tout comme les enfants — tenaient cela de Daniel : au bout d'une demi-heure au soleil, leurs visages tournaient au rose vif sous une constellation de taches de rousseur.

Quelques années avant le décès de Daniel, leur fils Patrick leur avait fait un cadeau. Il leur faisait construire une maison rien que pour eux sur la propriété, leur avait-il dit. Moderne, confortable, avec vue sur l'océan et sans pleurs d'enfants, juste à côté du cottage mais en bien mieux. Ils auraient un écran géant avec un système d'enceintes très perfectionné. Dans le cottage, une antique radio épuisait ses dernières forces à retransmettre les matchs des Red Sox, et encore, si on la plaçait dans la bonne direction.

« Je suis sûre que ce sera fantastique, avait dit Alice à son mari après que Patrick eut exposé son projet. Notre repaire, pas d'écureuils dans les placards, ni de moisissure dans la salle de bains. Plus de vieux réfrigérateur qui fuit.

— Mais une maison de vacances, c'est ça justement, avait plaidé Daniel. Si on voulait une maison équipée, il suffisait de rester chez nous, à Canton. J'ai surtout l'impression qu'ils essaient de se débarrasser de nous, je me trompe ? »

Alice lui dit de ne pas être ridicule, même si, sur le fond, elle était un peu d'accord. Mais Patrick avait déjà tracé les plans et il avait l'air tellement heureux de leur annoncer la nouvelle. Par ailleurs, comme il le soulignait, ajouter une seconde maison à la propriété ne ferait qu'accroître sa valeur. « Comme au Monopoly », avait-il dit. Une remarque qui avait fait rire Alice, mais que Daniel avait jugée un peu condescendante. Après la construction de la maison, Patrick fit estimer la propriété. Elle valait désormais plus de deux millions de dollars. Alice crut qu'elle allait s'évanouir. Deux millions de dollars pour un terrain qu'ils avaient eu pour rien un demi-siècle plus tôt !

« Tu vois, il est malin notre fils, avait-elle alors glissé à Daniel. Il secoua la tête.

— C'est dangereux de parler d'argent comme cela. Notre maison n'est pas à vendre.

Elle croisa son regard triste et lui sourit avant de lui caresser la joue :

— Personne n'a dit qu'elle l'était. »

De leurs trois enfants, c'était Patrick — le benjamin — qui s'en était le mieux sorti. Ils l'avaient envoyé à BC High[2]. Durant sa dernière année de lycée, il avait fréquenté Sherry Burke, la fille du maire de Cambridge. Sherry était une fille charmante, et sa famille avait fait découvrir à Patrick les raffinements du luxe. Alice avait toujours pensé que ces années avec Sherry (celle-ci avait fini par devenir sénateur) l'avaient décidé à gagner beau-

2. Boston College High School : lycée jésuite de garçons.

coup d'argent. Pat poursuivit ses études à Notre-Dame où il finit sixième de sa promotion. Il fit la connaissance d'Ann Marie, qui étudiait à Saint-Mary, l'école de sa sœur. Ils se marièrent l'été de leurs vingt-deux ans. Leur mariage était solide, avec trois fantastiques enfants : Fiona, Patty et l'adorable Little Daniel, pour qui Alice avait toujours eu un faible. Pat était courtier, Ann Marie, femme au foyer. Ils vivaient dans une maison gigantesque à Newton, avec une Mercedes bleue assortie à l'eau de la piscine.

Les filles d'Alice les surnommaient « les Parfaits ». Eh bien, en comparaison, oui, c'était le cas. Alice n'hésitait pas à faire remarquer qu'Ann Marie était une bien meilleure fille qu'elles deux : elle la conviait à ses activités du week-end, elles allaient se faire coiffer dans un salon élégant en ville. Elles déjeunaient longuement ensemble, s'échangeaient des recettes, de gros romans et des magazines de mode. Dire que ses propres filles parvenaient à grand-peine à l'appeler une fois par semaine pour lui donner des nouvelles. Encore Clare arrivait-elle de temps en temps les bras chargés de beaux cadeaux, mais Kathleen, elle, ne se donnait même pas la peine d'essayer.

Clare, la cadette, était née deux ans avant Patrick. Alice s'était beaucoup inquiétée pour elle. Un vrai garçon manqué, intelligente qui plus est, peut-être même un peu trop pour que cela ne lui nuise pas. Au lycée, Clare restait sérieuse comme une bonne sœur. Elle se cloîtrait dans sa chambre pour travailler, la fenêtre ouverte, en fumant des cigarettes en cachette quand elle pensait qu'Alice ne la voyait pas. Elle n'avait jamais eu beaucoup d'amis, pas plus d'un ou deux en même temps, et cela durait rarement plus de quelques mois. Alice craignait que la personnalité de Clare fasse fuir les gens. Daniel lui répétait souvent qu'une mère ne devait pas dire cela de sa fille.

Après avoir obtenu son diplôme de l'université de Boston, Clare se mit à travailler sur des ordinateurs. Alice ne comprenait toujours pas ce qu'elle faisait. Elle se consacrait totalement à son travail et — pour ce qu'en savait Alice — ne fréquentait aucun garçon. À près de quarante ans, elle rencontra Joe, au travail bien entendu. La famille du jeune homme tenait un commerce d'articles religieux à Southie[3], ils vendaient des bibles illustrées, des livres de prières, des crucifix et des petits Jésus pour les premiers communiants. Joe hérita de l'entreprise quand son père prit sa retraite et Clare développa la vente sur Internet.

Ils s'en étaient bien tirés. Ils vivaient dans une vieille maison victorienne à Jamaica Plain, dans un quartier qu'ils prétendaient aimer pour sa diversité et ses espaces verts (*On dirait des agents immobiliers qui font les louanges d'un taudis,* ne pouvait s'empêcher de penser Alice à chaque fois qu'ils en parlaient, même si cette maison avait finalement coûté assez cher.) Tous leurs voisins étaient Noirs.

Avant de venir travailler dans le centre-ville de Boston à l'âge de dix-neuf ans, Alice n'avait quasiment jamais vu de Noirs. Aujourd'hui, elle ne pouvait pas passer en voiture dans la rue de son enfance, à Dorchester, sans verrouiller les portières et réciter un *Je vous salue Marie.* Les membres de gangs et les prostituées occupaient le coin de la rue où ses frères jouaient autrefois au baseball avant le dîner. Mais il était impossible de mentionner ce genre de choses sans que Clare et Joe ne vous traitent aussitôt de raciste.

Ils allaient parfaitement ensemble, tous deux admirablement en phase avec tout ce bla-bla bien pensant. Leur amour en tout cas semblait les rendre aveugles à la petite taille de Joe et au physique vraiment quelconque de Clare. Leur fils Ryan avait dix-sept ans et étudiait à la Boston Art Academy. C'était un chanteur doué, une future star. Un peu capricieux parfois, mais c'est comme cela qu'il avait été élevé. Alice les avait pourtant mis en garde contre le syndrome de l'enfant unique. Quand Ryan était petit, il lui demandait de se mettre au piano, et entonnait « Tomorrow » à tue-tête aussi bien que n'importe fille de Broadway. Alice et son mari s'étaient rendus à tellement de spectacles d'école pendant toutes ces années que Daniel avait fini par investir dans des boules Quies, pour s'assoupir plus facilement dans les auditoriums. Alice adorait ces spectacles. Elle en avait conservé tous les programmes. Mais les multiples activités de Clare et de Joe la tenaient désor-

3. Quartier de Boston.

mais éloignée de Ryan. Ils étaient toujours débordés par des auditions, des rendez-vous, des voyages ou simplement *la vie,* comme si ça pouvait être une excuse.

Kathleen, son aînée, avait hérité des cheveux noirs d'Alice et de ses yeux bleus. Lorsqu'elles étaient jeunes, c'était la plus jolie des deux sœurs, même si c'était surtout par absence de compétition. Kathleen avait tendance à l'embonpoint. Quand elle était adolescente, ses hanches et ses seins annonçaient le poids qu'elle prendrait plus tard.

Daniel disait qu'Alice ne s'était jamais vraiment attachée à Kathleen et qu'elle ne la traitait pas comme une mère devait le faire. De son côté, il la gâtait de façon éhontée, sans chercher à cacher qu'elle était sa préférée. C'était vrai quand elle était enfant ; ça l'était toujours quand il lui avait proposé de s'installer au cottage pendant son divorce, et ça l'avait été plus encore à la fin de sa vie. Cela, Alice n'avait jamais pu lui pardonner.

Après son divorce, Kathleen reprit des études de sciences sociales. Ses enfants étaient petits, ils avaient besoin d'elle. Cela ne l'empêchait pas d'étudier tard et de se rendre à ses réunions des Alcooliques anonymes comme s'ils y distribuaient des lingots d'or. Plus tard, elle prit un poste de conseiller éducatif et se mit à sortir avec des hommes plus infréquentables les uns que les autres.

Ses deux enfants, Chris et Maggie, étaient devenus exactement le genre d'adultes que l'on s'attend à voir sortir d'un foyer chaotique. Chris était sujet à de graves crises de colère. Adolescent, il avait fracassé le mur de la salle de bain, un jour où sa mère l'avait puni pour être sorti sans permission. Maggie, à l'opposé, avait toujours fait trop d'efforts pour que tout soit parfait. Elle était trop polie, trop prévenante. Cela mettait toujours Alice mal à l'aise.

Après la mort de Daniel, Kathleen déménagea en Californie avec Arlo, son petit ami, un semi-hippie qu'elle ne connaissait que depuis six mois. Ils prévoyaient (enfin, c'était surtout son idée à lui) de monter une entreprise qui fabriquerait du compost à partir de vers de terre. Ce projet grotesque faisait d'autant plus honte à Alice, que c'était l'argent de Daniel qui l'avait financé. Kathleen lui avait en effet emprunté une belle somme avant sa mort, Alice préférait ne pas savoir combien. Elle avait longtemps considéré que l'argent de Daniel était aussi le sien et qu'elle avait son mot à dire sur la façon dont il le dépensait. Mais dès qu'il s'agissait de Kathleen, il n'en faisait qu'à sa tête. Après chaque erreur sentimentale, Daniel était là, prêt à réparer les dégâts.

Dès l'adolescence, Kathleen avait toujours eu beaucoup de succès avec les garçons. « Pourquoi est-ce que tu n'invites pas ta sœur à cette soirée ? » lui demandait Alice, le vendredi soir. Ou bien : « Tu ne pourrais pas trouver un gentil garçon pour Clare ? » Kathleen se contentait de hausser les épaules, comme si elle n'entendait pas. Elles se disputèrent une fois à ce sujet et l'ingratitude de sa fille mit Alice tellement hors d'elle, qu'elle hurla :

« Tu as déjà de la chance d'avoir une sœur. Tu sais ce que je ferais si…

— Tu ferais quoi, hein ? l'avait coupé Kathleen. Tu l'emmènerais en boîte de nuit et tu la laisserais mourir là-bas ? »

Alice devint livide. Comment Daniel avait-il pu lui raconter ? Ce fut la seule fois de sa vie où elle frappa un de ses enfants.

Quand ils étaient petits, elle laissait les corrections physiques à Daniel, de peur que la colère et la frustration ne lui fassent perdre le contrôle. Ils avaient un accord : il frapperait les enfants avec une ceinture quand ils le mériteraient. Ce genre de comportement n'était pas du tout dans le tempérament de son mari, mais les enfants pouvaient être de vrais monstres, et ces séances étaient exactement la soupape dont elle avait besoin. Après sa mort, ses enfants lui apprirent que, en fait, il n'avait jamais porté la main sur eux. Il se contentait de les emmener à l'étage et de fouetter le matelas avec la ceinture en leur disant de crier dès qu'ils entendaient le bruit.

Alice quitta la véranda pour se rendre à la cuisine. Elle se servit un verre de vin et soupira à la vue des plats et de l'argenterie étalés sur la table. Elle aurait bien aimé lire un peu avant le dîner, mais le contenu de son buffet la suppliait de s'occuper de lui d'abord.

Elle se mit à couper plusieurs feuilles dans un gros rouleau de papier bulle. Puis, elle enveloppa les plats un par un. Avec du papier journal, cela aurait été plus rapide, mais elle ne voulait pas tacher la porcelaine, même si c'était pour la donner. Elle avait envisagé de demander à Clare ou à Ann Marie si elles voulaient la récupérer, mais cela aurait attiré leurs soupçons et elle n'avait pas envie de discuter.

Récemment, ses trois enfants prenaient un malin plaisir à la tourmenter. Ils voulaient qu'elle arrête de fumer. Ils citaient des statistiques sur les effets néfastes du tabac, ou soulignaient que si les plafonds blancs étaient devenus orange, il devait en être de même pour ses poumons. Au printemps dernier, elle avait eu le malheur d'oublier une cigarette allumée au bord d'un cendrier sur la table de sa cuisine en partant faire des courses avec Ann Marie. Quand sa belle-fille l'avait aidée à rentrer les paquets, elle avait vu la cigarette encore fumante, qui avait roulé sur la table et laissé une vilaine marque. Cela avait complètement affolé les enfants, même si rien de grave n'était arrivé.

Ils trouvaient aussi qu'elle buvait trop. Franchement, qu'est-ce cela pouvait bien leur faire ? Grand Dieu, elle s'était abstenue depuis plus de trente ans simplement pour faire plaisir à son mari. À Thanksgiving, Patrick l'avait sermonnée sur le fait de conduire en état d'ébriété. Elle n'avait pas pu s'empêcher de rire. Elle aurait bien aimé lui expliquer qu'elle avait déjà conduit une voiture après plusieurs cocktails quand elle avait vingt ans, quand elle était enceinte de lui ou de ses sœurs, quand ils hurlaient assis sur la banquette arrière, et que, jusqu'ici, tout s'était bien passé. Bien sûr, ils gardaient tous en tête *l'accident*. Mais ce n'était arrivé qu'une fois, c'était de l'histoire ancienne. Avec tout ce qui se passait dans le monde, ses enfants n'avaient rien de mieux à faire que de s'imaginer d'hypothétiques désastres !

Ils lui reprochaient également de ne pas assez surveiller son alimentation, de manger trop de sel et de ne pas écouter les recommandations du médecin. Ann Marie lui racontait en boucle que le diabète de sa mère empirait, ou lui citait un article qu'elle avait lu sur le sujet dans *USA Today*. Alice devait se mordre la langue pour ne pas lui dire que sa mère avait peut-être été assez jolie autrefois, mais qu'elle ressemblait désormais à Winston Churchill dans un maillot de bain, alors qu'Alice pouvait se vanter de n'avoir jamais dépassé cinquante-quatre kilos, à part pendant ses grossesses.

Ils disaient aussi qu'elle devrait mieux surveiller ses dépenses. Tout ça parce que pendant l'hiver, enfermée dans sa maison avec un manhattan ou un verre de cabernet, elle aimait bien acheter de temps en temps des objets au téléachat : des collections de disques Time Life, des mixers qui promettaient des soupes onctueuses en trente secondes, et même une réplique de la cabane en rondins de Lincoln pour les enfants de sa petite-fille Patty. Mais elle ne dépensait jamais beaucoup, en tout cas jamais plus de 19,99 dollars. Oui, un dimanche par mois, elle se rendait au supermarché du centre commercial après l'église et s'amusait à essayer des écharpes en soie ou du mascara au comptoir Chanel. Mais elle se gardait bien d'en acheter. Elle mémorisait l'allure et la sensation et filait ensuite chez Marshall où elle se procurait la meilleure copie. Elle suivait comme un faucon les soldes chez Macy et Filene. Elle mettait des coupons de côté tous les matins et demandait à Ann Marie de la tenir au courant si elle voyait de bonnes affaires.

Malgré tout, l'argent filait. Sa retraite et celle de Daniel ne suffisaient pas. Quelques années plus tôt, Patrick avait jeté un œil à sa feuille d'impôt. Il avait froncé les sourcils :

« Tu dépenses beaucoup plus d'argent qu'il n'en rentre. Il faut que tu remettes cela en ordre fissa ! »

Ce jour-là, la pensée qu'il faudrait peut-être vendre la propriété dans le Maine l'avait traversée. Elle s'était surprise elle-même ; mais maintenant que l'idée était là, elle ne la quittait plus.

Alice n'était pas spécialement attachée à la nouvelle maison, mais elle avait toujours de l'affection pour le cottage, avec ses souvenirs cachés jusque sous les lits et dans le fond des placards. Sur le chambranle de la porte de la cuisine, des centaines de dates et d'initiales manuscrites chroniquaient la croissance de ses enfants, de ses petits-enfants, de ses neveux et de ses nièces, au fil des années. C'était ici que Clare avait appris à marcher et que Patrick s'était brisé le bras un été, en essayant de sauter du toit du porche pour voler comme Superman. Ici aussi que ses petits-enfants avaient, pour la première fois, posé leurs pieds sur le sable et avaient plongé leurs petits corps dans l'océan, où elle et Daniel s'étaient promenés d'innombrables fois main dans la main, en regardant les étoiles.

Mais tout ceci n'était que des souvenirs. Cet endroit avait perdu son âme, en tout cas pour Alice. Ces dernières années, ses enfants avaient même décidé d'un planning pour le cottage : un mois par famille chaque été. Kathleen et ses enfants avaient juin, Patrick, Ann Marie et leurs enfants venaient en juillet, et Clare, Joe et Ryan, en août.

Alice n'aimait pas voir ses enfants un à la fois. La joie et la spontanéité des étés passés avaient désormais disparu. La mort de Daniel avait également sonné celle de leur famille. Chacun s'était éloigné des autres, et, sans s'en apercevoir, Alice était passée de la reine mère — gardienne de la sagesse et de l'ordre — à la vieille dame à laquelle rendre visite était la corvée à expédier avant de pouvoir aller s'amuser.

Elle n'avait pas l'impression que ses enfants tenaient particulièrement les uns aux autres. Alors pourquoi garder ce vieil endroit ? Et pourquoi se donner la peine de venir chaque année, alors qu'elle ne ressentait plus ici que solitude et nostalgie de sentiments perdus à jamais.

Désormais, c'était chacun pour soi. Le genre de famille qu'elle et Daniel avaient bâtie et tenté de maintenir n'existait plus. Sa mère avait eu huit enfants, si l'on comptait les deux bébés qu'elle avait perdus. La mère de Daniel en avait eu dix. Bien qu'elle ait toujours détesté le bruit, le désordre et le sacrifice que cela impliquait, Alice était heureuse d'avoir grandi dans une famille nombreuse, ce que ses enfants et leurs enfants ne pourraient sans doute jamais comprendre. Voilà pourquoi ils trouvaient normal d'établir un emploi du temps pour partager la maison de famille, ou d'habiter à quelques kilomètres les uns des autres sans éprouver le besoin de se voir plus d'une ou deux fois par mois. Ou de partir à l'autre bout du pays sans vraie raison, comme Kathleen. Des vers, au nom du ciel !

Elle rangea soigneusement les assiettes dans un carton, sur le sol, qui contenait déjà leur vieille théière, des serviettes de bain usées, et un mug *Kiss Me, I'm Irish,* qui avait appartenu à son frère Thimothy. Alice prit le mug et le rangea dans le placard.

Ses frères lui manquaient davantage maintenant que juste après leur mort. Récemment, elle était hantée par les souvenirs de sa sœur. Que serait-il arrivé si Mary avait vécu ? L'hiver dernier avait marqué le soixantième anniversaire de sa disparition. Le 28 novembre, Alice avait pensé se rendre sur sa tombe. Elle ne se souvenait même plus quand elle y était allée pour la dernière fois. Ses parents y étaient également enterrés, leurs trois noms sur une simple pierre, avec les noms des deux bébés, décédés dans les années vingt. Quand Alice s'y rendait, elle espérait sentir encore un peu leur présence, tout en sachant que c'était impossible.

Elle essaya de penser à autre chose, mais quand elle ouvrit le *Boston Globe* ce jour-là, elle tomba sur une pleine page de commémoration de l'incendie, avec des photos. L'article racontait l'histoire des victimes les plus célèbres : Buck Jones, la vieille star de western, avait été emmené à l'hôpital et était décédé quelques minutes avant que sa femme parvienne à son chevet pour lui dire adieu. Le cadavre d'une jeune femme avait été retrouvé dans une cabine téléphonique où elle avait essayé en vain d'appeler son père pour lui demander de venir la sauver, un couple qui s'était marié le jour même à Cambridge était mort, avec l'ensemble de leurs invités. Et puis, il y avait celle que l'on avait surnommé « Mary, la petite fiancée », la jeune femme qui avait péri sans savoir que son fiancé allait la demander en mariage le lendemain.

Alice avait lu le nom de sa sœur. Une vague de culpabilité, la plus forte depuis des années, la terrassa. Elle ne pouvait en parler à personne. Aucun de ses enfants ne pourrait comprendre. Daniel était mort, et s'il avait été vivant, elle n'aurait sûrement pas osé lui en parler. Elle tenta de nouveau de se sortir ces idées de la tête, mais rien n'y fit : quelques minutes plus tard, elle sanglotait contre l'évier de la cuisine. Sa poitrine se souleva. Un instant, elle crut à une attaque cardiaque.

Alice aurait aimé se rendre à l'église, son église qui avait été le refuge familier de tant de joies et de peines. Le fait de ne pouvoir s'y rendre aggravait son chagrin. Elle n'avait pas été capable de sauver cet endroit, elle le savait. Le curé de Sainte-Agnès avait été muté dans une paroisse du Connecticut et elle n'avait aucun moyen de le joindre. Elle se sentit douloureusement seule.

Elle pensa au prêtre de l'été, le père Donnelly. Elle l'appela, les mains tremblantes, ne sachant trop quoi dire. Elle gardait ce secret depuis soixante ans. Elle savait que se confesser signifiait en général tout dire, mais elle se contenta de ne lui donner qu'une « version officielle » de la vérité, celle que connaissait Daniel.

Il fut incroyablement gentil avec elle, et lui dit ce que son mari lui avait toujours dit, à savoir qu'elle avait besoin de se pardonner à elle-même. « S'il vous plaît, ne cessait-elle de répéter, donnez-moi une pénitence. Donnez-moi un moyen d'expier ma faute. »

Elle ne parvenait à expliquer à personne, pas même à un prêtre, à quel point l'idée de l'enfer la terrifiait. Elle savait qu'il serait bientôt trop tard.

« Alice, nous devons nous contenter de faire de notre mieux pendant le temps qu'il nous reste à vivre. Il est inutile de s'appesantir sur le passé. Ne pensez qu'à ce que vous pouvez faire maintenant », répondit le père Donnelly.

Alice avait connu un temps où un prêtre pouvait vous absoudre de vos péchés en vous demandant de prier. Pour le carême, vous deviez vous priver de sucreries, de parfums, de gin, selon ce que vous aimiez le plus au monde. Mais de nos jours, ils voulaient tous que vous fassiez quelque chose de bien à la place : peindre une maison, collecter de l'argent pour l'Unicef ou faire du bénévolat auprès d'enfants en difficulté.

Après avoir raccroché, elle respirait déjà mieux. Dire les mots à haute voix l'avait un peu soulagée. Elle se servit un nouveau verre de vin et alla se coucher à six heures.

Un mois plus tard, juste après Noël, le père Donnelly vint à Boston pour rendre visite à des amis et s'arrêta chez Alice pour déjeuner. Il lui demanda si elle se sentait mieux après leur conversation et elle lui répondit que oui, bien que ce ne soit pas tout à fait vrai. L'image de Mary n'avait cessé de la hanter ainsi que les mots du prêtre : « Pensez à ce que vous pouvez faire maintenant. » Rien. Rien ne pourrait ramener sa sœur, ni lui permettre de se racheter. Elle avait servi au prêtre une tourte au poulet congelée, préparée des mois plus tôt. Ils s'installèrent dans la cuisine et bavardèrent. Au dehors, la neige tombait sur les rhododendrons. Lorsqu'ils se mirent à parler de l'église de Saint-Michael-by-the-Sea, Alice remarqua les rides d'inquiétude au coin des yeux du père Donnelly. L'argent se faisait rare. Le toit de l'église était en mauvais état, et l'inondation de la cave après chaque pluie provoquait d'inquiétantes moisissures.

« On aura de la chance si on arrive à tenir encore dix ans, dit-il. Nous n'avons vraiment pas de quoi l'entretenir. »

Alice ne supportait pas de la voir perdue comme Sainte-Agnès l'avait été. Soudain, elle vit très clairement ce qu'elle avait à faire.

« Mon père, cela pourrait peut-être vous rassurer de savoir que ma famille et moi-même avons décidé que je léguerai ma propriété dans le Maine à la paroisse de Saint-Michael, lorsque je serais morte, dit-elle. Entre la nouvelle maison et le cottage, il y a de quoi loger une dizaine de personnes très confortablement. Vous pourriez également la vendre. Elle vaut plus de deux millions de dollars.

Le père Donnelly rougit, exactement comme le faisait Daniel, jeune homme, lorsqu'il était embarrassé.

— Oh, Alice, je ne voulais rien vous demander…

— Je sais, l'interrompit-elle. Mais, vraiment, nous avons déjà décidé.

— Je ne peux pas m'imposer ainsi à votre famille…

— Je suis allée dans le Maine tous les étés, bien avant que vous soyez né, dit-elle gravement. Cet endroit m'a beaucoup donné. Lui rendre un peu n'est que justice. Par ailleurs, ce n'est pas comme si mes enfants y étaient très attachés. »

À peine eut-elle prononcé ces mots qu'elle se rendit compte que tous ses enfants, et tout particulièrement Patrick, allaient être mécontents. Mais pourquoi fallait-il leur demander leur avis ?

C'était sa propriété après tout. Ils ne s'étaient pas gênés lorsqu'ils avaient établi l'emploi du temps du cottage. Clare et Patrick n'avaient pas besoin d'argent. Quant à Kathleen, elle avait déjà dépensé une bonne partie des économies de Daniel. À chaque fois, Alice devait se rappeler combien il lui avait coûté de mettre son orgueil de côté et de demander à Kathleen de l'aider à raisonner Daniel quand il avait été malade. Kathleen avait refusé. S'il n'avait pas pris cette décision, et surtout si Kathleen ne l'avait pas encouragé, Daniel serait sans doute encore vivant aujourd'hui. Mais, aujourd'hui, il n'y avait plus rien à faire.

« Vous devriez prendre le temps d'y penser, avait dit le père Donnelly. Reparlez-en avec votre famille. Alice, il s'agit d'une décision très importante.

— Nous en avons déjà parlé et nous sommes tous d'accord », répondit-elle.

Un peu plus tard dans la semaine, elle prit rendez-vous avec son avocat et fit changer son testament. Les trois acres et les deux maisons du Maine iraient à la paroisse de Saint-Michael.

Elle appela le père Donnelly pour lui dire que tout était désormais réglé.

« Merci infiniment, dit-il, d'une voix grave mais soulagée. Je vous en prie, dites à vos enfants à quel point nous leur sommes reconnaissants.

— Je le ferai. »

Alice avait décidé de ne rien leur dire. Il fallait qu'ils puissent se fabriquer leurs derniers souvenirs ici comme d'habitude, sans sentir sur leurs épaules le poids d'une *dernière fois*. En outre, elle ne voulait pas affronter leur réaction s'ils le prenaient mal. Ils auraient tout le temps de lui en vouloir une fois qu'elle serait morte et enterrée.

MAGGIE

C'était le premier dimanche de juin, la veille du départ de Gabe et Maggie pour le Maine. Elle avait pris deux semaines de vacances. Les autres années, elle ressentait l'excitation de son enfance, au moment de repartir vers Cape Neddick. Aujourd'hui, elle était terrifiée.

Demain, ils seraient à la plage. Elle finirait par dire la vérité à Gabe. Elle lui prendrait la main, ils se dirigeraient vers la jetée. Elle se lancerait simplement, sans tourner autour du pot. « Chéri, j'ai quelque chose à te dire. »

Peu après, ils fêteraient leurs deux ans de relations et s'installeraient dans leur deux-pièces de l'East Village. Ou bien, il paniquerait et rien de tout cela n'arriverait. Elle le réveilla d'une série de baisers sur le visage et la poitrine. Elle espérait masquer ainsi sa nervosité.

« Allons préparer ta valise », dit-elle.

Derrière le lit, se tenait le sac Vuitton — plein à craquer — que sa tante Ann Marie lui avait offert pour ses études à l'étranger voilà plus d'une décennie, ce qui avait irrité sa mère, mais ravi Maggie. Elle l'avait rapporté la veille de chez elle. Cette nuit, elle dormirait de nouveau chez lui, puis ils partiraient vers midi le lendemain, car il devait boucler une dernière séance photo. Elle trouvait bon signe qu'il accepte de passer deux nuits d'affilée avec elle avant de partir, Gabe étant le genre d'homme à avoir besoin d'espace. Jusqu'à maintenant, c'était elle qui réclamait sans cesse sa compagnie, mais peut-être était-ce en train de changer?

Il éclata de rire, la tête sous l'oreiller.

« Maggie! Tu t'es levée aux aurores! On ne part pas avant demain. »

Il était presque dix heures, mais elle décida de laisser tomber et se leva pour faire du café. D'habitude, il se levait avant elle et préparait le petit déjeuner : omelette, pommes de terre, saucisses, gaufres, tout cela servi dans la même assiette comme s'ils étaient un couple de camionneurs. Elle avait pris trois kilos depuis qu'elle l'avait rencontré, il y avait deux ans de cela, mais il semblait n'avoir rien remarqué.

Dans la cuisine, elle regarda par la fenêtre un clochard traîner son Caddie le long du trottoir et un groupe de jeunes branchés en jean noir moulant partager une cigarette sur un banc couvert de graffitis. Elle n'avait jamais réussi à déceler la moindre trace de beauté dans ce quartier, malgré tout le bien qu'en disait Gabe. Elle se demanda à nouveau comment elle allait pouvoir abandonner son adorable appartement de Brooklyn Heights, la vue sur les gratte-ciel de Manhattan et le pont de Brooklyn, le marché bio du dimanche où ils allaient si souvent en début d'automne pour acheter des légumes frais et des chips de pommes, sans oublier ces dahlias qu'elle n'arrivait jamais à garder en vie.

Elle ne se voyait absolument pas vivre dans ce quartier pour noctambules, surtout avec un enfant. Peut-être déménageraient-ils dans un endroit plus calme et plus adapté, pourquoi pas Park Slope?

Au fond, elle pensait parfois qu'ils ne vivraient jamais ensemble. Encore un nouvel épisode de son histoire désastreuse avec les hommes : de grands espoirs qui ne débouchaient sur rien.

Maggie savait depuis deux semaines qu'elle était enceinte, mais n'en avait parlé à personne. Elle paniquait. Elle se retrouvait souvent sur le point d'appeler sa mère ou Allegra, sa meilleure amie, mais, à la dernière minute, elle se refrénait : Gabe devait être le premier à savoir.

En un instant, elle passait de l'inquiétude à la joie. Pendant quelques minutes, elle se sentait merveilleusement heureuse, avant de décider soudain qu'elle venait de faire la plus grosse erreur de sa vie.

Elle savait exactement comment c'était arrivé. Cela faisait des mois qu'elle y pensait. Pour la première fois, elle avait compris ce qui se cachait derrière l'expression « horloge biologique ». Alors que jusque-là, elle n'avait jamais été tellement portée sur les enfants, elle s'était mise à en désirer un désespérément. Elle se surprenait à regarder mélancoliquement des nouveau-nés dans le métro ou durant des brunchs. À certains moments, généralement au milieu du mois, elle se sentait même sur le point de kidnapper la première personne qu'elle voyait dans une chaise haute.

C'est vrai, Gabe et elle n'étaient pas vraiment prêts. Mais une nuit, à la mi-avril, ils eurent une longue discussion sur la vie, de celles que l'on a lorsque l'on est étudiant. Comme le disait souvent sa mère : « La vie est ce qui arrive lorsque vous êtes occupé à vous occuper d'autre chose. » Ils étaient tous deux des artistes, et ils accordaient beaucoup d'attention, trop peut-être, à la façon dont ils s'étaient rencontrés. Gabe disait que le prochain chapitre de leur histoire serait peut-être tout aussi aléatoire et accidentel. Depuis sa première année à Kenyon, elle prenait tous les soirs sa pilule avec une régularité d'horloge. Mais cette nuit-là, elle la laissa dans son emballage.

Elle fit de même le lendemain, puis le surlendemain avant de s'affoler et d'avaler les quatre comprimés en une gorgée le quatrième soir.

Après cette partie de roulette russe, elle attendit, sans rien dire à Gabe. Elle n'eut jamais ses règles et fit un test de grossesse. Elle aurait dû s'y attendre mais fut tout de même stupéfaite de voir le résultat : positif. À New York, tout le monde ne parlait que de la difficulté à tomber enceinte, et elle avait réussi du premier coup.

Dissimuler à Gabe le test de grossesse était une chose. En revanche, se retrouver assise dans une combinaison jetable devant sa gynécologue à parler calmement de vitamines prénatales, avant d'aller retrouver Gabe pour dîner comme si de rien n'était, en était une autre. Ils avaient même fait l'amour cette nuit-là.

En moyenne, ils faisaient l'amour six fois par semaine, rythme que ses amies, là-bas dans le Massachusetts, avaient peine à croire. Elles étaient toutes mariées. Même sa meilleure amie, Allegra, qui s'estimait très libérée, trouvait cela assez extraordinaire.

Même lorsqu'ils se disputaient, il y avait entre eux une électricité qui ne se dissipait jamais. Maggie ne pouvait donc pas être sûre du moment où c'était arrivé, et cette incertitude la tourmentait. Elle se souvint qu'ils avaient fait l'amour sous la douche le deuxième jour sans pilule. Il se tenait derrière elle tandis qu'elle était penchée en avant le pied posé sur le bord de la douche. Penser à ce moment la contrariait. Ce n'était pas une façon de concevoir un enfant. Un signe qui montrait à quel point ils n'étaient pas faits pour être parents. Pourtant, ils n'étaient plus des adolescents. Ce n'était tout de même pas un drame si deux personnes d'une trentaine d'années avaient un enfant, même s'il n'était pas vraiment prévu. Ils pouvaient y arriver. En tout cas, elle l'espérait.

Elle décida de lui annoncer la nouvelle quand ils seraient dans le Maine. Il aurait alors le temps de s'habituer à l'idée. Qui sait, peut-être que cela le rendrait heureux ? Même s'ils n'avaient jamais vraiment abordé le sujet, Maggie devinait qu'il voulait avoir des enfants, un jour, d'une façon un peu abstraite. Mais Gabe était d'une nature impétueuse. Il prenait des décisions à l'improviste : *venir à New York, quitter New York, revenir à New York.* Sans doute avait-il fini par l'influencer, elle qui aimait au contraire tout planifier. Cela expliquait pourquoi elle avait arrêté la pilule sur un coup de tête. Pour l'instant, en tout cas, elle n'était pas malade, elle voulait croire que c'était de bon augure.

Maggie se retourna et saisit deux mugs dans le placard au-dessus de l'évier. Elle versa du jus de cranberry dans le sien. Personne n'avait remarqué qu'elle avait arrêté de boire du café depuis deux semaines. Elle ne buvait plus d'alcool non plus, ce qui ne la changeait pas beaucoup. Quand elle était petite, sa mère l'avait traînée à de nombreuses réunions des Alcooliques anonymes, parce qu'elle ne trouvait pas de baby-sitter mais également parce qu'elle y voyait une sorte de traitement préventif. Maggie n'avait jamais bu plus d'un verre de vin au cours d'une soirée. Elle n'avait jamais été ivre de sa vie, à l'exception de deux ou trois fois avec sa famille à Noël.

Cela faisait des mois qu'elle attendait ce départ vers le Maine. Elle pouvait presque sentir l'odeur de l'océan. Le cottage et la maison de sa grand-mère étaient bâtis sur un hectare de terrain verdoyant, au-delà duquel s'étendaient une plage de sable et la mer bleue à perte de vue. Quand elle était petite, Maggie pensait que le monde s'arrêtait là, et que si vous nagiez suffisamment longtemps, vous tombiez dans le ciel étoilé.

Avec Gabe, ils avaient passé un été fantastique l'année dernière. Ils avaient fait tout ce que Maggie adorait faire, enfant, avec sa famille. Ils étaient restés sur la plage, à lire pendant des heures, ils avaient fait du canoë. Ils avaient assisté aux feux d'artifice de Kennebunkport, assis sur une couverture qui grattait au milieu de familles assises sur leurs propres couvertures qui grattaient. Ils avaient amené des sandwiches à la dinde, du fromage et des crackers, une grosse tranche de gâteau au chocolat et une bouteille de vin. Les enfants couraient ici et là, agitant des lampions dans le noir, mangeant des Popsicle qui fondaient trop vite et laissaient des traces bleu et rouge sur leurs mentons. Quand le spectacle commença, un jeune père, près d'eux, installa sa fille sur ses épaules pendant que sa femme consolait son petit frère apeuré.

« Un jour, on sera comme ça », avait dit Gabe.

Elle s'était sentie heureuse à cette idée.

Ils s'en sortaient toujours mieux loin de leur environnement quotidien, comme si le stress et l'agitation de New York les empêchaient de se projeter dans l'avenir.

Cet été-là, dans le Maine, Gabe avait réparé le toit de l'auvent et avait aidé à installer l'air conditionné dans la maison. Il avait pris une photo de sa grand-mère. Comme beaucoup de personnes extérieures à la famille, il était tombé sous le charme de la beauté d'Alice, sans se rendre compte de son absence glaciale d'émotion. La photo — un portrait éblouissant d'Alice dans laquelle elle ressemblait à une star de cinéma des années quarante, avec un verre de vin dans une main et une cigarette dans l'autre —

était scotchée sur le frigo de Gabe, au milieu d'une douzaine de ses clichés. Maggie était toujours un peu mal à l'aise quand elle croisait le regard de sa grand-mère au moment de se servir un verre de jus d'orange.

Quand Gabe finit par émerger de la chambre, Maggie ne put s'empêcher de fondre : il était splendide, vêtu d'un simple boxer, les yeux encore brouillés par le sommeil.

« Si seulement on partait aujourd'hui…

— Si seulement je n'avais pas de travail demain matin, lui répondit-il, en l'enlaçant.

Elle ressentit aussitôt la même électricité la traverser, même s'il avait déjà fait ce geste un demi-million de fois auparavant.

— Tu préfères que j'annule ce rendez-vous pour qu'on parte plus tôt ?

Elle sentit un pincement désagréable au cœur. Cela faisait des semaines qu'il n'avait pas de travail.

— Mais non, dit-elle d'un ton détaché. On attendra. Et puis, c'est agréable aussi d'avoir encore une matinée au calme tous les deux. »

Ensemble, ils préparèrent le sac de Gabe. Ils le remplirent de maillots de bain, de tee-shirts, de crème solaire et de livres. Le corps de Maggie lui sembla soudain plus léger, comme à chaque fois que tout se passait bien entre eux. En même temps, elle ressentit une pointe d'appréhension : ils ne s'étaient pas disputés depuis longtemps, il y avait donc de bonnes chances qu'une énorme engueulade se profile à l'horizon. Et elle avait vraiment besoin qu'il soit de bonne humeur pour lui annoncer la nouvelle.

Dans le placard, Maggie retrouva trois robes d'été qu'elle avait oubliées. Elle en plaça deux dans le sac, mais laissa la troisième sur son cintre.

« Tu veux emmener ça dans ton appartement ?

Elle haussa les épaules.

— Pour la ramener dans deux mois ?

— Oui, mais l'été sera presque fini. »

En août, son colocataire foireux, Cunningham, allait déménager et Maggie viendrait s'installer ici. C'est Gabe qui le lui avait demandé au mois de mai, après une énorme dispute. Elle venait d'apprendre qu'elle était enceinte. Tout était parti d'une discussion sur le mariage. Il jugeait cette institution stupide et dépassée. Elle avait mollement acquiescé. Au fond, elle était persuadée que les gens ne disaient cela que parce qu'ils n'avaient pas encore rencontré la bonne personne.

« Quand est-ce que tu croiras enfin en nous, hein ? » lui avait-il demandé. Son ton sincèrement blessé lui avait aussitôt fait oublier leurs disputes et ses mensonges. « Je suis dans notre histoire à 100 %. Je me disais même que tu pourrais venir habiter ici. » Son instinct lui avait soufflé que ce n'était qu'un lot de consolation : cela ne voulait pas forcément dire qu'il était prêt à être père. Elle fut tout de même ravie. Il voulait habiter avec elle ! Elle en rêvait depuis si longtemps. Maggie savait que sa mère et ses amies diraient qu'elle était folle, mais elle accepta. Cette proposition lui parut un heureux présage. Elle n'était pas du genre à croire aux signes mais, là, elle n'en avait jamais eu autant besoin. Cette nuit-là, Maggie mit ses doutes de côté, caressant son ventre de la paume de sa main. Bientôt, tout serait différent.

Le lendemain, elle lui demanda s'il était sûr de lui, et il répondit que oui, qu'il l'aimait, qu'il voulait se réveiller à ses côtés tous les matins. Elle lui demanda si son colocataire serait d'accord. Ben Cunningham était l'un des deux amis d'enfance de Gabe, avec Richard Hayes. Gabe faisait le plus souvent référence à eux comme un duo, Cunningham et Hayes, ou les baptisait tout simplement « le gang ».

Selon Gabe, il avait trouvé l'appartement, donc Ben lui devait quelque chose. Par ailleurs, Ben avait trente-quatre ans, comme Gabe, et clamait qu'il était trop vieux pour vivre en colocation, qu'il devrait sans doute se lancer et s'installer avec Shauna, sa petite amie depuis sept ans. Peu importe qu'il l'ait trompée un nombre incalculable de fois depuis son départ de leur ville natale du Connecticut où elle était restée.

Après ce déménagement, tout serait plus facile entre eux. Il n'y aurait plus de disputes pour savoir qui dormirait où, elle n'aurait plus à trimballer son sèche-cheveux au bureau trois fois par semaine. Et surtout, elle ne verrait plus apparaître d'autre homme que son petit ami dans la cuisine quand elle se préparait une assiette de pâtes.

Par le passé, elle avait eu l'impression qu'elle tirait souvent Gabe vers ses propres rêves, mais plus maintenant. Il voulait qu'ils vivent ensemble. Les semaines passèrent, sans l'ombre d'une dispute.

Une fois leurs valises prêtes, ils mangèrent les pancakes et le bacon préparés par Gabe. Puis, elle regarda la télé, pendant qu'il lisait *Sports Illustrated*. Cunningham ne s'était pas montré de la nuit, elle espérait vraiment qu'il resterait dans le lit de la fille chez qui il avait atterri. Sa grande spécialité était d'apparaître — si possible accompagné d'un ou deux amis — après un match de basket, puis de dévorer les provisions que Maggie avait achetées, sans demander la permission, avant de mettre la télévision sur ESPN[4]. Et peu importe si Gabe et Maggie regardaient un film à ce moment-là. Mais Cunningham était chez lui après tout, elle ne pouvait pas dire grand-chose. Et Gabe — qui, de façon très énervante, laissait tout faire dès qu'il s'agissait d'un ami — ne disait jamais rien.

Un jour, Gabe et elle avaient organisé un dîner pour lequel elle s'était mise en quatre : une nappe de lin sur la grande table du living, du poulet rôti et une tarte aux framboises, sans compter les bouteilles de champagne bien trop chères pour eux. Cunningham était censé passer le week-end à Chicago, mais, à la dernière minute, il avait décidé de rester là. Il fit irruption, après la salade, en sueur dans ses affaires de sport, et s'affala sur le canapé, à deux pas de leurs invités.

« Tu veux quelque chose ? lui avait-elle proposé à contrecœur.

— Carrément ! »

Carrément. Pas *S'il te plaît*, ou *Oui, merci. Carrément.*

---

4. Chaîne américaine spécialisée dans l'information sportive.

Il ne vint pas les rejoindre à table et resta vautré sur le canapé, l'assiette sur les genoux, un mug rempli à ras bord de Veuve Clicquot. Il zappa sur Sports Centers, sans le son pour — délicate attention — ne pas couper leur musique. Maggie sentit la colère monter et supplia silencieusement Gabe. Il était ivre, le regard humide, et se contenta de rire.

Elle n'aimait pas Cunningham car il était le complice de Gabe, toujours prêt à lui servir d'alibi quand il mentait, ou quand il devait appeler son bureau parce qu'il avait trop bu la veille. Cunningham réveillait en Gabe l'adolescent tapageur qu'il avait dû être au lycée, lorsqu'ils séchaient ensemble les cours de chimie pour sauter dans les carrières à ciel ouvert que la municipalité de leur ville natale avait décidé de fermer après la mort d'un adolescent inconscient.

Mais Cunningham allait partir. Elle avait déjà redécoré l'appartement dans sa tête : son canapé bleu clair et sa causeuse viendraient prendre la place des deux énormes clic-clac. (« Pourquoi les hommes hétéros se donnent-ils pour mission de mettre autant de sofas que possible dans une pièce ? » avait demandé son amie Allegra quand elle était venue pour la première fois.)

Maggie zappa : un film de Woody Allen, un débat politique, une publicité sur des rangements de placard qui pouvaient changer votre vie pour le prix incroyablement bas de 29,99 dollars. Elle s'arrêta sur le téléachat. Gabe leva les sourcils :

« Tu veux vraiment regarder ça ?

— C'est mon tour, dit-elle. À treize heures, tu pourras mettre le base-ball.

— Je n'en suis pas sûr, dit-il, il faudra que j'arrive à m'arracher à la contemplation du Storage Saver 5000.

Elle sourit.

— Maintenant, je saurai quoi t'offrir quand je viendrai emménager ici. »

Elle trouvait le téléachat étrangement apaisant. Les présentateurs parvenaient à vous faire croire qu'un morceau de plastique éliminerait de votre vie le chaos et l'inquiétude. Elle le regardait depuis toute petite, mais n'achetait jamais rien. Sa grand-mère semblait avoir développé une légère addiction au téléachat depuis le décès de son grand-père. Les enfants d'Alice trouvaient cela hilarant mais, pour Maggie, c'était plutôt triste. Elle imaginait Alice, d'autres vieilles dames solitaires, de jeunes mères au foyer éreintées, des étudiantes débordées, prêtes à décrocher le téléphone en entendant : « Plus de chaussures perdues, plus de temps perdu, économisez immédiatement du temps, pour le passer avec ceux que vous aimez, plus de temps précieux pour faire ce que vous *voulez*. »

« On devrait essayer de passer plus de temps avec ma grand-mère quand on sera dans le Maine, même si elle nous assure qu'elle préfère rester seule.

— Pourquoi pas.

— Je vais essayer d'aller rendre visite à ma mère en Californie bientôt aussi. Peut-être cet automne. »

À ce moment-là, elle en saurait plus. Elle se vit autour d'une table avec toute la famille, en train de discuter de prénoms de bébés pendant que le soleil se couchait sur les montagnes.

« OK », dit Gabe qui n'écoutait pas.

Il ne s'entendait pas très bien avec Kathleen, ce que Maggie regrettait. Sa mère pensait que Gabe était encore un adolescent attardé, et, de son côté, il n'était jamais avare de blagues sur l'élevage de vers de terre. Maggie était parfois vexée qu'il se moque du travail de sa mère, ou de sa maison perpétuellement en désordre, même si elle-même était la première à le faire.

« Tu veux venir ? demanda-t-elle.

— Bien sûr.

Il pressa ses épaules, en enfonçant doucement ses doigts dans sa peau.

— Mais peut-être qu'on pourrait aller à l'hôtel, cette fois. »

Un peu plus tard, Gabe laissa glisser ses magazines sur le sol. Il se leva pour prendre une douche, et l'embrassa sur le front en passant.

« J'ai vraiment hâte d'être à la plage. Plus besoin de se laver, il suffit de plonger dans l'océan, dit-il en se dirigeant vers la salle de bain.

— Tu sais, il y a quand même des gens qui se lavent dans le Maine, lui lança-t-elle en souriant.

— Ouais, mais pas moi, beauté.

— Pas toi, évidemment. »

Il ferma la salle de bain, et elle entendit l'eau couler.

Maggie s'étendit sur le canapé et commença à lire quelques pages du brouillon de roman sur lequel elle travaillait. Elle s'était promis d'y passer au moins quatre heures par jour dans le Maine. C'était ce qui lui tenait le plus à cœur, et elle l'avait vraiment négligé ces temps-ci. D'ailleurs, elle avait aussi un peu mis de côté son véritable travail.

Depuis deux ans, elle effectuait des recherches de fond et écrivait des synopsis pour : *Jusqu'à ce que la mort nous sépare*, une série policière du câble, inspirée de faits divers réels dans lesquels des femmes assassinaient leurs maris.

Mindy, sa chef, était très cool. Ils pouvaient travailler de chez eux ou du bureau du moment que le travail était fait. Maggie venait malgré tout au bureau. Si elle restait chez elle, elle se sentait capable de regarder la télé neuf heures par jour ou de finir le contenu des placards pour le déjeuner. Son travail lui plaisait, mais parfois, elle ne pouvait s'empêcher de se dire que la plupart de ces gens doués et créatifs qui l'entouraient rêvaient d'être ailleurs.

Quand une de ses nouvelles parut dans un journal littéraire, elle prévint toute sa famille. Mais mis à part sa mère, personne ne lui fit de commentaire. En revanche, quand ils virent son nom au générique de *Jusqu'à ce que la mort nous sépare,* ils l'appelèrent aussitôt. Sa belle-mère avait été la dernière à l'appeler, essoufflée par l'excitation.

« Je viens de voir celui où la femme tire sur son mari après avoir vu ses relevés de carte Visa, et alors on apprend qu'il ne la trompait pas. Il lui envoyait vraiment toutes ces fleurs, mais le fleuriste s'était trompé dans l'adresse. Le pauvre! Ton père me dit que, grâce à toi, il ne m'achètera plus jamais de roses. »

Les week-ends, Maggie travaillait de chez elle. Elle essayait de finir son roman et écrivait en parallèle des profils pour des sites de rencontres en ligne afin de se faire un peu d'argent. Elle en avait créé un pour un ami un an plus tôt, puis la sœur de cet ami lui avait demandé, puis un de ses collègues.

« Tu pourrais te faire de l'argent comme ça », avait commenté Gabe.

Elle lui avait dit d'arrêter de raconter n'importe quoi. Mais elle continuait à recevoir des demandes et un ami du *New York Magazine* lui avait même suggéré d'écrire un guide pratique sur le sujet. (Elle avait refusé, rien ne lui semblait plus humiliant que d'être reconnue comme une autorité sur le thème des rencontres en ligne.)

Avant de faire la connaissance de Gabe, Maggie avait vaguement traîné sur Match.com. Elle était allée à quatre ou cinq rendez-vous, mais chacun d'entre eux semblait artificiel, comme si elle et le type étaient deux personnages d'une pièce de théâtre. Maggie n'arrivait jamais à se souvenir de leurs noms et ne les appelait que par leurs pseudonymes, Amantbrûlant10 ou Fandelivrecherchesamoité, au lieu d'Alex ou Dave. Et elle se fatigua vite à essayer de décrypter ce qu'ils écrivaient : un type qui prétendait faire 1,90 mètre en faisait plus probablement 1,75. Si un type avouait 1,75 mètre, en général, il culminait à 1,60.

Soudain, la porte d'entrée claqua violemment, c'était le son inimitable du retour de Cunningham. Elle se crispa et regretta de ne pas être restée dans sa chambre pour ne pas avoir à lui faire la conversation. Maggie entendit Gabe couper l'eau dans la salle de bains. Au moins, elle n'aurait pas à rester en tête à tête avec Cunningham trop longtemps.

« Salut! Qu'est-ce que tu fais? dit-il.

— Rien de spécial.

— Je croyais que vous étiez déjà partis dans le Maine.

— Nan. Demain seulement.

— OK, cool. Alors, quoi de neuf?

— Euh, rien, dit-elle, ne sachant jamais trop comment répondre à cette question. Comment va Shauna ?

Shauna était sa planche de salut dans ce genre de dialogues.

— Pas mal. Elle vient de trouver un nouveau boulot d'infirmière à Westport.

— Mais je croyais qu'elle viendrait emménager ici bientôt. Elle va faire les trajets entre Westport et New York ?

Il fit non de la tête.

— Ah non, et Dieu merci. Je ne suis pas franchement prêt à laisser tomber notre garçonnière.

Elle allait poursuivre, mais c'est à ce moment qu'apparut Gabe, une serviette autour de la taille.

— Eh mec, quoi de neuf ? dit-il à Cunningham en lui tapant dans la main.

— Chéri, Ben dit que Shauna a trouvé un nouveau boulot dans le Connecticut, dit-elle en insistant sur les mots.

— Ah ouais ? Super.

Elle fit une nouvelle tentative :

— Donc, ça veut dire que Shauna ne vient pas s'installer à New York.

Gabe se dirigea vers la chambre, et elle le suivit. Elle ferma la porte. Sa poitrine se serra lorsqu'elle lui dit :

— Gabe, s'il te plaît, dis-moi que tu l'as prévenu que je venais ici.

— Parle plus bas, chuchota-t-il.

— Tu ne lui as toujours pas annoncé, c'est ça ?

— Je voulais attendre qu'on soit revenu du Maine pour te reparler de notre installation. Tu crois vraiment qu'on est prêt ? »

Elle s'assit sur le lit. Sa gorge la brûlait. Elle prit une poignée de cachets pour l'estomac dans son sac sur le sol, et se mit à les mâcher lentement. Elle voulait lui dire sur le champ qu'elle était enceinte. Mais elle ne pourrait lui annoncer cela qu'une seule fois et elle voulait que le moment soit parfait. Elle se contenta de dire :

« Tu m'as demandé de venir habiter avec toi.

— Oh, répondit-il, tout ce que j'ai dit, c'est que j'y réfléchissais, et ensuite tu t'es jetée sur cette idée, comme si c'était fait.

Elle prit une longue inspiration.

— Pitié, faites que je sois en train de rêver.

— Chérie, détends-toi. Tu n'as pas encore donné ton préavis, si?

— Non pas encore mais, Gabe, merde, j'étais sur le point de le faire!

Elle regretta de ne pas l'avoir déjà fait.

— Mais tu ne l'as pas donné. Donc, c'est bon. On gardera chacun notre appart pendant un an. Où est le problème? »

Le problème, c'est que j'ai déjà parlé de notre installation à chaque personne que je connais, au travail, à mes copains, à mes deux parents. J'ai commencé à redécorer mentalement ce putain d'appartement, j'ai même dit à la cousine d'Allegra qu'elle pourrait emménager dans le mien au 1er août. Le problème, c'est que dans sept mois je vais accoucher. De ton enfant.

« Je ne comprends pas. On n'arrête pas d'en parler en ce moment.

— *Tu* en parlais, nuance. Je ne voulais pas gâcher nos vacances, mais quand j'en ai discuté avec Cunningham, il m'a dit qu'il n'était pas prêt à déménager, et je ne peux pas le laisser tomber. Hé, c'est bien toi qui me dis de toujours tenir mes engagements, non? »

Il n'arrivait pas à trouver un boulot stable, ni à s'occuper d'elle quand elle était malade. Mais elle devait être impressionnée par sa loyauté envers son colocataire.

« Donc, en gros, Cunningham savait avant moi que je ne viendrais pas. »

La colère monta en elle, une colère qui, elle le savait, se transformerait en tristesse et en peur dès que Gabe serait hors de sa vue. Pour cette raison, il fallait à tout prix qu'elle trouve une solution.

« J'ai mon appartement. Peut-être que tu pourrais emménager chez moi. Ou alors, on peut trouver un nouvel endroit, et Cunningham se met à la recherche d'un colocataire sur Craigslist.

— Un parfait inconnu? dit Gabe, comme si tout le monde à New York ne vivait pas avec de parfaits inconnus. Mais, pourquoi est-ce que tu veux à ce point qu'on s'installe ensemble?

Franchement, qu'est-ce que ça changerait par rapport à notre vie d'aujourd'hui ? »

Parce que j'ai trente-deux ans. Parce que ma cousine Patty au même âge a déjà trois enfants et une maison. Parce que je veux savoir quand tu rentres, le soir. Parce que je t'aime.

« C'est toi qui en as parlé en premier, dit-elle.

— Je croyais que c'était ce que tu voulais.

— Mais oui, je le voulais.

— Mais moi, ce n'est pas vraiment ce que je veux. J'ai l'impression que la seule raison pour laquelle tu veux qu'on vive ensemble, c'est pour mieux me fliquer.

Elle secoua la tête. Que se passait-il ?

— Putain, c'est vrai ! dit-elle. Je pensais que, peut-être, si on vivait ensemble tu arrêterais de me mentir ! Mais je dois reconnaître que je me suis trompée.

— Sans doute. Et, pour une fois, tu n'as pas eu besoin de fouiller dans mes e-mails pour t'en apercevoir. »

Elle savait qu'elle avait tort de l'espionner, même si elle ne trouvait pas cela « mal ». Elle ressentait un vertige étrange en regardant ses e-mails pendant sa douche ou son jogging. Maggie voulait simplement des preuves de son innocence. Mais elle finissait toujours par tomber sur le contraire : il avait menti sur le lieu de sa précédente soirée, il entretenait des échanges plus qu'amicaux avec une ex. Elle finissait dévastée. Et, bien sûr, il était impossible d'expliquer à Gabe pourquoi elle était soudainement si triste.

« Comme disait Reagan, faites confiance, mais vérifiez toujours après », avait-elle expliqué à Allegra pour justifier sa petite inquisition domestique. Allegra avait écarquillé les yeux : « Mon Dieu, depuis quand Ronald Reagan est-il un modèle à suivre ? »

Il était encore en serviette. Il la laissa tomber par terre et ramassa un boxer et un jean.

« Bon, n'en parlons plus, dit-il. Je vais regarder le match. Viens avec moi si tu veux.

— Tu vas regarder le match ? cria-t-elle au bord de l'hystérie. Tu vas regarder ce putain de match ! Ah non, ça m'étonnerait !

— J'ai horreur qu'on se dispute comme ça. Je n'en peux plus.

— Ça fait longtemps qu'on ne s'est pas disputés ! dit-elle en se redressant.

— Oui, parce que tu avais eu ce que tu voulais.

— Je croyais que c'était ce qu'ON voulait, TOUS les deux.

— Écoute, tu ne me fais pas confiance. Et c'est pour ça que tu veux qu'on vive ensemble. Peut-être qu'il faut arrêter. Peut-être qu'on devrait se séparer !

— Se séparer !?

Le désespoir la gagnait. Est-ce qu'il y avait quelqu'un d'autre ?

— Tu plaisantes ?

— Non, et ça commence maintenant. À partir de cette seconde, on n'est plus ensemble, et moi je vais regarder les Yankees !

— Gabe, tu es horrible. Tu es tellement égoïste…

— Je suis si horrible ? Alors pourquoi tu ne te casses pas ?

— Non, dit-elle. Je ne pars pas. Calmons-nous. Il faut qu'on reparle de tout cela. »

Parfois, ce genre de disputes — quand elle l'accusait de mentir et qu'il se défendait avec indignation — s'évanouissaient rapidement. Pas cette fois. Il quitta la chambre, et elle le suivit jusque dans la cuisine. Il lui hurla de partir. Elle refusa, et ils se mirent à crier de plus en plus fort jusqu'à ce qu'il l'attrape par les épaules et qu'il la pousse vers la porte d'entrée.

« Gabe, lâche-moi ! » haleta-t-elle, le cœur battant. Elle pensa au bébé. Elle se demanda aussi où ce lâche de Cunningham pouvait bien se planquer. Les mains de Gabe la serraient trop fort. Elle se souvint de la tendresse avec laquelle il l'avait touchée, une heure plus tôt. Leurs disputes les plus violentes s'étaient toujours passées comme cela : rapides, inattendues, et sans merci.

« Je ne veux plus te voir ici, dit-il.

— Dommage pour toi. J'ai un truc à te dire. Il faut qu'on parle.

— Je n'en ai rien à faire. On est chez moi. Casse-toi, maintenant.

— Gabe, si tu ne me parles pas maintenant, ce sera fini, dit-elle, terrifiée.

— C'est fini. »

Il ferma la porte, et elle resta dans le hall pendant un moment. Puis, il revint vers elle, et son cœur s'allégea jusqu'à ce qu'elle remarque la valise dans sa main, la vieille Vuitton de sa tante Ann Marie. Ils avaient édifié ensemble tout ce malheur. Il ne tenait qu'à eux de l'effacer aussitôt. Il leur suffisait de rentrer, de regarder le match de base-ball ensemble, heureux, comme un couple qui construit une vie commune.

« Bon voyage », lui dit-il en posant la valise sur le sol à ses pieds.

Il claqua ensuite la porte le plus violemment possible.

Un sentiment familier l'envahit, celui qu'elle ressentait à chaque dispute, ou à chaque ultimatum. Elle se sentait plus forte d'être partie. Puis, elle resta dix minutes dans le hall de son immeuble et tourna en rond autour de son pâté de maisons pendant vingt autres minutes. Elle espérait qu'il allait la rappeler, qu'il allait comprendre qu'elle avait une fois de plus cédé à son penchant pour les ultimatums et les envolées mélodramatiques.

« Tu as un tempérament de lion, mon petit chat », avait coutume de lui dire son grand-père quand elle était adolescente.

Oui, peut-être. Mais, à la fin, le lion finissait toujours par dévorer le chaton.

KATHLEEN

Kathleen se réveilla sous la pression conjointe d'une grosse langue râpeuse contre sa joue et d'un poids lourd sur sa cuisse droite.

« Allez-vous-en, espèces de sauvages, dit-elle en ouvrant les yeux.

La langue remonta jusqu'à son menton, laissant un filet de bave.

— OK, je me lève. »

Mack et Mabel, ses deux bergers allemands, pesaient respectivement quarante-deux et trente-huit kilos. Mais ils sautillaient autour de son lit comme de jeunes chiots, en se frottant contre ses bras nus, et en tirant les draps entre leurs dents.

« Du calme tous les deux ! » dit-elle, feignant la sévérité. Elle pouvait être dure en affaires, mais elle n'avait jamais su faire preuve du moindre soupçon de discipline avec ses enfants, Maggie et Chris, encore moins avec ses chiens.

Ils se calmèrent un peu. Ils se couchèrent à la place vide où Arlo dormait d'habitude. On était dimanche, mais il s'était levé aux aurores pour aller faire une présentation à 8 heures du matin aux scouts de Paradise Pine, à deux heures et demie de route.

Mack et Mabel haletaient, bien que la pièce soit fraîche. Un ventilateur brassait l'air en direction du lit. Kathleen se sentit soudain triste. Elle les avait trouvés, lorsqu'ils n'avaient que quelques jours, dans une litière abandonnée sur le bord de la Route 128. Elle se demandait encore qui pouvait être capable de faire une chose pareille. Aujourd'hui, ses « bébés » allaient sur leurs quatorze ans, et quelques minutes de jeux suffisaient à les épuiser.

Elle se tourna et enfouit son visage dans la fourrure de Mack, qui s'enfouit à son tour dans celle de Mabel. Ils dormaient toutes les nuits ainsi, avant qu'elle ne rencontre Arlo. Quand il arriva, il insista pour que les chiens se couchent à l'autre bout du lit, ou de préférence par terre. Ce qui expliquait pourquoi Mack ne l'aimait pas tellement.

Depuis qu'elle était enfant, elle s'attendrissait sur les créatures abandonnées. Combien de fois avait-elle ramené un chien qu'elle avait trouvé en train d'errer autour de chez elle, avant qu'Alice ne lui demande de le laisser repartir. Kathleen faisait semblant d'obéir, puis elle l'installait quand même sous l'abri avec un bol d'eau et son assiette du dîner, une couverture et une grande lampe de poche. Le lendemain, son père l'aidait à mettre des affiches tout autour de la ville et, très vite, quelqu'un venait réclamer son Taby, son Duk ou son King.

Arlo se fichait un peu des chiens, mais ils avaient comme règle de fermer les yeux sur leurs passions respectives, quelles qu'elles soient. Ceci expliquait qu'elle vive dans une ferme à vers de terre et qu'elle l'ait autorisé à la filmer en train de faire l'amour sur une version live de « Sugar Magnolia »[5].

Son ex-mari, Paul, était allergique aux chiens. Cela aurait dû l'alerter. Après le divorce, elle avait adopté un lévrier, baptisé Daisy, une pauvre créature que personne n'aimait. (« Je te comprends, tu sais », lui assurait Kathleen quand Daisy pointait le bout de son museau.) Elle avait toujours eu au moins un chien depuis, parfois deux ou trois. C'était grâce aux chiens qu'elle avait pu garder son équilibre. Avec eux, elle avait une relation qui n'était faite que de joie pure. Pas d'arrière-pensées, pas de

---

5. Célèbre chanson du groupe mythique de la scène hippie californienne, Grateful Dead.

rancœur, simplement de l'amour, de l'attention, de la gentillesse, exactement les émotions qu'elle essayait de cultiver.

Kathleen se leva de son lit pour aller aux toilettes. De l'autre côté de la porte fermée, deux gueules grandes ouvertes l'attendaient, impatientes de commencer leur journée. Il était presque dix heures. Arlo la laissait toujours dormir aussi tard qu'elle le voulait, sans doute plus pour son bien-être à lui. Elle n'était définitivement pas du matin. Ces derniers temps, elle dormait mal. La ferme marchait bien mais elle se faisait du souci pour tout ce travail supplémentaire. Et elle s'inquiétait encore plus que d'habitude pour Maggie et la façon dont les Kelleher la traitaient.

Maggie et Gabe partaient le lendemain dans le Maine pour rejoindre Alice. Kathleen se demandait souvent pourquoi sa fille se sentait aussi attachée à sa famille. Elle ne ressentait rien de tel, surtout depuis la mort de son père. Bien sûr, elle aimait sa famille. Mais cela lui faisait de la peine de voir qu'ils ne cessaient de maltraiter Maggie. Comme ce coup de fil odieux d'Ann Marie… Cette simple pensée énervait Kathleen.

Elle descendit au rez-de-chaussée, les chiens à ses côtés. Dans la cuisine, elle ouvrit la porte du fond. Ils se ruèrent à l'extérieur pour leur rituel quotidien : manger les jacinthes et terroriser d'inoffensifs papillons. Kathleen resta sur le pas de la porte pendant un moment pour savourer le paysage, comme tous les matins : les montagnes au loin, les grands cèdres, les splendides tapis de fleurs (la preuve manifeste que leurs produits marchaient), l'étendue de gazon et les deux chemins rouges séparés par une coulée d'herbe d'un vert vif. Quelques minutes de route plus loin, vous vous retrouviez en plein cœur d'un vignoble, avec des pieds de vigne à perte de vue.

Deux ivrognes au pays du vin! C'était ainsi qu'Arlo les avait décrits lors de leur première réunion des Alcooliques anonymes à Sonoma Valley. Tout le monde avait ri.

Ils s'étaient rencontrés dix ans plus tôt lors d'une réunion des Alcooliques anonymes, à Cambridge. Il lui avait proposé un café, et elle avait accepté bien qu'il ne soit pas du tout son genre. Arlo était un hippie vieillissant avec des cheveux grisonnants qui avait passé sa trentaine à suivre les Grateful Dead. Lors d'une réunion, il avait raconté qu'avant de rejoindre les Alcooliques anonymes, en 1990, il lui arrivait couramment de descendre une bouteille de whisky et de fumer trois joints dans la même journée. Il n'avait jamais vraiment travaillé, à part dans des coffee-shops et des bars. Bien qu'elle soit alcoolique, Kathleen jugeait sévèrement les gens qui se droguaient. Et son père avait toujours détesté les hippies.

Mais quand elle l'avait rencontré, Arlo était sobre depuis quatre ans. Il la faisait rire. Ils aimaient tous les deux méditer, même si Kathleen trouvait qu'il était moins rigoureux — plus dans une veine « ouvre ton cœur au soleil », alors que, pour elle, il s'agissait surtout de garder son calme et de ne pas devenir comme sa mère. Elle aimait sa passion pour le jardinage et le fait qu'il soit bénévole dans un dispensaire. Il lui avait parlé de son rêve : monter une entreprise de fabrication de compost, c'est à dire nourrir des vers puis fabriquer de l'engrais avec leurs déjections.

Très mince, Arlo mesurait 1,93 mètre. Il était sensible, doux et gentil. Son rire faisait trembler les meubles. Les gens tombaient toujours amoureux de lui. Bon, sauf sa famille, mais c'était à prévoir. Kathleen pensait (en tout cas, elle l'espérait) que Maggie l'aimait sincèrement, tout comme sa sœur Clare. Ce que pensait le reste des Kelleher ne comptait pas.

Quand on lui demandait ce qu'elle faisait dans la vie, Kathleen disait qu'elle et Arlo travaillaient dans la vermiculture pour fabriquer du compost, en espérant qu'on ne lui pose pas d'autres questions. En d'autres termes, ils vendaient des vers vivants et un engrais en spray connu dans le métier sous le nom de « purin de vers » à des plantations californiennes. Chez eux, il y avait des vers de tous les âges : des vers nouveau-nés, des vers qui venaient de prendre leur première bouchée de peau de banane, et des vers qui avaient fini de pourrir, laissant derrière eux un splendide tas d'engrais. Leurs trois millions de vers fabriquaient une tonne d'engrais chaque mois.

Ils avaient acheté la ferme dix ans plus tôt, sans l'avoir visitée, six mois après leur rencontre. Leur maison, située à Glen Ellen, une petite ville agricole non loin de Sonoma, était bordée de deux hectares de terrain. Ils avaient vendu leurs foyers respectifs dans le Massachusetts pour pouvoir l'acquérir. Pour s'offrir l'endroit, il leur avait fallu ajouter l'argent que Kathleen avait reçu de son père. Et un emprunt. Maggie s'était affolée quand Kathleen lui avait parlé de l'idée, mais après des heures de discussions et l'examen d'un classeur plein à craquer de documents, même la fille particulièrement anxieuse de Kathleen avait concédé que le projet d'Arlo tenait la route. Il n'avait besoin que d'un financement et de quelqu'un croyant en lui.

Cette année, l'entreprise décollait. Un magazine national consacré au bio avait écrit un article sur l'engrais spécial pour orchidées d'Arlo et les commandes affluaient. Mieux encore, le *Los Angeles Times* et le *Sonoma Index-Tribune* avaient fait leurs portraits ce printemps. Grâce à quoi, ils signèrent un contrat avec une chaîne de jardinage implantée dans trois États.

Le sens des affaires de Kathleen les avait surpris tous les deux. C'était grâce à son entregent qu'ils avaient eu autant de presse. Elle avait aussi eu l'idée de mettre en place un partenariat avec les écoles locales afin d'approvisionner leur entreprise en déchets. À son grand étonnement, elle avait même ravivé les vieux gènes de radinerie d'Alice pour obtenir des remises plus importantes.

Sa mère et son frère, Pat, avaient clairement exprimé tout le mal qu'ils pensaient de cette entreprise extravagante. Et peu importe que Kathleen ait dégagé un profit de deux cent mille dollars l'an dernier. Elle comprenait leur réaction. Mais maintenant que l'entreprise était florissante, elle aurait aimé qu'ils s'inclinent devant sa réussite.

Au début de l'hiver, ils passeraient à l'étape supérieure. Le dixième anniversaire de la ferme approchait et elle avait prévu une surprise pour Arlo : un *worm gin* [6] potentiellement capable de tripler leur production mensuelle. Cette machine coûtait vingt mille dollars, la plupart des petites fermes ne pouvaient pas se

---

6. Dispositif industriel permettant à la fois de fabriquer de la nourriture pour les vers à partir de déchets organiques et de nourrir ces derniers.

permettre un tel investissement. Mais elle avait économisé deux cents dollars par mois depuis qu'ils étaient arrivés ici.

Elle savait qu'Arlo serait ravi. Elle était aux anges en imaginant sa joie quand il l'apprendrait.

Dans l'une de ces publicités pour voitures des années quatre-vingt, un homme offrait à sa femme une Lincoln enveloppée d'un gros ruban rouge pour Noël. Serait-elle la première personne à fixer un nœud géant en satin rouge sur une machine à fabriquer des déjections ?

Elle resta dans la cuisine pendant un moment, puis appela le bureau en ville pour être sûre qu'une partie des factures avaient été envoyées le vendredi précédent. Elle parla à Jerry, leur assistant. Quand elle raccrocha, elle regarda autour d'elle et soupira. Les fenêtres étaient grises et les assiettes s'empilaient. La poubelle débordait.

La maison entière était en désordre. Arlo et elle avaient beau frotter, ils ne parvenaient pas à enlever le noir de leurs ongles. Ils laissaient des traces sur les vêtements, les murs et les couvertures des livres. Les poils de chiens envahissaient leur intérieur. La salle de bain n'avait sans doute pas été nettoyée depuis des mois. Même si elle mettait cela sur le dos de la ferme, elle savait bien qu'elle n'avait jamais été portée sur le ménage. En théorie, elle adorerait avoir une maison parfaite comme celle d'Ann Marie, mais quand elle s'apprêtait à briquer et à astiquer, elle trouvait toujours quelque chose de plus important à faire.

Kathleen mit deux casseroles d'eau sur la gazinière, une petite pour sa tisane au gingembre et une plus grande pour faire bouillir la nourriture des vers. Ils se nourrissaient certes de déchets, mais avaient tout de même des préférences. Ils étaient friands d'épluchures d'oranges, mais font la fine bouche face à celles des citrons. Par-dessus tout, ils aimaient que leur repas soit doux et fondant. Aussi, quand elle avait le temps, elle faisait bouillir des peaux de bananes, des épluchures de légumes et des rebuts de carottes et de pommes avant de les charger dans le conteneur.

Elle se mit à éplucher une racine de gingembre en regardant par la fenêtre. Dehors, les chiens étaient allongés côte à côte dans l'herbe. Elle découpa le gingembre en cubes et les laissa tomber dans la théière pour qu'ils infusent. Puis, elle retourna s'asseoir.

Elle ouvrit les journaux et parcourut les pages d'actualités ainsi que la rubrique culture, avant d'attaquer le supplément du dimanche. Elle ne mettait pas de coupons de réduction de côté. Les femmes de sa famille étaient tellement obsédées par ces bouts de papier qu'elle ne pouvait pas s'empêcher de les parcourir au cas où se cacherait parmi eux une occasion extraordinaire. Une publicité proposait un fil dentaire gratuit si on achetait cinq tubes de dentifrice. Comme si le fil dentaire avait déjà ruiné quelqu'un... Les promotions pouvaient rendre les gens fous. Sa mère était la reine du *j'ai eu trois bouteilles de ketchup pour le prix d'une,* information capitale qu'elle lui avait hurlé au téléphone quelques semaines plus tôt. Mais qui pouvait bien avoir besoin de trois bouteilles de ketchup en même temps ?

Kathleen s'efforçait de parler à Alice une fois par semaine. Elle avait l'impression à chaque fois d'être réveillée brutalement au beau milieu d'un rêve merveilleux. À cette distance, c'était facile de faire comme si sa mère et le reste de la famille n'existaient pas. Bon, excepté ses enfants, qui lui manquaient à chaque minute.

Kathleen se faisait du souci pour son fils Chris. Qu'allait-il devenir ? Rien ne semblait spécialement l'intéresser. Il buvait beaucoup de bière et se disputait avec sa petite amie. Après quoi, elle fondait en larmes, et il finissait dans un bar avec des amis. En bref, il ressemblait de façon terrifiante à son père.

À son corps défendant, elle ne pouvait s'empêcher d'être jalouse des succès professionnels de Little Daniel, que Pat et Ann Marie vantaient à longueur de journée. Ce gamin semblait obtenir une promotion tous les ans, alors que Chris parvenait à peine à trouver du travail. Peut-être en aurait-il été autrement s'il avait eu un vrai père. Elle aurait aimé en faire plus pour son fils. Mais Kathleen avait toujours été plus proche de Maggie.

Sa fille s'en était bien sortie, malgré tous les efforts conjoints de Kathleen et de Paul, son ex-mari, pour mettre sa vie en l'air. Kathleen avait appris à sa fille à être elle-même. Quand Maggie était petite et qu'elle voulait désespérément s'intégrer, Kathleen

lui répétait cette phrase en boucle : « Ne sois pas un mouton. »
Elle aurait aimé que quelqu'un lui dise la même chose quand elle
était petite. Elle ne supportait pas l'idée que sa fille, si brillante,
mène une vie banale. Et Maggie l'avait écoutée. Elle avait réussi à
devenir écrivain, à New York, le genre de vie audacieuse et indépendante que Kathleen avait choisie trop tard pour elle-même.

Avec le temps, elle avait réalisé qu'elle n'était pas une Kelleher,
pas vraiment. Elle ne voulait pas passer sa vie à regarder des
matchs de football universitaires chez Patrick et Ann Marie
chaque dimanche pendant que les enfants jouaient dehors, et que
les femmes préparaient de la salade de pâtes en comparant les
marques de lessive. Mais il était déjà trop tard. Elle était mariée
et avait deux enfants. Autant tuer un homme de sang-froid avant
de décider que vous ne faites pas un bon meurtrier finalement.
Alors, elle s'était mise à boire, à se disputer avec son mari et avec
sa mère. Les choses allèrent de mal en pis. Elle s'était rendue ivre
à une réunion de parents d'élèves dans la classe de Chris et avait
terrifié l'instituteur en trébuchant dès son entrée. Elle buvait
dès le déjeuner. Jusqu'à ce printemps où elle avait emmené ses
enfants dans le Maine et où elle avait vraiment touché le fond. Il
faut tomber le plus bas possible pour pouvoir un jour remonter
la pente, paraît-il. C'était son cas, et elle ne le regrettait pas. Elle
avait changé et aimait enfin la personne qu'elle était devenue.

Quand les enfants étaient petits et qu'elle restait à la maison, elle s'était dit qu'elle serait libre quand ils seraient à la fac.
Pendant ce temps, elle s'était appliquée à rester sobre, elle avait
planté un jardin bio dans la cour. Elle apprit que le yoga et les
longues marches pouvaient la soulager de son stress aussi bien
que le chardonnay, et qu'il existait d'autres façons de guérir que
d'avaler des petites pilules. Son père lui prêta de l'argent pour
reprendre des cours du soir et obtenir son diplôme. Elle travailla
ensuite comme conseillère d'orientation dans un lycée privé plein
d'enfants trop gâtés souffrant de problèmes alimentaires. Elle
fréquenta pas mal d'hommes, ce qui fit d'elle une authentique
putain de Babylone aux yeux d'Alice et d'Ann Marie. Une mère
ne pouvait pas avoir de sexualité, Dieu ne le permettait pas. Elle

aurait dû se faire poser une ceinture de chasteté et se déclarer en « dépôt de bilan » pour les hommes. Et tant pis si elle n'avait que trente-neuf ans et qu'elle commençait tout juste à vivre sa vie.

Personne n'avait prévenu Kathleen des côtés sombres de la maternité. Vous donnez la vie, et les gens vous apportent d'adorables petits chaussons et de mignonnes couvertures roses. Mais, ensuite, vous vous retrouvez seule. Votre corps tente de guérir mais votre esprit, lui, part à la dérive. Un mélange de joie et d'amour le plus pur, mêlé à de l'ennui et de la colère occasionnelle. Quand les enfants grandirent, cela devint plus facile. Plus facile, mais jamais naturel.

« Quand tu es née, j'ai enfin compris pour la première fois pourquoi les gens secouent les bébés jusqu'à la mort », avait-elle dit à Maggie lors de l'un de ses longs voyages à New York. « Merci pour cette information », avait répondu Maggie. « Oh, non ! Ce n'est pas ce que je voulais dire. Ce n'était pas contre toi, tu étais le bébé le plus facile que j'aie jamais vu. C'est la maternité en général qui rend une femme folle. Toutes ces hormones te tombent dessus. Tu n'arrives pas à dormir. Tu ne peux pas raisonner cette créature hurlante. Avant d'avoir des enfants, je croyais que les gens qui secouaient les bébés étaient des monstres. Après, je me suis rendu compte que cette pulsion est totalement naturelle. C'est s'en empêcher qui demande des efforts. »

Cela l'aurait tellement aidée si quelqu'un lui avait expliqué tout cela. C'était important que Maggie le sache.

Alice, sa mère, n'avait jamais compris l'intérêt de partager ses difficultés. Ni pour son bien, ni pour celui des autres. Si Alice avait choisi de parler de son alcoolisme au lieu de le dissimuler — la façon dont cela la dévorait, le fait qu'elle percute un arbre quand ils étaient petits —, Kathleen n'aurait peut-être pas eu tous ces ennuis plus tard.

Kathleen avait tout fait pour être proche de sa fille. Elles étaient les meilleures amies du monde. Son départ à l'université dans l'Ohio l'avait dévastée. Aujourd'hui encore, chaque fois qu'elle allait à New York lui rendre visite, leur séparation la faisait souffrir. Kathleen disait tout à sa fille, et Maggie, en retour se confiait à elle. Kathleen en était très fière, même si c'était un échec total aux yeux d'Alice.

Son téléphone se mit à vibrer. Un SMS d'Arlo : *Succès total! Je rentre!*

Il revenait toujours regonflé à bloc de ses présentations. Les enfants entre six et dix ans débordaient d'enthousiasme à l'idée d'entendre parler d'excréments et de vers gluants, c'était un public rêvé. Ils l'appelaient « Monsieur Caca de vers ». Quand Kathleen l'accompagnait, il la présentait à l'assemblée comme « Madame Caca de vers ». Arlo amenait quelques milliers de vers à chaque fois qu'il parlait en public, ce qui pouvait sembler beaucoup mais ne représentait finalement qu'un kilo. Les enfants hurlaient de peur et de plaisir mêlés quand ils plongeaient un par un leurs mains dans le baquet rempli de créatures visqueuses.

Kathleen était terriblement fière de lui. Combien de gens avaient une vision et la mettaient en œuvre ? L'entreprise qu'il avait montée était le reflet parfait de leur relation. Arlo était un rêveur, un optimiste, un visionnaire. Kathleen était réaliste, du moins aimait-elle se définir ainsi. Leur duo fonctionnait parfaitement.

Elle se mit à sourire et envisagea d'enlever son pyjama et son tee-shirt pour quelque chose de plus sexy, mais à quoi bon ? Il l'avait vue nue un millier de fois, idem pour elle. Kathleen allait sur ses soixante ans, et il les avait dépassés quatre ans plus tôt. La magie était passée. C'était ce qu'elle appréciait le plus dans sa vie sexuelle avec Arlo, le sentiment rafraîchissant de ne pas avoir à s'en soucier. Non par apathie mais par confort. Il était l'homme le plus facile à vivre qu'elle ait jamais rencontré, sexuellement parlant. Elle savait que c'était en grande partie lié à sa chaleur et à sa gentillesse, mais l'âge jouait sans doute aussi un rôle. Passé un certain stade, vous ne vous inquiétez plus pour vos rides et vos bourrelets. Vous refusez de rentrer votre ventre au moment où vous tentez d'avoir un orgasme.

Kathleen avait passé des années à se soucier du regard que portaient les hommes sur son physique. La seule personne dont le jugement pouvait l'atteindre était désormais sa mère. Alice avait un besoin pathologique de parler du poids de chacun.

Kathleen l'avait vue à Noël, cinq mois plus tôt.

« Tu as l'air en forme, tu as un peu minci, avait dit Alice.

Son ton joyeux exaspéra Kathleen.

— On marche beaucoup dans les montagnes. Notre maison est au pied des collines. Tu te souviens des photos que je t'ai envoyées ? »

Sa mère n'était jamais venue lui rendre visite, ce qui agaçait prodigieusement Kathleen. Les seuls à l'avoir fait étaient Maggie et Clare.

« Très bien, avait répondu Alice. Fais attention à ne pas reprendre. L'hiver on a toujours tendance à vouloir rester enfermé et à grossir.

— J'habite en Californie, avait répondu Kathleen.

— Et donc ? Ils n'ont pas d'hiver là-bas ?

— Pas vraiment.

— Bon, quoi qu'il arrive, continue les randonnées. »

C'était une malédiction bien particulière d'avoir une mère superbe, alors que vous-même n'étiez que dans la moyenne. Alice s'était fait une réputation dans le quartier quand Kathleen, Clare et Pat étaient enfants. Les voisins la traitaient de toquée car, vingt ans avant la mode du jogging, elle tournait chaque matin autour du pâté de maison, vêtue d'une robe de tennis et d'un trench. Aujourd'hui encore, Alice surveillait attentivement sa ligne et ne cessait de rappeler à Kathleen les quinze kilos qu'elle avait pris à la naissance de ses enfants. Elle était plus active depuis qu'elle avait rencontré Arlo, mais elle aimait trop les sucreries et le fromage pour ne pas rester un peu enrobée.

« Tu as un si beau visage », disait Alice. Ou, avant qu'Arlo n'apparaisse dans le paysage : « Je te dis cela parce que je suis ta mère. Ce serait sans doute plus facile de trouver un gentil garçon sans cet énorme derrière. »

Kathleen s'était sentie très coupable au moment de quitter le Massachusetts, mais finalement, elle savourait sa liberté. Ici, personne ne la jugeait sur ce qu'elle avait dit ou fait trente ans plus tôt. Personne ne lui reprochait de gâcher une fête de famille, ni ne l'accusait de se servir de son alcoolisme comme d'un prétexte pour attirer l'attention. Le monde de l'agriculture biologique ou celui des Alcooliques anonymes la traitaient avec tellement de respect ou d'admiration qu'elle se surprenait parfois à le vivre comme une imposture.

Kathleen n'aimait pas se retrouver parmi les Kelleher. Elle redevenait aussitôt la femme aigrie qu'elle avait été dans le passé. Elle perdait facilement son calme, s'énervait très vite et démarrait à la moindre provocation. Elle avait profondément honte de certains événements que sa famille ne lui pardonnait pas.

Arlo pensait que la vie était courte, et que vous ne deviez fréquenter que des gens que vous appréciez. Il pensait aussi que la loyauté se méritait, et que les liens du sang ne vous obligaient pas à être proches. Il voyait son père et ses frères tous les deux ou trois ans, quand l'un d'entre eux passait dans la ville de résidence de l'autre. Quand Kathleen abordait le sujet, il lui répondait qu'il n'éprouvait pas de remords. « Nous n'avons rien en commun. » Son frère était comptable, avec trois enfants, et s'était installé à Des Moines après avoir rencontré sa femme, une ancienne reine de beauté de l'Iowa.

« Franchement, on n'a pas grand chose à se dire », expliquait Arlo, comme si on ne devait fréquenter sa famille que pour avoir des conversations fascinantes.

Les Kelleher avaient critiqué le départ de Kathleen en Californie. Chaque fois qu'elle s'apprêtait à partir dans le Massachusetts, Arlo lui disait : « Pourquoi as-tu tellement envie de te punir ? »

Inutile de préciser qu'il n'avait pas été élevé dans une famille catholique.

« Tu as de la chance, ça n'existe pas la culpabilité chez les presbytériens, lui avait-elle dit un jour qu'ils parlaient de cela.

— De quoi parles-tu ?

— Laisse tomber… »

— Ça ne serait pas pareil si tu t'en fichais, mais ils ont l'air de te stresser tellement. Quand tu es en famille, tu n'es jamais vraiment toi-même.

— Je sais », avait-elle répondu, même si elle se demandait si, au contraire, sa vraie nature sombre, colérique, enfouie pendant des années, ne revenait pas au grand jour quand elle était en famille.

Quand Ann Marie avait appelé quelques jours plus tôt, elle avait agressé Kathleen sous prétexte que Maggie et Gabe ne venaient que deux semaines dans le Maine cette année. Ann Marie avait décrété qu'Alice ne pourrait rester seule le reste du mois de juin. Elle était pourtant seule tout le reste de l'année et ne s'en sortait pas si mal.

Kathleen tenta de respirer profondément et d'imiter le calme d'Arlo. Sa belle-sœur était un être humain après tout. Pourquoi n'arrivait-elle pas à lui parler de façon rationnelle ? Mais quand il s'agissait d'Ann Marie, Kathleen ne se contrôlait plus. Son énervement montait en flèche. Ann Marie croyait-elle vraiment qu'elle pouvait laisser tomber ainsi son entreprise, ses chiens et Arlo ?

Quand elle se rendit compte que Kathleen ne céderait pas, Ann Marie lui dit de laisser tomber. Typique de sa belle-sœur, qui aurait pu tout aussi bien se faire tatouer MARTYR sur le front.

Ann Marie appelait Alice « mère ». Trente ans après, Kathleen trouvait encore cela horripilant. Franchement, pouvait-on choisir délibérémment Alice comme mère ?

Quand elle vivait dans le Massachusetts, Kathleen considérait parfois Eleanor, sa marraine aux Alcooliques anonymes comme sa vraie mère. Quand elles étaient au café au bas de l'immeuble d'Eleanor, à Harvard Square, Kathleen lui racontait sa journée, sa dernière dispute avec Paul, son rendez-vous avec le professeur principal de Chris qui s'était terminé dans les larmes.

Eleanor avait dit à Kathleen qu'une vie sobre ne signifiait pas une vie parfaite. Vous pouviez tout faire parfaitement sans que pour autant les choses se passent comme prévu. Elle-même s'était mariée trois fois. Ses deux premiers mariages étaient alcoolisés, dramatiques, passionnés, stupides. Exactement comme celui de Kathleen et de Paul, et comme elle craignait que ne devienne l'union de Maggie et de Gabe si sa fille n'y mettait pas bientôt un terme. Le troisième mariage d'Eleanor fut sobre. Et il se termina pourtant par un divorce. Puis, elle rencontra un homme fantastique, et, deux ans après, on lui diagnostiqua un cancer du sein en phase terminale. Chaque jour pouvait être le dernier. Kathleen espérait qu'elle avait réussi à transmettre cela à Maggie.

Elle espérait aussi qu'Ann Marie ne tenterait pas de culpabiliser sa fille en lui répétant qu'il fallait rester dans le Maine plus longtemps qu'elle ne le voulait. Quand il s'agissait des Kelleher, Kathleen détestait que Maggie soit devenue une adulte, quelqu'un qu'ils pouvaient appeler ou conseiller quand ils le voulaient, sans passer par elle.

« Techniquement, le mois de juin est le tien », avait dit Ann Marie au téléphone, comme s'il s'agissait d'une faveur rare accordée à Kathleen. En fait, c'était la plus mauvaise part du gâteau. Lorsque Patrick avait décidé de répartir les dates de vacances au cottage, Kathleen avait bien noté qu'il lui avait laissé le pire mois. Qui prenait ses vacances d'été en juin, alors qu'il faisait encore un temps glacial ? Elle l'avait appelé un soir, quelques années plus tôt, après une réunion des Alcooliques anonymes, en s'appliquant à exprimer ce qu'elle pensait au lieu de refouler sa colère.

« Tu m'as laissé le pire des mois pour le Maine, lui avait-elle expliqué au téléphone.

— Tu te moques de moi ? Tu n'y as pas mis les pieds depuis trois ans. »

C'était vrai. Depuis que son père était mort, elle avait évité l'endroit, afin d'effacer les bons comme les mauvais souvenirs. À quelques rares exceptions près, elle n'avait jamais tellement aimé y venir. Passer du temps dans des endroits magnifiques la rendait toujours mélancolique. Sans autre occupation sur laquelle se concentrer, elle se rendait subitement compte de sa propre infériorité : ses bras trop gras, les tâches de soleil qui s'étaient aggravées avec l'âge, et surtout le peu d'envie qu'elle avait de reprendre sa vie quotidienne. (Sans son entreprise, elle aurait sans doute autant de mal à supporter la pittoresque vallée de Sonoma.)

« Toujours est-il, continua son frère, que je ne pensais pas qu'il y avait un mauvais mois pour avoir des vacances gratuites à la plage. »

Bien entendu, il n'avait pas pu s'empêcher d'ajouter le mot « gratuit ». Comme si elle ne savait pas qu'il payait la taxe foncière du Maine depuis que Daniel était mort. Encore un moyen de montrer que l'endroit lui appartenait. Mais, après son divorce, au moment où ils étaient sur le point de se retrouver à la rue, il ne lui avait pas proposé un centime.

« C'est toujours facile d'être généreux quand l'argent coule à flots », dit-elle, ce qui était encore trop gentil pour son frère.

Ce dernier n'était pas généreux, en tout cas pas envers ceux qui avaient besoin d'aide. Il ne donnait jamais rien, ne faisait pas de bénévolat, n'aidait personne à l'exception de sa famille proche. Patrick pensait que le monde tournait autour de lui, au lieu de réaliser qu'il n'en était qu'une partie.

« Qu'est-ce que tu veux dire par là ? » rétorqua-t-il, d'un ton mesuré, presque enjoué, comme s'il se trouvait en pleine partie de golf au milieu de ses amis plein aux as.

La prière de la sérénité s'éleva dans sa tête. *Mon Dieu, donnez-moi la sérénité d'accepter les choses que je ne peux pas changer, le courage de changer celles qui sont en mon pouvoir et la sagesse de les discerner.*

Pourquoi était-il toujours plus facile de suivre ce précepte dans une réunion des Alcooliques anonymes, avec des étrangers, qu'avec sa propre famille. Elle avait appris des techniques pour faire face à n'importe qui, mais les Kelleher déjouaient tous les pièges et la mettaient aussitôt en colère en réveillant le pire d'elle-même.

« Oh, mais où avais-je la tête ? dit-elle, incapable de s'arrêter. Oser remettre en cause les décisions de mon sacro-saint frère ! »

Elle raccrocha et sentit une tension familière apparaître : le besoin de boire un verre. Elle s'assit, observa ce sentiment éclore et grandir en elle, coincé à l'intérieur de sa poitrine.

Les reproches s'empilaient les uns sur les autres depuis tant d'années. Kathleen ne pouvait penser à l'arrogance de son frère sans se rappeler, avec colère, que ses parents l'avaient envoyé dans une école privée catholique hors de prix, alors que Clare et elle allaient à l'école publique. Alice ne cessait de lui dire à quel point il était doué et intelligent. Jamais, elle n'avait agi de la sorte avec ses deux filles.

Alice venait d'un milieu modeste. Quand ils étaient petits, ils vivaient comme le reste de la classe moyenne. Cependant, elle leur faisait souvent sentir qu'elle, en tout cas, aurait mérité mieux que cela. Elle prenait des airs ridiculement coquets et s'inventait un personnage de femme sophistiquée, coincée dans un monde qui n'était pas le sien. Elle n'était pourtant qu'une fille du Dorchester, issue d'une famille d'ouvriers irlandais, qui ne connaissait rien à la vie.

Kathleen avait souvent plaisanté avec sa sœur Clare sur le lien privilégié entre leur mère et l'épouse de Patrick. Ann Marie était une usurpatrice, tout comme Alice. Déjà à la fac, sa belle-sœur se comportait comme une bourgeoise. Avant de la rencontrer, Pat avait fait quelques excès ici et là : il avait pris de la drogue et couché à droite à gauche. Lorsqu'il rencontra Ann Marie, elle lui administra le traitement complet June Cleaver[7]. Pat intégra l'équipe de golf, et Ann Marie organisa des ventes de gâteaux afin de financer l'achat de vestes assorties pour son équipe. Une vraie mère. Lorsqu'il était rentré à la maison pour Noël, Pat s'en était vanté, et Alice avait posé la main sur son cœur en disant : « Elle a l'air absolument parfaite. »

Ann Marie venait de Southie, un quartier qu'Alice avait toujours désigné comme « le mauvais côté de la route ». À l'instar de sa belle-mère, quand on lui demandait où elle avait grandi, Ann Marie noyait le poisson. « Tout près de la route de Milton », disait-elle, comme s'il y avait une route entre Southie et Milton. Quand ils s'étaient rencontrés, son frère avait des problèmes avec la police et avait disparu. Il était dans le gang de Winter Hill, impliqué dans toutes sortes d'infractions : trafic de drogues, d'armes revendues à l'IRA... On disait même qu'il avait assassiné un homme d'affaires en Oklahoma au milieu des années soixante-dix. Patrick avait raconté tout cela à Kathleen. Ann Marie, bien sûr, refusait d'en parler.

7. Principal personnage féminin de la série télévisée des années cinquante *Leave it to the Beaver*. L'archétype de la mère de famille parfaite des banlieues résidentielles américaines.

Cette dernière faisait tout pour avoir l'air irréprochable. Mais au fond, elle n'était pas très différente des autres femmes. Kathleen l'avait vue se lâcher une seule fois, lorsqu'elle avait rendu visite à Pat et Ann Marie, à South Bend, après leur dernière année de fac. Pat tuait le temps en attendant d'entamer une année de *business school*, Ann Marie travaillait comme serveuse et parlait vaguement d'un diplôme d'infirmière sans pour autant réviser la moindre ligne. Un soir, pendant ce séjour, Kathleen l'avait vue retirer son chemisier et passer la tête par la fenêtre de la voiture pour brailler « Hey Jude » à pleins poumons, hurlant « Na-na-na-na-nananana ».

Pat était au volant. Il avait bu au moins dix bières.

« Rentre ton cul », avait-il dit, tirant sur sa poche arrière. « Non, non, non, noooon ! » criait Ann Marie en guise de réponse. Quelques minutes plus tard, elle se glissa sur son siège et, simplement vêtue de son soutien-gorge et de sa jupe, elle se mit à lui lécher l'oreille, comme si Kathleen n'était pas là. Le lendemain, Ann Marie déclara d'un air penaud : « J'espère ne pas avoir dépassé les limites hier soir. Je ne me souviens vraiment plus de rien. Qui veut des pancakes ? »

Kathleen ne l'oublierait jamais. Plus tard, elle regretta même de ne pas avoir pu prendre de photos. Elle rêvait d'envoyer un de ces clichés à Alice, sans explication ni adresse.

Alors qu'ils étaient encore à la fac, Pat et Ann Marie jouaient au couple parfait, ce qui exaspérait Kathleen au-delà du raisonnable. Dès qu'ils furent mariés, Pat devint encore plus sérieux, et ils finirent par atteindre leur but : la quintessence du couple bourgeois. Une fois, à Cape Neddick, quand les enfants étaient petits, après quelques verres de punch de trop, Ann Marie révéla fièrement à Kathleen que Pat était le seul et unique homme avec lequel elle avait jamais couché. Comme si les femmes qui gardaient leur virginité valaient mieux que les autres.

Ann Marie s'adressait toujours à vous par un : « Comment ça va, bien ? » *Pas de négativité, s'il vous plaît ! Trop mal élevé.* Peut-être que si sa belle-sœur acceptait de laisser échapper le moindre signe de faiblesse, alors Kathleen s'adoucirait. Mais après plus de trente ans, cela semblait peu probable.

Ann Marie utilisait la propriété dans le Maine comme un signe de statut social pour impressionner ses amis du country club. Voilà pourquoi ils avaient construit cette maison à côté pour Daniel et Alice. Ann Marie tenait probablement une liste des meubles à acheter et l'emplacement exact de chacun pour refaire la décoration à la seconde où Alice rendrait l'âme.

Elle s'exprimait généralement en chiffres : volume, distance, température, prix, n'ayant jamais rien de plus intéressant à dire que de constater qu'il faisait 17 degrés au mois d'avril, ou que sa mère allait sur ses quatre-vingt-un ans cette année, ou encore à quel point il était scandaleux de payer quatre dollars pour une livre de poivrons rouges.

Ann Marie avait fait croire à ses enfants qu'ils étaient nés d'une vierge immaculée. Certes, cette divinité pouvait parfois avoir recours à une bouteille de vin blanc pour se sortir d'une journée difficile, mais où était le mal ? Elle préparait des repas élaborés pour Pat tous les soirs même lorsqu'elle sortait, comme si son mari était incapable de se servir du four. Elle prenait des cours de décoration florale et de pâtisserie.

Kathleen se faisait du souci pour Patty, la fille aînée d'Ann Marie. Elle avait de la peine pour cette pauvre fille en perpétuel état de panique, se demandant sans doute comment elle pouvait avoir la moindre chance d'égaler le modèle maternel, que ce soit en tant que mère ou qu'épouse. Kathleen rêvait de confier à Patty que la plupart des gens pensaient que sa mère était folle. Elle avait voulu la sortir de cette maison de fous quand elle était petite mais, désormais, Patty avait suivi la trace de beaucoup de jeunes femmes : elle essayait de tout faire à la fois. À même pas trente ans, elle cumulait la profession d'avocate et une famille de trois enfants.

Le frère de Kathleen et sa belle-sœur étaient donc grands-parents ! Elle essaya de ne pas y penser, car cela lui rappelait à quel point ils étaient devenus terriblement vieux. Son pouls s'accélérait quand elle imaginait ses enfants en train d'élever eux-mêmes des enfants.

Même si tout le monde vantait son instinct maternel, Kathleen n'avait jamais aimé la façon dont Ann Marie traitait les enfants. Elle préparait des gâteaux avec eux après l'école, les emmenait faire du patin à glace et cousait des vêtements pour leurs poupées, comme pour mettre les autres mères mal à l'aise. (Certaines femmes voient le jour uniquement pour que les autres se sentent mal. Ann Marie était l'une d'entre elles.) Elle contrôlait également chaque facette de la vie de ses enfants : ce qu'il fallait porter, quel cours suivre, les personnes qu'ils devaient fréquenter. Elle ne leur permettait même pas d'avoir un poisson rouge, alors qu'ils rêvaient d'un petit chien, parce qu'elle ne supportait pas le désordre que causait un animal domestique. Fiona sa benjamine avait insisté pour jouer du tuba dans la fanfare de l'école. Ann Marie avait rétorqué que le piccolo serait plus approprié. Que seraient devenus les enfants d'Ann Marie si on les avait laissés grandir librement ?

Kathleen se souvint d'un après-midi, Chris ne devait pas avoir plus de cinq ans. Elle l'avait laissé chez Ann Marie pendant qu'elle emmenait Maggie chez le pédiatre. En repassant le chercher, Kathleen trouva son fils en train de pleurer, roulé en boule dans le hall de la maison d'Ann Marie.

« Que s'est-il passé ?

Chris avait sangloté ces mots inoubliables :

— Tante Ann Marie m'a frappé !

Kathleen se précipita vers la cuisine où Ann Marie essuyait la table avec une éponge.

— Tu as frappé mon fils ! hurla-t-elle, ce qui stupéfia Little Daniel qui jouait avec ses camions.

Ann Marie sourit et lui précisa en guise d'explication :

— Il répondait. Je lui disais tout simplement d'être gentil, de s'asseoir, et il ne tenait pas en place. Ensuite, il a frappé Little Daniel très fort, avec un camion. Je crois que ça va lui laisser une marque.

Kathleen éleva la voix :

— Et donc, tu l'as frappé pour lui montrer qu'il ne faut pas frapper les autres ?

— C'était très léger, dit faiblement Ann Marie. Je lui ai donné une fessée, pas plus. Je suis désolée.

Kathleen savait qu'Ann Marie ne supportait pas les conflits.

— Mettons les choses au clair. Une fessée, un coup, peu importe! Je t'interdis à jamais de toucher n'importe lequel de mes enfants pour quelque raison que ce soit. Compris? Si tu recommences, je te dénonce aux autorités. »

Plus tard dans la soirée, sa sœur Clare lui téléphona :

« Il paraît que tu envisages de livrer Ann Marie aux services sociaux. Apparemment, en ce moment, elle essaie de choisir le plus joli pot-pourri pour sa cellule de prison.

— Qui t'a raconté ça? Laisse-moi deviner…

— Eh oui. Alice m'a demandé de te dire de présenter tes excuses.

— Des excuses?!

— Tu prends la mouche trop vite. Mais d'où est-ce que tu tiens ça? Bon, apparemment, tu te sers d'Ann Marie. D'après notre mère, tu ne pourrais pas rêver mieux qu'elle pour garder tes enfants. Tu les lui laisses tout le temps, mais tu n'acceptes pas qu'elle soit leur tante, et tu la traites comme une employée. Oh, et aussi, toujours d'après Alice, les enfants ont besoin d'une gifle de temps à autre. Cela ne leur fait pas de mal.

— Ouais, merci pour les conseils de la "mère de l'année".

— Eh, je me demande bien pourquoi je me retrouve mêlée à vos affaires…

— Pourquoi Ann Marie va toujours pleurer auprès de maman?

— Sans doute parce que c'est la fille qu'elle n'a jamais eue. »

Kathleen avait pardonné à Ann Marie ou, à défaut, elle n'avait plus jamais reparlé de l'incident. Ils formaient une bande à l'époque : Patrick et Ann Marie, elle et son mari Paul. Ils allaient souvent à des concerts en plein air, partaient dans le Maine ensemble, emmenaient les enfants à la foire de Marshfield ou dîner chez *Legal Sea Foods*. Et bien qu'elle ait horreur de le reconnaître, il était vrai qu'Ann Marie gardait souvent ses enfants, quasiment deux ou trois fois par semaine. Kathleen ne lui demandait jamais si elle pouvait lui rendre la pareille. (Ann Marie avait elle-même deux sœurs, et puis elle ne travaillait pas.) Même si

Kathleen ne jugeait pas Ann Marie spécialement intelligente ou intéressante, elle faisait partie de la famille. Impossible de garder ses distances trop longtemps.

Quelques années plus tard, Patrick se servit de cette même proximité pour expliquer pourquoi il avait aidé Paul à couvrir sa liaison.

Deux soirs par semaine, son frère et son mari racontaient qu'ils passaient la soirée ensemble : le mardi soir, c'était poker, et le vendredi soir, les réunions des Kiwanis [8]. Paul sortait d'autres soirs également et rentrait après minuit, sans donner à Kathleen la moindre explication. Elle se doutait de quelque chose, mais préférait faire comme si de rien n'était.

Un vendredi soir, après avoir couché les enfants et descendu la moitié d'une bouteille de vin rouge, elle avait appelé Ann Marie pour savoir s'ils allaient au barbecue chez Alice et Daniel, le lendemain.

Ann Marie écarta le combiné et demanda :

« Chéri, est-ce qu'on va chez ta mère demain ?

— Demain ? fit la voix de Patrick, reconnaissable entre mille.

— Qu'est-ce que Pat fait là, avait dit Kathleen. Je croyais qu'il était à la réunion Kiwanis… »

Si elle avait été un poil plus futée, Ann Marie aurait pu inventer une excuse convaincante : *Il est enrhumé*, ou bien *Patty avait un spectacle de danse, donc il n'y est pas allé*. Mais elle garda le silence et ajouta :

« Qu'est-ce que tu dis ? Pat n'est pas là. Je parlais à Little Daniel.

Kathleen respira profondément.

— Tu es vraiment en dessous de tout, Ann Marie. Maintenant, tu vas me dire où est Paul, ou tu me passes Pat tout de suite ?

La voix d'Ann Marie trembla :

---

8. Kiwanis International est une organisation américaine, réunissant des bénévoles, ayant pour but de changer le monde en défendant les valeurs humaines de respect et de tolérance. Leur engagement se concentre sur les conditions de vie des enfants.

— Je crois qu'il vaudrait mieux que tu parles à ton mari. Je suis désolée. »

Quand il rentra, Kathleen était encore réveillée, elle avait fini la bouteille de vin. Elle était assise à la table de la cuisine et regardait *Letterman* sur la télévision en noir et blanc, en attendant que la porte s'ouvre.

« Tu veilles tard.

— C'était comment les Kiwanis ? demanda-t-elle calmement alors que son cœur battait à tout rompre.

— Sans intérêt. Mais après on est allés boire des bières et on s'est bien marrés.

— Est-ce que mon frère t'a parlé d'un barbecue chez mes parents demain ?

— Euh… possible. Franchement, je ne me souviens plus. Je l'adore, mais il ne s'arrête jamais, tu sais ? Il a dit tellement de trucs ce soir, je ne peux même pas m'en rappeler la moitié.

Kathleen frappa violemment la table de ses mains :

— Arrête de me mentir !

— Qu'est-ce que tu racontes ? dit Paul en prenant une bière au frigo.

— Je sais où tu étais.

— Mais de quoi tu parles ?

— Mon frère m'a tout dit. Il m'a tout dit pour elle.

Paul sursauta :

— Parle plus bas. Les enfants dorment.

Elle se mit à hurler :

— Les enfants. Ah oui, les enfants ! C'est maintenant que tu te soucies d'eux !

— Tu es ivre. Je ne peux pas te parler dans ces conditions.

— Tu es pathétique.

À voir son visage, elle avait visé juste.

— OK, dit-il. C'est vrai, il y a quelqu'un d'autre. C'est ça que tu voulais savoir ? Pat et Ann Marie nous ont vus une fois, il y a très longtemps. C'était son idée, tu sais, les Kiwanis, le poker. Je voulais te le dire, tout simplement.

Kathleen était sans voix.

— C'est vraiment gentil de ta part ! »

Il la fixait mais son regard bifurqua soudain vers un point derrière elle, et son visage se figea en un sourire forcé. Maggie se tenait sur le pas de la porte dans sa chemise de nuit en coton, les paupières encore lourdes de sommeil.

Une série de révélations douloureuses s'ensuivit. À chacune d'entre elles, Kathleen but de plus en plus. Cela faisait un an que Paul fréquentait l'autre femme. Il lui avait prêté dix mille dollars et n'avait pas payé sa part de l'emprunt immobilier. La banque était sur le point de les expulser. Kathleen se doutait de l'adultère, mais elle ignorait tout des problèmes d'argent. Son père lui proposa de l'aider, mais il n'y avait plus rien à faire. Ils perdirent la maison au mois de mars. À la demande de son père, Kathleen emmena les enfants et partit s'installer dans le cottage du Maine.

Ce printemps-là se perdit dans une sorte de brouillard. Il lui arrivait d'oublier de préparer le dîner pour Maggie et Chris, ou bien elle fermait tout à clé et allait se coucher très tôt, avant de se rendre compte que les enfants jouaient encore sur la plage.

Comme toujours, ce fut son père qui la sauva. Il vint dans le Maine et lui donna le même ultimatum qu'il avait donné à sa femme des dizaines d'années plus tôt : soit elle arrêtait de boire, soit il mettait les enfants à l'abri.

« Tu te souviens comme ta mère vous faisait peur ? lui dit-il, en abordant le sujet franchement pour la première fois. Comme peux-tu oser faire la même chose à Maggie ? »

Cela avait suffi pour qu'elle se rende à son premier rendez-vous aux Alcooliques anonymes. Trois jours après, elle but à nouveau, un quart de bouteille de gin. Ivre et désespérée, elle appela Paul et le supplia de revenir. Elle se réveilla horrifiée et se rendit à une autre réunion le lendemain. Elle n'avait plus touché un verre depuis.

Bien que Paul soit l'infidèle de l'histoire, toute sa famille, son père et sa sœur Clare mis à part, fit comme si l'échec de leur mariage n'incombait qu'à Kathleen. Patrick expliquait que Paul finirait par se lasser de cette liaison. Il fallait qu'ils voient un conseiller conjugal ou n'importe quoi d'autre, car le divorce était une mauvaise chose, tout simplement. Leur famille était bien trop importante pour qu'il la laisse se détruire, voilà pourquoi il avait aidé Paul à dissimuler son adultère. Comme d'habitude, il ne pensait qu'à lui-même : aucun membre du clan Kelleher n'avait jamais divorcé, et Pat en tirait une fierté un peu bizarre.

Alice insinuait que si leur mariage avait été parfait, il ne serait pas allé voir ailleurs. C'était drôle de l'entendre défendre son ex-mari. Paul n'avait jamais aimé Alice. Il avait intitulé les visites chez Alice : « Rendez-vous chez la garce. » Mais il était d'une politesse sans faille avec elle, surtout parce qu'elle le terrifiait.

La première fois que Kathleen présenta Paul à ses parents, ils étaient attablés tous les quatre en train de manger des spaghettis quand quelqu'un frappa à la porte du fond. Kathleen aperçut son oncle Timmy et sa femme Kitty par la fenêtre. À Thanksgiving, l'année d'avant, Kitty et Alice en étaient presque venues aux mains après une dispute sur le poids que devait avoir une dinde pour nourrir vingt personnes. Elle n'avait plus adressé la parole à Kitty depuis. Ni à son frère pour le punir d'avoir épousé un tel monstre.

Alice venait d'une famille de six, et Daniel, d'une famille de dix. Kathleen avait plus de quarante-deux cousins. Quand ils étaient enfants, avec Pat et Clare, leur maison était sans cesse pleine à craquer. Ils étaient en train de dîner un dimanche, et oncle Jack, sa femme et leurs sept enfants débarquaient à l'improviste. Alice soupirait : « Servez les pommes de terre. » Kathleen avait toujours détesté cela et s'était promis que, lorsqu'elle aurait des enfants (pas plus de deux !), sa petite famille serait une véritable île solitaire.

Tante Kitty fit un salut exubérant, et Paul répondit sans réfléchir. C'était une réaction tout à fait normale quand, dans une cuisine de banlieue, un dimanche soir, une petite dame aux cheveux gris vous faisait un sourire à travers la vitre, mais Alice siffla :

« Paul ! Ne les regardez pas ! Faites comme si on n'était pas là ! »

Paul se mit à rire mais, en voyant l'expression d'Alice, il se tourna vers Kathleen, très embarrassé.

« Maman, ils nous ont vus, dit-elle sans lever les yeux.

— Restez calme, et ils partiront, murmura Alice. On ne se présente pas à l'heure du dîner sans prévenir. »

En fait, cela se produisait tout le temps dans cette famille, mais depuis sa brouille avec Kitty, Alice ne pouvait plus le laisser passer.

« Mais qui sont ces gens ? demanda Paul à voix basse.

— Mon frère et sa sorcière de femme. Ne vous inquiétez pas, ils vont comprendre. »

Ils regardèrent leurs assiettes et poursuivirent leur repas. Kitty frappa plus fort comme s'il était possible qu'ils n'aient pas entendu. Elle secoua la poignée de la porte mais elle était verrouillée.

« Mon Dieu, Alice, ça suffit ! finit par dire Daniel. Il se leva et ouvrit la porte.

— Salut vous deux, dit-il de sa voix habituelle. Vous avez un creux ? C'est l'heure des spaghettis.

— Oh non, on ne voudrait pas s'imposer, répondit Kitty.

— Bien sûr que si, la preuve, lança Alice d'un ton acide. Mais, me connaissant, vous savez qu'il n'y en aura pas assez pour tout le monde.

— Ah Alice, toujours aussi agréable je vois ! dit Tim. Vous auriez une bière ? »

Alice ne se leva pas. Oncle Tim ouvrit le frigo et se servit une Schlitz. C'était un homme drôle, avec un grand cœur, qui ressemblait beaucoup au père de Kathleen. Il avait raconté à Kathleen que c'était grâce à lui que Daniel et Alice s'étaient rencontrés, pendant la Seconde Guerre mondiale.

« On rendait une visite aux cousins de Kitty qui habitent juste là, et on s'est dit qu'on allait passer vous dire bonsoir. Et ne vous inquiétez pas, on a dîné chez eux, on ne peut plus rien avaler.

— Tant mieux, parce que comme tu peux le voir, nous avons des invités ce soir, dit Alice.

Tim s'étonna :

— Ah bon ? Kathleen et son petit ami sont des "invités" ?

Alice ne s'était toujours pas levée.

— Daniel, je ne me suis pas donné tant de mal pour que tu manges froid. Assieds-toi ! »

Il s'assit.

Paul but plusieurs bières pendant le dîner. Kathleen ne lui en voulut pas. En rentrant chez eux cette nuit-là, il déclara :

« Ma chérie, je t'aime, mais ta mère me file une peur bleue. »

Une autre fille aurait pu se vexer, mais Kathleen se sentit plus proche de lui que jamais. Il était facile à Alice de tromper les gens, la plupart des étrangers la trouvaient délicieuse parce qu'elle était belle, exceptionnelle. Mais Paul avait compris tout de suite.

« S'il te plaît, jure-moi que tu ne seras jamais comme elle.

— Mon Dieu, je te le promets. Si c'est le cas, je t'autorise à me tuer. »

ANN MARIE

Ann Marie s'était réveillée avant que le réveil ne sonne. La chambre était silencieuse. À travers les rideaux, elle devinait que les lampadaires étaient encore allumés dans la rue. Cinq heures quinze. Son corps fut parcouru par un frisson d'excitation. Elle ferma les yeux, pensant aux enfants le matin de Noël.

Elle se leva, enfila ses pantoufles et une robe de chambre. Elle avait beaucoup à faire avant de partir. Autant s'en occuper dès maintenant. Elle avait passé l'aspirateur sur tous les tapis avant de se coucher et vidé le lave-vaisselle. En général, elle prévoyait un grand ménage pour le dimanche. Mais, aujourd'hui, elle ne rentrerait pas avant la fin de l'après-midi.

Le 2 juin était enfin arrivé. Elle avait compté les jours pendant tout le printemps en attendant la foire aux miniatures de Wellbright. Pour la première fois depuis vingt-cinq ans, le festival anglais traversait l'Atlantique pour une tournée américaine qui commençait à Boston, à côté de chez elle. Elle avait lu tout ce qu'elle pouvait sur Internet sur les différents exposants. Elle avait prévu d'assister à un atelier à dix heures du matin intitulé « Apprendre à éclairer votre maison de poupée avec une véritable installation électrique ». Elle avait déjà choisi un chandelier pour la salle à manger avec des ampoules opaques qui ressemblaient à des perles.

Après l'atelier, elle prendrait son temps pour aller de stand en stand, pour voir enfin les objets qu'elle convoitait sur un écran d'ordinateur. Minnie's Minis, de Staffordshire, proposait de superbes gâteaux miniatures avec un glaçage très proche de la vraie pâte d'amande, des cerises en céramique sur le dessus, chacune pas plus grosse qu'une tête d'épingle. On pouvait même enlever une part de gâteau pour apercevoir le chocolat et le coulis de cerise à l'intérieur.

Puck's Teeny Tinies fabriquait des chopes à bière de la taille de l'ongle du petit doigt. Elle se dit que cela pouvait faire un cadeau amusant pour son mari Pat, en souvenir du voyage qu'ils avaient fait en Allemagne quelques années auparavant.

Home is Where the Heart Is était son fabricant préféré. Elle avait dépensé près de neuf cents dollars par mois sur leur site. Et maintenant, elle allait enfin rencontrer les propriétaires, Lollie et Albert Duncan, un couple qui s'était fait connaître avec des ustensiles de cuisine qu'Ann Marie avait presque tous achetés (de splendides cuillères en bois et des fouets, une tourte à la myrtille dans une capsule de bière, un frigo en acier mat qui ronronnait grâce à une pile).

À la fin de la journée, si elle réussissait à rassembler son courage, elle apporterait quelques photos pour les soumettre au concours annuel des créateurs de maisons de poupée. Gagner s'annonçait difficile, elle le savait. La plupart de ces personnes participaient à la compétition depuis des années, certains étaient même des professionnels. Mais quand elle regardait ses photos, elle était satisfaite. On aurait juré une vraie maison, pas une simple réplique. Pat était entièrement d'accord.

Elle s'était mise à s'intéresser aux maisons de poupée un an plus tôt. Au départ, elle voulait simplement en décorer une pour sa petite-fille. Elle avait acheté un kit victorien dans un magasin de jouets — trois chambres avec un auvent. Ann Marie passa une semaine à assembler la maison, amoureusement, pièce par pièce. Elle peignit l'extérieur de la maison en jaune pâle. Elle accrocha des rideaux avec de la colle et les agrafes de son matériel de couture : vert foncé dans le salon, de plus courts, rouge et blanc, dans la cuisine, et d'autres avec des pois de toutes les couleurs dans la chambre des enfants. Ensuite, elle disposa les meubles : des lits superposés bleu et blanc et un berceau assorti. Une chaise à bascule blanche également. Une armoire à jouets. Sans oublier de vraies toilettes Kohler dans la salle de bain et des serviettes soyeuses qu'elle avait confectionnées en découpant un mouchoir en bandes d'un centimètre de large sur lesquelles elle avait cousu un ruban blanc. Puis, elle acheta un canapé et un fauteuil pour le salon. Une horloge murale. Des tables de chevet. Un lit double pour la chambre parentale. Un ensemble de cuisine complet avec des poêles et des casseroles, des boîtes de céréales Cheerios et de lessive Tide.

Elle s'asseyait parfois avec une tasse de thé et contemplait sa création avec stupéfaction pendant une demi-heure. Elle n'envisageait plus de l'offrir aux enfants, qui la traiteraient comme n'importe quel autre jouet. Quand sa petite-fille, Maisy, était venue et avait posé ses doigts sales sur la maison de poupée, Ann Marie, qui était pourtant connue pour sa patience, spécialement avec les enfants, s'était exclamée : « Lave-toi les mains d'abord ! » Elle s'était sentie idiote juste après, mais n'avait-elle pas raison au fond ?

Les enfants faisaient tous des gorges chaudes de son nouveau hobby, sauf la fiancée de Little Daniel, Regina, qui trouvait la maison de poupée magnifique. Une fille adorable. Elle avait été baptisée et confirmée à Gate of Heaven, à Southie, au même endroit qu'Ann Marie. Bien sûr, elle se *devait* d'être polie, en tant que pièce rapportée dans la famille. Ann Marie connaissait cela.

Elle avait déjà eu beaucoup de hobbies : les scrapbooks, les arrangements floraux, et même la confection de patchworks pendant un temps. Mais rien ne l'avait passionnée comme la maison de poupée. Quand elle était petite, sa mère tenait une maison ouverte en permanence. Les gens entraient et sortaient comme dans une taverne. Les femmes du quartier passaient leur temps assises autour de la table à jouer aux cartes, boire du whisky et fumer en remplissant la cuisine de lourds nuages de tabac. Elles parlaient bruyamment. La plupart de leurs fils étaient des voyous, bons pour la prison. Quand ils étaient plus intelligents, comme certains de ses cousins, ils devenaient policiers. Et, une fois, de temps en temps, l'un d'entre eux accédait à la mairie. (Les Bulger, la famille la plus célèbre du quartier, avaient élevé un spécimen de chaque, un homme politique et un chef de gang.)

Le frère d'Ann Marie, Brendan, était du même bois. Dans le journal, ils le traitaient de gangster, mais c'était un peu exagéré. Ce n'était qu'un enfant qui obéissait bêtement. On prétendait qu'il avait aidé Whitey Bulger à tuer un homme. Mais quand Ann Marie pensait à lui, elle ne voyait qu'un garçon en culottes courtes, assis dans l'herbe à Castle Island, le port de Boston étendu devant lui, et les bâtiments gris de Southie en arrière-plan. Il mangeait un hot-dog de chez *Sullivan,* son plat préféré, le visage barbouillé de ketchup.

Depuis vingt ans, plus personne n'avait entendu parler de Brendan. Dès son plus jeune âge, Ann Marie s'était juré d'épouser un homme qui ne viendrait pas de Southie, si possible avec un peu d'argent. Elle voulait créer une vie dans laquelle régneraient l'ordre et la beauté. Elle avait été la première de sa famille à accéder à la fac. Elle avait fait de son mieux pour aller à Sainte-Mary dans l'espoir de rencontrer un gentil garçon irlandais de Notre-Dame. Patrick était exactement le genre d'homme dont elle avait rêvé. Elle s'était donné du mal pour lui prouver qu'il avait besoin d'elle, et qu'il était temps de dire adieu aux autres filles.

Quand sa mère rencontra les Kelleher, elle avait décrété qu'ils étaient snobs, mais Ann Marie ignora sa remarque.

Jusque-là, Ann Marie jugeait qu'elle avait fait au mieux. Mais on ne sait jamais ce que les enfants vont devenir — et elle en avait élevé trois. Cela lui pesait particulièrement maintenant. D'abord, cette affaire déplaisante au sujet du dernier emploi de Little Daniel, ensuite Fiona… Est-ce que ce n'était pas un peu de sa faute?

Où étaient ses trois enfants à cet instant? Bouclaient-ils bien leur ceinture en voiture? Croyaient-ils encore en Dieu? Savaient-ils tenir une maison, et pourquoi c'était important? Et est-ce qu'elle en avait fait assez? Est-ce qu'une mère en fait jamais assez?

Elle traversa le hall en faisant attention de ne pas faire de bruit en passant devant la porte qui était en haut des marches, même si elle savait que Pat aurait dormi au beau milieu d'un ouragan.

Ils faisaient chambre à part depuis que Fiona était partie à l'université, il y avait dix ans de cela. Au début, c'était temporaire : il ronflait. Mais le temps avait passé, et c'était tellement plus confortable de pouvoir s'allonger dans le lit, de ne pas avoir à lui donner du coude toutes les heures pour lui dire de revenir de son côté. Ils continuèrent ainsi, et la discussion sur le thème « chambre commune-chambre à part » fut close.

Ann Marie avait vu une émission d'Oprah sur le sujet : *Que se passe-t-il quand un couple se met à faire chambre à part ?* Mais cela ne la troubla pas. Cette partie de leur mariage était terminée, voilà tout. Elle aimait toujours son mari. Ils avaient une belle maison et trois enfants fantastiques. Ils s'entendaient bien, avaient beaucoup d'amis, et ne se disputaient jamais. La plupart des gens ne pouvaient pas en dire autant.

Personne n'était au courant. Quand les enfants revenaient à la maison, ils dormaient de nouveau ensemble. À Thanksgiving, Fiona avait invité un couple d'amis de Trinity et avait trouvé la chambre d'amis en désordre, le lit défait. Ann Marie avait improvisé et leur avait dit qu'elle y avait dormi, une nuit, la semaine d'avant, quand Pat avait un mauvais rhume. « Il a insisté pour que je ne l'attrape pas, s'était-elle hâtée de dire. Je ne comprends pas comment j'ai pu oublier de changer les draps. » « Attention Maman, tu es en train de te laisser aller », avait plaisanté Fiona, sans se douter de rien.

Dans la cuisine, Ann Marie prit une poignée de grains de café qu'un client de Pat lui avait envoyé dans un panier cadeau. Elle les jeta dans la machine à café, savourant l'odeur riche.

Elle avait sorti sa collection de porcelaine Belleek et disposé le service à thé sur la table, en prévision de la visite de Maisy le lendemain. Ann Marie préparerait des scones, et raconterait à sa petite-fille l'histoire du village d'Irlande où avaient été fabriquées les assiettes et la théière d'un si joli blanc crème, décorés de trèfles. Ses doigts s'attardèrent sur le sucrier.

Sur la table, elle trouva sa liste de choses à faire, rédigée la veille selon son habitude, avec une colonne pour elle *(Décongeler l'agneau pour P., aller à la pharmacie, appeler la personne chargée de l'entretien de la piscine*) et une autre pour Pat (*Envoyer de l'argent à Little Daniel, vérifier le niveau d'essence, payer la facture d'eau*).

Elle parcourait la liste quand elle réalisa qu'elle l'avait écrite sur le formulaire d'évaluation des nouveaux membres du Country club. « Zut ! » Il fallait répondre avant demain, et ils avaient complètement oublié. Elle se promit de n'écrire désormais que sur des carnets.

En haut de la page, on pouvait lire : *Les individus cités ci-dessous ainsi que leurs familles ont fait acte de candidature pour rejoindre le club ; le comité des admissions et le cercle des dirigeants vous invitent à donner votre avis. Votre identité sera tenue secrète.*

Ses yeux parcoururent la liste : William et Karen Eaves… inconnus. Tom et Susan Devine… eux, elle avait dû les rencontrer une fois ou deux, mais elle ne savait absolument pas s'ils feraient des membres convenables pour le club.

Ils avaient soutenu la candidature des Brewer l'été dernier. Ils étaient voisins de longue date et étaient devenus amis depuis peu. Ann Marie avait été abasourdie par certains commentaires envoyés anonymement. Quelqu'un avait dit que Linda Brewer portait un maillot de bain bien trop petit au dernier Prospectives Picnic. Un autre avait précisé qu'elle s'était trop largement servie dans le buffet. Ils avaient tout de même été admis au club. Ann Marie et son mari en étaient membres depuis 1987, personne n'aurait osé remettre en question une nomination proposée par Pat.

Cette année, il avait eu l'idée d'inviter les Brewer dans le Maine. D'habitude, ils proposaient à George et Laney Dwyer de venir pour le week-end du 4 juillet, mais ils étaient pris par un mariage. Pat et Ann Marie durent leur trouver des remplaçants pour la première partie du séjour. (La seconde semaine, Patty venait avec Josh et les enfants, puis Ann Marie et Patrick partaient, et la tribu de Patty passait une semaine seule. La dernière semaine du mois, Ann Marie venait voir comment allait Alice, tous les deux ou trois jours, avant que Clare et Joe arrivent au mois d'août).

« Pourquoi est-ce que vous ne passeriez pas une semaine seuls tous les deux ? Cela vous ferait une escapade romantique avant que vos petits-enfants viennent ruiner votre tranquillité, avait demandé Patty quand Ann Marie lui avait annoncé que les Dwyer ne pouvaient pas venir.

— Oh, ça ne serait pas très amusant. Nous sommes tous les deux tout le temps. »

Elle avait envisagé d'inviter sa sœur Susan, bien que son mari, Sean, soit un vrai Monsieur-je-sais-tout. Et puis, il exaspérait Pat, car il ne proposait jamais de régler l'addition et mettait toujours un temps infini à atteindre péniblement son portefeuille, en dépliant chaque billet au ralenti, avant que Pat, excédé, le coupe : « C'est bon, c'est pour moi. »

Susan se débrouillait toujours pour dire à Ann Marie que l'entreprise de plomberie de Sean marchait très bien. Eh bien si c'était le cas, ils pouvaient peut-être offrir le dîner de temps en temps.

Quoi qu'il en soit, Pat dit en rentrant du bureau, un soir de mai :

« J'ai vu Steve Brewer au déjeuner et je lui ai demandé si Linda et lui voulaient nous rejoindre dans le Maine. Il a dit qu'il allait lui demander, mais que cela lui ferait plaisir.

— Eh bien, heureusement que tu consultes ta femme avant de prendre ce genre de décision !

À quoi pouvait bien penser Steve à cet instant ? Est-ce que ce n'était pas un peu risqué ?

— Comment ça, ce genre de décision ? demanda Pat, avant d'attraper une boîte de Cheez-Its sur le comptoir.

Elle aurait dû les cacher. Il ne fallait pas qu'il grignote entre les repas.

— Mon Dieu, chérie, ce n'est pas comme si je t'avais dit qu'on partait s'installer à Tokyo !

— Et si je n'aimais pas les Brewer ?

— Tu les adores !

— Je sais. Tu as raison, je plaisante. »

Elle espérait que la culpabilité ne se voyait pas sur son visage.

Ann Marie rêvait de Steve Brewer depuis le bal de charité organisé par le club au printemps. Elle entretenait de vagues rêveries : ils apprenaient à se connaître au cours de longs dîners aux chandelles, en se tenant la main discrètement. Il s'agissait plus de flirt que de sexe d'ailleurs, elle avait du mal à se représenter cette partie. Mais imaginer qu'il la courtise suffisait à l'emmener loin de tous ses soucis.

Il ressentait la même chose pour elle, elle en était sûre. Ils s'étaient vus lors de dîners ces dernières années, mais n'avaient jamais parlé en tête à tête avant cette soirée. Là, il lui avait posé des questions sur elle : où elle avait grandi, ce qu'elle faisait avant d'avoir des enfants. (« Je travaillais dans la restauration », avait-elle l'habitude de dire. Cela lui semblait mieux que de dire qu'elle était serveuse. À la fac, elle voulait être infirmière ou prof, mais son premier enfant était alors né, et Pat ne voulait pas que la mère de ses enfants travaille.)

Ses mains avaient frôlé les siennes quand il avait rempli son verre d'eau, et il n'avait pas bougé jusqu'à ce que le verre soit plein.

« Qu'est-ce que vous faites avec Pat, en dehors du club ? »

Elle lui raconta son quotidien, les vacances dans la propriété du Maine. Ils y faisaient de grandes promenades et jouaient au tennis, l'été. Puis, elle lui parla de sa maison de poupée. Elle avait peut-être bu un peu trop de champagne, mais elle se prit au jeu comme si elle discutait avec un amateur enthousiaste.

« Je viens de commander un minuscule ensemble de Hummel pour la cheminée. Des pièces très rares. Des antiquités.

— Des mini-miniatures, dit-il en souriant.

— Exactement !

— Comment vous êtes-vous intéressée à tout cela ? demanda-t-il, l'air sincèrement intrigué.

— À cause de mes petits-enfants, dit-elle. En fait, peut-être que cela remonte à plus longtemps. Vous vous souvenez quand Jackie Kennedy avait redécoré la Maison Blanche et qu'un cameraman l'avait suivie ? Voici la chambre dorée, voici la chambre verte…

Elle contrefaisait à merveille la voix un peu essoufflée de Jackie. Il se mit à rire.

— Oui, je me souviens de ça !

— Cela m'a donné l'envie de concevoir un jour la maison de mes rêves, dit-elle. Ne vous méprenez pas, notre maison est ravissante mais dans une maison de poupée, tout reste étincelant, pas besoin de s'inquiéter pour le jus de raisin renversé par les enfants.

— C'est charmant. Linda adore ces petites maisons en porcelaine que l'on illumine pour Noël, vous voyez ce que je veux dire ? »

Elle s'assombrit en entendant le nom de sa femme et se retint d'ajouter que ces minables porcelaines de Noël n'avaient rien à voir avec la conception d'une maison de poupée de A à Z. Elle se contenta de sourire.

Quelques jours plus tard, une carte arriva à la maison. C'était une carte de remerciement adressée à Pat et elle. Steve avait écrit : *Merci à vous deux de nous avoir introduits au club. Nous vous promettons que vous ne le regretterez pas ! Le prochain dîner est pour nous. PS : Pour vos recherches sur la chambre dorée, la chambre verte...* À l'intérieur de l'enveloppe se trouvait un magazine, pas plus gros qu'un timbre. C'était une version miniature de *Life* de 1962, avec en couverture une photo de la Première dame, radieuse, portant un petit chapeau. La légende disait : La transformation de la Maison Blanche par Mrs Kennedy.

Ann Marie tint le magazine entre son pouce et son index et tressaillit d'excitation. Elle le posa sur la table dans le salon de la maison de poupée. Elle n'en parla pas à Pat à son retour.

Depuis, quand ils se croisaient avec leurs époux respectifs, Steve s'attardait toujours un peu avec elle. Il ne manquait jamais de la complimenter sur une robe ou de lui poser des questions sur son bénévolat à l'église. Il s'y intéressait sincèrement, il ne se contentait pas de faire la conversation comme tout le monde. Parfois, dans l'après-midi, alors qu'elle rangeait la maison ou qu'elle allait préparer le dîner, Ann Marie se versait un verre de vin, s'asseyait face à l'ordinateur du bureau familial et tapait l'adresse du site du cabinet d'avocats de Steve : Weiss, Blacks, and Abrams. Quand la page était chargée, elle savait exactement où cliquer, sur la présentation de l'équipe sur la gauche. Là, on trouvait sa photo, avec un large sourire, et la légende : *Stephen Brewer, partner.* En dessous, un court texte précisait ses domaines de compétence, qu'elle connaissait désormais pratiquement par cœur : *Stephen Brewer est partner au bureau de Boston. Il est spécialisé dans les introductions en Bourse d'entreprises étrangères sur le marché domestique. Il représente les émetteurs comme les souscripteurs.* « Que fait votre mari ? » avait demandé un nouveau voisin à Linda un soir au club. « Il est avocat. » « Vraiment ? Dans quelle branche ? » Linda avait haussé les épaules : « Dans la branche qui travaille jour et nuit. »

Tout le monde avait ri, mais Ann Marie, elle, avait répété les mots dans sa tête comme s'ils faisaient partie d'un langage secret qu'elle partageait avec Steve — des introductions en Bourse, voilà ce qu'il fait. Et il représente aussi bien les émetteurs que les souscripteurs.

Ann Marie attendait leur voyage annuel à Cape Neddick depuis le mois de décembre. Au milieu de l'hiver, elle avait écrit MAINE sur une serviette du *Starbucks* et l'avait coincée sous le pare-soleil de la Mercedes. Il lui suffisait de le retourner pour se rappeler la perspective des vacances.

Et les Brewer feraient partie du voyage... Elle était aussi nerveuse qu'impatiente. Elle s'était déjà acheté quatre nouvelles robes chez Lilly Pulitzer et un gilet blanc en cachemire, se demandant ce que Steve penserait en la voyant ainsi vêtue. Elle se vit en voiture, avec Pat au volant, et Steve et Linda installés derrière. Ils s'arrêteraient à *Press Room,* à Portsmouth, pour manger du homard accompagné d'un verre de vin, puis ils continueraient jusqu'au cottage avec ses rondins de bois familiers, tandis que l'odeur de l'océan emplirait la voiture. Plus tard, pendant que Pat et Steve s'installeraient en buvant une bière, elle emmènerait Linda à l'épicerie fine, sur la route d'Ogunquit. Elles rempliraient le coffre de cookies au chocolat, de brie, de salami, d'olives, de crackers et d'une caisse de champagne. Elle préparerait une forêt noire même si ce n'était pas tout à fait la saison. À la fête de Noël du quartier, plusieurs mois auparavant, Steve avait dit que son gâteau était divin.

Ils n'étaient pas censés aller à Cape Neddick avant le 1er juillet, dans quatre semaines. Mais, quelques jours plus tôt, ils avaient changé leurs plans. Une fois de plus, ses belles-sœurs refusaient de prendre leurs responsabilités et, comme d'habitude, c'était Ann Marie qui écopait du fardeau.

Vendredi dernier, Alice l'avait appelée pour bavarder, après le dîner.

« Clare m'ignore !

Ann Marie rangeait des assiettes dans le lave-vaisselle.

— Ah bon ? Mais pourquoi ?

— Je ne sais pas. J'étais en train de regarder *Broadway babies* sur PBS, et après il y a eu tout un passage sur l'histoire des homosexuels au théâtre. Absolument passionnant. Apparemment, il y en a beaucoup, même celui qui a écrit *West Side Story,* par exemple. Et donc, je racontais ça à Clare... »

Ann Marie se servit un verre de vin. Elle n'avait pas envie de discuter. Elle ne voulait pas savoir ce qu'Alice dirait si elle apprenait qu'un de ses petits-enfants était homosexuel. Car c'est là que sa belle-mère voulait en venir. Le fils de Clare, Ryan, jouait dans ces comédies musicales. Alors qu'elle assistait à l'une de ces représentations, et sachant que Clare voyait en général ses pièces plusieurs fois d'affilée, Ann Marie remercia Dieu qu'aucun de ses enfants n'ait la passion du théâtre, et qu'ils se soient plutôt tournés vers le sport (Little Daniel) ou les claquettes irlandaises (Patty et Fiona). Vous pouviez toujours tricoter pendant un match de hockey sans avoir l'air malpoli, et elle adorait la musique irlandaise. Ce contact ténu avec ses ancêtres la touchait toujours.

« Quoi qu'il en soit, continua Alice, je lui ai demandé — en plaisantant, évidemment — si elle n'avait pas peur que Ryan, dans ce milieu, eh bien, ne l'attrape. Elle a hurlé : "Maman, l'homosexualité n'est pas la syphilis, tu n'y es pas exposée, tu ne l'attrapes pas."

— Par ailleurs, Ryan est avec cette fille adorable depuis la fin du lycée, dit Ann Marie. Je ne m'inquiéterais pas, mère. »

Little Daniel se moquait parfois de Ryan en l'appelant « l'elfe », mais il plaisantait. Ryan avait en effet porté des collants verts lors d'une représentation du *Songe d'une nuit d'été*.

« Je sais, répondit Alice. Ce n'était pas ce que je voulais dire. Mais depuis, j'ai téléphoné à Clare deux fois et elle ne m'a pas rappelée. C'est vrai que c'est sa grosse saison avec toutes les premières communions et les confirmations. Mais tout de même, est-ce trop demander à ma fille de me passer un coup de fil ? »

Quand Alice se comportait ainsi, elle rendait toujours Ann Marie nerveuse. Mieux valait changer de sujet.

— Comment ça va, dans le Maine ?

— Il fait frais, mais ça va. Il y a quatre lapins installés sous le porche je crois. Une mère, un père et deux bébés.

— Oh, c'est mignon !

— Mignon ? Ils dévorent mes plants de tomates et les haricots verts. J'ai tout essayé pour me débarrasser d'eux. Mon jardin est magnifique cette année, je ne veux pas qu'ils ruinent tout.

— Plus beau que l'an dernier ?

— Oui ! J'ai enfin testé cet engrais à base d'excréments que fabrique Kathleen. Eh bien, qui l'eut cru, je crois que ça marche vraiment. Mais pourquoi ne trouvent-ils pas un nom plus élégant ? »

Ann Marie rit. Kathleen envoyait ses engrais à Alice depuis des années, et Alice les cachait dans une boîte à la cave parce qu'elle ne comprenait pas que des déjections de vers puissent devenir un substitut de Miracle-Gro.

« Bonne question, dit Ann Marie. Quand Maggie et Gabe arrivent-ils ? »

Ann Marie n'aimait pas beaucoup le petit ami de sa nièce, il était un peu trop affecté à ses yeux. Elle avait appris d'Alice, qui le tenait elle-même de Kathleen, qu'il avait été mêlé à des affaires de drogue. Dieu merci, ses enfants avaient de meilleures fréquentations. Patty était mariée à Josh, un amour, et Little Daniel avait trouvé l'adorable Regina.

Sa plus jeune fille, Fiona, allait sur ses trente ans et était encore chez les Peace Corps [9] en Afrique. C'était une fille passionnée avec des convictions dont Ann Marie était fière. Même s'il était sans doute grand temps pour Fiona de rentrer et de fonder une famille.

Avoir un enfant est aussi une façon de sauver le monde, avait-elle écrit dans une lettre à sa fille l'an dernier. Elle avait cité cette phrase à Pat qui s'était moqué d'elle gentiment : « Tu ne devrais pas écrire et boire en même temps. »

Puis, l'hiver dernier, à Noël, Fiona avait demandé à Pat et Ann Marie si elle pouvait les inviter à dîner. Ann Marie était enchantée. Fiona, qui pouvait être si immature par moments, agissait enfin en adulte! Ann Marie avait mis son pull brodé de fleurs rouges. Elle espérait que Fiona allait leur annoncer son retour. Au lieu de quoi, elle prononça ces mots impardonnables : « Comme vous le savez probablement déjà, je suis lesbienne. »

Elle avait repensé si souvent aux événements de cette nuit depuis. Comment avait-elle pu être aussi naïve? À table, après l'annonce de Fiona, Pat dit qu'il s'en était douté et qu'il était heureux pour elle. Ann Marie avait pleuré. Elle se sentait encore terriblement mal des mois plus tard. Quand ils furent rentrés chez eux, Pat avait pleuré aussi. Mais au moins, il avait eu le tact de ne rien montrer à Fiona.

« Je ne sais pas quand Maggie sera là, continua Alice, il a suffi que je pose cette question à Kathleen pour qu'elle me demande de me mêler de mes affaires. »

Puis elle expliqua que Maggie ne venait dans le Maine que pour les deux premières semaines de juin. Alice se retrouverait ensuite seule jusqu'à ce qu'Ann Marie et Pat arrivent début juillet.

Ann Marie était effondrée. On lui avait dit au début du printemps que Maggie serait là tout le mois de juin. Pat avait mis en place un planning pour le cottage afin de s'assurer qu'Alice ne reste pas seule trop longtemps. Ce n'était pas seulement un

9. Organisation américaine de volontaires qui partent pour des missions humanitaires à l'étranger.

plaisir d'aller dans le Maine, mais aussi une responsabilité qu'ils se devaient de partager. Alice était âgée, que ses filles l'acceptent ou non. Sa mémoire se dégradait. Elle oubliait parfois d'éteindre la télévision, elle laissait traîner ses clés. Il fallait veiller sur elle.

« Mère, je vous rappelle », dit Ann Marie.

Elle était débordée la seconde quinzaine de juin. Elle devait participer à l'organisation d'un grand déjeuner au club. Le 27, il y avait cette réunion des fonds Lucky Star. Elle avait volontairement pris trop d'engagements en juin pour pouvoir partir au cottage en juillet. Elle n'aurait pas le temps d'aller dans le Maine pour vérifier si Alice allait bien. Deux semaines entières! Comment pouvait-on laisser sa mère âgée seule pendant deux semaines entières?

Fin juin, Clare et Joe partaient pour leur voyage annuel à Taïwan. (Taïwan était un lieu pour s'approvisionner en statues de saints et en crucifix, qui l'eût cru? Et, au chapitre bizarreries, comment deux athées pouvaient-ils tenir un commerce d'objets sacrés? Ann Marie jugeait cette situation inconvenante, à la limite du blasphème.)

La colère serra son estomac. Elle n'aimait pas agir sur un coup de tête, mais elle composa le numéro de Kathleen en Californie sans réfléchir.

« Salut, dit Kathleen sans enthousiasme.

Elle avait probablement reconnu le numéro de sa belle-sœur. Ann Marie était étonnée qu'elle daigne même décrocher.

— Salut, c'est Ann Marie. Comment ça va, bien?, dit-elle, gênée, pour alléger l'atmosphère avant même qu'elle ne s'alourdisse.

— Oui, oui.

— Splendide. Écoute, je voulais t'appeler parce qu'Alice vient de me dire qu'elle serait seule à Cape Neddick les deux dernières semaines de juin, et il me semble que ça fait vraiment long pour elle. Elle est déjà seule tout le mois de mai, mais Pat et moi avons essayé de lui rendre visite les week-ends. Je suis débordée en juin, je ne peux pas faire les allers et retours.

— Qui te l'a demandé?

Elle essaya, à nouveau, de formuler les choses simplement :

— Alice va être seule pendant deux semaines entières.

— Ann Marie, elle est seule toute l'année.

— Oui, c'est vrai, mais c'est différent quand elle est dans le Massachusetts, près de nous. Je suis inquiète quand elle est toute seule là-bas, à la plage.

— C'est à une heure et demie de route, dit Kathleen. Puis sa voix se fit plus pressante :

— Pourquoi m'appelles-tu en fait ?

— Techniquement, le mois de juin est pour toi. Je me suis dit que peut-être tu pourrais passer…

— Tu te rends compte que je vis à dix mille kilomètres de là ? dit Kathleen, comme si ce fait avait pu lui échapper.

— Oui. Bien sûr. Mais je me suis dit que Maggie ou Christopher pourraient peut-être venir, même pour quelques jours.

— Ils ont leur vie. Ils ne peuvent pas tout lâcher et s'installer dans le Maine pendant quinze jours comme ça.

Comme si Pat et elle n'avaient pas aussi leur vie.

— Maggie et Gabe seront là les deux premières semaines de juin. Je pense que cela suffit largement. »

Ann Marie sentit sa résolution faiblir. Elle ne supportait pas les conflits, elle en oubliait son désir de faire les choses au mieux. Dans sa famille, tout le monde se battait. Quand elle rencontra les Kelleher, elle n'avait que trop l'habitude des portes qui claquent, des accusations, des gens qui se raccrochent au nez. Sans oublier les inévitables réconciliations, encore plus choquantes que les disputes. Elle se souvenait toujours du jour où sa mère avait découvert la liaison de son père avec son amie d'enfance. Elle l'avait poursuivi autour du pâté de maisons avec une poêle à frire. Après quoi, elle avait avalé un flacon de pilules dans l'espoir d'en finir. Deux jours plus tard, tout était rentré dans l'ordre, comme si rien ne s'était passé. Son père était revenu, s'était mis à table. Et après quelques verres, sa mère était sur ses genoux.

Sans compter les membres de la famille qui disparaissaient après une altercation plus violente que les autres. Leurs photos s'évanouissaient des étagères, et plus personne ne prononçait jamais leurs noms. Ann Marie ne supportait pas cela. Elle se fit la promesse qu'une fois adulte, il n'y aurait jamais une parole plus haute que l'autre dans sa maison. Elle se conduirait parfaitement en n'importe quelle circonstance. Pat était d'accord, il disait que ses sœurs, et plus spécialement Kathleen, étaient obsédées par les règlements de comptes, et qu'il avait eu largement sa part de disputes. Cette dernière n'hésitait pas à rappeler qu'elle était alcoolique pour attirer l'attention sur elle, et évidemment pour critiquer tous ceux qui, parmi les membres de la famille, aimaient bien boire un verre à l'occasion. (À Thanksgiving, l'an dernier, quand Ann Marie avait ouvert une nouvelle bouteille de champagne pour accompagner le dessert, Kathleen l'avait sermonnée : « Tu sais, s'il y a des antécédents d'alcoolisme de ton côté, tu devrais faire comme si c'était du poison. »)

« Si tu es si inquiète, pourquoi n'y vas-tu pas toi-même ? » dit Kathleen.

Ann Marie aurait aimé avoir le courage de lui répondre : *Et pourquoi est-ce que toi ou ta sœur, vous ne levez pas le petit doigt pour votre mère, juste une fois ?* Au lieu de quoi, elle fit comme d'habitude : elle prit sur elle et ramassa les morceaux dans l'espoir de les recoller plus tard.

« Laisse tomber. Tu as raison. Oublie ce coup de fil.

Kathleen s'adoucit :

— Désolée. Je sais que ça peut paraître égoïste. Mais, il y a un boulot monstre à la ferme, nous sommes débordés. »

La ferme. Ann Marie et Patrick faisaient des gorges chaudes de ce mot. Comme si elle élevait des poulets, des vaches ou des chèvres. Un garage répugnant rempli de vers n'était pas une ferme. Tout au plus une attraction de foire.

Kathleen poursuivit :

« Et je suis inquiète pour Chris. Il ne tourne pas rond en ce moment.

— Je suis désolée, dit Ann Marie, sincèrement. Je dirai à Little Daniel de l'appeler. Ils devraient se voir plus, peut-être boire une bière à l'occasion. Ou déjeuner. Un déjeuner, ce serait bien !

— Merci.

— On dirait que tu as déjà beaucoup de soucis de ton côté. Je m'occuperai d'Alice, ne t'inquiète pas. »

Elle annula ses plans pour fin juin et s'arrangea pour arriver dans le Maine vers le 20. Chaque annulation l'énervait un peu plus. D'habitude, elle gardait ses petits-enfants les mardis et jeudis après l'école, en attendant le retour de Patty ou de Josh. Maintenant, ils allaient devoir les confier à une baby-sitter.

Sa sœur Tricia eut l'air déçue lorsqu'elle lui annonça la nouvelle.

« Je croyais que tu emmènerais maman à son rendez-vous, le 22.

— Si tu le fais cette fois, je le ferai les trois suivantes. Et je me chargerai de toutes les courses de médicaments avant de partir. »

Elle fut sur le point de rappeler Kathleen sur-le-champ et de lui dire : « Au fait, moi aussi j'ai une mère et je dois m'en occuper. »

Cela ne dérangeait pas Ann Marie de s'occuper d'Alice. Elle avait été élevée avec des principes clairs : il fallait s'occuper des plus âgés, même s'ils vous tapaient sur les nerfs et qu'ils n'étaient pas exactement comme vous l'auriez souhaité. De toute façon, personne n'est jamais comme vous le souhaiteriez. Par ailleurs, elle aimait sincèrement passer du temps avec Alice, même si sa belle-mère pouvait être difficile. Malgré ses bonnes manières, elle se conduisait de façon odieuse en public : au restaurant, elle cachait des morceaux de pain et de beurre dans sa serviette pour les voler, comme si elle n'avait pas de quoi manger chez elle. Récemment, alors qu'elles déjeunaient chez *Papa Razzi*, Ann Marie l'avait surprise en train de glisser une salière dans son sac, en revenant des toilettes.

Ann Marie vivait dans la crainte d'irriter Alice. Son humeur pouvait changer au moindre coup de vent. Mais la plupart du temps, elles passaient de bons moments ensemble, chez le coiffeur ou durant leurs après-midi de shopping à Boston. Alice était une femme intéressante que ses filles n'appréciaient pas à sa juste valeur. Elle suivait l'actualité, lisait beaucoup et avait toujours un avis sur les dernières séries de PBS. Au fond, elles se ressemblaient : elles venaient toutes les deux de milieux modestes et s'en étaient sorties. La mère d'Ann Marie — Dieu la bénisse — passait désormais ses journées devant la télévision à regarder un évêque dire une messe à l'autre bout du monde. Elle avait passé sa vie à s'occuper des autres : depuis qu'Ann Marie avait six ans, il y avait toujours un oncle célibataire ou un cousin malchanceux pour vivre avec eux. Sa mère ne disait jamais non à personne. Désormais, elle était obèse et diabétique. Ann Marie en avait honte.

Alice était restée fine et menue. Sans se l'avouer, Ann Marie l'avait toujours prise pour modèle. Elle voyait son entraîneur Raul, trois fois par semaine. Et avec Pat, ils marchaient une dizaine de kilomètres sur le chemin derrière Newton North High School tous les dimanches après la messe.

Alice venait dîner chez eux le dimanche soir. Ann Marie s'arrangeait pour lui envoyer des fleurs de la part de Little Daniel pour son anniversaire et pour la fête des Mères (les filles, elles, y pensaient toujours). Pat s'occupait des impôts et de l'assurance pour la propriété du Maine, et il l'entretenait pendant l'hiver, faisant souvent l'aller-retour pour vérifier que les canalisations n'avaient pas gelé ou que la tempête n'avait pas abattu d'arbres. Il était évident que la propriété leur reviendrait un jour : ils lui avaient consacré tellement de temps. Ainsi, ils pourraient aller tout l'été à la plage, sans interruption. De toute façon, Clare et Kathleen n'aimaient pas l'endroit. Quant aux sœurs d'Ann Marie, elles préféraient Cape Cod. Les premières années de son mariage, Ann Marie en avait voulu à la famille de Pat. Leur maison de famille l'éloignait de ses sœurs tout l'été. Mais, avec le temps, elle s'était mise à aimer Cape Neddick. Et puis ses sœurs devaient louer pour les vacances.

Ses enfants aussi adoraient le Maine, ils ne partiraient en vacances ailleurs pour rien au monde. Ils avaient chacun leur plage préférée ainsi que leur gargote à homards (Fiona et Little Daniel aimaient Barnacle Billy's. Patty, Joe et les petits-enfants préféraient Brown's). Ils avaient leurs traditions. Les enfants allaient au magasin L.L. Bean à Freeport à onze heures du soir et grimpaient sur la chaussure géante qui se dressait devant pour s'amuser. Tôt le matin, ils partaient pêcher à Popham Beach dans un bateau qui appartenait à un client de Pat. Quand ils assistaient à un match des Portland Sea Dogs, Little Daniel prenait son gant pour attraper des balles perdues. Aujourd'hui encore, ils aimaient passer la nuit dans la voiture à manger du poulet froid pour guetter les bébés ours qui grimpaient sur la benne à ordures derrière Ruby's Market. Ce spectacle effrayait toujours un peu Ann Marie. Patrick lui avait pourtant expliqué que son père lui-même les emmenait voir les ours et qu'il n'y avait aucun risque.

Le printemps prochain, Little Daniel se marierait à Cliff House, dans le village d'Ogunquit, comme Patty avant lui. (Sa fiancée Regina avait hésité, à cause du prix, mais Ann Marie avait fait savoir que Patrick insistait pour payer.)

Elle pensait souvent à ce moment où Pat et elle deviendraient à leur tour les patriarches, dans la grande maison, pendant que ses enfants et ses petits-enfants dormiraient tranquillement dans le cottage.

Quelques jours plus tard, Ann Marie s'était faite à l'idée de venir plus tôt dans le Maine. Finalement, elle avait plutôt hâte d'y être. Elle n'était jamais partie seule quelque part si longtemps. La vie s'était montrée plutôt rude ces derniers mois, entre l'annonce de Fiona et l'horrible méfait de Little Daniel à son travail, dont la pensée lui serrait le cœur. Un peu de temps à l'écart lui ferait du bien.

Elle dressa une liste de ce qu'elle devrait emporter : la bonne chaise de plage, le parasol, un sac rempli de crèmes solaires et de revues, le pull avec un poney qu'elle avait commencé à tricoter pour Maisy. Bien sûr, elle prendrait soin de sa belle-mère. Elle devrait aussi s'occuper de pas mal de sujets pour le mariage. Ce ne seraient pas des vacances, c'était certain. Mais elle espérait tout de même trouver le temps de se détendre au bord de l'océan.

Pat devait travailler, mais en juillet, il viendrait la rejoindre, avec les Brewer. Elle se voyait accueillir Steve Brewer à la porte du cottage avec un pichet de thé glacé. « C'est tellement gentil de venir seule pour vous occuper de votre belle-mère, dirait-il, je n'imagine pas Linda agir de la sorte. » Elle écarterait le compliment d'un geste de la main : « Oh, mon Dieu, ce n'est rien. Entrez donc. »

ALICE

Le dimanche matin après la messe, Alice s'asseyait sous l'auvent et sirotait un bloody mary en attendant que son linge sèche. Elle restait immobile pour guetter ces maudits lapins.

Elle avait pourtant installé du barbelé tout autour du jardin mais cela ne les avait pas empêchés de se frayer tranquillement un passage. Elle avait récupéré des cheveux chez le coiffeur et les avait enfouis dans la terre. En vain. Elle avait même parsemé le sol de poivre. Ils détestaient ça soi-disant, mais là, ils s'étaient régalés. Une femme avec qui elle avait discuté dans la file d'attente de la pharmacie à York lui avait dit que la seule façon de s'en débarrasser était de mélanger du poivre de Cayenne et de l'eau. La pharmacienne s'était insurgée, arguant que c'était cruel et que cette mixture leur brûlait le ventre, mais Alice était prête à essayer. Elle refusait de se sentir coupable : ces créatures n'étaient rien d'autre que des rats avec une queue en forme de boule de coton. Ils avaient dévoré deux de ses plants de tomates ainsi que les haricots verts. Avec un peu de chance, ils allaient aussi s'acharner sur ses plus belles fleurs d'été. Elle n'allait donc pas baisser la garde.

C'était le week-end de Memorial Day[10], la saison d'été allait commencer. En ville, les rues grouillaient de touristes venus faire

10. Jour férié américain, le dernier lundi de mai.

du lèche-vitrines, ou tremper leurs orteils dans l'océan encore glacial. Mais ici, à Briarwood Road, le calme régnait encore, comme quand Alice était arrivée un mois plus tôt, encore vêtue de son manteau d'hiver.

La plupart du temps, elle ne voyait personne à partir de midi sauf si elle se rendait au Shop'n Save sur la Route 1[11] ou si elle poussait jusqu'à Ruby's Market pour y acheter un pichet de vin à cinq dollars (de la piquette selon son fils Patrick, mais elle l'aimait bien). Elle poussait parfois la porte de Ruby's Market, même si elle n'avait besoin de rien, simplement pour discuter avec Ruby et Mort, le couple âgé qui tenait l'endroit. La médiocrité des jeunes générations était leur sujet de prédilection, et Alice avait beaucoup à dire sur ce point.

Ruby et Mort étaient d'authentiques habitants du Maine, le sel de la terre. Tout le monde les connaissait, et ils connaissaient tout le monde. Ils étaient aimables avec Alice, ce qui n'était pas toujours le cas des habitants du coin. Les Kelleher restaient des étrangers ici. Six décennies d'étés passés là ne signifiaient rien pour les locaux. Il arrivait que quelqu'un fasse un signe chaleureux à Alice quand elle était au volant. Puis il repérait l'immatriculation du Massachusetts, et le bras retombait aussi sec.

Ruby n'avait que vingt-neuf ans quand Alice avait fait sa connaissance dans les années quarante. Elle faisait déjà plus que son âge à l'époque. Presque soixante ans plus tard, ils ouvraient encore les portes du magasin à sept heures du matin. Mort continuait à garnir les étagères de boîtes de conserve, de maïs, et de serviettes en papier. Il portait une éternelle chemise de flanelle sur son jean. À l'automne, il partait chasser les oies sauvages. Ils en mangeaient ensuite tout l'hiver et vendaient les meilleurs morceaux. Ruby nettoyait toute la boutique à l'eau de javel tous les matins. Elle préparait des brownies et des gâteaux, les emballait dans des morceaux de cellophane, et disposait le tout dans un panier près de la caisse. Depuis que leurs enfants étaient partis,

---

11. Célèbre route américaine qui relie les Keys en Floride, au sud, au nord du Maine le long de la côte est.

ils avaient un épagneul qui s'appelait Myrtle. Après la mort de Myrtle, une autre Myrtle presque identique fit son apparition.

Alice était jalouse de Mort et Ruby, qui avaient la chance d'être toujours ensemble. Quand elle leur rendait visite, c'était comme si le temps s'était arrêté. Elle en oubliait presque la vieillesse qui faisait son chemin. Elle tentait de lutter, mais c'était perdu d'avance. Elle avait du mal à se souvenir des noms des femmes à son club de golf, et de ceux des prêtres de sa nouvelle église. Elle ne parvenait plus à se rappeler le titre d'un livre lu trois mois plus tôt, mais en revanche pouvait décrire à la perfection le papier peint de sa chambre d'enfant. Elle avait quatre-vingt-trois ans. Elle avait été en bonne santé toute sa vie. Mais ces derniers mois, elle passait son temps chez des spécialistes : un pour sa vue, un pour l'audition, un autre pour ses genoux qui la lâchaient. Elle en plaisantait avec Ann Marie : « Encore un rendez-vous avec un jeune et beau docteur. » Tout le monde disait qu'elle avait de la chance, ce qui signifiait qu'elle avait vu vieillir et mourir chaque personne qu'elle aimait : ses parents, ses quatre frères, son mari, sans avoir même eu le luxe de devenir sénile avant, ce qui aurait au moins adouci sa peine.

La mère d'Alice était aussi une de ces « chanceuses ». Elle avait vécu jusqu'à quatre-vingt-seize ans. Pendant les sinistres dernières années de sa vie, elle revêtait chaque matin une belle jupe, et lisait le *Globe* en entourant les noms des hommes et des femmes décédés qu'elle avait connus, du voisinage, de l'école, de l'église, ses proches, ses premiers amours, et même des amis de ses enfants qui avaient atteint péniblement les soixante-dix ans (le père d'Alice, qui était mort vingt ans plus tôt, avait toujours surnommé le carnet du jour « la page des sports des Irlandais »). Vers la fin, son esprit commença à flancher. Il lui arrivait de se rendre au crématorium de Upham's Corner et d'oublier pour quelle veillée funèbre elle avait fait le déplacement. Alors, elle s'arrêtait à chaque cérémonie. Certains matins, elle y allait sans même regarder dans le journal, se disant qu'il y aurait forcément quelqu'un de sa connaissance enterré ce jour-là. Quand elle finit par mourir, son enterrement fut l'un des plus dépeuplés qu'Alice ait jamais vus : les frères d'Alice, leurs enfants et petits-enfants, Patrick, Ann Marie, Clare et Joe, Kathleen et Maggie. C'était tout. Elle n'avait plus un seul ami sur terre pour la voir partir. Elle leur avait tous survécu.

Des courriers publicitaires adressés à Daniel arrivaient encore chez Alice, à Canton. Les choses matérielles survivaient des années à un défunt. Les relevés de banque qu'il avait rangés si soigneusement dans son bureau du sous-sol n'avaient pas disparu comme elle l'aurait souhaité. Ni la plaque qu'il avait reçue de la compagnie d'assurances lors de son départ en retraite, ni la photo encadrée du président Kennedy. Tout était resté, lui criant que Daniel avait vécu puis était parti. Le monde continuait sa course, indifférent.

Il y avait des aspects de la vie de veuve auxquels elle n'arrivait pas à s'habituer et auxquels elle ne s'habituerait sans doute jamais, même si son mari était mort depuis bientôt dix ans. Elle ne parvenait pas à cuisiner pour une seule personne : elle continuait à vider la boîte entière de spaghettis dans la casserole, à préparer un rôti de deux kilos, qui mettait des heures à cuire, avec des oignons, des pommes de terre et des carottes alors même qu'elle n'aimait pas les légumes.

Elle ne s'habituerait jamais au silence qui s'était installé — de façon agréable après le départ des enfants, puis cruellement après celui de Daniel. Ils avaient été mariés quarante-neuf ans et, chaque jour, même si elle l'aimait de tout son cœur, Alice aurait voulu qu'il se taise. Il lisait les titres du *Boston Globe* à haute voix au petit déjeuner. Il chantait « Wild colonial boy » et « Molly Malone » sous la douche. Il sifflait en tondant la pelouse et riait au téléphone quand les petits-enfants appelaient. Il leur racontait les mêmes histoires drôles qu'à ses enfants des années plus tôt.

Désormais, son humeur joyeuse lui manquait, surtout l'été, ici, à la plage.

Alice but une gorgée de son bloody mary, en veillant à ce que la buée sur le verre ne goutte pas sur son chemisier. Elle refusait de s'habiller de vêtements informes comme une vieille dame. Elle ne se changeait jamais après la messe. Aujourd'hui, elle portait un pantalon de lin blanc, une veste de soie à manches courtes et des sandales. Elle se maquillait toujours soigneusement le matin, exactement comme à dix-neuf ans lorsqu'elle travaillait dans un cabinet d'avocats du centre de Boston. Elle portait encore ses cheveux coupés au carré, et les teignait en noir. (Sa fille Clare avait un jour ironisé que, comme par miracle, les cheveux d'Alice devenaient de plus en plus noirs au fur à mesure qu'elle vieillissait.)

Personne, pas une seule de ses connaissances, pas même un inconnu croisé dans la rue, ne pouvait donner son âge. Ses enfants adoraient dire qu'un jour ils regarderaient son permis de conduire en cachette, mais aucun d'entre eux n'avait encore osé le faire.

Quand elle était petite, elle s'était juré de ne jamais devenir une épave comme les vieilles femmes du Dorchester avec leurs cheveux clairsemés et leurs robes de chambre. En revanche, on ne pouvait pas en dire autant de ses trois petites-filles. Elles n'avaient pas dépassé la trentaine mais se laissaient déjà aller. Quand elles étaient venues dans le Maine l'été dernier, elles traînaient autour de la maison en survêtement et en haut de maillot de bain, le ventre à l'air (avec, en plus, quelques kilos en trop). Elles attachaient leurs cheveux alors qu'ils étaient encore mouillés et ne mettaient jamais ne serait-ce qu'un brin de rouge à lèvres. Ann Marie prétendait que c'était à cause de la plage. Mais Alice n'en était pas sûre. C'était peut-être vrai pour les deux filles d'Ann Marie, Fiona et Patty, mais quand elle pensait à sa petite-fille Maggie en train de prendre un brunch dans un café de Manhattan, elle aurait pu parier qu'elle portait la même queue-de-cheval humide et les mêmes jeans déchirés. Patty et Maggie avaient hérité des jambes des Dolan, du côté de la mère de Daniel : des poteaux aussi épais au milieu des cuisses qu'aux genoux. Et c'était Fiona, qui se souciait le moins de son apparence, qui avait eu la chance d'hériter des longues jambes fines des Brennan.

Par la porte laissée ouverte, elle entendit le sèche-linge terminer son programme. Alice vida son verre et se dirigea vers la buanderie.

La radio locale était allumée, bien qu'elle ne se souvienne pas l'avoir fait. Une voix jeune au timbre agréable interrogeait un professeur sur le stress post-traumatique des soldats à leur retour d'Iraq.

« Il faut qu'ils puissent en parler à quelqu'un. C'est le plus important », expliquait le professeur. Il cita une étude. Alice soupira. C'était une vraie rage de parler, parler, parler. Franchement, est-ce que parler d'une tragédie pouvait aider en quoi que ce soit ? Qu'est ce que ses frères auraient pensé de tout ça ? Il fallait que ces garçons grandissent et qu'ils prennent sur eux. Quoique parfois Alice ne soit pas toujours si sûre de cela.

Sa fille Kathleen lui avait dit que les types qui rentraient de la Seconde Guerre mondiale auraient pu être sauvés si seulement ils avaient parlé à un professionnel. Mais les hommes de cette époque ne faisaient pas cela. Toute une génération d'ivrognes aigris s'était ainsi recroquevillée sur leur chagrin. Un cousin du côté de Daniel, pour qui Kathleen avait un faible, était rentré du Vietnam. Il y avait eu une fête pleine de ballons et de crèmes glacées. Il ressemblait à Errol Flynn en uniforme. Deux jours après, il s'était tué d'une balle dans la tête après avoir tiré sur sa femme.

Ce que Kathleen n'avait jamais compris, c'était que la Seconde Guerre mondiale n'avait rien à voir avec les autres conflits. Tout votre entourage était impliqué dans la guerre. Aujourd'hui, quand Alice demandait à ses petits-enfants si l'un de leurs camarades d'école combattait en Iraq, ils répondaient que non, sidérés, comme s'il s'agissait d'une question complètement stupide. Quand elle était jeune, il régnait un sens de l'honneur parmi tant de garçons, un sens du devoir. Ils voulaient servir leur patrie. Ils voulaient se battre.

Quand les frères d'Alice rentraient de permission, ils essayaient toujours de la présenter à leurs copains de régiment de l'armée ou de la Marine. Alice s'exécutait, mais elle ne parvenait pas à prendre ces garçons au sérieux. Elle n'avait aucune envie de se fiancer avec l'un d'eux.

À l'époque, les hommes la trouvaient splendide. Ils la complimentaient sur sa taille fine et ses longues jambes. Elle avait des yeux bleus, la peau claire, et des cheveux noirs qui lui arrivaient au milieu du dos. Elle voulait être Veronica Lake, adorée par tous pour sa beauté, son art, sa joie de vivre. Elle pensait qu'elle méritait mieux que ce qu'elle avait connu jusque-là. Qu'elle, Alice

Brennan, était une jeune fille spéciale. Tout ce qu'il fallait, c'est que quelqu'un s'en aperçoive.

Les six enfants Brennan avaient grandi dans la pauvreté, mais ils avaient toujours eu un toit sur leur tête et un repas dans leur assiette. Adolescents, ils vécurent la grande crise de 1929. Leur père travaillait de façon précaire dans la police. Il alternait les longues journées et les heures à la maison, désœuvré, au chômage, alcoolique. Il leur parlait souvent brutalement, surtout quand il buvait, et il les battait. Timmy et Michael étaient ses souffre-douleur. Alice se souvenait des bleus, du sang aussi. Avant leur naissance, ses parents avaient eu un bébé, Declan. Une nuit, son père s'endormit avec lui dans son lit. Dans son sommeil, il roula sur le bébé et l'étouffa. Il fut dévasté. « Plus jamais le même », comme disait leur tante Rosie. Il s'en voulut, et peut-être en guise de punition ou de protection, il ne s'attacha plus à aucun de ses enfants.

Les parents d'Alice étaient fiers d'être les premiers de la famille à posséder leur maison : les deux couples de grands-parents avaient émigré d'Irlande à Boston. Mais les deux grands-mères moururent jeunes, et les grands-pères s'avérèrent incapables de subvenir aux besoins d'une famille. Ses parents avaient donc été élevés dans des orphelinats et chez des cousins charitables, mais pas très affectueux non plus. Plus tard, ils vécurent dans la peur de ne pas réussir à payer l'emprunt chaque mois.

Toute la famille participait. Alice et sa sœur Mary gardaient tous les enfants du quartier pour gagner cinquante cents par jour de travail. Elles devaient ensuite reverser la somme à leur mère. Mary était la meilleure pour cette tâche. D'une patience infinie, elle aimait vraiment les enfants. Alice n'aimait garder que les enfants juifs, car leurs parents avaient de l'argent. Les pères travaillaient jour et nuit, et les mères voulaient être un peu tranquilles pour jouer au mah-jong. Elles envoyaient donc Alice et les enfants au cinéma, toujours au cinéma. À l'époque, le cinéma *The Magnet* offrait de la vaisselle. Et peu importe que presque personne n'ait de nourriture à mettre dedans. Une tasse le lundi, une soucoupe le mardi, un bol le mercredi. Avec l'aide d'Alice et de Mary, leur mère se constitua plusieurs services complets.

Ses frères travaillaient après l'école. Timmy était serveur, et Michael nettoyait le sol de la mairie. Même leur mère faisait du porte-à-porte pour vendre des cakes aux fruits et des mouchoirs brodés, comme une clocharde. Alice rougissait de honte en la voyant. Elle détestait son père qui la laissait faire. Leur mère était institutrice avant de se marier, mais il était désormais impossible aux femmes d'enseigner puisque tant d'hommes avaient besoin de travail.

Les quatre garçons dormaient dans la même chambre pour que la famille puisse en louer une. Alice et Mary partageaient une minuscule pièce. Au début, Alice se réjouissait de voir ses frères parqués ensemble. Mais les locataires de ses parents étaient effrayants : ils pleuraient, regrettaient ce qu'ils avaient perdu. Des mères emménageaient avec de jeunes enfants qui hurlaient jusqu'à l'aube, des hommes ivres espionnaient Alice et Mary lorsqu'elles allaient à la salle de bain, ou grattaient à leur porte, tard le soir, en les suppliant de leur donner un peu de plaisir. Mary chuchotait à ces ivrognes : « S'il vous plaît, monsieur, allez dormir. » Alice, elle, se dressait dans son lit et disait fermement : « Écoute-moi, salaud, tire-toi de là ou mon père va te couper en morceaux comme il l'a fait avec le précédent. »

Leur père n'en avait jamais rien fait. Il se fichait presque de savoir si l'un de ces hommes était capable d'entrer et de traîner l'une de ses filles par les cheveux jusqu'à son lit. Les yeux de Mary s'écarquillaient. « Que tu es courageuse », disait-elle avec admiration.

Mary était l'aînée, de deux ans, mais Alice se sentait pourtant obligée de protéger sa sœur de dix-huit ans. Elle était timide, douce et bien élevée. Elle s'occupait de ses parents comme une servante, considérant qu'il s'agissait de son devoir. Il lui arrivait même de faire les tâches ménagères d'Alice. Elle voulait avoir une douzaine d'enfants un jour et aimait s'occuper de leurs petits frères crasseux.

Alice voulait simplement qu'on la laisse tranquille. Elle aimait peindre et dessiner. Elle pouvait s'échapper dans un dessin pendant des heures, quand elle en avait le loisir. Dès qu'elle avait un moment de calme, elle s'asseyait à la fenêtre de leur chambre, en haut de la maison, et peignait la rue, leur mère et le jardin, ou Mary dans sa robe de Noël. Elle retenait sa respiration jusqu'au moment où quelqu'un se mettait à hurler, gâchant sa tranquillité : « Fais-ci, fais-ça, lave ceci, reprise cela ! »

Ses frères détestaient qu'Alice s'occupe d'eux. Elle les faisait dîner, un à la fois, dans la même assiette, pour n'avoir à en laver qu'une au lieu de cinq. Comme ça, elle gagnait du temps et pouvait s'asseoir sur le perron, discuter avec Rita. Ou bien elle montait dessiner dans sa chambre.

« C'est toujours froid quand c'est mon tour de manger », se plaignait Timmy à leur mère. Cette dernière sermonnait Alice. « Tu feras une femme au foyer déplorable avec une attitude comme celle-là », disait-elle, et Alice en tirait une certaine fierté. Elle n'avait aucune envie de devenir une mère ni une épouse. Les enfants ne l'intéressaient pas. Par ailleurs, elle avait déjà assez donné en s'occupant de ses frères. Elle planifiait son évasion ou, à défaut d'avoir un plan, elle en rêvait.

Aucune femme respectable de l'entourage d'Alice n'avait fait autre chose qu'élever des enfants. Les seules femmes célibataires de sa famille étaient des religieuses. Il y avait bien tante Rose qui avait divorcé de son coureur de mari et déménagé à New York où elle travaillait au stand de maquillage de Macy's, à Herald Square. Quand son nom venait sur le tapis, leur père sifflait entre ses dents : « Cette garce égoïste. » Il n'autorisait pas leur mère à la fréquenter. Alice voulait s'enfuir pour aller vivre avec sa tante, mais Rose lui avait expliqué dans une lettre qu'elle dormait dans une pension pleine de repris de justices et d'ivrognes, et que ce n'était pas un endroit pour une jeune fille.

Quand elle avait quinze ans, Alice peignait en gardant un enfant chez les Bloom. Madame Bloom était une dame juive sophistiquée avec des cheveux et des yeux noirs. On disait qu'elle avait épousé un homme en dessous de sa condition. Ils possédaient une boutique d'encadrement à Upham's Corner

Un soir, de retour du travail, elle posa son sac sur la table et regarda ce qu'avait fait Alice.

« Tu es très douée tu sais. Si tu prenais des cours, tu pourrais vraiment percer. »

Alice rougit de plaisir, puis haussa immédiatement les épaules. Elle imagina les moqueries de son père et de ses frères. Elle laissa le dessin sur la table pour montrer qu'elle s'en moquait.

Quand elle revint, Mme Bloom lui dit :

« J'ai montré cette peinture à mon mari. Il n'a peut-être pas un gramme de sens des affaires, mais il a un excellent coup d'œil. Il est d'accord avec moi. Vous êtes douée Alice, vous devriez faire les Beaux-Arts. »

Mme Bloom lui donna un quarter pour emmener son fils au musée Gardner par le trolley. Le gamin râla tout l'après-midi, mais Alice y prêta à peine attention : elle était fascinée. Une plaque dans le vestibule expliquait qu'Isabelle Steward Gardner, un grand mécène, avait construit un manoir à Boston à l'image d'un palais italien. Plus tard, on en fit un musée, rebaptisé en sa mémoire. John Singer Sargent avait peint son portrait, et elle donnait des dîners somptueux qui rassemblaient des grands penseurs, des artistes. Elle avait parcouru le monde et fait ses études à Paris.

Voilà le genre de femme qu'Alice voulait être. À l'instant même, elle décida qu'elle deviendrait un peintre célèbre. Elle irait à l'université à Paris et vendrait ses toiles à de riches Français. Elle habiterait un appartement avec vue sur la Seine et vivrait en paix, loin du vacarme des gamins.

Une année passa. La famille Bloom s'installa à Brooklyn. Quand ils partirent, Mme Bloom offrit à Alice un magnifique carnet à croquis avec une couverture en cuir véritable. « N'abandonne pas », lui dit-elle, d'un ton qui glaça Alice. Elle lui promit. Elle remplit le carnet de croquis en l'espace de deux semaines. Elle se rendit à la bibliothèque et consulta l'unique biographie qu'ils avaient d'Isabelle Steward Gardner. Elle la lut deux fois. Elle utilisa la carte de son frère Timmy pour emprunter un autre livre qu'elle comptait bien ne jamais rendre. Il contenait des photos en noir et blanc de Paris. Alice arracha les pages et les accrocha au mur derrière son lit.

Son seul exemple de femme célibataire était une dénommée Trudy. Alice ne l'avait jamais rencontrée, sauf par le truchement de la ligne téléphonique qui était partagée entre leurs deux foyers. Si l'on décrochait le téléphone chez les Brennan, on tombait sur Trudy qui babillait sur son sofa à Beacon Hill. Souvent, le père d'Alice, après huit ou neuf tentatives infructueuses pour appeler à son travail, lui disait : « Excusez-moi, mademoiselle, mais ce n'est pas une ligne privée. Merci de bien vouloir abréger vos conversations ou j'avertirai la compagnie du téléphone. »

Trudy ne se laissait pas impressionner. Alice s'en réjouissait, car son passe-temps favori consistait à l'écouter. Mary disait qu'elle ne devrait pas l'espionner mais comment résister ? La vie de Trudy était tellement mieux qu'un feuilleton.

Trudy racontait à ses amis ses rendez-vous dans de beaux restaurants. Elle décrivait les fleurs que ses prétendants lui envoyaient le lendemain. À une fête de bureau, elle avait terminé en dansant sur le toit à Kenmore Square avec son patron, M. Pembroke, un homme marié. Elle détestait ses hanches et s'était imposée de ne se nourrir que d'un œuf dur et d'une tranche de pain sec les quatorze jours qui avaient précédé cette soirée. Elle espérait que son beau-père lui avance de l'argent pour se rendre à Los Angeles en avril. Elle avait lu un livre qui s'intitulait *Vivre seule et aimer ça*. Elle avait décidé de décorer son appartement en lavande et s'était acheté du matériel pour réaliser des cocktails, même si cela faisait plutôt mauvais genre pour une femme.

Alice buvait ses paroles.

Une nuit, Trudy mentionna que M. Pembroke l'avait emmenée à un vernissage en ville. Les murs accueillaient des toiles de femmes nues, et des serveurs en gants blancs proposaient de minuscules cornichons ainsi que des amandes. « Vraiment ? J'ai l'impression que ton patron t'aime bien. Je parie qu'il est impressionné par tes talents de dactylo ! » avait demandé son amie. « Oui, et par mes manières impeccables. Ça doit être les restes du cours de bonnes manières auquel ma mère m'avait inscrite petite. »

Alice faillit demander à Trudy ce qu'était un cours de bonnes manières. Elle interrogea sa sœur, qui ne savait pas, puis se tourna vers sa voisine. « Des cours pour apprendre à être plus sophistiquée et polie », avait-elle expliqué.

Alice emprunta quelques dollars à sa mère et s'y inscrivit immédiatement. La plupart des autres élèves étaient bien plus jeunes qu'elle. Ils avaient seulement douze ou treize ans, tous fils et filles de riches avocats ou hommes d'affaires. Elle ne s'en souciait pas. Chaque samedi matin, après un long trajet en bus, elle apprenait l'art de tenir couteau et fourchette, la bonne façon de s'asseoir et de se relever, comment parler en société, et même quelques mots de français.

Après les cours, elle apportait ses pastels sur les bords de la rivière Charles et s'asseyait dans l'herbe pour croquer les passants. Elle avait emprunté les pastels à sœur Florence, son professeur de dessin. Ils étaient, en général, à moitié écrasés quand elle les sortait, après les avoir cachés des jours dans les poches de son manteau, où ils dessinaient des arcs-en-ciel sur le satin de la doublure. Dans ses rêves, quelque riche bienfaiteur s'arrêterait pour lui dire : « Vous êtes trop douée pour cet endroit. Vous avez un don, ma chère. Laissez-moi vous emmener loin d'ici. Il faut que vous découvriez Paris. »

Mais personne ne lui demandait jamais rien, et quand elle ramenait ses dessins à la maison, seule sa sœur Mary s'extasiait. Un jour, Alice eut le courage de demander à son père si elle pourrait aller aux Beaux-Arts, et il répondit que oui, bien sûr, si elle continuait à avoir de bonnes notes, et faisait ce que sa mère lui demandait. Matin et soir, Alice se répétait cette promesse. C'était d'ailleurs étonnant. D'habitude, il refusait tout ce qu'elle lui demandait. Dans sa famille, ils jugeaient Alice prétentieuse et lui reprochaient de ne pas se contenter de ce que Dieu lui avait donné. Seule Mary la soutenait.

Elle aimait les belles choses et avait trouvé des astuces pour s'en procurer. Par exemple, elle commandait une belle robe sur le catalogue Lord & Taylor, paiement en espèces à réception. Dès que le coursier arrivait, elle se précipitait à l'étage, et regardait ses jeunes frères Timmy, Jack, Michael ou Paul, se battre avec le gamin. Ils lui criaient qu'ils n'avaient pas commandé de robe et qu'ils n'allaient foutrement pas la payer.

Ils demandaient : « Alice! tu as entendu parler d'une nouvelle robe? » et elle répondait : « Ah! j'aimerais bien… », innocente comme l'agneau.

Le garçon de course expliquait sans fléchir qu'il était à la bonne adresse. Il savait ce qui l'attendait s'il rentrait au magasin sans l'argent. À deux reprises, ses frères avaient été tellement pris de court qu'ils avaient fini par payer. Et Alice avait eu sa robe.

Au fond de son cœur, elle savait qu'elle commettait un péché en pensant qu'elle était appelée à une autre vie, une vie meilleure. Elle le savait parce que c'est ce que lui disait sa mère, et parce que la Bible prônait l'humilité et le sacrifice de soi. Elle avait recopié une citation des épîtres aux Philippiens à l'intérieur du tiroir de sa table de nuit, et lorsqu'elle rangeait son chapelet avant d'aller au lit chaque soir, elle en lisait lentement les mots : « Ne faites rien par égoïsme ou par orgueil mais, dans l'humilité, servez les autres mieux que vous-même. »

Malheureusement, ce n'était pas si facile. Alice croyait que Jésus la sauverait si elle faisait des efforts. Elle priait pour être comme sa sœur : généreuse et heureuse de ce qu'elle avait. Mais son égoïsme semblait tout aussi solidement ancré que la gentillesse de Mary.

Si Mary obtenait une nouvelle robe, il y avait de fortes chances pour qu'elle la donne à l'église. Une fois, elle avait gardé le bébé d'un voisin pendant douze heures et n'avait été payée que d'un œuf dur. Quand elle avait entendu cette histoire, Alice était devenue livide, mais Mary avait conclu : « J'imagine que c'est tout ce qu'ils pouvaient se permettre. »

Mary s'était toujours contentée de peu. Elle portait une longue jupe de coton gris et le même chemisier blanc chaque jour de la semaine. Elle ne sortait jamais avec des garçons et restait à la maison à lire, tandis qu'Alice et ses camarades d'école allaient manger des glaces au jardin public avec leur classe. Alice suggérait à Mary de les accompagner et elle disait même à ses cavaliers qu'elle ne viendrait que s'il y avait quelqu'un pour sa sœur. Mais Mary refusait.

« Je ne veux pas être celle qu'on sort par pitié ! Et puis tous ces garçons sont plus jeunes que moi. Je me sentirais ridicule. »

Quand Alice rentrait le soir, elle marchait sur la pointe des pieds dans leur chambre, et ôtait ses bas tandis que Mary chuchotait : « C'était comment ? »

Alice espérait que les histoires éveilleraient une timide flamme chez sa sœur mais Mary répondait toujours : « Oh, de toute façon, si je t'accompagnais, je crois bien que je n'aurais rien à dire de la soirée. »

Une fois sa sœur endormie, Alice priait pour elle *: Faites qu'elle sorte de sa coquille, Seigneur. Faites qu'elle soit heureuse.*

Le lycée terminé, Mary prit un emploi de dactylo chez Liberty Mutual et commença à ramener un peu plus d'argent à la famille. Leurs parents étaient contents. Alice, encore lycéenne, pensa qu'elle mourrait d'ennui à un tel poste, et que sa sœur devrait garder pour elle l'argent qu'elle gagnait. Quand elle pensait à ce qu'elles pourraient faire de ces chèques ! Mais quand elle parlait de ses projets, Mary s'étouffait : « Oh, je n'oserais pas garder tout cela pour moi, pas même en rêve. » Alice avait d'autant plus honte d'elle-même.

Elle voyait moins Mary. Le vendredi soir, elle aimait bien se rendre à Boston et aller chercher sa sœur à son bureau. Après quoi, elles aillaient voir un film, ou partageaient un sandwich dans le parc. Parfois, elles buvaient une bière dans un bar avant de rentrer. Mais il fallait lourdement insister auprès de Mary pour la convaincre.

Quand Alice eut son bac, deux ans après sa sœur, sa mère lui demanda de mettre une robe : « Je t'emmène en ville aujourd'hui, pour chercher du travail. » Alice secoua la tête : « Papa a dit que je pouvais aller aux Beaux-Arts. » Sa mère soupira et lui répondit calmement : « Allons Alice, ne fais pas l'enfant. Tu sais bien que ton père ne parlait pas sérieusement. Nous n'avons pas l'argent pour cela. »

Elle méprisait son emploi, qui consistait principalement à servir des cafés et à prendre des appels pour M. Weiner et M. Kristal, un duo de crétins chauves. Elle tenait le coup en mettant un peu d'argent de côté pour elle (elle avait menti à sa mère sur le salaire) et en dessinant sur son bloc : Weiner derrière les barreaux de la cage aux singes au zoo de Franklin Park, Kristal terrifié, sur le pont d'un bateau de pirates.

La guerre éclata. Le vacarme de la maison cessa. Ses quatre frères étaient partis au front. Même son Paris bien aimé était sous la coupe des nazis, et Alice se disait qu'elle devrait aller vivre ailleurs. Avec autant de jeunes hommes loin du foyer, le travail de son père devint plus régulier. Ils laissèrent la chambre des garçons intacte comme s'ils allaient revenir d'un jour à l'autre.

Son père buvait de plus en plus. Il terrorisait régulièrement Alice et Mary. Il les traitait de feignantes et de bonnes à rien, et vociférait jusqu'à ce qu'elles s'enfuient à l'étage en larmes, ou qu'il s'endorme.

« Si les garçons étaient là, il n'aurait jamais le courage de nous parler comme ça », disait Alice. Mais ses grands gaillards de frères étaient aussi terrorisés qu'elles par leur père.

Alice allait à l'église à cinq heures tous les matins. Elle priait pour qu'ils reviennent sains et saufs. Elle récitait le *Salve Regina*, de façon dramatique autant de fois qu'elle le pouvait, avant que quelqu'un ne vienne lui signaler le début de la messe. *Je te salue, Oh, Reine, mère de miséricorde, notre vie, notre douceur et notre espérance... Enfants d'Ève, malheureux exilés, nous élevons nos cris vers vous...*

Elle croyait en Dieu de tout son cœur, et savait qu'Il veillerait sur les garçons si elle priait suffisamment, si seulement elle arrivait à devenir meilleure. Elle tentait d'étouffer ses mauvais sentiments : l'envie, l'avarice, la colère. Un événement incroyable finirait par arriver si seulement elle priait sans faiblir.

Elle continuait à peindre quand elle le pouvait. Mary ne cessait de lui dire que ses toiles étaient au moins aussi bien que les Degas qu'elles aimaient au musée Gardner. Alice les avait copiés à d'innombrables reprises, en s'asseyant devant eux, reprenant chaque ligne pendant des heures. Elle était flattée, mais elle se disait parfois que le talent n'était pas tout. Degas était né dans une riche famille française et c'était un homme, de surcroît. Il avait eu le loisir de vivre de belles histoires d'amour à Paris, tandis qu'elle était coincée dans une existence sans relief, où chaque jour semblait vouloir imiter le précédent, avec obstination.

« La seule façon de visiter l'Europe dans cette famille est d'y faire la guerre », avait-elle dit à Mary un soir. Sa sœur avait ri, mais un silence lourd était tombé ensuite. Assises sur leurs lits, en chemises de nuit de coton, les cheveux encore humides, elles pensaient à leurs frères qui risquaient leurs vies.

Les rues, les boîtes de nuit et les cinémas, ressemblaient à leur maison : pas un homme en vue. Seuls les gardes-côtes étaient restés dans le Massachusetts. On les traitait de lâches. Aucune fille en ville ne voulait les fréquenter. Alice et Rita, sa meilleure amie, allaient parfois à des soirées dansantes sans un seul mâle à l'horizon. Elles riaient, dansaient comme des folles l'une avec l'autre, se lançaient dans un jitterbug [12] endiablé, libérées des regards masculins. Rita venait de se marier, son époux se trouvait sur un bateau de la Marine, loin, en mer. Elle passait le temps, en attendant qu'il revienne. Après la guerre, elle allait se retrouver mariée pour de bon… la pauvre, la fête serait terminée.

Ce fut durant cet hiver, où les hommes se faisaient aussi rares que le lilas, que Mary finit par en rencontrer un. Henry Winslow était entré en fin de matinée dans son bureau pour prendre un rendez-vous avec son patron et l'avait alors invitée à déjeuner. Mary avait accepté.

Le soir, Alice la regarda d'un air perplexe :

« Quoi ? avait dit Mary.

— Ce n'est pas ton genre.

— Ah bon ?

— Comment es-tu sûre que ce n'est pas un meurtrier ? Ou qu'il ne vient pas d'une famille de bohémiens ? J'ai passé mon temps à

---

12. Danse populaire de l'entre-deux-guerres.

te présenter des garçons et tu n'en voulais pas. Maintenant, d'un coup, tu es prête à fréquenter le premier venu ?

Mary se mordit la langue.

— Peut-être que je voulais rencontrer un garçon par moi-même. Il m'a invitée à dîner vendredi soir.

— Pourquoi n'a-t-il pas été mobilisé ?, demanda Alice d'un ton suspicieux. Mais quel âge a-t-il ?

— Il a trente ans !

— Trente ans ! C'est totalement décati. Mon Dieu ! Pourquoi n'est-il pas à la guerre ?

— Il est 4-F, répondit Mary. »

Comme Frank Sinatra. Leur frère Timmy ne respectait plus Sinatra depuis qu'il avait évité la conscription. (« Écoute-moi cette voix ! Cela ressemble à quelqu'un qui aurait un tympan percé ? »)

Ton Henry est un lâche, pensa Alice.

« Tu sais pourquoi il est 4-F ?

— Une vieille blessure due à un accident de bus, du temps où il était à Harvard. Il boite un peu.

Les oreilles d'Alice tintèrent :

— Harvard ?!

Mary tentait de réprimer un sourire.

— J'ai l'impression qu'il est assez aisé. »

Ils sortirent le vendredi, Henry devait amener un ami pour Alice. L'ami d'Henry, Richard, était affreux, vieux, transpirant, avec de vilaines dents jaunes et une montre à gousset qu'il ne cessait de regarder toutes les minutes, comme s'il voulait lui montrer que le sentiment de répulsion qu'il y avait entre eux était réciproque. Cela aurait été évidemment bien pire si elle avait plu à cet homme affreux, mais Alice se sentit tout de même offensée. Elle se faisait un devoir de ne jamais manger lors des rendez-vous mais, cette nuit, elle commanda un martini et un steak.

C'était vrai, Henri boitait. Alice aurait-elle accepté cela chez un garçon ? Sans doute pas. Et il avait quelques cheveux gris ici ou là. Mais il n'était pas si mal pour quelqu'un de son âge. Il travaillait pour son père, un très honnête magnat des transports, et n'allait pas tarder à hériter de son entreprise. Alice l'observait quand il parlait à Mary — que pouvait-il bien lui trouver ? Elle n'était pas spécialement belle. Mais Henry semblait sous le charme. Il riait à ses mauvaises blagues et commandait pour elle quand la serveuse passait.

Quand Henry demanda à Alice ce qu'elle faisait dans la vie, Mary la coupa :

« C'est une artiste. Très douée. Tu devrais voir ses dessins.

— J'adorerais, intervint le terne Richard. Je suis un collectionneur impénitent. »

Il s'avéra aussi, comme il le reconnut après quelques cocktails supplémentaires, qu'il était également un peu homosexuel. Mais trois jours plus tard, Alice lui vendit son premier tableau. Tomber éperdument amoureuse de Richard n'aurait pas pu lui apporter le quart de la joie qu'elle ressentit en le voyant tendre l'argent. Elle imagina une plaque sur sa maison : L'ARTISTE ALICE BRENNAN A VÉCU ICI DE 1921 À 1941.

« C'est magnifique, dit-il. Puis il baissa sa voix comme si d'autres pouvaient écouter. Alice, j'adore Henry Winslow, il était dans ma chambre à la fac, mais faites attention à votre sœur. Elle m'a l'air d'une gentille fille. Et il est malheureusement célèbre pour briser les cœurs.

— Qu'est-ce que vous voulez dire par là ? demanda-t-elle tout en sentant monter l'envie de frapper Henry.

— Je n'aurais rien dû vous dire. Faites attention, c'est tout. »

En l'espace de quelques semaines, Mary et Henry devinrent inséparables. Ils sortaient pour dîner et danser. Mary irradiait d'une confiance en elle inédite. Elle se mit à se coiffer et à s'habiller correctement. Elle suivait enfin les conseils d'Alice, et mettait du blush sur ses joues pâles.

Dans ses moments d'humeur charitable, Alice était heureuse que sa sœur soit enfin si épanouie. Mais, à d'autres moments, la jalousie la gagnait. Non pas qu'elle veuille Henry pour elle. Mais quelqu'un comme lui, en un peu plus beau, un peu plus jeune. Il avait bouleversé leurs existences. Désormais, Mary avait beaucoup moins de temps à passer avec Alice. Parfois, dans le bus, ou à son travail, Alice imaginait des façons de les séparer. Elle demandait ensuite pardon au Seigneur, rouge de honte quand elle pensait à la tristesse de sa sœur si cette relation devait se terminer brusquement.

Six mois plus tard, Henry n'avait toujours pas présenté Mary à sa famille ce qui lui causait beaucoup de peine. Il disait qu'il se contentait d'attendre le bon moment, mais Mary avait des doutes. Alice se demandait si Richard avait voulu parler de cela quand il l'avait mise en garde.

Finalement, il les invita toutes deux à venir dans ce qu'il appelait la cahute de son père, à Newport. Mary prépara un gâteau aux myrtilles pour sa mère et se coiffa pendant une heure. « La cahute » se révéla être une énorme maison de dix chambres, avec personnel et terrain de tennis. Mais les parents d'Henry n'y étaient pas. Il n'y avait que ses sœurs et quelques amis, dont l'un avait amené ses deux fils grincheux et dépenaillés de deux ans. Cet après-midi-là, sur la terrasse, Henry les présenta comme « Mon amie Mary, et sa sœur Alice, l'artiste. »

Henry avait été en Europe, enfant. Quand Alice lui dit à quel point elle avait toujours rêvé d'aller à Paris, il répondit :

« Crois-moi, gamine. Je t'y emmène avec Mary dès que tout ce bazar prend fin. »

Elle le crut. Alice pinça le bras de sa sœur. Un nouveau monde s'ouvrait enfin à elles.

Plus tard, le groupe descendit à la plage. Comme on pouvait s'y attendre, Mary finit avec un enfant pendu à chaque main.

« Est-ce qu'elle a toujours été aussi parfaite ? demanda Henry.

Alice grommela que oui.

— On dirait que cela vous irrite.

— À côté d'elle, je me fais l'effet d'un monstre, voilà tout.

— Je pense que nous sommes pareils tous les deux. Nous avons besoin de briller. »

Voilà qui expliquait ses sentiments pour Mary. Henry cherchait donc une fille dévouée qui s'occuperait de lui, lui ferait la cuisine et le soignerait au moindre rhume.

« Oui sans doute, dit Alice, en regardant la splendide plage immaculée.

Même le sable semblait plus beau chez les riches.

— Je serais perdu sans elle, dit Henry. Vous seriez étonnée de savoir à quel point les femmes peuvent être cruelles. Nous sommes tous fragiles, mais nous n'aimons pas que l'on nous le rappelle.

— Qu'est-ce que vous voulez dire par là ?

Il montra son pied.

« Je jouais au base-ball à Harvard. Et à Radcliff, toutes les filles voulaient sortir avec moi. Mais après mon accident, j'ai bien compris que mes chances d'être heureux s'étaient envolées.

— Quelqu'un comme vous ? Je n'arrive pas à y croire. Il doit bien y avoir un million de filles ici qui seraient prêtes à jouer les Florence Nightingale [13].

— Mais pas plus, dit-il. Moi, je voulais une femme qui me regarde comme les autres le faisaient avant. Et c'est ce que fait Mary. »

La jalousie d'Alice s'effaça. Il avait raison évidemment. Sa sœur ne se plaindrait jamais de sa mauvaise jambe, ni des douleurs terribles dont il souffrait de temps en temps et qui l'immobilisaient.

Elle aurait pu dire que sa jalousie avait complètement disparu, s'il n'y avait pas eu les cadeaux. Alice s'efforçait de ne pas laisser paraître son envie quand Mary arrivait avec une nouvelle étole de renard, un bracelet en argent, ou une paire de gants en daim, même si ces objets ne l'avaient jamais intéressée auparavant.

« Cela doit être bien d'avoir quelqu'un qui t'achète tout ce que tu veux, avait dit Alice en regardant sa sœur s'habiller pour le travail un matin.

— Oh, tu sais, je me fiche pas mal de tout ce qu'il m'offre, répliqua Mary.

Alice resta sans voix.

— Tu ne devrais pas te vanter.

13. Célèbre infirmière et statisticienne anglaise qui a révolutionné l'administration des hôpitaux anglais au XIXᵉ siècle.

— Je ne le faisais pas, si ? Par ailleurs, j'ai acheté les gants avec mon argent. Et c'était les seuls objets que je voulais vraiment. Sinon, tout que je désire, c'est Henry. »

Six mois entiers passèrent sans une demande en mariage, ou même une présentation à ses parents.

« Le boulot de mon père va mal, disait Henry, en guise de justification. Je sais qu'il va t'adorer, mais ce n'est pas le moment de faire tanguer le bateau. »

Mary l'aimait passionnément ; son humeur oscillait entre une joie pure et un chagrin intense. Elle était complètement dépendante de lui. Elle essayait de ne rien laisser paraître mais craignait que la famille d'Henry n'accepte jamais son mariage. Parfois, elle pleurait le soir dans son lit, et Alice se demandait si c'était là la conclusion inévitable des histoires d'amour. Si oui, eh bien l'amour était vraiment effrayant.

Alice s'inquiétait. Elle désirait ce mariage autant, sinon plus, que Mary elle-même. Une fois que Mary aurait épousé Henry, elle donnerait des petits-enfants à sa mère. Alice pourrait alors vivre à sa guise. Henry et Mary lui donneraient de l'argent pour qu'elle se lance, et Henry lui présenterait peut-être d'autres amis comme Richard, intéressés par son travail.

Mary continuait à s'occuper de la maison. Elle préparait le dîner, cousait, nettoyait le salon. Elle invitait rarement Henry. Leur maison était sans doute trop petite, et puis elle n'avait pas très envie de lui présenter leur père, ce qu'Alice comprenait. Mais elle ne pouvait s'empêcher de se sentir un peu vexée. Mary se souciait tellement de ce que pensait Henry. C'était comme si elle vivait dans deux mondes en même temps, et il se trouvait qu'Alice faisait partie de celui qu'elle tentait de dissimuler. Mais Henry avait dit : « Un jour, nous irons tous à Paris. » Elle s'accrochait à ce souvenir.

Alice commençait à être cernée par les mariages de ses amies. Même Trudy, de la ligne partagée, avait rencontré un jeune médecin de l'armée et déménageait dans une maison à Winthrop (ce qui fit à Alice l'effet d'une trahison, bien qu'elle sache que sa réaction était puérile).

Alice ne voulait absolument pas devenir une épouse, coincée dans une maison pleine de rats, au service d'un homme qu'elle aimerait de moins en moins avec les années. Mais elle avait vingt-deux ans, et c'était comme si, à cet âge, une fille ne pouvait rien espérer d'autre. À cause de cette triste perspective, sortir avec des garçons était devenu une corvée. Elle avait toujours des prétendants. Mais elle connaissait par cœur les garçons qui la courtisaient, c'étaient les mêmes depuis le lycée. Et puis, ils finissaient par repartir au front ou alors ils restaient à cause d'une maladie ou d'une faiblesse des nerfs, ce qui n'était pas mieux.

Beaucoup de garçons lui envoyaient des lettres. Quelques-uns, avec qui elle était sortie seulement une fois ou deux, lui écrivaient qu'ils étaient tombés amoureux et qu'ils voulaient faire d'elle une honnête femme quand ils rentreraient. Elle se faisait un devoir de leur répondre, mais leur rappelait sans cesse que l'absence ramollissait le cœur et que tout était différent désormais, que le temps du cinéma et du stand de glace était révolu.

Dans le placard de sa chambre, Alice avait caché une copie de *Vivre seule et aimer ça,* le livre dont elle avait entendu parler par Trudy. Elle en lisait parfois une ligne à haute voix à sa sœur : vivre seule, d'après la rédactrice de *Vogue* Marjorie Hillis, était « peut-être aussi bien que n'importe quelle autre façon de vivre et infiniment mieux que de vivre avec trop de gens ou avec la mauvaise personne ».

Certaines nuits, Alice faisait la lecture à Mary dans le lit, avec la voix exagérée et théâtrale de Trudy : « Vous pouvez en fait vous faire plaisir sans honte — peu de personnes sont assez intelligentes pour comprendre cela. L'astuce consiste à vous construire une vie qui vous plaise vraiment. »

Elle quitta des yeux les pages du livre en souriant. Elle imaginait un appartement plein de linge propre, de serviettes de bain roses et de toiles vierges en attente du coup de pinceau.

« Tu imagines ?

Mary secoua la tête, l'air un peu triste.

— Je n'aimerais pas trop, dit-elle. Je veux vivre avec quelqu'un, toujours.

Alice soupira :

— Oui, je sais.

Sa sœur devint silencieuse, Alice se rendit compte qu'elle pleurait.

— Qu'est-ce qu'il y a ?

— Ne t'inquiète pas, va dormir.

— Mary, quoi ?

— Tu ne pourrais pas comprendre.

— Allez, tu peux me dire.

— J'ai fait des choses qu'une jeune fille ne doit jamais faire. J'ai péché de la pire des façons. Mais je suis amoureuse, et je ne comprends pas comment cela peut être mal. Ne t'en fais pas Alice, endors-toi. »

Alice ne trouva rien à répondre. Elle tremblait de colère. Elle avait embrassé beaucoup de garçons, mais gardait sa virginité pour le mariage. Tout ce qui avait rapport au sexe la terrifiait. Bitsy Harrington, une fille du voisinage, était tombée enceinte à l'arrière d'une Plymouth, à cause d'un marin qui lui avait raconté que c'était la seule façon pour lui de toucher son cœur. Rita et les autres filles s'étaient abondamment moquées de Bisty mais Alice pensait qu'elle-même n'aurait sans doute pas su mieux se protéger. Tout cela restait un mystère. Quand elle avait eu ses règles pour la première fois, à quatorze ans ; elle avait cru qu'elle allait mourir et était rentrée de l'école en larmes.

Et sa sœur, qui n'avait pas tellement l'air plus au fait qu'elle, était allée jusqu'au bout avec Henry ! Voilà que, à cause de Mary, elle passait pour une oie blanche, alors qu'elle avait toujours été la plus sophistiquée des deux. Et que dire de la question de la vie éternelle : sa sœur avait péché de la pire des façons, se condamnant à l'enfer, et tout ça pour quoi ?

Alice voulut savoir où ils l'avaient fait. Est-ce qu'il allait épouser sa sœur désormais ? Mary avait peut-être bien ruiné leur avenir à toutes les deux.

Alice alla à la messe le matin suivant, et en plus de prier pour ses frères comme elle le faisait toujours, elle alluma un cierge pour Mary.

Quelques semaines passèrent. On était en octobre, la fraîcheur de la soirée annonçait l'hiver. Elles étaient assises à table pour dîner avec leurs parents, comme toujours après le travail. Mary avait préparé un poulet rôti et de la purée de pommes de terre. Alice avait hâte de finir son repas afin de pouvoir se saisir du téléphone. Elle voulait savoir ce qui s'était passé au bureau de Trudy quand elle avait annoncé à son patron qu'elle quittait son travail pour déménager en banlieue et fonder une famille.

Elle se tourna vers Mary :

« Trudy a parlé à son patron de la demande d'Adam aujourd'hui.

— Comment l'a-t-il pris ?

— J'attends la fin du dîner pour savoir.

Mary sourit :

— Tu aurais dû apporter le téléphone directement à table.

Alice prit un morceau de poulet :

— J'aurais bien aimé, si j'avais réussi à le décrocher du mur.

— Alice, dit leur mère. Tu es horrible. Passe le plat à ton père. »

Installé à l'autre bout de la table, il lisait le journal, après plusieurs verres de whisky. Il était revenu du bar du coin une demi-heure plus tôt, plutôt en colère. Mais là, il semblait sur le point de s'écrouler dans sa purée.

Alice lui tendit le plat sans un regard. Elle poursuivit :

« Trudy pense qu'Adam lui a proposé le mariage parce qu'il doit s'embarquer bientôt. Si tu me demandes mon avis, je te dirai que ça ne me paraît pas très romantique.

— Je ne trouve pas. Une demande en mariage reste une demande en mariage.

— Peut-être que si Henry avait été mobilisé, il t'aurait fait sa demande aussi.

— Alice !

— Quoi ! Quand penses-tu qu'il va le faire ? Ça fait plus d'un an maintenant, qu'est-ce qui le retient ?

— Franchement, Alice, tu exagères !

Mary semblait exaspérée, mais elle se mit à rire.

— Et pourquoi as-tu tellement hâte de te débarrasser de moi? »

Alice pensa : *Parce que le plus vite tu seras mariée et auras des enfants, le plus vite je serai libre de vivre ma vie comme je l'entends.* Mais elle ne le dit pas à haute voix et se contenta de répondre :

« Mais non!

Soudain une voix rude s'éleva du bout de la table.

— Vous n'avez pas bientôt fini de discutailler? »

Leur père leva les yeux de son journal, le regard vitreux. Il s'essuya le nez du revers de la main et se racla la gorge.

« Tous les soirs, votre pauvre mère doit écouter vos jérémiades, vos bavardages et vos rêvasseries, vous me rendez malade. Vous vivez dans un rêve, vous êtes pathétiques. »

Alice le trouva révoltant. Il ne savait absolument pas de quoi il parlait, et c'était cruel de s'attaquer à Mary. Il savait bien qu'elle ne ferait pas de mal à une mouche.

Alice se dit qu'elle arriverait à le faire changer d'humeur.

« Eh, papa, tu penses quoi des Red Sox? Tu crois qu'ils vont gagner le championnat cette année? »

Elle se fichait comme d'une guigne des résultats des Red Sox — tout le monde le savait. Mais, elle ressentait le besoin de protéger sa sœur, c'était un moyen de créer une diversion.

« Ferme-là! cria-t-il. Mary, tu étais la plus raisonnable. Regarde-toi maintenant. Depuis que tu as rencontré ce garçon, tu n'es plus la même. Tu nous prends de haut. Et pourquoi? Quelqu'un comme lui n'épousera jamais une fille comme toi. »

Alice avait pensé la même chose un moment plus tôt, mais elle était atterrée de l'entendre dans la bouche de son père. Bien sûr qu'il allait l'épouser. Henry allait les sauver toutes les deux. Et c'est peut-être bien ce qui rendait son père si furieux.

« Ma fille a été rejetée par un infirme! » dit-il avec un rire cruel.

Alice rêvait de lui décocher un coup dans les mâchoires. Elle jeta un œil vers sa mère qui restait silencieuse, comme à son habitude. Dans cet état, il était capable de tout.

« Il va l'épouser, dit soudain Alice. Tu ne sais pas de quoi tu parles. »

Il se leva, s'avança vers elle. Elle se jura de ne pas bouger, mais à la dernière minute, alors que Mary s'était mise à crier, elle se leva et courut dans sa chambre. Sa sœur la suivit. Il les poursuivit dans l'escalier. Il attrapa la jupe de Mary, qui lui échappa. Alice claqua la porte sur son visage effrayant et la tint fermée jusqu'à ce qu'elle entende ses pas s'éloigner.

« C'est un idiot, dit-elle à Mary qui sanglotait. Oh, viens t'asseoir à côté de moi.

Sa sœur s'assit et posa sa tête sur les genoux d'Alice.

— Tout ira bien, tu vas voir », dit Alice en caressant ses cheveux bruns.

Elle tentait d'avoir l'air confiant, mais cette nuit-là, elle ne parvint pas à dormir. Trois semaines plus tard, elle serait fixée. Mais Mary ne serait plus là.

Alice plia les serviettes une par une et les rangea dans un panier en plastique. Elle espérait que son séjour dans le Maine l'aiderait à ne plus penser à sa sœur. Mais elle se rendit compte que c'était sans espoir. Daniel avait toujours dit que le Maine était fait pour la contemplation tranquille. Dans le cas d'Alice, c'était plutôt le désespoir tranquille.

Elle sortit du cottage. Elle vit un cardinal descendre de l'un des pins pour se poser sur un buisson de la pelouse. Daniel s'était fabriqué un observatoire amateur à oiseaux et leur avait toujours donné des surnoms. Elle imaginait comment il l'aurait appelé. Miss Scarlet, peut-être.

Sur la porte du cottage, une plaque en céramique disait CÉAD MILE FÁILTE (Mille et mille fois bienvenue). Ils l'avaient achetée, avec Daniel, lors d'un voyage à Dublin, trente-cinq ans plus tôt. Elle avait orné la porte de leur maison à Canton quelque temps, puis elle s'en était lassée et, comme beaucoup de choses dont elle ne pouvait pas vraiment se séparer, elle l'avait amenée dans le Maine.

Alice ouvrit la porte et respira l'odeur familière. Elle alla jusqu'au placard de la salle de bain pour poser les serviettes par-dessus la pile.

La mort de sa sœur avait infléchi irrémédiablement le cours de sa vie. Daniel disait que c'était pour cette raison qu'elle buvait quand les enfants étaient petits. Ou qu'elle avait des insomnies, des sautes d'humeur. Elle n'en était pas si sûre. Après tout, il ne la connaissait pas avant la mort de Mary, comment pouvait-il juger ?

À certaines périodes, Alice arrivait à ne plus y penser. Dans ces moments-là, elle avait l'impression de s'en sortir. Jusqu'à ce qu'un événement imprévu vienne rouvrir la plaie. Cette année, ce fut l'article dans le *Boston Globe*. Deux ans plus tôt, ce fut quand, au cours d'une séance de rangement de photos, Alice tomba sur deux jeunes femmes et un homme, dans des pantalons kaki et des hauts boutonnés, leurs cheveux flottant dans le vent, avec l'inscription *28 mai 1942. Moi, Alice et Henry.*

Elle avait été prise six mois avant la mort de Mary. Alice fut bouleversée. Elle déchira la photo et la jeta à la poubelle, pour le regretter une heure plus tard.

Le moindre détail pouvait lui rappeler accidentellement sa sœur. Les bureaux de Liberty Mutual à Berkeley Street, où Mary avait travaillé. Le jour de Pâques, à l'occasion duquel Mary préparait un petit gâteau en forme de lapin. Que serait devenue Mary ? Sa vie aurait-elle été fidèle à ses rêves de jeunesse ? Elle pensait aussi aux enfants qu'elle aurait pu avoir avec Henry. C'était étrange qu'Alice ait eu trois enfants, alors que sa sœur, tellement plus maternelle, n'avait jamais connu la chance d'en avoir.

Daniel avait toujours tenté de la détourner des « et si… ». Il jugeait ces pensées morbides. Mais il était parti, lui aussi. Depuis qu'elle avait lu cet article de journal des mois plus tôt, Alice était, plus que d'habitude, hantée par les souvenirs de sa sœur. Les journaux l'avaient surnommée « Mary, la petite fiancée ». Tous ceux qui étaient assez vieux pour se rappeler cette nuit connaissaient son histoire.

Mais ils ne savaient pas que c'était la faute d'Alice. Le savoir faisait sans doute partie de sa pénitence. Récemment, c'était comme si Dieu se plaisait à attirer son attention sur les vieilles dames qui marchaient bras dessus, bras dessous. Dans les églises, les instituts de beauté, sur les trottoirs de Boston. Les hommes ne font pas long feu : voilà une chose qu'on ne vous dit jamais quand vous êtes jeune et que vous en cherchez un désespérément, en pensant qu'il va transformer votre vie. Non, à la fin il ne restait que les femmes, que les sœurs. Elle avait des amies, bien sûr, mais ce n'était pas pareil. Passé un certain âge, elles gardaient leurs distances. Elle ne pouvait pas vraiment inviter Rita O'Shea pour une soirée pyjama, ni l'appeler à minuit pour lui parler de ses problèmes.

Si Mary avait vécu, elles pourraient se retrouver dans le Maine toutes les deux. Si Mary avait vécu, la vie toute entière d'Alice aurait été différente.

C'était presque l'heure de déjeuner. Elle décida de se faire un sandwich dans le cottage. Elle alla à la cuisine, sa bonne vieille cuisine minuscule, dont elle s'était plaint un nombre incalculable de fois durant toutes ces années, et qu'elle préférait pourtant à son autre cuisine immaculée tout en marbre et acier. Elle ouvrit une boîte de thon, vida l'eau dans l'évier. Elle avait nettoyé le frigo une semaine plus tôt et l'avait rempli de condiments, de pickles, de coca et d'œufs frais. Dans le congélateur, des Popsicle et plusieurs restes de sa cuisine à Boston étaient emballés dans du papier transparent. Sur le comptoir, elle avait aligné un sac d'oignons, des assiettes en papier et des verres. Dans les semaines à venir, ses enfants et petits-enfants allaient arriver et ajouter leurs affaires. À la fin de l'été, il y aurait quatre boîtes différentes de céréales à moitié dévorées, plusieurs sachets de chips à moitié vides, une gaufre solitaire dans le freezer, et un reste de glace de Brigham. Mais les produits de base venaient d'Alice.

Un jour, elle avait entendu son petit-fils Christopher demander à Kathleen par quel prodige le frigo du cottage était tout le temps rempli. Kathleen avait répondu : « C'est de la magie... » Alice l'avait interrompue : « En fait, il n'y a rien de magique là-dedans, Chrissy, c'est ta grand-mère qui s'en charge. »

Elle sortit un petit oignon du sac et un couteau du comptoir, une partie d'un service complet qu'elle avait acquis grâce au téléachat quelques années plus tôt. Elle se mit à émincer l'oignon en silence pendant plus d'une minute en récitant un *Je vous salue Marie*.

Par la fenêtre, elle vit alors quelque chose se précipiter à travers la pelouse. Sa poitrine se serra. Sa main agrippa le couteau. Elle savait exactement ce qu'était cette forme bondissante.

« Oh, non! » s'exclama-t-elle à haute voix.

Elle se précipita dehors, juste à temps pour voir l'un de ces maudits lapins dévorer une de ses splendides roses.

« Non! dehors », dit-elle en se ruant sur la créature comme une folle et en agitant le couteau dans les airs.

Le lapin secoua ses oreilles et la regarda droit dans les yeux. Quel culot! Alice se précipita derrière lui, brandissant toujours le couteau. L'instant d'après, il se glissa dans un buisson puis disparut dans les bois.

« Ça y est! hurla-t-elle. Maintenant, c'est la guerre! »

Son cœur battait, et elle se sentait un peu idiote, seule dans le jardin à crier dans le vide, un couteau de cuisine à la main. Elle se redressa, lissa son chemisier et rentra pour finir de préparer son sandwich.

MAGGIE

Après avoir passé vingt minutes à attendre devant l'immeuble de Gabe, Maggie finit par héler le premier taxi qui passait. À l'intérieur, elle se mit à pleurer doucement, elle admettait sa défaite. Elle faillit dire au chauffeur : « Vous savez, je suis enceinte », pour justifier ses larmes, mais se contenta de lui donner son adresse.

Ce qu'elle craignait le plus avait fini par arriver : il ne voulait pas s'installer avec elle. Il n'avait pas l'air de se soucier tellement qu'ils se séparent. Et Maggie se retrouvait enceinte — et seule. Quel connard ! Quel crétin immature ! Et n'était-elle pas un peu tordue elle aussi, à vouloir écouter cette petite voix qui lui soufflait que tout ceci n'était qu'un épisode de plus de leur grande histoire d'amour tumultueuse, qu'ils allaient se retrouver dans le Maine et tomber plus amoureux que jamais. Cela faisait quand même deux ans qu'ils faisaient des efforts pour que ça marche, même si c'était souvent difficile.

Comme lui avait dit sa mère, un jour où Maggie l'avait appelée en pleurant après une de leurs engueulades, « Je sais que tu veux te marier et avoir des enfants, mais laisse tomber. Tu ne feras jamais de la soupe de poulet avec de la merde de poulet. »

Kathleen adorait citer à tout bout de champ ce genre de proverbes bien à elle, des pensées qui avaient peut-être un sens en théorie, mais qui n'aidaient pas le moins du monde quand il s'agissait de la vraie vie. Elle conservait des mantras des Alcooliques anonymes sur des Post-It accrochés sur son frigo ou imprimés sur des tasses à café et des serviettes de bain. *À chaque jour suffit sa peine. Vivre et laisser mourir. Rester fidèle à soi-même.*

Quand elle se sentait d'humeur peu charitable, Maggie se disait que sa mère avait remplacé une addiction par une autre : la bonne conscience d'être sobre à la place des excès d'alcool. Mais elle revoyait immédiatement certains moments de son enfance : sa mère s'évanouissant sur la pelouse lors du mariage d'un cousin, ses parents ivres de margarita dans le cottage du Maine, passant en quelques heures des rires et de la complicité aux plus violentes disputes. Ils laissaient alors Maggie se coucher tard (ou, plus vraisemblablement, ils l'oubliaient), ce qui l'excitait et lui faisait peur.

Après son entrée aux Alcooliques anonymes, Kathleen se mit au yoga. Elle commença aussi à fabriquer des médicaments aux plantes : du calendula pour l'acné de Chris, des racines d'orties pour les allergies de Maggie. Adolescents, ils auraient donné n'importe quoi pour une ordonnance de Noxzema ou de Benadryl.

Pour ses seize ans, Kathleen offrit à Maggie un journal pour noter ses rêves. Un cadeau complètement rebattu et cliché, ce que Maggie n'osa pas dire à sa mère. La même année, sa cousine Patty reçut une voiture pour son anniversaire, alors qu'elle n'avait même pas son permis. Maggie fut jalouse, puis s'en voulut immédiatement. Bien sûr que sa mère aurait fait de même si elle en avait eu les moyens. Maggie se sentit si mal qu'elle décida de ne pas passer son permis cette année-là. Seize ans plus tard, elle ne savait toujours pas conduire.

Kathleen vivait loin maintenant, en Californie. Si elle comprenait le choix de sa mère, Maggie ne pouvait s'empêcher de penser qu'elle avait fait passer Arlo — un homme qu'elle connaissait à peine — devant ses enfants. Un peu comme quand Maggie était petite et que Kathleen la confiait à Ann Marie pour se rendre à ses réunions des Alcooliques anonymes. Quand Maggie se retrouvait ainsi attablée avec ses cousins, son oncle et sa tante, elle faisait comme s'ils étaient sa vraie famille.

Quand elle revint de l'appartement de Gabe, elle monta au cinquième en sanglotant. Depuis le palier du quatrième étage, elle entendit une porte s'ouvrir, et pria pour que ce ne soit pas M. Fatelli, son vieux voisin qui empestait la soupe et l'invitait à regarder ses oiseaux en cage, Sid et Nancy.

Mais elle reconnut la voix de Rhiannon, sa voisine.

« Maggie ? dit-elle avec son léger accent écossais.

— Oui, c'est moi. »

Sa voisine de palier était une splendide fille de Glasgow. À même pas trente ans, elle avait déjà divorcé du vieil homme d'affaires américain qui l'avait amenée aux États-Unis. Maintenant, elle travaillait comme serveuse le soir, dans un restaurant à la mode de SoHo, et suivait des cours à l'université trois jours par semaine.

Rhiannon était un esprit plus libre que les autres sans doute parce qu'elle était étrangère et se sentait vivre ici une véritable aventure (ou peut-être était-ce l'inverse : c'était sa nature audacieuse qui l'avait amenée à New York.) Elle enchaînait les voyages en bateau sur l'Hudson et les traversées du Bronx à vélo, quand elle n'essayait pas une nouvelle pizzeria de Staten Island. Elle menait la vie new-yorkaise dont tout le monde rêvait sans jamais rien faire.

Quelques mois plus tôt, Rhiannon avait invité Maggie et Gabe à dîner dans le restaurant où elle travaillait. Elle portait une minuscule robe bleue ; quand elle les mena à leur table, on ne voyait que ses bras et ses jambes, parfaitement découpés dans le noir.

Puis elle discuta un peu avec eux, plaisantant avec Gabe sur son prénom.

« Voilà ce qui arrive quand des fans de Fleetwood Mac se mettent en couple. Je pense sérieusement à monter un groupe de soutien avec mon ami Gipsy.

— Sérieux ? dit-il, visiblement fasciné.

— Non, je plaisantais.

— Ah, tu m'as eue », lui lança-t-il avec un clin d'œil, ce qui attrista Maggie l'espace d'une seconde.

Elle découvrait comment il était lorsqu'elle n'était pas là. Plus tard, dans la rue, Gabe ne put s'empêcher de lui dire :

« Elle est vraiment canon.

— Tu n'es pas tout à fait son genre, chéri. Elle cherche plutôt des vieux plein de frics.

— Je parle de son caractère. Elle a l'air d'avoir une sacrée personnalité. Elle doit s'ennuyer dans ce travail. Pourquoi fait-elle ça ? »

Selon Rhiannon, ce boulot devait servir à payer ses frais dentaires. Jusque-là, elle s'en était bien sortie sans assurance-maladie. Maggie n'aurait jamais osé vivre sans couverture sociale. Elle était convaincue que si elle le faisait, un beau jour, un piano lui tomberait sur la tête du vingtième étage.

« Ça va ? lui demanda Rhiannon, voyant ses larmes.

— On s'est disputés avec Gabe.

Rhiannon hocha la tête.

— Tu veux prendre un verre ?

— Je crois plutôt que je vais aller me coucher. J'espère que je n'ai pas l'air trop impolie.

Rhiannon se mit à rire.

— On s'en fout que tu sois impolie. C'est vraiment le cadet de mes soucis. Sérieusement, je m'inquiète pour toi. Tu es sûre que tu ne veux pas qu'on parle ?

Maggie fit non de la tête.

— Peut-être plus tard ? »

Rhiannon était sa première voisine à New York à devenir une amie. Elles n'étaient pas tellement proches, mais elles avaient déjà discuté longuement dans le hall. Le jour où le divorce de Rhiannon avait été prononcé, elles étaient allées dîner dans un nouveau restaurant d'Orange Street et avaient bu à la liberté, bien que Maggie se soit demandée si c'était vraiment ce que ressentait Rhiannon à ce moment-là.

« D'accord, dis-moi si tu as besoin de quoi que ce soit, dit Rhiannon.

— Merci, c'est gentil. »

Une fois chez elle, elle laissa sa valise près de la porte et se traîna vers son lit. Un pantalon de Gabe traînait sur le dossier d'une chaise ainsi que sa casquette des Yankees, sur la table basse.

Maggie se mit à pleurer jusqu'à ce qu'elle s'endorme. Elle rêva de son grand-père près de la plage, dans le Maine. Il dansait seul sur le rivage, avec son vieux maillot de bain à palmiers, quelques poils gris sur la poitrine. Il riait, insouciant.

Quand elle se réveilla, elle pensa à lui. Il avait agi avec elle comme un père, beaucoup plus que son propre père. C'était son grand-père qui la faisait rire avec des blagues idiotes quand un enfant lui faisait de la peine à l'école, son grand-père qui venait dégager le chemin devant chez eux avec une pelle quand il avait neigé. Dans le cottage du Maine, il leur chantait des berceuses, avec une voix exagérément mélodramatique.

C'était lui qui avait accompagné Maggie à la fac, avec toutes ses affaires à l'arrière d'une Buick. Ce voyage en voiture jusqu'en Ohio était l'un de ses meilleurs souvenirs, elle avait pu lui parler comme elle ne l'avait jamais fait avant, sans son frère ni ses cousins.

Après dix heures de voiture, ils s'étaient arrêtés pour dîner dans un boui-boui sur le bord de la route. Son grand-père avait pris une pinte de Guinness. Il lui avait raconté que, quand il avait rencontré Alice, il avait été tellement stupéfait par sa beauté qu'il s'était presque enfui. Il n'avait pas réussi à articuler une phrase sensée. Il lui avait aussi expliqué que le jour où sa mère était née fut l'un des plus extraordinaires de sa vie. Il avait laissé sa femme et son nouveau-né dormir pour foncer à la messe de Saint-Ignace et donner un billet de cent dollars à la quête.

« Ta grand-mère et moi sommes tellement fiers de toi. On sait que tu vas réussir, Maggie.

— Merci.

— Tu es la première de la famille à aller dans une école qui ne soit pas une école catholique.

Elle avait levé les yeux au ciel.

— Cela nous a brisé le cœur, avait-il repris, mais ça va maintenant.

— Grand-père!

— Ne perds pas la foi, d'accord? Tu vas dans le genre d'endroit où on se soucie assez peu de religion. Mais souviens-toi d'où tu viens.

Alors qu'on leur servait leur repas, il lui demanda d'un ton sérieux :

— Maggie, ma chère, tu sais pourquoi tu ne dois jamais prêter d'argent à un lutin?

Elle soupira :

— Parce qu'ils sont toujours à court?

Il acquiesça.

— Et écoute celle-là. Paddy dit à Murphy que sa femme l'emmène boire. Murphy dit à Patty qu'il a bien de la chance parce que sa femme à lui l'oblige à marcher. »

Maggie avait râlé mais n'avait pas pu résister au plaisir de l'écouter se lancer dans une série d'histoires drôles irlandaises, toutes récitées avec un accent à couper au couteau, qui les emmena jusqu'au dessert.

Maggie avait vingt-deux ans quand il mourut et, aujourd'hui encore, y penser lui déchirait le cœur. Elle se souvint d'un vers appris au collège :

Pas une chose qui ait jamais volé, pas une alouette, pas toi, ne peut mourir comme tous les autres.

Mais il n'était plus là. Gabe, non plus. Il était presque dix heures, et le ciel était couvert. Maggie regarda son téléphone : aucun appel en absence.

Dans douze heures, ils devaient partir dans le Maine. Est-ce qu'elle devait y aller malgré tout? Elle aurait bien aimé être le genre de personne capable de se cacher sous les couvertures, commander une pizza chez *Fascati* et ignorer la réalité. Mais elle ne pouvait s'empêcher de penser à lui. Elle devait se retenir d'aller frapper à sa porte comme une démente pendant plusieurs heures.

Peut-être qu'ils se remettraient ensemble dans une journée, ou une semaine, et que tout continuerait comme avant. Mais Gabe n'était jamais gentil après une dispute. Et, de toute façon, il suffisait d'échafauder ce genre de scénario pour qu'il ne se réalise jamais.

Elle s'assit dans son lit et regarda autour d'elle. Est-ce qu'elle pourrait vraiment élever un enfant toute seule dans un deux-pièces minuscule de Brooklyn ? Elle croyait qu'elle était prête à être mère. Et si elle se trompait du tout au tout ? Et si jamais c'était vraiment terminé avec Gabe ? Combien de temps pourrait-elle rester ici sans craquer ? Cet appartement les avait réunis et chaque pan de mur le lui rappelait.

L'histoire de leur rencontre fascinait tout le monde autour d'eux. Des amis lui demandaient souvent de la raconter à des soirées. Il vivait dans cet appartement avant elle, et des mois après son déménagement, la boîte aux lettres débordait encore du courrier qui lui était adressé. À l'époque, elle n'avait pas publié une seule nouvelle. Elle gardait une petite pile de lettres de refus de magazines littéraires de différents standings. Quelques-unes comportaient même des mots d'encouragement manuscrits qui la réjouissaient lorsqu'elle les lisait, même si, quelques heures plus tard, elle en réalisait le ridicule : elle était heureuse d'avoir été rejetée gentiment. Pendant ce temps, des douzaines d'enveloppes de chez Simon & Schuster [14] arrivaient à son nouveau domicile, toutes adressées à un dénommé Gabe Warner. Elle se demandait ce qu'elles pouvaient contenir : de gros chèques d'avance, des royalties, des propositions pour la traduction d'un livre en vingt-cinq langues. Elle n'ouvrait jamais les lettres, ce qu'elle lui rappela plus tard quand il l'accusa d'héberger le gène de l'espionnage dans son ADN. Ce n'était pas biologique, mais simplement dû à la situation. À force de prendre un homme en flagrant délit de mensonge, eh bien, oui, une femme sensée finissait par chercher des preuves. Espionne et tu trouveras, disait-il pour se défendre. *Justement,* pensait-elle. *Dans ton cas, oui.*

Quoi qu'il en soit, ces lettres la faisaient rêver : c'était un écrivain new-yorkais qui non seulement avait trouvé un éditeur, mais était tellement au-dessus des contingences quotidiennes qu'il pouvait déménager sans même laisser une adresse pour faire

14. Maison d'édition américaine.

suivre son courrier. Elle se sentait chanceuse d'avoir repris son appartement. Penser à lui l'aidait à écrire, à aller de l'avant, et elle plaisantait avec des amis sur l'aura des anciens locataires du quartier : Truman Capote, Walt Whitman, Carson McCullers et Gabe Warner, dont d'ailleurs elle ne trouvait les livres nulle part.

Quand elle vendit son recueil de nouvelles, elle voulut le dédier à sa mère, mais craint aussitôt que cela ne vexe son père. Elle ne se voyait pas non plus le dédicacer à tous les deux. C'était plutôt cruel de les réunir sur la même page pour l'éternité, sachant qu'ils ne supportaient même plus de rester dans la même pièce depuis son spectacle de fin d'année de CE2. À la dernière minute, elle décida de le dédicacer à un parfait inconnu : *À Gabe Warner, qui que vous soyez. Merci de m'avoir aidée à devenir écrivain.*

Gabe en avait entendu parler par un ami qui en avait reçu une épreuve. Il se présenta à la soirée de lancement de son livre, avec l'air du splendide connard qu'il était, en veste de daim et en jean. Il s'était dirigé vers elle et lui avait soufflé de sa voix un peu rauque :

« Maggie Doyle, je suppose ? »

Un peu plus tard, ce soir-là, alors qu'ils étaient allongés dans sa chambre, elle comprit ce qu'était son livre : un guide pratique pour réussir des photos de nus à domicile, avec des astuces pour cacher son ventre, éclairer la pièce, détruire les preuves si votre histoire prenait l'eau, ou si vous vouliez vous présenter à un concours de fonctionnaire. Un de ses amis éditeur avait démarché Gabe pour ce projet qui avait accepté pour rire. Le livre ne s'était jamais fait parce que, bien sûr, il n'avait jamais réussi à le terminer. Les lettres de Simon & Schuster qui avaient tant fait rêver Maggie, étaient des demandes pour terminer le livre, puis pour réclamer l'argent de l'avance.

Gabe avait quitté l'appartement et New York pour suivre sa petite amie à Boulder. Mais, au moment de la soirée de lancement de Maggie, il était de retour en ville, fraîchement largué, installé avec Cunningham et employé à temps partiel par le *Daily News*. Pendant l'un de leurs premiers rendez-vous, il lui raconta fièrement qu'il avait stocké des tonnes de photos sur son disque dur pour illustrer la page météo.

« Tu n'imagines pas à quel point les directeurs artistiques de presse sont stupides. Ils veulent toujours des enfants en train de jouer au football un jour d'été, ou de la neige sur les taxis ou, mon préféré : un arc-en-ciel. Bref, il faut absolument leur servir tout le temps la même soupe.

(Ce fut justement pour cette raison qu'il fut viré un peu plus tard. Il vivait maintenant de quelques travaux en free-lance et surtout de chèques de son père qu'il recevait toutes les deux semaines. Maggie était gênée pour lui, mais il avait l'air de trouver ça normal.)

Assez vite, elle eut l'intuition confuse qu'elle ferait mieux de prendre ses jambes à son cou. Ce type n'était pas écrivain, comme elle l'avait pensé, mais un fils à papa qui jouait au photographe et avait accepté d'écrire un livre sur le porno amateur. Peut-être ne l'avait-il jamais terminé, car il s'était rendu compte à quel point cette idée était vulgaire. Au moins, elle n'aurait jamais à l'expliquer à ses parents.

Il lui enseigna les astuces pour survivre dans son ancien appartement : comment tirer la chasse d'eau sans la défaire, comment revisser l'ancienne applique, comment couper une orange en morceaux et la faire chauffer doucement sur le gaz pour combattre les effluves imprévisibles du restaurant coréen situé au rez-de-chaussée. M. Fatelli vivait là depuis des années (Rhiannon était arrivée peu après le départ de Gabe) et il était un peu perplexe de voir Gabe traîner de nouveau dans le coin, puis s'était fait à l'idée. Même si c'était un peu absurde, cela confortait Maggie dans l'idée qu'ils étaient faits pour être ensemble.

Gabe était peut-être un branleur, mais au moins il était intelligent. Son nouvel appartement était rempli de livres, mélangés à la ridicule collection de VHS des années quatre-vingt de Cunningham. Le samedi matin, ils s'asseyaient et lisaient sur le canapé, leurs pieds nus se touchant, chacun d'entre eux signalant à l'autre un passage particulièrement drôle.

Gabe était déjà venu deux fois pour attraper une souris sur le coup de minuit. Il avait monté sa table et ses chaises Ikea. Le matin de ses trente-deux ans, il l'avait réveillée avec un gâteau au chocolat maison, encerclé de bougies, comme ceux que les mères préparaient dans les films des années cinquante. Dans les meilleurs moments, il avait l'air de quelqu'un prêt à s'occuper d'elle. C'est ce qu'elle désirait, elle en avait besoin. Même si, à trente ans, elle s'était occupée d'elle toute sa vie.

Gabe était venu à Boston avec elle pour Pâques l'année dernière. Avec son frère Chris, ils n'avaient pas arrêté de faire les imbéciles sur le banc à l'église, luttant pour ne pas pouffer de rire. Sa tante Ann Marie leur avait jeté un regard noir, et Maggie l'avait à son tour fixé avec désapprobation. Mais, dans le fond, elle était heureuse de voir son frère et son petit ami coudes à coudes. Elle les imaginait rester proches toutes ces années à venir, jouer au golf à Ogunquit chaque été, bronzer allongés sur la pelouse entre le cottage et la maison de ses grands-parents, pendant que leurs enfants couraient d'un bout à l'autre.

Mais elle ne pouvait pas vraiment compter sur Gabe. Un jour, elle souffrait d'une angine et l'avait envoyé chercher une ordonnance. Il était allé boire quelques verres avec un ami du bureau, pour finir par lui dire d'aller chercher elle-même ses médicaments — il était vraiment trop loin à Manhattan, mais si elle voulait il paierait. Depuis le début, ils s'étaient disputés comme de beaux diables. Gabe mentait, même quand c'était inutile. Il était sorti boire avec Cunningham jusqu'à deux heures du matin et prétendait avoir assisté à une réunion de photographes. Il se rendait à un déjeuner avec une ex et n'avouait que lorsque Maggie dépliait le reçu de cent dollars dans son portefeuille. Il semblait se complaire dans la tromperie. Voulait-elle réellement tout contrôler ? Ou souffrait-il d'un complexe de désobéissance ? Les deux se conjuguaient et tout finissait en général dans les larmes et les cris.

Elle se demandait parfois sur quoi reposait leur couple, s'il pouvait durer, et alors, son estomac chavirait. Comme ce soir où, alors qu'ils étaient ensemble depuis quelques mois, ils s'étaient rendus à un mariage dans la ville natale de Gabe, dans le Connecticut. La soirée était très huppée, comme souvent avec les amis de Gabe. Mais, même à cette occasion, ses amis

Cunningham et Hayes s'étaient comportés… eh bien, comme Cunningham et Hayes.

Cunningham était ce qu'il était : immature et ennuyeux mais, au moins, il essayait de faire la conversation. Hayes, lui, habitait toujours chez ses parents. Une aile entière de leur maison lui était réservée, avec un domestique particulier. La moitié de ses phrases se terminait par « mon cul ». Par exemple, Gabe lui avait demandé dans l'église, avant le début de la cérémonie, s'il avait pensé à éteindre son téléphone. Hayes avait répondu « Téléphone ? Mon cul. »

Hayes était incapable de travailler et semblait ne vivre que dans ses souvenirs.

« Tu te souviens quand Gabe s'était fait voler sa voiture après la fac ?

Cunningham grogna :

— Ouais, pauvre Gabe. La compagnie d'assurances s'était bien occupée de toi quand tu avais déclaré la perte de clubs de golf flambant neuf dans le coffre et — quoi d'autre encore ?

— Deux *mille* CD, dit Hayes.

Cunningham frappa la table du poing.

— Voilà ! Deux mille CD. Ça devait être un sacré gros coffre. Tu n'as pas eu à travailler pendant un an et demi.

— J'ai travaillé, dit Gabe en riant à moitié.

— Ouais, bien sûr, tu faisais neuf heures par semaine chez Mike's Deli parce c'était l'endroit le plus pratique pour planquer de la coke en ville. »

Gabe rit de façon exagérée. Il évita de croiser le regard de Maggie. Elle sentit tout son corps se tendre. Elle savait que Gabe buvait trop. Mais l'alcoolisme de ses parents l'influençait alors elle essayait de ne rien dire. Cependant, il lui avait toujours juré qu'il n'avait jamais pris de drogue.

La petite amie de Hayes regarda Maggie d'un air inquiet.

« Quelqu'un veut du vin ? lança-t-elle.

— Du vin ? Mon cul ! » dit Hayes, en éclatant de rire.

Maggie repoussa sa chaise et lança à la cantonade qu'elle rentrait à l'hôtel pour se coucher, même s'il n'était que neuf heures et demie et que la pièce montée n'avait pas encore été servie. La bande ainsi que leurs petites amies blondes assorties la regardèrent, inquiets. Les grands yeux bruns de Gabe la supplièrent de ne pas faire de scène.

Il ne remonta pas avant quatre heures du matin, empestant le scotch. Il fit tomber la valise au passage, se déshabilla maladroitement et s'allongea dans le lit derrière elle. Elle l'attendait éveillée depuis plusieurs heures, scrutant les chiffres rouges du radio-réveil qui clignotaient dans le noir. Elle voulait qu'il mette ses bras autour d'elle et qu'il s'excuse, mais elle savait qu'il ne le ferait pas. Et rien n'était plus inutile qu'une dispute quand il était saoul.

Il alluma la télé, un film stupide avec Adam Sandler. Son cœur se mit à battre plus fort. Un mélange familier de tristesse et d'excitation la gagna. Elle se tourna vers lui. Elle lui dit calmement :

« Éteins ça, s'il te plaît.

— Ce n'est pas fort.

— Je dormais.

— Tu m'as fait passer pour un con, ce soir. Pourquoi est-ce qu'il a fallu que tu te casses ?

— Tu ne m'avais jamais dit que tu prenais de la cocaïne !

— J'ai fait beaucoup de choses avant de te connaître.

— Ah oui ? Comme quoi ?

— C'est bon, t'en fais pas.

— Tu as dit que tu n'avais pas pris de drogue.

Elle se sentit comme une petite fille naïve qui déchante.

— Eh bien, disons que j'ai menti. Une bonne raison de plus pour me détester.

Son ton était tellement indifférent qu'elle se mit à pleurer.

— Tu en prends encore ?

— Mon Dieu, Maggie, lâche-moi.

Puis il s'adoucit :

— J'en ai pas pris depuis des années.

— C'était quand la dernière fois ?

— Merde, mais je ne m'en souviens même plus ! Allez, viens, je t'aime. Pourquoi est-ce que tu es comme ça ?

— Et c'est quoi cette histoire de clubs de golf et de CD ? Tu as arnaqué l'assurance ? Je ne comprends pas pourquoi. Tu n'avais même pas besoin de l'argent.

— Putain Maggie, tu es quoi ? Un flic en civil ? se mit-il à hurler. Tu n'as jamais rien fait de stupide quand tu avais vingt-deux ans ? »

La réponse était non, ils le savaient tous les deux. Il éteignit la télé et jeta la télécommande sur le sol.

« Je veux que tu partes demain matin. J'en ai ras le bol. Je te dépose à la gare dès qu'on se lève. »

Ils avaient prévu de rester deux nuits de plus pour voir ses parents et sa sœur, mais c'était toujours ainsi qu'il la punissait, en la repoussant, en lui disant de partir. Il savait qu'elle ne supportait pas cela.

Des larmes tombèrent sur ses lèvres.

« OK », dit-elle amèrement.

Et maintenant, elle regrettait, parce qu'il lui avait dit qu'il l'aimait, qu'ils étaient proches de la réconciliation, et qu'elle l'avait poussé à bout.

Un peu plus tard, il s'endormit. Elle resta éveillée jusqu'au matin. Avait-elle été marquée par les violentes disputes de ses parents, dès le petit déjeuner ou au bord d'un terrain de foot quand son frère jouait avec son équipe ? Ils hurlaient, pour se réconcilier quelques heures plus tard. Était-ce pour cela qu'elle se battait avec Gabe de cette façon ? Est-ce qu'elle avait vraiment été attirée par un homme irascible et porté sur la boisson parce que c'était ce qui la terrifiait le plus au monde ? Sa mère disait que les alcooliques finissaient toujours par se retrouver entre eux, pour se sentir normaux. Cette règle s'appliquait-elle aussi à leurs enfants ?

Maggie pensait alors à sa cousine Patty. Elle avait été élevée par tante Ann Marie et oncle Pat, toujours heureux et sereins, elle était facilement tombée amoureuse de Josh, son petit ami à la fac de droit, qui était gentil et attentionné, puis l'avait épousé. La vie pouvait donc être aussi simple. Un bon modèle parental = le bonheur, un mauvais = le désespoir.

Son psy lui avait dit qu'une relation amoureuse équilibrée ne demandait pas tant de réflexion. Elle marchait ou pas, c'est tout.

Maggie avait envie de lui rétorquer que si l'amour était si facile à trouver, elle serait sans doute au chômage depuis belle lurette.

Mais quand vous aimez quelqu'un, il faut le prendre en bloc, avec ses bons comme ses mauvais côtés. Il y avait des aspects de Gabe qu'elle aimait tellement qu'ils lui donnaient envie de rester avec lui pour toujours. Elle pouvait quasiment pleurer à l'idée qu'il meure avant elle, lorsqu'ils auraient tous deux quatre-vingt-dix ans.

Il se mit à s'agiter vers sept heures du matin, et elle tendit la main vers lui. Elle la fit courir sur son ventre pour l'enfouir sous la bande élastique de son boxer.

« Tu es réveillé ? dit-elle.

Elle avait terriblement envie de lui. Il grogna.

— Je suis désolée. Je n'aurais pas dû faire tout ce numéro hier soir.

Gabe ouvrit les yeux. Il sourit.

— Hé, tu sais que tu es bonne pour les oscars ? »

Avec ces mots vint le soulagement habituel : la dispute était terminée, et ils étaient encore ensemble. Elle fit glisser son boxer et grimpa sur lui en l'embrassant dans le cou. Il retira son tee-shirt et lécha ses seins en formant de parfaits petits cercles. Ils firent l'amour puis il leur commanda des œufs via le room service. Il fit rire Maggie en lui racontant que la petite amie de Cunningham, Shauna, s'était évanouie ivre morte sur une sculpture de glace après le départ de Maggie.

« Je peux rester alors ? dit-elle d'une voix enfantine qu'elle détestait.

— OK.

— Tant mieux parce que je déteste être loin de toi.

— Moi aussi. »

Tout se passa bien entre eux pendant quelques mois. Gabe l'emmena pour un long week-end surprise à Berlin, et ils adorèrent visiter les galeries et les cafés. Ils dormirent dans un palace cinq étoiles qui avait servi de décor au film de Greta Garbo *Grand Hotel* (Maggie envoya une carte postale à sa grand-mère pour le lui raconter). Elle était impressionnée de voir la facilité avec laquelle Gabe parlait aux gens, à quel point chacun semblait charmé par lui. Elle était fière d'être celle qu'il avait choisie.

Mais un vendredi soir à New York, il annula brusquement un dîner à cause d'un rhume. Elle lui demanda si elle pouvait lui apporter de la soupe, mais il répondit qu'il était fatigué et qu'il ne voulait pas lui passer son virus. Le lendemain, se doutant de quelque chose (ce n'était pas la première fois qu'il lui servait ce genre d'excuse), Maggie regarda l'historique des appels sur son portable. Trois appels la nuit dernière, autour de trois et quatre heures du matin, à un numéro qu'elle ne reconnaissait pas.

Légèrement nauséeuse, Maggie composa le numéro depuis son téléphone et tomba sur un répondeur : « Bonjour, vous avez essayé de joindre Stéphanie. Merci de laisser un message. »

Quand il rentra, elle lui demanda ce qu'étaient ces appels. Il se dirigea vers la chambre, sans dire un mot, et verrouilla la porte derrière lui. Elle resta sur le canapé, parfaitement immobile. Vingt minutes plus tard, il revint dans le salon en hurlant qu'il ne voulait pas qu'elle l'espionne, qu'il était sorti avec des copains de fac et qu'il ne voulait plus la voir. Il avait besoin d'espace, d'air, qu'ils s'éloignent un peu tous les deux.

« C'était quoi ce numéro ?

— Un des types. Tu ne le connais pas.

— Gabe, j'ai appelé.

— Ah bon ?

— Et ?

— Ce n'est pas ce que tu penses, dit-il — une phrase qui ne menait jamais à rien de bon. C'est le numéro d'un dealer qui vend de la coke. Je te jure que ce n'était pas pour moi mais pour ces types avec qui j'étais.

— J'ai entendu une voix de fille.

— C'est une astuce. Tu tombes toujours directement sur un répondeur, tu laisses un message, et ensuite on te rappelle. »

Puis il se mit à pleurer, ce qu'elle ne l'avait jamais vu faire avant.

— Il faut que tu me croies ! Je ne veux pas te perdre pour une histoire aussi stupide. »

Bizarrement, cette explication la soulagea. Au moins, il ne l'avait pas trompée et il l'aimait toujours. Ce n'est qu'une semaine ou deux plus tard qu'elle réalisa que Gabe avait le numéro d'un dealer. Elle ne connaissait pas grand-chose à la cocaïne mais il y avait une différence entre en prendre de temps en temps à une soirée et être le type qui a le contact.

Elle ne voulait pas le quitter. Elle voulait simplement qu'il change. Oui, elle reconnaissait que c'était un comportement classique d'enfant d'alcoolique. Et, oui, elle entendait la voix de sa mère dans sa tête : « La seule personne que l'on peut réellement changer, c'est soi-même. »

Pourtant, Maggie voulait le pousser à agir, pour qu'il se rende compte qu'il devait évoluer. Sinon, elle serait forcée de partir. Elle se souvenait de soirées de son enfance. Parfois, longtemps après le dîner, les devoirs et le bain, ils entendaient la voiture de son père s'avancer dans l'allée, et sa mère disait aux enfants, avec un grand sourire : « Allons nous cacher. »

À l'époque, c'était le jeu favori de Maggie. Un de ces moments délicieusement rares où les adultes s'invitaient dans le monde des enfants. Aujourd'hui, elle se demandait bien à quoi cela rimait. Sa mère tentait peut-être ainsi d'avertir son père d'une manière ou d'une autre : *Si tu continues à rentrer à n'importe quelle heure du jour ou de la nuit, en puant l'alcool et sans excuse valable, un jour, tu passeras cette porte et tu ne trouveras plus personne.*

KATHLEEN

La tisane au gingembre avait infusé. Sur la table, six baquets d'épluchures passées à la vapeur attendaient d'être servis. Kathleen étouffa un rire en s'imaginant écrire dans son journal des anciennes élèves : *Kathleen Kelleher vit en Californie et est considérée comme l'une des meilleures cuisinières pour les vers de la côte Ouest. Son plat le plus réputé se compose de quatre cents pelures de bananes à l'étouffée et de quinze douzaines de coquilles d'œufs, légèrement toastées, avec une pincée de chair de pomme décomposée en accompagnement.*

Plus tard, ils donneraient aux vers nouveau-nés le premier repas de leur vie. Elle avait dit un jour à Maggie que c'était toujours un moment important. On avait envie de réserver le meilleur accueil à quelqu'un qui venait au monde. Maggie trouvait tout cela dégoûtant, ce que Kathleen comprenait. Sa vie n'était pas des plus glamour et, oui, on pouvait trouver son métier un peu timbré. Mais elle ne pouvait pas s'empêcher de se prendre au jeu. La passion d'Arlo était contagieuse.

Les vers qui étaient autour du baquet des nouveau-nés avaient rempli leurs containers de déjections. Cet après-midi, elle allait les attirer vers le coin de leur boîte grâce à des pétales de roses, pendant qu'Arlo récupérerait leur production, qu'il verserait dans d'immenses sacs poubelles pour les ranger à l'arrière de sa camionnette. Demain, ils transporteraient plusieurs tonnes à la lisière de la propriété où Arlo avait installé une chaîne d'assemblage de bouteilles. Ils payaient des lycéens dix dollars de l'heure pour cette tâche.

Quand elle entendit son camion dans l'allée, elle filtra la tisane à travers une serviette en papier dans deux mugs des Red Sox de Boston et se dirigea vers la porte du fond. Il traversa l'allée en pierre et monta les marches, un bouquet de lilas enveloppé dans du papier d'emballage.

« Bonjour mon amour, dit-il, en entrant.

Les chiens se précipitèrent derrière lui. Elle saisit les fleurs et lui tendit une tasse.

— Elles sont superbes.

— N'est-ce pas ? La mère d'un des scouts est fleuriste. Elle utilise notre purin de vers pour ses fleurs, et elles vivent deux fois plus longtemps qu'avant. Alors, je suis passé dans sa boutique : des couleurs splendides, Kath ! Tu aurais adoré. »

Il était encore sur la lancée de sa conférence. Elle sourit. Voyant ce qu'elle avait fait, il lui rendit son sourire.

« Tu es incroyable. Tu as préparé tout ça ce matin ? »

Au contraire des membres de sa famille qui ne faisaient jamais un compliment sans avoir une pensée derrière la tête, Arlo était naturellement gentil. Tous deux partageaient une même vision du monde. Ils croyaient à l'homéopathie, prônaient un mode de vie plus écologique, sans produits chimiques. Beaucoup trouvaient qu'ils allaient un peu loin, mais ce n'était pas l'avis de Kathleen. Ils étaient en phase, Arlo était sur la même page qu'elle parfois deux ou trois chapitres en avance.

Même si, en théorie, ce n'était pas la meilleure chose à faire, le jour de leur premier rendez-vous, ils allèrent chez lui. Ils regardèrent le journal télévisé puis firent l'amour sur le divan d'Arlo, sous un poster des Grateful Dead. Le lendemain matin, il lui offrit des fraises de son jardin. Kathleen avait appelé Maggie pour lui dire qu'elle était sans doute en train de tomber amoureuse — malgré le poster.

Avant Arlo, elle avait couché avec plusieurs hommes rencontrés aux Alcooliques anonymes. Ce qui était amusant sachant qu'elle avait vécu avec Paul pendant plus de dix ans, et qu'ils n'avaient pas eu un seul rapport sexuel sobre. À Boston, il y avait eu quelques types tout juste intégrés dans le programme (donc « interdits » selon les règles des Alcooliques anonymes), avec qui elle avait couché. L'un d'entre eux était là sur ordre du tribunal. Il sortait de prison où il avait séjourné trois mois pour s'être battu ivre dans un bar et avoir laissé son adversaire inconscient. L'autre avait vingt ans, l'âge de Maggie à l'époque. Kathleen se doutait bien que ce n'était pas la meilleure chose à faire, mais, dans l'élan du moment, elle se disait qu'ils étaient tous dépendants, aux prises avec leurs démons, et qu'ils méritaient bien un peu de plaisir sans lien avec l'alcool. (Pour la même raison, elle passa par des phases où elle s'autorisait à manger tout ce qui la tentait : un paquet de cookies Chips Ahoy! pour le dîner, deux roulés à la cannelle de chez Dunkin' Donuts en guise de goûter.)

Arlo lui caressa les cheveux avant de dire :

« Il faut qu'on travaille dans le hangar.

— OK.

— Mais je vais peut-être faire une petite sieste éclair. Je suis éreinté.

— Vas-y, chéri.

Elle prit sa tasse et la posa avec la sienne sur la table.

— Ne me laisse pas dormir plus de quinze minutes, d'accord ? »

Elle l'embrassa dans le cou. Le bruit familier de ses pas sur le parquet grinçant la rassura. Elle s'assit à table. Mabel posa son museau sur la cuisse de Kathleen.

« Salut, mon ange. »

Un an plus tôt, le chien avait eu une tumeur à la jambe. Mabel avait treize ans à l'époque. Le vétérinaire pensait qu'il fallait la laisser partir, mais Kathleen insista pour qu'elle soit opérée. Cela coûtait mille dollars, mais ce n'était rien en comparaison d'une merveilleuse année supplémentaire avec Mabel. Arlo avait lancé : « Joyeux Noël » en signant le chèque, même si on n'était qu'en septembre.

Le téléphone sonna. Kathleen espérait que ce serait enfin le proviseur de l'école de Keystone. En un instant, elle se remémora son argumentaire habituel : « *60 % des déchets de notre pays sont alimentaires et ils n'auraient jamais dû être jetés. Nous nourrissons nos vers avec ces déchets : des pelures de fruits, des coquilles d'œufs et des épluchures de légumes. La plus grande partie de l'alimentation de nos vers provient des cafétérias de six ensembles scolaires de la région, et on aimerait que vous soyez le septième.* »

Mais lorsqu'elle décrocha, elle tomba sur sa sœur Clare.

« Hé ! Vous savez que vous êtes dans le dernier numéro de *La vie bio* ?

— Tu lis *La vie bio* ?

— Joe l'a trouvé chez le médecin. Il a embarqué le numéro dans son short.

Kathleen sourit.

— Pourquoi tu ne nous as rien dit ? Joe est en train d'afficher l'article dans la vitrine du magasin à l'instant même. »

Clare avait l'air heureuse. Dans son travail précédent, c'était toujours à elle que Kathleen pensait quand il lui fallait expliquer à des adolescents tourmentés que la vie d'adulte serait plus facile. Clare en était la preuve vivante. Elle s'était toujours sentie à l'écart de sa famille. Ils la prenaient pour une snob parce qu'elle aimait les livres. (Kathleen n'avait pas dérogé à la règle et se le reprochait aujourd'hui ; elle ne découvrit la beauté de sa sœur que bien plus tard. Elle se rendit compte qu'elle avait peut-être été jalouse d'elle, parce que Clare était intelligente et qu'elle se fichait vraiment de ce que les autres pensaient. Kathleen n'était pas aussi courageuse, il lui avait fallu vieillir pour s'affirmer.) Clare et son mari Joe étaient des cerveaux issus de familles pas très futées. Ils vendaient de la pacotille catholique à des grands-mères et des prêtres. Un choix étrange pour un couple d'intellectuels libéraux installé à Jamaica Plain. Mais ça marchait extrêmement bien.

« Comment va Ryan ? demanda Kathleen.

— Super. On l'a rappelé pour *Kiss Me Kate* au théâtre Wheelock Family. Les répétitions sont en août. S'il est pris, on peut dire adieu à notre mois dans le Maine !

— Ne le dis surtout pas à Ann Marie. Elle va t'accuser de maltraitance envers personne âgée.

— Oh, ça va ! Ces deux-là feraient mieux de se marier ! Bon, c'est pas très sympa, je sais. Il faut croire que Joe a une mauvaise influence sur moi. On va essayer d'y aller au moins une semaine. Peut-être plus, on verra bien. Vous devriez venir avec Arlo.

— Je ne pense pas qu'on puisse partir, dit simplement Kathleen.

Elles savaient toutes les deux ce qui pouvait se cacher derrière cette phrase anodine. Mais aucune ne surenchérit.

— Bon, si tu changes d'avis, dis-moi. On n'est pas comme la famille Parfaits, on sera prêts à lever le pont-levis, même pendant "notre" mois. »

Elles parlèrent ensuite de travail, d'Alice et de l'une de leurs anciennes camarades d'école qui venait de se marier pour la septième fois.

Puis Clare ajouta :

« Au fait, Ryan m'a parlé d'une idée assez drôle qu'il a eue pour une comédie musicale. Ce serait sur différents couples le jour de leur mariage, et on les suivrait ensuite pendant plusieurs années. Le thème, c'est que la journée du mariage prédit plus ou moins ce que la vie de couple sera ensuite. Je trouve que c'est génial ! Bon, bien sûr je ne suis pas objective. Mais il y a quelque chose, non ? Pense à nos trois mariages : le tien, le mien et celui de Pat. »

Le mariage de Pat et d'Ann Marie avait donné lieu à une cérémonie très huppée au *Ritz Carlton* de Boston. Tout à fait à l'image d'un couple de m'as-tu-vu comme eux, qui se faisaient plus riches qu'ils n'étaient, était susceptible d'organiser. La robe d'Ann Marie était en dentelle blanche immaculée, les demoiselles d'honneur portaient des tutus roses. Tous les amis de leurs parents avaient été invités, la moyenne d'âge de l'assistance devait frôler les cinquante-trois ans. Mais Clare avait noté que Pat et Ann Marie n'avaient pas échangé un seul geste tendre de la soirée. Ils ne se tenaient pas la main en arrivant sur la piste de danse. Ils ne s'embrassaient pas non plus, à moins que ne résonne le tintement des fourchettes contre les verres pour annoncer une séance de photos. Ils se mettaient alors à se bécoter comme un couple de dindons.

Le mariage de Kathleen et de Paul était emblématique de leur relation tendue. Ils s'étaient embrassés passionnément à l'église, ce qui avait irrité Alice au plus haut point. Ils avaient dansé comme des fous, leurs corps collés l'un contre l'autre comme s'il n'y avait personne d'autre dans la pièce. Ils étaient ivres à dix heures et demie du soir. Deux amis de Paul se mirent à se battre dans les toilettes des hommes. Kathleen tenta de les séparer et finit avec du sang sur sa robe. Après quoi, elle se mit à sangloter, assise à la table d'honneur. Lorsque Clare vint la voir, elle lui agrippa le poignet et dit :

« Au cas où tu aurais parié de l'argent dessus, sache que je suis enceinte. »

Aujourd'hui, elles pouvaient en plaisanter, l'un des rares effets positifs du temps qui passe, se disait Kathleen. Du temps et sans doute d'une bonne thérapie. Mais, les Kelleher étaient incapables de prendre une relation au sérieux si elle ne menait pas à un mariage, ce qui irritait toujours Kathleen. Elle était restée aussi longtemps avec Arlo qu'avec Paul, mais, pour toute la famille, Clare compris, son ex-mari restait le conjoint officiel. Voilà une chose qu'elle devait enseigner à Maggie : surtout penser à choisir soigneusement la personne avec qui vous aviez des enfants. Après, vous restez coincée avec lui pendant des années, même si vous ne vous êtes pas parlé une seule fois en vingt ans.

Un de leurs amis avait marié Clare et Joe dans un jardin près de Harvard Square, avec Kathleen, Maggie et quelques amis comme témoins. Après la cérémonie, tout le monde s'était retrouvé pour un grand dîner au *Casablanca,* avec du gâteau au chocolat à la ganache pour le dessert. Ni l'un ni l'autre ne voulait de lune de miel. Ils voulaient simplement passer une semaine ensemble dans leur appartement, à regarder des films et cuisiner de grands dîners, qu'ils mangeaient au lit, affalés sur de vieilles éditions du *New Yorker.* Ils passèrent ensuite ainsi chaque samedi pendant des années, à boire des litres de café tout au long de la matinée, heureux et sereins.

Clare était tombée enceinte presque sans y penser alors qu'ils étaient ensemble depuis six ans, l'été où le père de Joe était mort. Ils appelèrent leur fils unique Ryan, comme son grand-père paternel. Ryan était une bête de scène. Il avait appris à danser et à chanter dès qu'il fut capable de marcher. Clare disait fièrement qu'il avait su faire des claquettes avant même de pouvoir ramper.

Joe aurait voulu un fils comme Chris ou Little Daniel. Il n'avait absolument pas prévu toute la partie théâtre. Et pourtant, il était incroyablement fier de son fils. Il passait même les bandes originales de *Finian's Rainbow* ou de *Brigadoon* dans son magasin en proclamant qu'« ils étaient presque aussi bons que les Chieftains [15] à condition de porter des boules Quies et de ne pas y prêter trop attention ».

Kathleen adorait son beau-frère. Sa haine pour Alice y était sans doute pour beaucoup. Pendant des années, il avait grincé des dents à chaque fois qu'elle critiquait Clare. Puis, un samedi, il refusa de venir au dîner de famille. Clare dit à Kathleen qu'il avait médit sur Alice toute la matinée, et qu'elle craignait qu'il n'explose. À partir de là, il fut dispensé de rendre visite à Alice, sauf pour les grandes fêtes de famille, qu'il était impossible d'éviter.

Clare était d'un tempérament gentil. Elle prenait sur elle depuis l'enfance sans se plaindre. Mais désormais, après l'incident avec Joe, quand Alice les invitait, ils prenaient de plus en plus souvent le prétexte d'une autre invitation pour ne pas venir. C'était bien fait pour sa mère, se disait Kathleen. Alice prenait la plupart des gens en otage, mais personne ne lui disait jamais : « Non, merci. »

Kathleen adorait l'idée de Ryan.

« Il passe nous voir aujourd'hui à la boutique, dit Clare. C'est dommage qu'il ne soit pas encore arrivé, tu aurais pu lui dire bonjour. Tu lui manques ! »

Derrière ces paroles anodines, sa sœur tentait de lui dire qu'elle lui manquait. C'était réciproque.

---

15. The Chieftains est un groupe de musique irlandais, fondé en 1962, connu pour jouer et populariser la musique traditionnelle irlandaise.

« Je n'arrive pas à croire que Ryan ait déjà son permis. Mon Dieu, ça ne me rajeunit pas ! Quand j'ai déménagé, ce gamin était en cinquième.

— Ne m'en parle pas. Je n'en dors pas de la nuit. Comment as-tu fait quand tes enfants ont passé leur permis ? J'ai tellement peur qu'il boive trop, ou qu'il monte dans la voiture d'un de ses copains ivres. »

Ils avaient tous conduit complètement saouls, par le passé, certains d'entre eux plus que d'autres. Leurs enfants étaient sans doute beaucoup moins enclins à le faire. En tout cas, au moins Ryan.

« Je suis toujours terrifiée quand j'imagine Chris au volant. Et pourtant, il conduit depuis douze ans. Maggie n'a jamais voulu apprendre à conduire, pour je ne sais quelle raison.

— Tu crois qu'elle a entendu trop d'histoires au sujet de l'accident ? Je n'ai jamais eu vraiment peur de conduire à cause de ça, mais... »

Ils en parlaient toujours de cette façon, seulement ces mots que tous comprenaient : *l'accident*. Patrick et Alice refusaient d'en parler. Alice portait encore une légère cicatrice sur son visage. Il fallait le savoir pour la discerner.

C'était arrivé l'hiver des onze ans de Kathleen. Clare avait neuf ans à l'époque et Patrick seulement sept.

Il neigeait depuis plusieurs jours. Le seul bruit venant de l'extérieur était celui des chaînes des pneus s'agrippant à la route. Alice détestait ce bruit. Elle ne supportait pas non plus d'avoir ses enfants à la maison toute la journée, mais il faisait trop froid pour jouer dans le jardin. « Tu ne peux pas me laisser tranquille deux minutes ? répondait-elle dès que l'un d'entre eux lui posait une question.

Le soir, au coucher, Kathleen chuchotait à son père qu'elle ne voulait pas rester seule avec Alice, mais il se contentait de répondre : « Sois mon second quand je ne suis pas là, d'accord ? Et sache que ta mère t'aime. »

Alice n'était pas toujours ainsi. Les soirs où elle sortait avec Daniel, elle les autorisait à manger de la glace avant que leur grand-mère arrive pour préparer le dîner. Elle laissait parfois Kathleen brosser ses cheveux noirs et soyeux. Quand ils organisaient des soirées, Kathleen et Clare recevaient un dollar chacune pour monter les manteaux à l'étage, dans la chambre de leurs parents. Elles avaient également le droit de rester éveillées jusqu'à dix heures du soir et d'apporter des cocktails aux invités depuis le bar de la cuisine.

Ces soirs-là, Alice riait.

Pendant l'été, dans le Maine, elle avait l'air heureuse, entourée par leurs cousins, oncles et tantes. Elle courait sur la plage en maillot de bain, ses longues jambes luisantes. Parfois elle s'asseyait sur le sol du cottage avec eux et jouait à la poupée ou aux cubes. Mais, à d'autres moments, Alice devenait froide et méchante. Kathleen était terrifiée par les éclats de sa mère, son tempérament colérique qui se réveillait pour un rien.

L'après-midi de l'accident, ils étaient dans la cuisine. Kathleen faisait ses devoirs à table, Clare courait en cercles autour de la pièce, criant à pleins poumons. D'une voix sévère, Alice lui demanda d'arrêter.

Elle prétendait souffrir de migraine et montait dans sa chambre pour se reposer, comme elle le faisait souvent avant le retour de leur père. Certains jours, elle buvait du whisky. Elle pensait que cela la calmerait, mais après un verre, elle était plus en colère et plus triste. Kathleen repérait immédiatement son haleine quand Alice venait les chercher à l'école. Elle savait alors qu'il valait mieux rester calme.

Il était trois heures de l'après-midi. Alice rangeait les courses. Elle les avait laissé traîner sur la table toute la matinée, la bouteille de lait dégoulinait de buée, la laitue avait commencé à se flétrir.

Clare continuait à courir, en jouant toute seule aux cow-boys et aux Indiens. Avec la paume de sa main, elle hululait en imitait les chants sioux.

Alice lui ordonna de se taire. Elle avait l'air furieuse, Kathleen sentait sa peur croître. Elle espérait que sa sœur allait s'arrêter. Après une minute, le cœur battant, Kathleen dit :

« Clare, viens t'asseoir avec moi.

Mais la petite Clare hurlait sans s'arrêter.

— Mais bon sang, ferme-là ! » cria brutalement Alice.

Clare se mit à pleurer.

Patrick se précipita les bras tendus pour la consoler et trébucha sur un des sacs de courses. Dans sa chute, son front heurta une bouteille de jus de pomme qui se brisa. Il saignait.

Kathleen ferma les yeux.

« Mon Dieu », dit Alice.

Elle se précipita vers lui, un torchon à la main. Elle le pressa contre son front, mais le sang traversa le linge et tacha son chemisier.

« Mon chéri. Tu t'es fait mal ?

Kathleen avait peur de ce que sa mère était capable de faire, malgré sa réaction mesurée. Elle demanda d'un ton calme :

— Est-ce que je dois appeler une ambulance ?

— Ne dramatise pas, il va très bien.

Patrick gémit.

— Maman, dit Kathleen, est-ce qu'on ne devrait pas l'emmener chez le médecin ?

— Tout ce qu'il lui faut, c'est un pansement et un gâteau, c'est tout, dit Alice. Et moi, j'ai besoin d'un verre. Ça te va, champion ? »

Patrick ne répondit pas.

Une demi-heure s'écoula. Il saignait toujours abondamment. Il pleurait, assis sur les genoux d'Alice. Elle tenait un linge contre son front. Kathleen et Clare pleuraient aussi.

« Calmez-vous, les filles, vous ne faites que l'énerver !

Mais après encore quelques minutes, elle explosa.

— Ça saigne encore. Oh, bon sang, je n'en peux plus !

Alice essaya d'appeler leur père au bureau, mais sa secrétaire dit qu'il était sorti.

— Quelle surprise ! dit-elle.

Elle avait l'air fatiguée et encore plus en colère que d'habitude.

— J'imagine que je vais devoir vous emmener tous les trois, dit-elle en attrapant Patrick. Allez dans la voiture. Tout de suite ! »

Elle ne leur précisa pas de mettre leurs manteaux. Ils montèrent sur le siège arrière en pull et en pantoufles. Il faisait un froid glacial. Leur haleine se transformait en buée. Clare essaya d'attraper la sienne dans ses mains.

Dehors, la neige tombait en voile épais. Kathleen et Clare tenaient Patrick entre elles. Il gardait le torchon pressé contre son front. Alice commença à pleurer doucement.

« Je ne peux pas faire ça. Je ne vais pas y arriver.

Patrick dit de sa petite voix :

— Ça va aller, maman. Ne pleure pas. »

Elle sortit la voiture de l'allée. La neige continuait à tomber en manteau. Elle mit les essuie-glaces à plein régime.

Les chaînes des pneus crissèrent. Kathleen espérait que ce son allait disparaître. Elle récita un *Notre Père* dans sa tête. Elle compta à l'envers de cent à un, murmurant les nombres doucement. Malgré tout, Alice l'entendit et se retourna brutalement :

« Arrête ça tout de suite ! »

Alice conduisait tout droit, en sanglotant bruyamment. Il n'y avait pas beaucoup de voitures sur la route. Elle accéléra. Kathleen regarda les maisons filer et tint son frère plus fermement. Elle avait l'impression qu'ils allaient trop vite. Elle voulait demander à sa mère d'arrêter de pleurer parce qu'elle faisait peur à Patrick. Kathleen aurait bien aimé que leur père soit là, qu'il parvienne à les retrouver d'une manière ou d'une autre.

Soudain, ils se sentirent comme soulevés par quelque chose. La voiture partit sur le côté de la route, dérapa sur l'herbe humide jusqu'à ce qu'elle percute un arbre. L'onde de choc traversa le corps de Kathleen. Patrick vola vers le siège avant et atterrit sur le tableau de bord avant de retomber sur le plancher de l'auto. Kathleen et Clare heurtèrent les sièges de plein fouet, et la tête d'Alice entra violemment en contact avec le pare-brise.

Il y eut un moment de silence, puis Alice se tourna vers eux, le visage recouvert de sang.

« Oh, mes bébés ! cria-t-elle, hystérique. Ça va ? Est-ce que tout le monde est encore là ? »

Finalement, ils s'en tirèrent plutôt bien. Le médecin dit que Dieu les avait protégés. Patrick fut le plus gravement blessé : il resta plusieurs heures inconscient dans un lit d'hôpital et, à son réveil, il avait deux bras cassés et la mâchoire brisée. Kathleen eut de légères contusions et perdit deux dents. Clare s'en sortit avec quelques écorchures. Alice se brisa le poignet. Elle avait également des coupures sur le visage. Ils utilisèrent leurs économies pour qu'elle puisse voir le meilleur chirurgien de Boston, mais, malgré tout, il lui fallut trente points de suture. Pendant des mois, elle porta une bande autour de la tête, qu'elle couvrait d'un ruban bleu marine, ce qui lui donnait l'allure de Norma Desmond[16]. Elle frottait de la vitamine E sur la cicatrice tous les matins et tous les soirs. Un an après, on ne voyait encore qu'elle.

Ils dirent à leurs voisins et à leurs parents qu'Alice avait voulu conduire trop vite pour emmener Patrick à l'hôpital et qu'elle avait perdu le contrôle.

Mais le lendemain de l'accident, Kathleen, en entendant ses parents se disputer, sortit de son lit. Elle se tint derrière la porte de leur chambre.

« Bon Dieu, Alice, tu aurais pu tous les tuer !

— C'est bon, je sais…

— Tu avais bu. Qu'est-ce que je t'ai dit ? Ne bois pas quand je ne suis pas là.

— Mais tu n'es jamais là ! cria-t-elle amèrement. Je suis seule avec eux toute la journée.

— Je vais travailler à la compagnie d'assurances tous les jours, pas parce que c'est drôle, mais parce que c'est mon boulot. Je dois faire ça pour cette famille. Toi, tu es leur mère. C'est ton boulot. Je ne peux pas te surveiller à chaque minute.

Elle sanglotait.

— Je t'ai dit que je n'y arriverai pas, je te l'ai dit il y a des années.

— Mais non, ne dis pas n'importe quoi. Tu es une mère merveilleuse, dit-il, d'une voix un peu plus douce.

— Oui, c'est ça… »

16. Héroïne de *Sunset Boulevard*, de Billy Wilder, interprétée par Gloria Swanson, qui joue une actrice sur le déclin.

— Écoute-moi, Alice. Je t'aime. Je veux rester avec toi. Mais tu dois arrêter de boire. Je suis sérieux. Arrêter vraiment, du jour au lendemain. Je me fiche de savoir comment tu fais, mais il faut que tu le fasses. Sinon, j'emmène les enfants et je te quitte. Est-ce que c'est clair ? »

Kathleen n'entendit pas la réponse, mais, ce matin-là, lorsqu'elle entra dans la cuisine, son père était en train de vider chaque bouteille d'alcool dans l'évier. Jusqu'à la mort de Daniel, elle ne vit plus jamais sa mère boire un seul verre.

ANN MARIE

Pat débarqua dans la cuisine vers sept heures du matin, vêtu d'un pantalon de toile et d'un polo. Les yeux rivés sur son portable, il tapait un message.

« Bonjour, dit-il en l'embrassant sur la joue, sans lever les yeux de son téléphone. Tu es levée depuis l'aube pour te préparer à cette foire aux maisons de poupée ?

— En effet. Impossible de dormir. J'avais trop à faire.

— Tu devrais te reposer, tu sais.

— L'agneau de vendredi est au frigo. Il reste aussi de la crème de menthe. Et je te ferai quelques pommes de terre avant de partir, au cas où.

Il fronça les sourcils.

— Au cas où tu te décides à me quitter pour un homme qui fabrique des sièges de métro pour Barbie ?

— Au cas où tu aies faim.

— Je peux me débrouiller », dit-il.

Mais ils savaient tous deux que Pat n'avait pas mis les pieds dans un supermarché depuis des années, ni même préparé un repas. Avait-il jamais cuisiné ?

« Ça ne me dérange pas. Je t'ai laissé des instructions pour réchauffer l'agneau. Elles sont sur le frigo, accrochées avec l'aimant des Celtics.

— Merci !

— J'ai parlé à ta mère. Elle voulait que je te rappelle de t'occuper de la gouttière.

— Je m'en charge. J'ai appelé Mort et j'ai eu une référence. Je croyais le lui avoir déjà dit. Et la balustrade sur le porche n'est plus en très bon état, est-ce qu'elle en a parlé?

— En fait, elle a dit que son prêtre allait s'en occuper.

— Son prêtre?

— Tu sais. Le père Donnelly. Je crois qu'il est très gentil avec elle.

— Hmmm, je préfère ne pas y penser.

— Oh non, ce n'est pas ce que tu penses, dit Ann Marie en riant. C'est un jeune homme charmant, voilà tout.

— Elle t'a semblé en forme sinon? demanda Pat.

— Un peu perdue. Elle a dit qu'elle n'avait pas besoin d'aide, et que ce n'était pas la peine que je vienne la voir en juin quand Maggie sera partie. Je n'ai pas eu le courage de me battre avec elle, mais je vais tout de même y aller.

— Tu es un ange, dit-il.

— Tu sais que tu as ton rendez-vous chez le médecin demain, n'est-ce pas?

— Oui, chef!

Il avait l'air tellement heureux ce matin-là, qu'elle se sentie désolée de ce qu'elle allait lui dire.

— Chéri, il faut que l'on envoie le chèque de Little Daniel avant que je parte. »

D'habitude, ils l'envoyaient à la fin du mois, avec la régularité d'une horloge. Mais dans le tourbillon du mois de juin, elle avait oublié de le rappeler à Pat. C'était un homme discipliné, doté d'une mémoire tellement précise qu'il pouvait vous dire ce qu'il avait mangé au petit déjeuner à son premier jour de maternelle. Mais il ne parvenait pas à se graver dans la tête qu'il fallait envoyer de l'argent à son fils. Il effaçait cette information consciencieusement tous les mois et ne s'autorisait à y penser qu'au moment de signer le chèque.

Pat était déçu, ce qu'elle pouvait comprendre. Ann Marie lui disait de prier, d'avoir confiance, que tout allait s'arranger. Il était furieux d'avoir dépensé près de deux cent mille dollars pour les études de leur fils et d'avoir encore à lui envoyer de l'argent. Mais où était le problème au fond ? Au club, certaines femmes avaient même offert des maisons à leurs enfants ! Pat disait que personne n'avait payé pour lui. Il s'en était sorti seul et il ne voulait pas faire de cadeaux à ses enfants.

Quand il parlait ainsi, elle devait se mordre la langue pour ne pas répondre. Ann Marie avait passé tous ses week-ends et tous ses étés d'adolescente à emballer les courses chez Angelo. Est-ce qu'un seul des Kelleher avait une seule fois travaillé après l'école ? Combien de fois avait-elle entendu Kathleen se plaindre que Pat était le seul dont les études comptaient aux yeux de ses parents, ce qui voulait dire qu'Alice et Daniel les avaient entièrement payées ? Il n'était jamais venu à l'idée de Kathleen qu'Ann Marie s'était débrouillée elle-même pour payer ses frais de scolarité en travaillant comme serveuse.

Malgré les avertissements d'Ann Marie, Pat avait couvert les enfants de cadeaux et d'argent de poche. Maintenant que Little Daniel semblait avoir vraiment besoin d'eux, ce n'était plus le moment de changer de ligne de conduite. Malgré les protestations de Pat, ils lui envoyaient donc des chèques depuis qu'il avait perdu son dernier emploi, cinq mois plus tôt. Ce n'était pas la première fois qu'ils lui venaient en aide, mais c'était la première fois qu'il avait dû quitter son travail pour une raison aussi honteuse. Le découragement gagnait Ann Marie, dès qu'elle y repensait. Et il fallait que les mésaventures de Little Daniel arrivent quelques semaines après l'annonce de Fiona… Pourquoi les mauvaises nouvelles arrivaient-elles toujours par paquets ? Cet enchaînement de catastrophes remettait en question tout ce qu'Ann Marie tenait pour acquis : elle croyait être une bonne mère. Mais, finalement, leur famille ne valait pas mieux que les autres.

Little Daniel avait terminé dans les premiers à l'université. Il était incroyablement intelligent et charmeur. Mais dès qu'il s'agissait de travail, il n'avait pas de chance. Son premier chef, dans une boîte d'investissement, lui en voulait personnellement. Il avait osé dire que son fils était arrogant, pas assez déférent. Il connaissait pourtant l'âge de Little Daniel et savait qu'il ne demandait qu'à apprendre. Dans son poste suivant, au sein d'une grosse entreprise de Boston, ils ne lui donnaient rien d'intéressant à faire, uniquement de la paperasse, et, évidemment, il s'était ennuyé assez vite. Alors, il prit de longues pauses déjeuner (tous les managers faisaient de même). Il arrivait tard. Lors de son évaluation de première année, ils lui dirent qu'ils ne pouvaient pas le garder.

« Mais qu'est-ce qui ne va pas chez lui ? » avait explosé Pat, un peu trop vivement au goût d'Ann Marie. « Mais, rien du tout ! Il est intelligent, comme toi. Il était trop bien pour ce poste. »

Pat fit jouer quelques-unes de ses relations du club pour lui trouver un travail très bien payé dans un autre grand groupe. Cette fois, il avait l'air bien décidé à travailler dur. Ils le renvoyèrent pourtant brusquement en lui ordonnant de quitter sous lieux sous deux semaines.

« C'est un scandale, avait éructé Pat, que sa femme avait rarement vu aussi énervé. J'appelle Ron et je vais lui donner mon avis tout de suite. Et je les poursuis en justice. »

Il rentra dans son bureau et claqua la porte. Quand il en ressortit, vingt minutes plus tard, son visage était très pâle.

« Alors, demanda Ann Marie ?

— On dirait qu'ils lui ont plutôt rendu un service, en le renvoyant de cette façon.

— Qu'est-ce que tu racontes ?

— Certaines secrétaires se sont plaintes de son comportement. »

Ann Marie s'imagina un groupe de filles paresseuses, vêtues de tailleurs en tweed, qui refusaient de préparer le café ou de répondre au téléphone, sous prétexte de faire évoluer la condition féminine. Elle ne demanda pas de précisions, mais Pat poursuivit :

« Ils ont trouvé des documents pornographiques extrêmement dérangeants sur son ordinateur. Du sadomasochisme, je crois.

Ann Marie était atterrée.

— Ces secrétaires l'ont accusé ? Cela aurait pu être n'importe qui !

— Non, elles gèrent ses notes de frais.

— Et ?

— Il avait tout passé sur sa carte de crédit professionnelle. Deux mille dollars.

— Mon Dieu... »

Elle se demanda s'il avait agi de la sorte dans ses autres postes. Elle pensa à la pauvre Regina qui était tellement fière de sa bague en diamant et frissonna à la pensée de son fils — l'Américain modèle — en train de l'attacher au lit. Et elle se remémora aussi Fiona, les deux affronts mêlés l'un à l'autre. Son fils était un pervers, et sa fille, lesbienne.

Ce n'est la faute de personne. Une phrase à la mode aujourd'hui quand un événement horrible se produit. Mais ce qui arrive, surtout quand il s'agit de faits désagréables, est toujours la faute de quelqu'un. Qu'est-ce qu'elle avait donc fait de mal ?

« Il m'a vraiment fait passer pour un imbécile. Je vais être la risée du club maintenant. »

À ce moment précis, une montée d'œstrogènes et d'instinct maternel l'envahit. Elle voulait protéger son fils à n'importe quel prix. Son fils unique.

« Honnêtement, on s'en fiche. Ron Allan a de pires squelettes dans son placard que quelques films X. »

Elle appela Little Daniel et lui dit de passer les voir. Il se mit à pleurer sur le canapé du salon et s'excusa de les avoir mis dans l'embarras. Il ne s'était pas rendu compte qu'il utilisait la carte de crédit professionnelle. (Cela lui parut logique, bien qu'elle espérât surtout qu'il nierait toute l'affaire.) Il alla dormir dans sa chambre d'enfant.

Ce soir-là, Ann Marie fit courir ses doigts sur le bois sculpté de la tête de lit qu'ils avaient dénichée dans un magasin à Killarney. Ils l'avaient fait expédier d'Irlande. Comme Little Daniel dormait là ce soir, Pat s'était couché avec elle. Il ronflait. Elle ne comprenait pas que son mari puisse dormir dans un moment pareil.

Elle finit par descendre dans son atelier et contempla sa maison de poupée un long moment. L'armoire dans le living-room serait sans doute mieux dans l'entrée. Elle la prit et la déplaça, puis en essuya délicatement les côtés avec un Kleenex, pour effacer les traces de doigts. Elle pensa à Fiona. Quand elle était petite, elle n'avait jamais aimé les robes, en tout cas, pas comme Patty. Est-ce que c'était un signe ? Au lycée, elle traînait avec un garçon, David Martin. Elle disait toujours qu'ils n'étaient qu'amis et hurlait quand Ann Marie ne les laissait pas ensemble dans sa chambre, porte fermée. Quand elle demanda la permission d'aller camper seule avec David, Ann Marie répondit que ce n'était pas convenable. Fiona avait dit : « Mon Dieu, maman, tu vois bien qu'il est gay. » Mais jamais elle n'aurait pu penser que Fiona...

Et que dire de son fils ? Ann Marie se souvint d'un jour où il était au lycée. Elle changeait les draps de son lit. Sous l'oreiller, elle avait trouvé un numéro de *Penthouse*. Ses yeux se remplirent de larmes alors qu'elle parcourait les pages du magazine, en voyant toutes ces jeunes femmes à l'œil vide, leurs jambes écartées, leurs bouches grandes ouvertes. Il était soudain rentré dans la chambre, et elle avait remis le magazine sous l'oreiller comme s'il était le parent accusateur et elle, l'enfant coupable. Ann Marie rougit et lui demanda comment s'était passée l'école. Cela s'était-il joué à cette époque ? Est-ce qu'elle aurait pu dire ou faire quelque chose alors ? Elle aurait dû en parler à Pat, mais elle avait trop honte. Elle se raisonna : tous les adolescents avaient sans doute besoin de se chercher.

Au moins, il lui restait Patty. Soudain, elle espéra que sa fille aînée lui annoncerait qu'elle attendait un autre enfant, même si elle savait que Patty et Josh voulaient s'arrêter à trois.

Le lendemain matin, elle prépara des pancakes aux noix et aux pépites de chocolat pour Little Daniel.

« Je ne l'aiderai pas, déclara Pat après son départ.

Elle n'avait pas besoin de parler, elle se contenta de le fixer d'un air incrédule.

— Bon, OK, mais c'est la dernière fois. »

L'après-midi, elle acheta une annexe pour sa maison de soixante-dix centimètres de haut sur eBay pour cinq cents dollars. Elle était recouverte de soie rose et bordeaux et allait parfaitement avec sa maison de poupée. Elle s'imaginait y trouver refuge, presser son visage contre la vitre en verre véritable et regarder, en sécurité à l'intérieur, les trombes d'eau tomber dehors.

À la demande d'Ann Marie, leur fils avait modifié sa version des faits pour sa fiancée. Regina sut seulement qu'il avait perdu son travail parce que l'entreprise devait réduire ses effectifs d'un tiers. Il s'en tint là.

Ils n'avaient pas non plus raconté aux filles ce qui s'était passé. (Ni parlé de Fiona, bien qu'elle ait précisé : « Je voudrais aussi faire mon *coming out* auprès du reste de la famille au bon moment. » Ann Marie espérait que cela signifierait « jamais ».)

Quand Pat était au téléphone avec sa mère ou Clare, il se vantait, expliquait que Little Daniel ramenait un salaire à six chiffres et qu'ils en étaient très fiers. Elle était reconnaissante à son mari qu'il protège ainsi leur fils du moulin à ragots des Kelleher, même si cela signifiait qu'elle devrait mentir à Alice.

Pat sortit son carnet de chèques. Il inscrivit le montant de cinq mille dollars et le signa, en appuyant plus fort que nécessaire sur chaque lettre. Il le lui tendit. Ann Marie tenait l'enveloppe prête, elle glissa rapidement le chèque à l'intérieur et la cacheta.

« Bon, dit-elle. Maintenant, prenons le petit déjeuner.

— Juste des toasts, pour moi.

— J'ai de ce délicieux pain irlandais de l'amie de ma mère, Sharin. Tu en veux ?

Il haussa les épaules.

— OK.

— Il va faire un temps splendide, dit-elle. Il paraît qu'il va faire vingt-cinq degrés cet après-midi.

— Tant mieux.

— Ta mère a dit que Maggie allait bientôt prendre la route du Maine, continua Ann Marie. Kathleen n'a pas su dire à Alice quand exactement. Typique. C'est vraiment une honte qu'elle ne vienne pas aussi. Mais n'oublions pas à quel point elle est occupée à *la ferme*.

Pat se mit à rire.

— Tu n'imagines quand même pas qu'elle va laisser Arlo seul avec tous les animaux. Elle ne se montrerait même pas si un nouveau Woodstock survenait ici.

Ann Marie leva les yeux au ciel.

— Eh oui. Un milliard de vers et un hippie drogué valent plus que sa propre mère et sa fille. C'est logique. Bien sûr.

— S'il est ami avec le diable, alors il est ami avec Kath[17], ironisa-t-il.

Elle fronça les sourcils.

— Qu'est-ce que ça veut dire ?

— Ça vient d'une chanson. Oublie.

Pat s'arrêta puis ajouta :

— Pauvre Maggie.

— Je sais ! Mais quel est exactement le problème de ta sœur ? Ses enfants ne lui manquent pas, là-bas en Californie ? Cela me fait de la peine rien que d'y penser, je n'arrive pas y croire. »

Avec les années, Pat et sa sœur ne se voyaient quasiment plus. Quand ils étaient jeunes et que Kathleen était encore mariée, ils étaient proches. Ils passaient presque tous les samedis ensemble. Vingt ans avaient passé, et Kathleen en voulait toujours à Pat d'avoir couvert les infidélités de son ex-mari. Pourtant, il avait essayé de la protéger avant tout. Si elle savait le nombre de fois où il avait pris ce type entre quatre yeux et lui avait demandé de mettre fin à sa liaison, de penser à sa famille. Pat croyait naïvement qu'il pouvait raisonner Paul. Ils n'étaient pas au courant des problèmes d'argent. Mais ce n'était tout de même pas leur faute si Kathleen avait été aussi légère avec son compte en banque.

Pat avait des raisons autrement plus sérieuses d'être furieux. Leur mère avait dépassé les soixante-dix ans quand Kathleen avait décidé de dilapider l'argent de leur père et était partie à l'autre bout du pays en laissant Alice à leur charge. Même à l'époque où Kathleen suivait vaguement une religion, elle n'était rien de plus

17. « À friend of the devil is a friend of mine », titre d'une chanson des Grateful Dead.

qu'une catholique d'opérette. Peut-être était-ce pour cela qu'elle ne se sentait aucune obligation envers sa famille.

L'autre sœur de Pat, Clare, ne valait pas mieux. Elle n'habitait pourtant qu'à quelques kilomètres de là, à Jamaica Plain. Joe, son mari, détestait Alice, et Clare s'était rangée de son côté. Elle rendait visite à sa mère à peine une fois par mois. Alice, ensuite, lui expliquait que Clare lui avait bien sûr amené les plus belles roses, ou une bouteille d'un excellent cabernet. Comme si ces gestes pouvaient compenser quatre semaines de négligence.

Clare regrettait de ne pas pouvoir en faire plus. Elle passait tellement de temps à expliquer qu'ils étaient débordés qu'on aurait dit que finalement se plaindre était ce qu'il leur prenait le plus de temps. *Essaie un peu d'avoir trois enfants,* avait envie de lui dire Ann Marie. Clare avait une femme de ménage qui venait une fois par semaine, et quand Ryan était petit, elle avait embauché une nounou. Ann Marie n'imaginait pas payer quelqu'un d'autre pour faire son travail.

La plupart du temps, c'était à Ann Marie qu'il incombait de s'occuper d'Alice, même si elle avait également sa propre mère à charge. Elle avait perdu son père à vingt-sept ans et n'avait reçu aucun témoignage de sympathie, tels que les Kelleher semblaient en réclamer pour leurs propres deuils. Ils avaient pourtant tous plus de quarante ans quand Daniel mourut. Ann Marie elle-même fut durement éprouvée par ce décès. C'était vraiment un homme bien, si gentil avec elle et avec tout le monde. Il les maintenait tous ensemble. Elle s'était occupée de toute l'organisation des funérailles.

Les Kelleher comptaient tous sur elle, tout en lui faisant bien comprendre qu'elle ne faisait pas partie de la famille, en tout cas pas vraiment. Sans jamais un merci, bien entendu. Et puis finalement, ses belles-sœurs la voyaient toujours comme la pauvre fille d'un milieu peu reluisant qui s'était agrippée au mariage comme à une bouée de sauvetage, piégeant son frère au passage.

Pat était compréhensif, mais bon, c'était une affaire de femmes. Si Alice était plus ou moins une alliée, Clare et Kathleen, en revanche, étaient cruelles envers elle. Comme si Ann Marie n'était là que pour leur donner mauvaise conscience. Pendant les vacances, Clare préparait en tout et pour tout un plat, un seul ! Elle passait ensuite toute la soirée à expliquer à quel point la recette était difficile. Et tout le monde se mettait à la féliciter pour ses patates douces ou sa casserole de haricots.

Kathleen venait les mains vides, parce qu'elle prenait l'avion. (Franchement, en quoi cela l'empêchait-elle d'amener une bouteille de vin ou un paquet de crackers ?) Avant son installation en Californie, elle amenait ses deux énormes bergers allemands à Noël. Ann Marie était forcée de garder les molosses dans sa cuisine. Elle les avait même surpris en train de lécher les plats.

Ces monstres étaient de l'histoire ancienne désormais. Alice lui avait dit l'an dernier que Kathleen avait dépensé quelque chose comme dix mille dollars pour offrir une chimiothérapie à l'un des chiens. Ann Marie n'avait jamais entendu parler d'un tel gaspillage. Elle avait des cousins à Southie qu'on aurait laissé mourir pour moins que cela.

Quand Kathleen venait pour les vacances, elle ne pouvait pas s'empêcher d'endoctriner les enfants d'Ann Marie. Quelques mois après la naissance du premier enfant de Patty, alors qu'il pleurait, elle se leva pour l'emmener dans la chambre et le nourrir, comme le lui avait conseillé Ann Marie.

« Nourris-le à cette table. C'est parfaitement naturel ma chérie. Ne vas pas te tapir dans l'ombre. Ne sois pas une de ces femmes qui se font traire dans les toilettes pour handicapés des Olive Garden [18].

Maggie en recracha presque son vin.

— Maman !

Ann Marie répondit doucement, mortifiée :

— Je crois que Patty pense, comme moi, que certaines personnes sont mal à l'aise à la vue des seins d'une femme. Et comme ça, c'est mieux pour tout le monde, y compris le bébé, d'allaiter dans un endroit calme.

---

18.   Chaîne de restaurants italiens, un peu l'équivalent de notre Bistro Romain.

— N'importe quoi », avait tranché Kathleen.

Ann Marie était sur le point de rappeler à Kathleen qu'elle avait nourri au biberon ses enfants dès l'âge de trois mois, et que donc elle était particulièrement mal placée pour donner des conseils en matière d'allaitement. Elle ravala sa réponse.

« Je ne crois pas que ce soit une conversation convenable pour un dîner », avait fini par dire Alice.

Patty partit dans la chambre et ferma la porte.

Il y eut un long silence. Quelques années plus tôt Daniel aurait lancé une blague, afin de détendre l'atmosphère. À cet instant, ils regrettèrent tous qu'il ne soit plus là.

Finalement, ce fut Clare qui brisa la chape de plomb :

« Est-ce que quelqu'un peut me passer le lait ? »

Ils éclatèrent tous de rire.

Puis, comme pour rendre hommage à la mémoire de Daniel, ils se mirent à raconter des histoires pendant trois bonnes heures.

Les Kelleher prétendaient se détester les uns les autres, mais quand ils se retrouvaient et qu'aucun drame n'éclatait, ils restaient debout toute la nuit, à rire et à parler. Ils le faisaient plus souvent quand Daniel était vivant, mais cela arrivait encore de temps en temps.

Après trente-trois ans de mariage, à chaque dîner de famille, Ann Marie devait endurer les mêmes histoires à l'infini. Elle n'avait rencontré aucune famille aussi éprise de sa propre mythologie.

Ce qui l'irritait le plus, c'était quand Alice parlait de Sherry Burke, puis plaçait sa main sur celle d'Ann Marie avant de dire fièrement en guise d'explication : « Patrick sortait avec elle. Son père était maire de Cambridge. Une fille splendide. Elle est sénatrice maintenant. » Comme si Ann Marie n'avait pas déjà entendu ça mille fois. « Sénatrice d'État », corrigeait-elle.

Alors qu'ils buvaient des bières et du vin (le lendemain, c'était elle qui ramassait tous les verres, chargeait le lave-vaisselle et essuyait la table), elle rêvait parfois de leur hurler : « Si vous racontez cette satanée histoire encore une fois, je vous attache ensemble et je vous bâillonne avec du scotch. » Elle incluait les plus jeunes, y compris ses propres enfants qui étaient de vrais

Kelleher. Mais la culpabilité venait reprendre le dessus et pour se changer les idées, elle entreprenait une activité anodine, comme se mettre à préparer des brownies avec de la crème glacée.

En chemin pour la foire aux miniatures, elle appela Patty depuis la voiture. Son portable ne répondait pas, ni son fixe. Elle essaya son numéro au bureau.

« Tout va bien maman ? répondit Patty, la voix agacée.

— On est dimanche. Que fais-tu au bureau ?

— Je suis coincée.

— Où sont les enfants ?

— Je crois qu'ils sont dans un bar en train de regarder le match des Sox.

— Quoi !?

— Ils sont à la maison avec Josh.

— Oh. Ils vont bien ?

— Tu les as vus il y a deux jours, dit Patty en riant.

— Je sais, dit Ann Marie. Maisy vient demain directement chez moi pour notre petit goûter, d'accord ? Sa maîtresse est au courant ?

— Oui. Écoute, maman, je dois envoyer un compte rendu pour demain et j'ai à peine commencé. Je peux te rappeler ?

— Bien sûr, ma chérie. »

Ann Marie se sentait un peu triste, mais ne pouvait pas vraiment expliquer pourquoi. Dans le virage vers Sycamore, derrière deux jeunes de vingt ans dans une décapotable jaune, elle se demanda si Patty était au courant pour Fiona. Elles n'avaient jamais été très proches. Patty avait toujours préféré sa cousine Maggie. Ann Marie avait dû un jour lui laver la bouche avec du savon alors qu'elle criait à sa jeune sœur : « Tu n'es pas vraiment ma sœur, pas comme Maggie. » Fiona pleurait à gros sanglots mais Patty continuait à hurler.

Récemment, Patty avait avoué être choquée par la cruauté de ses enfants. « Parfois, ils sont comme des animaux. Je n'ai qu'une envie, c'est de m'enfermer à clé dans la salle de bain pour me cacher. Comment as-tu survécu ? »

Patty et Fiona avaient l'air de se parler un peu plus après leur départ de la maison, comme l'avaient fait Ann Marie et ses sœurs. À la demande d'Ann Marie, elles s'étaient mises à s'écrire à la fac (elle leur avait envoyé un adorable set de correspondance et plein de timbres). Elles discutaient et sortaient déjeuner ensemble quand elles étaient à la maison pour l'été. Mais ensuite, Fiona était partie pour la Namibie. Fuyait-elle ? Et quoi ? Était-ce à cause de ça ? Ann Marie ne connaissait personne avec un enfant homosexuel. À qui pourrait-elle bien demander des conseils ?

Elle n'avait plus parlé à Fiona, depuis ce dîner. Quand elle écrivait à sa fille, elle racontait les dernières histoires de famille et se concentrait sur la météo et la maison de poupée. Elle devait s'empêcher de supplier Fiona de ne pas remettre le sujet sur le tapis. Fiona, de son côté, parlait de son travail auprès des enfants, des splendides couchers de soleil au-dessus de son village, ce qui soulageait Ann Marie. Cela faisait longtemps qu'elle voulait que Fiona rentre, mais maintenant, à sa grande honte, elle espérait presque pouvoir figer le temps : Fiona généreuse, engagée, très loin, comme elle avait toujours été. Et non pas ici, avec une petite amie qui viendrait dîner le samedi soir, et un bébé africain adopté qu'elle trimballerait dans une écharpe.

Pat avait expliqué qu'il vivait cela comme un deuil. Fiona ne rencontrerait jamais le mari qu'ils avaient imaginé pour elle et n'aurait pas d'enfants. Son mode de vie serait rejeté par l'église catholique. Si tant est qu'un tel endroit existe, elle n'irait jamais au Ciel comme le reste d'entre eux.

Les trois enfants d'Ann Marie avaient tourné le dos à la religion. Elle leur avait pourtant enseigné le catéchisme et les avait emmenés à l'église tous les dimanches. Pat était même diacre. Elle avait obligé Little Daniel à servir comme enfant de chœur, avait enrôlé les filles dans la chorale. Et tout ça pour quoi ?

Patty avait épousé un Juif, ce qui était très bien. Les temps avaient changé. Ann Marie devait se le rappeler de temps à autre. Elle avait gardé longtemps l'espoir que Josh se convertisse. Quand il avait finalement refusé, elle s'était faite une raison. Mais les petits-enfants non baptisés lui firent l'effet d'une gifle cinglante.

Pendant longtemps, Ann Marie avait pensé que Fiona était la seule vraie catholique de ses trois enfants. Quand elle était petite, Fiona souffrait d'angines sévères. Un soir, alors qu'aucun antibiotique ne donnait de résultat, ils l'emmenèrent en désespoir de cause se faire bénir par saint Blaise, le saint patron des problèmes de gorge. La bénédiction sembla la guérir. À partir de ce jour, Fiona fut fascinée par les saints. Elle avait toujours été une petite fille gentille et sensible. Elle faisait du bénévolat pour les pauvres. Mais, qu'elle le veuille ou non, Ann Marie avait dû échouer avec elle. Elle ne comprenait pas comment cela avait pu arriver.

Elle était terrifiée à l'idée que sa mère ou Alice apprennent la vérité au sujet de Fiona. Ou pire, Kathleen.

Les femmes comme Kathleen, qui ne voyaient dans la maternité qu'un fardeau, la hérissaient. Elle avait toujours pensé que tout ce discours qui proclamait « du temps pour moi » n'était qu'un tissu de bêtises. Mais aujourd'hui, elle en venait à se demander ce que lui avait rapporté son engagement sans faille aux côtés des siens. Elle avait été tour à tour leur chauffeur, leur cuisinière et leur conseillère. Et avec le sourire, de surcroît. Malgré cela, ses enfants n'allaient pas bien. Mais à chaque fois qu'elle décidait qu'elle en avait assez, qu'à partir de maintenant elle prendrait « du temps pour elle », il se passait quelque chose : Alice avait besoin qu'on l'emmène chez l'ophtalmo, Patty recherchait une baby-sitter en urgence pour rester tard au bureau. Ann Marie pouvait-elle refuser ?

Elle quitta l'autoroute à la sortie numéro 10 et prit une petite route. Après quelques minutes, elle vit la bannière jaune *Wellbright Miniatures Fair*. Elle regarda sur le siège, derrière elle, où se trouvaient ses photos dans une enveloppe blanche : la maison de poupée vue sous tous les angles et un cliché de chacune des pièces en gros plan. Ces photos lui faisaient penser à *Maisons et Jardins*.

Pouvait-elle vraiment gagner ? Elle n'en parlait jamais à personne, mais elle savait qu'elle avait ses chances. Ann Marie était tellement excitée qu'elle se fit les gros yeux. Elle se sortit ces bêtises de la tête et s'engagea dans le parking.

ALICE

Alice jeta son assiette en carton à la poubelle et déposa le bol de thon dans l'évier. Elle était venue dans le Maine quatre semaines plus tôt, début mai, avec Patrick et Ann Marie. Pat avait retiré les volets des fenêtres, tondu la pelouse et réparé les détecteurs de fumée qui sonnaient tous en chœur aux quatre coins de la maison. Alice et Ann Marie avaient parcouru d'abord le cottage, puis la maison. Elles avaient enlevé les draps qui protégeaient les meubles, déroulé les tapis, passé l'aspirateur pour ramasser les mouches mortes. Elles trouvaient toujours un passage pour rentrer mais, visiblement, ne parvenaient jamais à ressortir.

Dans la douche du cottage se trouvait une toile d'araignée très élaborée. Elle s'étendait d'un mur à l'autre, sur près d'un mètre. Alors qu'elle la détruisait à coup de balais, Alice s'était presque sentie mal pour la créature qui l'avait tissée. Elle avait eu son petit royaume à elle pendant des mois, et soudain tout disparaissait.

Elle passa le reste du mois de mai seule, mis à part les visites de Pat et d'Ann Marie le week-end. Elle continua à préparer la maison et le cottage pour les enfants, et commença à vider des pièces. Elle avait signé les papiers pour donner sa maison à l'Église après sa mort et savait qu'il ne lui restait plus beaucoup de temps. Elle jeta des sacs entiers de vieux draps, de maillots de bains, de tongs. Elle prit des couvertures et des vêtements dans les placards de la chambre. Elle rassembla près d'une centaine de coquillages, de morceaux de verre de toutes les couleurs et de dollars des sables, sans oublier d'innombrables étoiles de mer. Puis, elle les remit sur la plage, un soir au crépuscule. Elle fit don de la collection de thrillers et d'essais politiques de Daniel à la bibliothèque d'Ogunquit. Leurs dos étaient blanchis par le soleil. Elle rangea dans des cartons des verres et des assiettes de la grande maison. Mais elle devait faire attention à ne pas enlever subitement trop de choses du cottage. Elle ne voulait pas attirer l'attention des enfants.

La fille de Kathleen serait la première à arriver, avec Gabe, son petit ami photographe. Maggie était l'artiste de la famille. Parfois, Alice pensait que Maggie menait la vie qu'elle-même aurait pu avoir si seulement elle était née une génération ou deux après. Quand on est une femme, l'époque où vous venez au monde peut sceller votre sort. À la fac, Maggie n'avait que des A. À trente ans, elle avait déjà publié un recueil de nouvelles sur l'amour. « Est-ce que ce n'est pas fantastique ? » n'arrêtait pas de dire Kathleen.

Alice jugeait son écriture plutôt élégante. Elle en avait même parlé aux bibliothécaires. Mais comment pouvait-elle lire une œuvre de fiction écrite par sa propre petite-fille sans y chercher des allusions à elle-même, où à Kathleen ainsi qu'à leurs mariages. D'après Kathleen, Maggie travaillait désormais sur un roman. Viendrait-elle cet été pour recueillir des histoires, comme un vautour ? Elle donnait toujours cette impression quand elle posait des questions, comme si le moindre détail de la vie d'Alice devait être couché sur papier, chaque migraine, chaque amitié, chaque souvenir d'enfance… Tous finiraient comme des objets dans un musée, étiquetés et exposés. Une vie vécue et terminée, prête à être étudiée.

Gabe serait un des rares invités de l'été. Alice avait hâte de l'accueillir. Elle était même prête à passer sur le fait qu'il partageait un lit avec Maggie dans le cottage. (Les enfants d'Ann Marie avaient assez d'éducation et de bon sens pour dormir dans des chambres séparées s'ils n'étaient pas mariés, mais on ne pouvait pas en demander autant à ceux de Kathleen.)

Autrefois, lorsque Maggie amenait ses amis huppés de la fac, ils se comportaient comme si Alice tenait une auberge. Ils ne se donnaient pas la peine de lui demander de les rejoindre, et quand Maggie s'arrêtait chez elle, le matin, probablement pour accomplir son devoir familial, Alice s'inventait rapidement des choses à faire pour avoir l'air occupée.

Mais Gabe était différent. L'été dernier, il avait raconté des histoires drôles et l'avait chaudement remerciée pour son invitation. Il avait chanté de vieilles chansons avec elle, tard dans la nuit. Il lui rappelait une autre époque, quand ses frères et ceux de Daniel venaient passer de longs week-ends au cottage, à chanter et à boire. Tout le monde était gai en ce temps-là.

Et si elle voulait être vraiment honnête, elle l'aimait surtout parce qu'un soir, après dîner, pendant que Maggie était aux toilettes, Alice et Gabe avaient bu une bouteille de cabernet. Il lui avait pris la main : « Vous savez que vous êtes magnifique ? Je veux dire, l'une des femmes les plus belles que j'ai pu voir. J'aimerais beaucoup vous photographier. »

Il flirtait ! Plus personne ne flirtait avec elle depuis des années. Elle sentit son pouls s'accélérer, et c'est avec regrets qu'elle entendit Maggie revenir. Elle se laissa photographier le lendemain, pendant que Maggie était à la plage. Il lui envoya la photo une fois développée, et Alice pleura de voir à quel point elle était ridée, à quel point elle était *vieille*. Quand elle avait posé pour lui dans le soleil, elle avait de nouveau senti l'énergie de ses dix-huit ans.

La vie avait été assez austère ces derniers mois. Elle espérait que Gabe apporterait un peu de printemps dans ses pas.

C'était un coureur. Maggie avait hérité du mauvais goût de sa mère en matière d'hommes. Kathleen lui avait raconté une fois que Maggie avait l'intention de fonder un foyer, mais Gabe n'avait certainement pas l'air du type prêt à se marier. Kathleen avait dit à Alice qu'il buvait trop. Cela dit, elle avait tendance à trouver que tout le monde buvait trop. Elle avait aussi raconté qu'ils se disputaient en permanence. « Il me rappelle beaucoup Paul », avait-elle conclu. Elle aimait se servir de son ex-mari comme d'un étendard de tous les défauts de la condition masculine.

Maggie et Gabe seraient là d'un jour à l'autre.

« Quand arrivent-ils exactement ? avait demandé Alice à sa fille quelques jours plus tôt.

— Je crois que cela dépend des engagements de Gabe. Ne sois pas impatiente maman, avait répondu Kathleen d'un ton faussement calme qui avait le don de faire grimper la tension d'Alice de façon exponentielle. Ils arriveront en temps et en heure.

— Je préfère savoir à l'avance pour tout préparer dans le cottage, c'est tout.

— Eh bien, appelle Maggie et demande-lui.

— C'est ta fille.

— Oui, et c'est aussi ta petite-fille.

— Oh, mon Dieu, laisse tomber, Kathleen.

— C'est déjà oublié », avait dit sèchement Kathleen.

Et c'était tout. Du Kathleen tout craché.

L'hiver dernier, après l'une de ses nombreuses retraites thérapeutiques, Kathleen était rentrée dans le Massachusetts pour Noël. Elle avait jugé bon de raconter à Alice qu'elle avait essayé l'hypnose et s'était rappelé des souvenirs d'enfance douloureux. Alice l'avait obligée à rester dans le cottage pendant que les autres enfants jouaient sur la plage, parce qu'elle avait mangé des gâteaux en cachette et qu'elle était désormais trop grosse pour son maillot de bain. Ou Alice l'avait tenue à l'écart lors d'une parade de carnaval quand elle avait huit ans pour lui donner une leçon.

« Tu étais méchante émotionnellement et verbalement.

Alice voulut la gifler, comme l'aurait fait son père si on lui avait parlé de cette façon.

— Tais-toi, bon Dieu ! finit-elle par dire.

— Tu vois ? Tu recommences. Ne peux-tu pas t'excuser pour ce que tu as fait, pour qu'on puisse avancer ?

— Je n'ai pas à m'excuser. C'est toi qui devrais être désolée, Kathleen. Tu devrais me remercier pour ce que j'ai fait, et non tenter de me mettre en morceaux à cause de tes problèmes. »

Elle avait toujours été stricte avec ses filles, mais franchement, est-ce qu'on avait le choix ? Il suffisait de voir ces mères qui voulaient faire de leur fille leur meilleure amie, qui s'efforçaient de rester toujours douces et compréhensives. Kathleen en était un exemple parfait. C'était pathétique.

Le problème de ses enfants et petits-enfants était simple : ils voulaient à tout prix être *heureux*. Ils cherchaient sans cesse le bonheur, ne pensaient qu'à ça. Ils essayaient de s'améliorer, de changer leur situation. Ils pensaient qu'il fallait à tout prix s'écouter pour régler ses problèmes.

Alice savait d'où venait ce travers. Il s'agissait sans doute de son plus grand échec en tant que mère. Tous ces enfants, les siens, et les enfants de ses enfants et probablement les arrière-petits-enfants aussi étaient athées. Patrick et Ann Marie étaient les seuls à aller à la messe. Little Daniel avait été enfant de chœur et sa sœur avait chanté dans la chorale de l'église, mais aucun d'entre eux ne semblait pratiquer, ni croire désormais. Clare disait que, dans son cœur, elle était toujours catholique et Joe aussi, mais qu'ils ne pouvaient pas fréquenter l'église de Boston, ni la soutenir, après ce qui s'était passé ces dernières années. Alice trouvait que ce n'était qu'une excuse pour dormir le dimanche et rien d'autre. Cela ne les empêchait pas, en tout cas, de vendre ces objets catholiques. Plutôt étrange pour des gens qui se prétendent choqués, non ? Le « scandale des prêtres » comme Clare tenait à le nommer, concernait tout au plus quelques branches pourries. Tout le monde savait cela.

« Comment peux-tu croire, avec tout ce qui se passe dans le monde ? » lui avait demandé Kathleen une fois. Elle avait alors réalisé qu'elle avait échoué à leur enseigner ce qu'était vraiment la foi.

Elle pensait que Vatican II avait été une terrible erreur. Ils avaient essayé de rendre la religion sympathique en abandonnant la messe en latin et le jeûne du vendredi. Ses petits-enfants avaient grandi en appelant les prêtres par leurs prénoms, comme s'il s'agissait de serveurs — père Jim, père Bob. Cela lui retournait l'estomac. L'Église avait retiré la peur et la souffrance de son équation. Désormais, ses enfants, ses petits-enfants et des millions d'autres comme eux, ne ressentaient pas une once de culpabilité au moment de sortir prendre un petit déjeuner le dimanche matin, au lieu d'aller à l'église.

Kathleen se définissait comme spirituelle, un de ces mots new age qui horripilaient Alice. Kathleen l'avait adopté, comme toute une masse de croyances ridicules, vers la fin des années quatre-vingt, aux Alcooliques anonymes, après son divorce.

Daniel avait beaucoup trop facilité son divorce. Il lui avait conseillé de quitter Paul dès qu'elle leur avait raconté qu'il l'avait trompé. Daniel lui avait donné huit mille dollars pour vivre avec ses enfants. Kathleen les avait refusés. Il lui avait alors proposé de vivre gratuitement dans le cottage aussi longtemps qu'elle le souhaitait. Peu importe qu'Alice ait prévu de faire venir des ouvriers pour réparer le sol ce même printemps. Peu importe qu'elle n'ait même pas été consultée. Elle, au moins, aurait insisté pour que Kathleen trouve un travail et se reprenne. Au lieu de se retrouver bloquée dans le cottage avec les enfants et ses idées noires pendant des mois.

Si Daniel était resté à l'écart, Kathleen aurait sans doute trouvé un moyen de pardonner à Paul et aurait repris le dessus. Paul Doyle était un gendre parfait : il adorait Alice. Peut-être était-ce justement ce qui agaçait le plus Kathleen. Il faisait un bon père et il était mille fois plus drôle que tous les types des Alcooliques anonymes que Kathleen avait ramenés par la suite.

Sa fille n'avait cessé de lui reprocher son alcoolisme, plus encore que tout le reste. Elle avait le culot de dire qu'elle était devenue alcoolique à force de voir Alice boire.

Il y avait de quoi rire. Depuis les onze ans de Kathleen, jusqu'à la mort de Daniel, trente-trois ans plus tard, Alice n'avait pas bu une goutte d'alcool, pas même dans les moments où elle aurait pu exploser tellement elle en avait envie lorsqu'elle se sentait défaite et envisageait de perdre Daniel et les enfants pour une seule petite gorgée de whisky. Sans le Canadian Club [19], comment aurait-elle survécu à sa première décennie de maternité ?

Quand les enfants étaient petits, la paroisse organisa un voyage dans le comté de Kerry, en Irlande. Daniel devint alors obsédé par

---

19. Célèbre marque de whisky canadien.

ses ancêtres et par l'idée de retrouver ses racines. Ni ses parents ni ceux d'Alice n'avaient été particulièrement attachés à l'Irlande. Sa mère lui avait expliqué une fois que sa propre mère était morte en tentant de fuir ce pays. Elle ne voyait pas tellement l'intérêt d'y revenir. En approchant de la cinquantaine, plusieurs couples qu'ils fréquentaient à Sainte-Agnès et à l'école des enfants se mirent à parler d'un retour au pays natal. La paroisse organisa un voyage à Shannon. Ils aidèrent à y construire un orphelinat catholique et firent le tour des environs dans un bus. Ils photographièrent des ruines et des rues envahies par les moutons. Ils mangèrent de la viande bouillie et chantèrent de vieilles chansons dans des pubs obscurs. De retour à Boston, Daniel acheta un livre sur les noms irlandais et leur signification. Il l'ouvrit pendant le dîner.

« Nous sommes des Kelleher, dit-il fièrement. Et ça veut dire — tenez-vous bien ! — attendez... Je sais que vous êtes suspendus à mes lèvres. »

Il feuilleta le livre jusqu'à la page en question, en faisant semblant de lire chaque page avec étonnement, jusqu'à ce qu'Alice craque :

« Bon, finissons-en !

— Kelleher, se mit à lire Daniel, est la forme anglicisée du Gaélique Ó Céileachair, fils de Céileachair, un nom signifiant "cher compagnon", "ami de la compagnie". Est-ce que cela ne ressemble pas à votre père ?

— Encore ! cria Clare, qui était aussi excitée par les fantômes du passé. Trouve le nom de jeune fille de maman ! Cherche Brennan !

Daniel lui tapa sur la tête avec le livre.

— Un peu de patience, jeune fille, ça arrive. Brennan ! dit-il haut et fort. L'un des noms irlandais les plus courants, Brennan vient de l'un des trois noms propres irlandais O Braonáin, de *braon,* qui signifie probablement "tristesse", et Mac Branáin et Ó Branáin, les deux venant de *bran,* signifiant "corbeau".

— Alors comme ça, maman est un corbeau triste, demanda Clare, un oiseau triste ?

Daniel sourit.

— Précisément. Maman est mon cher oiseau triste. Que penses-tu de ça, mon oiseau triste ? »

À cet instant, Alice le détesta. Elle regarda ses trois enfants attablés. Ils réclamaient toujours plus de nourriture, plus de temps, plus d'amour, comme si elle leur appartenait. Elle ajouta une ration de whisky supplémentaire à son verre et but une longue gorgée.

« C'est l'heure du bain, dit-elle, face à un chœur de protestations qui fit rire Daniel.

— Montez, dit-elle. J'arrive. »

Elle sortit sur l'auvent arrière, le verre à la main. Elle finit ce qui restait, espérant ainsi calmer ses nerfs. Mais, ce soir-là, rien n'y faisait. Alice s'assit sur la première marche et mit son poing dans sa bouche. Elle mordit si fort que, quelques minutes plus tard, alors qu'elle commençait à laver les cheveux de Clare, sa fille écarquilla les yeux et s'écria :

« Maman, tes doigts saignent !

Alice s'essuya dans une serviette de bain rose accrochée à la porte.

— Tiens-toi tranquille et ferme les yeux », dit-elle sèchement.

Elle pensa qu'elle n'avait jamais vraiment aimé les enfants. Pourtant, toutes ses amies disaient qu'on tombait instantanément amoureux des siens, dès qu'ils étaient là. Quand elle était enceinte, elle avait l'impression que son corps abritait quelque chose de trop grand pour lui, qui poussait de chaque côté pour sortir. Elle pensait toujours qu'elle se trouvait là par un étrange accident, qu'en réalité, elle devrait être dans un appartement à Paris, à peindre dans la solitude.

Elle avait envie de hurler, mais au lieu de cela, elle inspira calmement et prononça une courte prière. Elle adopta le ton le plus léger possible.

« C'est bien, chérie. Le savon risque de te piquer les yeux sinon. »

MAGGIE

Maggie sortit de son lit. Il était presque dix heures et demie du soir. Elle n'avait aucune chance de se rendormir maintenant.

Elle jeta un œil sur son portable et vérifia ses e-mails. Gabe n'avait pas essayé de la joindre. Cela faisait huit heures maintenant qu'elle avait quitté son appartement. Il lui manquait terriblement.

Elle aurait aussi aimé être le genre de personne qui perdait l'appétit quand ça allait mal. Elle sortit une boîte de macaronis au fromage d'une étagère et mit de l'eau à bouillir.

Tu manges pour deux, pensa-t-elle pour se sentir mieux, bien que cela lui donne surtout à nouveau envie de pleurer. Elle alla s'asseoir sur le canapé, alluma la télévision. Elle tomba sur *Grease.* On aurait dit que *Grease* était diffusé en permanence. Y avait-il une chaîne de télévision qui ne programmait que cela ?

Maggie réalisa que c'était peut-être bel et bien fini. Elle l'avait souvent pensé sans y croire vraiment, ce qui était sans doute un signe évident que cela *devait* finir. Elle était malade à l'idée de les imaginer, chacun d'entre eux continuant de son côté, vivant leur vie respective l'un sans l'autre. Ou pire : qu'ils restent ensemble sans cet enfant. Et s'il lui donnait cet ultimatum : d'accord pour rester ensemble, mais pas d'enfant. Que ferait-elle ?

À la fac, elle avait accompagné à Toledo sa colocataire, qui devait avorter. Monica Randolph n'avait que dix-neuf ans, et elle était tombée enceinte après une coucherie alcoolisée.

Elle avoua cela à Maggie dans un soupir, un soir. Dans la pénombre, Maggie n'arrivait plus à discerner le visage de Monica, ce qui lui rappela le moment de la confession : entrer dans la cabine, raconter vos péchés les plus sombres à un prêtre qui était pour vous un parfait étranger. *Pardonnez-moi mon père, car j'ai péché.* Petite fille, elle trouvait cela terrifiant.

À sa première confession, Maggie avait eu tellement peur qu'elle avait triché sur la liste de ses péchés (elle avait volé des bonbons à Chris lors d'Halloween, elle avait répondu à sa mère). Et elle se trompa en récitant les Dix Commandements, se disant qu'elle avait dû violer la plupart d'entre eux.

« J'ai convoité les possessions de mon voisin, dit-elle lentement au prêtre, qui, sans aucun doute, s'ennuyait à mourir en écoutant les noirs péchés de cinquante élèves de cinquième en une seule soirée. Je n'ai pas honoré mon père et ma mère. J'ai commis l'adultère.

De l'autre côté, le père Nick sursauta.

— Vous avez *quoi* ? »

Dans sa chambre à la fac, qui semblait à des millions de kilomètres de là, Maggie avait allumé la lumière et avait dit : « Oh Monica ! Je suis désolée ! Que vas-tu faire ? »

Monica était allongée sous une couette à fleurs et portait un tee-shirt *She-Ra : Princess of Power* et une culotte en coton. Elle avait l'air d'avoir dix ans.

« Eh bien, je ne peux pas le garder, dit-elle.

— Non, en effet, dit Maggie.

— J'ai pris rendez-vous dans une clinique à Toledo samedi. Je me demandais si tu pourrais venir avec moi.

Maggie dit qu'elle viendrait.

— Et s'il te plaît, n'en parle à personne, dit Monica.

— Évidemment. »

Elles n'étaient pas très proches. Monica jouait dans l'équipe de foot et avait des tonnes d'amis. Peut-être était-ce pour cela qu'elle lui avait demandé de l'accompagner.

Sur la route de Toledo, elles mangèrent des sucreries. Elles se racontèrent les derniers ragots sur leur dortoir et leurs familles. Monica dit soudain :

« J'espère que tu ne crois pas que je vais aller en enfer ou quelque chose comme ça.

Maggie répondit, troublée :

— Pourquoi ?

Monica montra son ventre puis fit un geste en direction du reste du bus.

— Tu es catholique, non ? »

Tous les non-catholiques que Maggie avait rencontrés à Kenyon semblaient penser que les catholiques passaient 90 % de leur temps à dire du mal de l'avortement, alors que dans sa famille, on n'en parlait jamais. Elle pensait que ses grands-parents, ainsi que tante Ann Marie et oncle Pat étaient de fervents opposants. Elle se demandait ce que sa mère pensait au juste — Kathleen était progressiste pour une Kelleher, mais elle avait quand même gardé quelques-unes de ses croyances d'enfant, parfois les plus étonnantes.

« Je crois que tu fais ce qu'il y a de mieux, dit Maggie.

— Peut-être que je devrais attendre et y repenser, dit Monica. Non en fait. Cela ne va pas être si terrible, si ?

— Mais non. Je serai avec toi. Ne t'inquiète pas.

— On ne peut quand même pas installer un berceau dans notre dortoir.

— Seulement pour stocker des bières dans ce cas, dit Maggie, tentant de prendre un ton léger.

— Je suis heureuse que tu sois là. Tu es vraiment douée pour t'occuper des gens. J'ai déjà remarqué ça.

— Merci. »

Elles passèrent encore six mois ensemble mais ne parlèrent jamais de l'avortement de Monica, sauf une fois, pendant une manifestation pro-avortement qui avait duré une semaine. Les participants avaient accroché des centaines de cintres dans les arbres, chacun portait une histoire personnelle.

« Je ne peux les regarder, dit Monica. Je sais ce qu'ils essaient de dire, mais c'est trop dur. »

L'année suivante, elle quitta le campus. Elles n'en parlèrent plus jamais.

Quelques minutes plus tôt, Maggie pensait qu'elle ne dormirait pas de la nuit. Maintenant, elle était allongée sur le canapé pendant que John Travolta chantait « Grease Lighting » en fond sonore et avait l'impression qu'elle n'avait pas dormi depuis des jours. Était-ce à cause de la grossesse ou de la dépression ? Sûrement les deux.

Avant de sombrer dans le sommeil, elle pensa que Monica aurait un enfant de treize ans aujourd'hui, au lieu de vivre avec son petit ami et quatre épagneuls à San Francisco, et de jouer dans un groupe de country bluegrass, comme l'avait lu Maggie dans un magazine d'anciens élèves.

Elle se demanda si elle lui avait donné le bon conseil, mais à l'époque à Kenyon, un avortement s'imposait comme le choix le plus raisonnable face à ce qui paraissait être un coup de malchance.

Maintenant qu'elle se retrouvait dans la même position, cela paraissait moins évident. Elle n'était plus une étudiante fauchée qui n'aurait pas pu s'en sortir avec un enfant. Mais, elle n'était pas prête pour autant, pas comme une mère devrait l'être : mariée, stable, avec un foyer plus grand que son deux-pièces.

Tu es catholique, non ? avait demandé Monica. Maggie s'était contentée de hausser les épaules. Même si elle ne croyait plus en Dieu, elle sentait encore le catholicisme sortir par tous les pores de sa peau. Elle voulait toujours faire le bien, même s'il n'y avait personne pour la voir. Par habitude, elle continuait à prier saint Antoine quand elle égarait un objet, ou à réciter un *Je vous salue Marie* quand elle entendait la sirène d'une ambulance par la fenêtre de son appartement. Elle n'allait plus à l'église le mercredi des Cendres, mais quand elle voyait des cendres sur le front d'un étranger dans la rue, elle réalisait que le carême venait de commencer et décidait soudain de le suivre à sa façon. Pas de sucre, pas de ragots ou pas d'espionnage pendant quarante jours.

Maggie avait été baptisée et avait fait sa première communion. Elle avait eu des cadeaux, principalement religieux, quelques chèques et un billet de vingt dollars. Un gâteau au chocolat avec de la crème et des fleurs roses en sucre en forme de croix avaient conclu le repas. C'était un de ces soirs où tous les adultes — ses parents, tante Clare (qui n'était pas mariée à l'époque), oncle Patrick et tante Ann Marie, et tous les voisins, s'enivraient et chantaient des chants irlandais, oubliant presque que les enfants existaient. Avec sa cousine Patty, elles restaient éveillées jusqu'à minuit, elles mangeaient du gâteau et du jambon avec les doigts et jouaient avec leurs Barbie sous le porche.

Enfant, Maggie devait aller à la messe tous les dimanches, mais après le divorce, les Alcooliques anonymes et une guerre sans pareille menée par sa mère contre les traditions, elle ne se rendit plus à l'église, sauf peut-être pour Noël et Pâques avec ses grands-parents. L'église catholique éveillait chez elle un mélange confus de ressentiments et d'amour. Un peu comme sa famille. Elle était athée, mais pourtant quand il lui arrivait d'aller à la messe une ou deux fois par an, elle ne pouvait s'empêcher d'entonner, emportée à la fois par la beauté des paroles et par l'habitude : « Agneau de Dieu, qui enlève le péché du monde, prends pitié de nous, donne-nous la paix. »

À Noël, l'an dernier, les enfants de sa cousine Patty avaient amené les offrandes à l'autel. Le gobelet de cristal rempli de vin tanguait dans les mains tremblantes du pauvre Foster. Maggie se souvenait vaguement s'être retrouvée dans cette même situation à l'enterrement de son arrière-grand-mère. Elle connaissait ce sentiment quand tous les yeux étaient rivés sur vous, et le sort terrible qui vous attendait si vous renversiez le sang du Christ sur vos belles chaussures blanches.

Lorsque le prêtre bénit le pain et le vin, la moitié de l'assistance s'agenouilla, dont Kathleen, Maggie et l'ensemble des Kelleher. Le reste de l'assemblée resta debout, ce qui fit dire à Alice d'un ton supérieur :

« Ces gens-là ne vont pas à l'église. »

Sa famille savait qu'elle n'était plus pratiquante mais, ce soir-là, Maggie avait été émue de communier et avait suivi ses cousins à l'autel. Elle se souvenait exactement de l'enchaînement des gestes : mettre ses mains en coupe, retirer de sa main gauche l'hostie déposée dans sa main droite, faire ensuite le signe de croix avant de retourner à son siège. Elle avait pensé à ce que sa tante Ann Marie pouvait ressentir à ce moment-là.

Plus tard, elle se souvint pourquoi elle avait arrêté de communier, quand elle avait douze ans. Elle avait demandé à sa mère pourquoi elle ne se levait pas pour la communion comme tout le monde, et Kathleen avait expliqué que les divorcées n'en avaient pas le droit. Maggie était resté assise auprès de sa mère dans un signe hésitant de solidarité.

Quand elle se réveilla le lendemain, il pleuvait. La pluie passait à travers les fenêtres pour former de petites flaques sous les radiateurs. Une odeur de pneu brûlé, venue de l'extérieur, lui donnait la nausée.

« Génial », se dit Maggie à voix haute.

Elle regarda son téléphone sans réfléchir. Il n'avait toujours pas appelé. Mais le numéro de la maison du Maine était inscrit sur l'écran. Sa grand-mère n'avait pas laissé de message, fidèle à son habitude. Quand Alice et Daniel avaient acheté leur premier répondeur au milieu des années quatre-vingt, Daniel avait enregistré le message suivant : « Vous avez essayé de joindre les Kelleher. Merci de laisser votre nom, adresse et numéro de téléphone après le bip. »

Tout le monde se moqua de lui, et il le changea pour un texte plus simple mais encore plus drôle. « Vous avez essayé de joindre Daniel et Alice, merci de laisser un message », disait-il avec la voix la plus professionnelle possible puis, sur un ton plus inquiet : « Ça allait cette fois ? » avant que le bip résonne. Alice n'avait jamais changé le message, et c'était à la fois doux et triste d'entendre sa voix à chaque fois que Maggie appelait sa grand-mère, toutes ces années après la mort de Daniel.

Elle ferma les fenêtres. Dehors, des hommes en costumes se précipitaient vers le métro High Street, sous une mer de parapluies noirs. On était lundi, et tout le monde à New York se ruait au travail, tout le monde sauf elle.

Maggie alla à la cuisine prendre un verre d'eau. Elle se sentait asséchée, après avoir autant pleuré. Puis, soudain, elle réalisa qu'elle avait oublié d'éteindre les plaques électriques avant d'aller se coucher. La casserole d'eau était vide et brûlait dans le fond. Les plaques étaient recouvertes de flaques de métal noirci. Et cette odeur, une odeur de pneu.

Dans un réflexe puéril, elle l'imagina apprendre la nouvelle : *Elle est morte dans un incendie quelques heures après avoir quitté votre appartement, Gabe. Elle était enceinte de vous. Il s'écroulerait, en criant « Non, non! » Après quoi, il n'aimerait plus jamais personne.*

Elle déposa la casserole dans l'évier à l'aide d'une pince puis ouvrit les fenêtres et laissa rentrer la pluie.

Le détecteur de fumée a besoin de nouvelles piles, se dit-elle. *Et moi, il me faut un nouveau cerveau.*

Elle retrouva le *New York Times* à son emplacement habituel, derrière la porte, et défit l'emballage de plastique bleu. Maggie s'assit sur le canapé et jeta un œil sur la première page : la CIA avait envoyé un homme innocent au Maroc se faire torturer, une fille de treize ans à Brownsville s'était fait tuer la nuit précédente par une balle perdue lors d'une bataille entre gangs. Elle mangeait du gâteau, assise sur les escaliers devant sa porte, pour fêter le diplôme de sa mère.

De quel droit Maggie se plaignait-elle de sa vie alors que d'autres étaient extradés par le gouvernement sans raison valable et qu'une enfant qui mangeait innocemment dans une robe de soirée pouvait se faire assassiner à seulement quelques kilomètres de là? Mais elle se sentait toujours aussi mal. Elle avait *(de justesse? non, même pas)* échappé à la mort. Gabe lui manquait. À cet instant même, elle aurait pu être en train de se réveiller dans son lit, avant d'aller au marché sur East Eighth Street pour prendre un snack qu'ils auraient mangé sur le chemin. Elle marcherait à travers la pluie, en pensant à ses vacances à venir, se moquant du temps, de la violence des gangs, de ses cheveux indisciplinés et tant pis pour le parapluie.

Cependant, elle ne pouvait s'empêcher de trouver que ses problèmes étaient ce qu'il y avait de plus important. C'était égoïste, elle le savait bien. Mais elle était enceinte et célibataire. Elle n'était pas sûre de parvenir à surmonter cette situation.

Le téléphone sonna. Elle se précipita mais c'était seulement son amie Allegra. Maggie ne décrocha pas.

La dernière fois que Maggie et Gabe s'étaient disputés, Allegra lui avait dit de le quitter.

« Tu ne peux quand même pas me dire, qu'au fond de toi, tu penses que ça va ! J'ai été dans la même merde avec Mike. Et, crois-moi, maintenant que je suis avec Jeff, je sais que quand c'est le bon, c'est le bon ! »

Maggie détestait cette phrase. Comme si le degré de passion entre deux personnes pouvait se mesurer comme le temps de cuisson d'une dinde : c'est bon, la température optimale est atteinte, vous avez accompli votre mission, allez et vivez en paix. Ce genre de certitudes était réservé aux personnes simples, qui ne passaient pas leur temps à réfléchir. Allegra était la dernière personne à qui elle avait envie de parler.

Son estomac se souleva soudain vers sa poitrine. Elle courut aux toilettes et vomit.

Entre huit et dix heures, Maggie se doucha, paya ses factures en ligne, et nettoya sa cuisine qui était déjà propre, pour s'occuper les mains et ne pas avoir la tentation de composer le numéro de Gabe. Elle avait besoin d'être sûre de lui, avant de lui annoncer la nouvelle.

Elle regarda ses e-mails. Il devait être en route pour sa séance de photos du matin à l'heure qu'il était. Aucun message de lui, simplement un petit mot de son frère (*Hé, la fête des Mères approche, non? On fait quelque chose ou pas?* La fête des Mères avait eu lieu deux semaines plus tôt. Elle avait envoyé de jolies fleurs avec leurs deux noms dessus. Elle répondit à Chris qu'elle s'en était déjà occupée.) Il y avait aussi un message de sa chef Mindy, avec en objet : À FAIRE CETTE SEMAINE.

Maggie se déconnecta. Elle regretta d'avoir nettoyé l'appartement aussi minutieusement en prévision du voyage dans le Maine. Elle aurait pu s'occuper à récurer quelques assiettes ou le sol de la salle de bain. Elle tenait son appartement propre. Sa psy lui avait demandé si elle pensait que c'était en réaction au mode de vie de sa mère. Maggie avait ri. Quel comportement n'était pas une réaction aux choix d'une mère ?

Même après son divorce, même sobre, Kathleen ne prenait jamais le temps de passer l'aspirateur sur les tapis ni de sortir les poubelles comme semblaient pourtant y arriver toutes les autres mères. Les assiettes s'entassaient dans l'évier pendant des jours entiers. Une épaisse couche de poussière et de cheveux recouvrait les étagères et les rebords des fenêtres. Des magazines et des boîtes en carton, que Kathleen envisageait de recycler un jour, s'empilaient dans l'entrée. Elle notait des numéros de téléphone sur des bouts de papier pour les perdre ensuite. Maggie avait acheté un tableau avec des aimants, à fixer sur la porte du frigo, mais elle ne s'en était jamais servie.

La ferme en Californie était encore plus en désordre que la maison dans laquelle Maggie avait grandi. Des mouches tournoyaient dans la cuisine et atterrissaient dans votre thé ou dans votre bol de céréales. Kathleen ne changeait jamais les draps de la chambre d'amis. Maggie n'aimait pas spécialement lui rendre visite, surtout avec Gabe qui n'avait jamais caché ses sentiments sur l'endroit. Et elle se posait des questions sur Arlo : avait-il, lui aussi, vécu dans la crasse pendant des années pour que cette situation lui semble normale ?

Maggie composa le numéro de sa psy à dix heures. Elle savait que le docteur Rosen arrivait à son bureau à ce moment précis. Elle disait toujours que Maggie devait se sentir libre d'appeler et de parler entre les sessions si elle en avait envie, mais Maggie n'avait jamais pris cette offre au sérieux avant aujourd'hui. Cela lui semblait réservé aux cas désespérés ou aux maniaco-dépressifs,

pas aux femmes comme elle qui souffraient d'une vague décep-
tion sentimentale et de l'angoisse des trentenaires. Pourtant, elle
se retrouva en train de dire :

« Bonjour, c'est Maggie Doyle. Vous avez une minute ?

Elle raconta au docteur Rosen leur dispute, sans mentionner
le bébé.

— On était supposés partir dans le Maine aujourd'hui, et je
me sens un peu perdue.

— Vous avez pensé à y aller toute seule ?

— Je ne sais pas. J'ai pris des jours de congé au travail, j'ai
vraiment besoin de me concentrer sur mon livre. Peut-être que
ce serait bien pour moi. Mais le réseau téléphonique est vraiment
pourri, et il n'y aura personne là-bas, à part ma grand-mère. »

Le cottage était très isolé, ce qui pouvait sembler agréable ou
terrifiant, selon les circonstances. Elle en avait connu les deux
facettes ces dernières années. Elle aurait aimé que sa mère puisse
venir. Elle avait déménagé à l'autre bout du pays et même si
Maggie continuait à la voir presque aussi souvent que lorsqu'elles
vivaient toutes les deux sur la côte Est, l'éloignement avait
quelque chose de triste et de déprimant. Elle ne pouvait plus voir
sa mère quand ça lui chantait, en sautant dans le premier train.

« Allez-y seule, continua sa psy, cela vous remettrait un peu
en selle. Du temps pour travailler à votre livre, un changement
de décor…

— On devait prendre la voiture de Gabe, et je n'ai pas le
permis alors…

— Prenez un bus, allons ! En tout cas, réfléchissez-y. On dirait
que cela ne vous ferait pas de mal de passer un peu de temps loin
de Gabe. »

Le cœur de Maggie se serra. Elle essayait de trouver les mots
pour parler de l'autre problème :

« Rappelez-moi quand vous voulez, dit le docteur Rosen, en
coupant court à la conversation. »

Cette femme avait enseigné à Maggie la notion de frontières
et paraissait particulièrement affûtée sur ce point. Elle savait tout
d'elle sans que Maggie ne puisse, en retour, lui poser une seule

question personnelle. Quand elle lui avait bêtement demandé : « Où partez-vous en vacances ? », elle l'avait rassurée dans un sourire figé : « Ne vous inquiétez pas, nous reprendrons les séances la semaine d'après, à mon retour », comme si Maggie avait eu l'intention de la traîner dans les Berkshires pour faire une dépression nerveuse, alors qu'elle se contentait d'être polie.

L'espace d'un instant, Maggie lui en voulut, puis se reprocha d'être incapable de nouer une relation normale et honnête avec qui que ce soit, même un professionnel payé pour cela.

« Merci pour tout », finit-elle par dire poliment.

Elle raccrocha. Elle jeta un œil à son sac de voyage, qui n'était toujours pas défait. Peut-être devrait-elle y aller seule. Si seulement Alice n'était pas cyclothymique, capable de passer d'aimable à odieuse en l'espace d'un instant.

Presque contre son gré, Maggie cherchait l'affection d'Alice, envers et contre tout, ce qui la conduisait à se comporter bizarrement quand elle était dans les parages. Par exemple, elle buvait systématiquement plus en présence d'Alice, espérant confusément gagner sa sympathie. Le docteur Rosen en avait fait son miel pendant une séance. Pourtant, au fond, elle se rangeait du côté de Kathleen, et quand elle pensait à ce qu'Alice avait fait subir à sa mère, elle en venait à souhaiter rompre tous les liens avec elle.

Ce n'était pas seulement Kathleen — tous à un moment ou l'autre avaient souffert du courroux d'Alice. Son humeur devenait venimeuse sans prévenir, et Alice lâchait une remarque d'une cruauté inouïe, un commentaire qui allait vous poursuivre le reste de votre vie. Une minute plus tard, tout sourire, elle vous demandait pourquoi diable vous étiez si sensible. Une semaine avant son bal de fin d'année, Maggie était passée dîner chez ses grands-parents, et Alice et Daniel l'avaient fait rire toute la nuit, en dansant dans le salon, lui montrant les pas du charleston et du two-step. À ce moment-là, elle les avait aimés profondément et s'était promis de leur rendre visite plus souvent. Mais le soir du bal, en présence de son cavalier et de ses parents, Alice lui avait dit : « Oh Maggie, tu ne pouvais pas avoir la main plus légère sur les glaces ? Ma chérie, cette robe te boudine ! »

Maggie savait que l'aversion de sa grand-mère était liée à la jalousie, au lien privilégié entre son grand-père et Kathleen. Ce qui était difficile à comprendre. Est-ce que vous ne deviez pas souhaiter que votre mari adore ses enfants et ses petits-enfants? Mais Alice n'était pas comme ça.

Peu après la mort de son grand-père, Maggie s'était forcée à appeler sa grand-mère deux ou trois fois par semaine (ce qu'elle dissimulait à sa mère, celle-ci s'étant juré de ne jamais reparler à Alice après ce qui s'était passé à l'enterrement). Mais Alice ne voulait pas parler. Elle écourtait toujours la conversation : « Tu ne devrais pas travailler sur tes articles, au lieu de discutailler au téléphone avec moi? » Elle évoquait le coût d'une conversation longue distance comme si on était en 1952. Depuis, Maggie n'appelait plus tellement. De temps en temps, elle envisageait d'écrire une longue lettre, mais ne savait jamais trop quoi dire. Alice ne l'appelait pas souvent non plus, et quand c'était le cas, elle avait toujours une requête bizarre en tête. Est-ce que Maggie pouvait aller à la cathédrale Saint-Patrick et allumer un cierge pour son cousin Ryan qui avait une audition bientôt, ou pour Fiona qui servait le Seigneur dans les Peace Corps, si loin d'ici? Maggie répondait toujours oui, pleine de bonnes intentions, mais elle finissait par oublier, ou par trouver une bonne raison de ne pas le faire — la cathédrale était loin au nord —, le Dieu auquel elle ne croyait pas se souciait-il vraiment plus d'un cierge à cinq dollars allumé parmi les touristes qui buvaient du café Starbucks sur les bancs de l'église, que d'une prière solennelle récitée dans la minuscule chappelle de Cranberry Street, tout près de son appartement?

Les réunions de famille décevaient toujours Maggie : au lieu d'être inoubliables et chaleureuses, elles étaient soit ennuyeuses soit tendues. Les vrais moments de retrouvailles se faisaient de plus en plus rares depuis la mort de son grand-père, mais son souvenir suffisait parfois à rassembler les Kelleher.

C'était les étés de son enfance qui lui manquaient le plus. Toute la famille se retrouvait alors dans le Maine. Alice les recevait en grand à cette époque. Elle organisait des dîners, des expéditions vers de nouvelles plages, ou demandait à son mari d'emmener tous les petits-enfants pêcher des clams à marée basse à Kittery. Ils s'empilaient alors dans la vieille Buick. Sur la rive, ils restaient des heures dans l'eau peu profonde, leurs râteaux et leurs pieds nus enfoncés dans le sable mouillé, criant de délice et de peur quand ils touchaient une coquille. Ils remplissaient les seaux de clams, et, au coucher du soleil, Daniel lançait l'annonce rituelle : « OK, ramenons ces braves gars pour que grand-mère puisse les cuire ! » Puis Maggie, Fiona et Patty se mettaient à hurler non ! Les garçons leur répondaient avec un oui ! tout aussi strident, pendant que leur grand-père éclatait de rire. Ils regagnaient toujours le cottage sans un seul clam.

Depuis que son oncle Patrick avait établi le planning des vacances, Maggie allait tous les ans à Cape Neddick pendant quelques jours en juin, avec Allegra ou quelques amis du lycée. Mais, ce n'était plus pareil. Sa grand-mère ne les invitait presque jamais. Elle ne semblait pas vraiment souhaiter passer du temps avec eux. Elle prétendait être trop occupée, même si Maggie ne comprenait jamais ce qui monopolisait ainsi toute son attention. Mis à part les politesses d'usage, plus un ou deux dîners à la hâte, elle ne parlait quasiment pas à Alice de tout le séjour. Et Alice semblait se satisfaire de rester enfermée dans la maison d'à côté.

Sauf l'été dernier, lorsqu'elle était venue avec Gabe. Sa grand-mère s'était soudain illuminée. Ils s'étaient amusés comme au bon vieux temps. Alice avait joué du piano dans le cottage un soir après le dîner, et Gabe avait chanté — complètement faux — à plein poumons des airs de comédie musicale. Il avait demandé à Alice quels étaient ses livres préférés, ses souvenirs les plus drôles de Maggie enfant.

Il lui répétait : « Vous êtes extraordinaire », ce qui irritait Maggie qui avait raconté à Gabe la méchanceté d'Alice envers sa mère. Elle aurait préféré que ce soit plus difficile pour Alice de gagner l'affection de Gabe.

En une soirée, il avait cependant réussi à obtenir d'Alice ce que Maggie avait toujours souhaité : de vraies conversations, des souvenirs qui, sans ces discussions, mourraient avec elle. Alice s'était lancée dans une histoire où Maggie et Chris s'étaient cachés au zoo pour lui faire une blague, en jetant la casquette de base-ball de Chris au milieu de la cage des singes. Gabe avait ri. Maggie aussi, même si elle suspectait que cette histoire soit inventée de toutes pièces.

Elle demanda :

« Dis-moi, grand-mère, à quoi ressemblait ton enfance? Raconte-nous.

Le regard d'Alice changea brutalement.

— Je parlais d'autre chose, trancha-t-elle. Tu m'as coupé la parole. Bon, de toute façon, je vais devoir y aller. Je vous vois demain les enfants. »

Une fois au lit, Maggie dit :

« Tu vois! Elle ne peut pas m'encadrer.

— Je crois bien que c'est vrai, répondit Gabe en souriant. Mais moi, je t'adore. Viens par ici.

— Sérieusement, dit Maggie, si seulement, elle pouvait m'aimer ne serait-ce que la moitié de ce qu'elle t'aime, toi.

— Vous êtes de la même famille, ce n'est pas pareil. En fait je ne comprends pas pourquoi tu veux tellement qu'elle t'aime. Vous êtes totalement différentes toutes les deux. »

Parfois, elle essayait d'imaginer ce qu'elle dirait à Alice si elles étaient forcées de passer deux semaines ensemble. Elle pensa à sa grand-mère, toute seule dans la maison sur la plage. Intellectuellement, elle faiblissait un peu, elle avait l'air parfois perdue. Kathleen disait toujours qu'Alice jouissait d'une santé de fer, mais combien d'étés avait-elle encore devant elle?

Maggie pensa aussi au cottage, à quel point elle aimait cet endroit. Le docteur Rosen avait raison — elle devrait réussir à monter dans un bus. L'océan lui ferait du bien. Et si jamais son séjour devenait trop horrible, eh bien, elle pourrait toujours faire demi-tour et rentrer chez elle.

Elle irait seule. Mais elle se donnait une journée avant son départ, au cas où Gabe changerait d'avis et déciderait de venir aussi.

Vers midi, Maggie composa le numéro de la maison de ses grands-parents dans le Maine. Alice répondit au bout de quatre sonneries, elle avait l'air légèrement ivre. Maggie n'avait jamais vu sa grand-mère boire, jusqu'à la mort de son grand-père. Mais, depuis, c'était rare de voir Alice sans un verre à la main, même à cette heure de la journée.

« Grand-mère, c'est Maggie, dit-elle.

— Attends, laisse-moi mettre un truc dans mon livre pour garder la page. Elle la reprit un moment plus tard. Comment ça va, ma chérie ?

— Ça va. Et toi ?

— Superbe. Je t'ai appelée tout à l'heure.

— Je sais. C'est pour cela que je t'appelle.

— Comment diable le sais-tu ? Je n'ai pas laissé de message.

Ses paroles transpiraient le soupçon, comme si Maggie mentait ou travaillait pour la CIA.

— Quoi de neuf ? demanda Maggie.

— Je viens juste de mettre un poulet dans le four pour le dîner, et maintenant je me repose sur le porche. Mes pieds me tuent, c'est la circulation, je crois. Est-ce que tu as vu la dernière adaptation de *David Copperfield* sur PBS ? Je pense qu'elle devrait te plaire. Ils vont la diffuser cette semaine en cinq parties. J'ai regardé la seconde, la nuit dernière. Une femme à l'église m'en a parlé, et il y a cette actrice avec des yeux énormes, oh, mais comment s'appelle-t-elle déjà ? Ann Marie doit le savoir. Il faut que je lui demande. Elle jouait dans *La maison d'Âpre-Vent* [20] aussi. Bon, alors, quand arrives-tu ? »

Au ton de sa voix, Maggie devina qu'elle n'avait pas dû parler à quelqu'un depuis très longtemps. La profonde solitude de sa grand-mère la fit culpabiliser. Elle était heureuse de lui rendre visite.

« J'arrive demain. On pourra peut-être voir la fin de la série ensemble.

---

20. Livre de Charles Dickens.

— OK, dis bien à Gabe que j'ai pris un nouveau livre de partitions à la bibliothèque — *Chansons patriotiques de Broadway.*

— En fait, je viendrai seule, dit Maggie.

Alice n'avait peut-être pas entendu. Elle se contenta de répondre :

— Il faut que j'aille au Shop'n Save pour prendre de ces bons muffins qu'il aime bien. Et ils ont de la viande à hamburger en promotion, on pourra donc faire un barbecue demain, si vous voulez, ou alors je pourrais préparer un meatloaf. Oui, ce serait mieux, parce qu'il va peut-être pleuvoir. »

Maggie aurait préféré ne pas se sentir jalouse de son intérêt pour Gabe. Peut-être aurait-elle dû dire tout simplement : *On a rompu.* Ou bien : *Mamie, c'est un minable.*

Au lieu de ça, elle se contenta de répondre :

« J'ai hâte.

— Dis-moi, ça va te coûter une fortune un appel longue distance sur un portable. On ferait mieux d'écourter.

— Ça n'existe pas les appels longue distance sur les portables, dit Maggie.

— Hein ?

— Rien. Je t'aime. »

Cela ne semblait absolument pas naturel de dire *Je t'aime* à Alice. Mais ne pas le dire était tout aussi étrange.

Après avoir raccroché, Maggie regarda son téléphone. Aucun appel de Gabe.

L'angoisse commençait à la tenailler, mais elle la repoussa. Elle savait qu'elle était enceinte, mais il était encore possible de ne pas y penser en permanence. Peut-être que ces femmes qui accouchaient à terme dans les toilettes du McDonald's niaient comme elle la réalité le plus longtemps possible.

Elle alluma la télé. Une heure plus tard, au beau milieu d'un épisode de *Golden Girls,* son cœur s'emballa. Elle tenta de respirer profondément. Lorsqu'elle regarda ses mollets, ils étaient couverts de plaques rouges.

Maggie mit sa tête entre ses jambes, c'était ce qu'on était censé faire dans ce cas-là, non ? Sans résultat. Elle finit par se redresser et appeler sa mère. Elle ne pouvait pas garder le secret plus longtemps. Cet enfant la rendait littéralement malade (était-il possible d'être allergique à son propre fœtus ? Non, cela paraissait ridicule). Kathleen saurait quoi faire.

Maggie parlait à sa mère au moins une fois par jour, mais maintenant qu'elle avait une chose vraiment importante à lui dire, elle appréhendait leur discussion.

Il ne lui serait pas venu à l'idée d'appeler son père, même s'il se trouvait dans le même fuseau horaire. Avec lui, elle n'abordait que les sujets les plus banals : les résultats de Red Sox, la dernière saison de *New York, police judiciaire*, l'installation du détecteur de monoxyde de carbone. Il avait épousé Irene, sa petite amie de longue date l'an dernier et avait demandé à Chris d'être son témoin. Maggie s'était alors sentie très triste pour son petit frère car cet homme bien intentionné, mais émotionnellement handicapé, était son seul et unique père. Avec Irene, ils buvaient beaucoup, exactement comme avec Kathleen. La plupart du temps, ils étaient drôles et turbulents, mais le revers de la médaille était leurs disputes d'ivrognes interminables et bruyantes, si possible en public. Dieu seul savait quelles extrémités ils pouvaient atteindre quand personne ne les regardait. Maggie priait pour que son père ait eu le bon sens de se faire stériliser.

Maggie composa le numéro, Kathleen décrocha, la voix lointaine.

« On est dans la grange avec de la merde jusqu'au cou, dit-elle joyeusement. Tu vas bien ?

— Non, pas trop. Il faut vraiment que je te parle.

— OK, dit Kathleen. Attends, je vais dans le jardin.

S'ensuivit une série de bruits d'objets métalliques qui tombaient à terre, puis la voix de sa mère irritée :

— Mais quand va-t-on se débarrasser de ces trucs ?

La voix de Kathleen revint, plus proche :

— Qu'est-ce qui ne va pas ?

— J'ai des taches rouges sur les jambes et je n'arrive pas à respirer.

— Plutôt des petites tâches ou comme des piqûres d'insectes ?

— Des petites tâches.

— C'est rouge ou brun ?

— Rouge.

— On dirait de l'urticaire, dit calmement Kathleen. Ça ne t'arrive jamais.

— Je sais. Je panique vraiment. Je n'arrive pas à respirer.

— Calme-toi. J'ai l'impression que c'est une crise d'angoisse. Il faut que tu prennes du millepertuis. Et l'ortie est un très bon antihistaminique naturel. La même chose que ce que je t'ai donné pour ton allergie au pollen. Et respire à fond, ma chérie. C'est le plus important.

— Je n'ai rien de tout ça.

— Mais si. J'en ai laissé sous ton évier la dernière fois. »

Maggie avait tout jeté quand un flacon d'huile de santal avait coulé sur tout le reste et laissé une odeur écœurante dans sa salle de bain pendant des semaines.

« Est-ce qu'un Benadryl ferait l'affaire ? demanda-t-elle en jetant un œil dans l'armoire à pharmacie.

— Oui. Mais prends les autres trucs que je t'ai conseillés. Bon, alors qu'est-ce qui s'est passé ? Pourquoi es-tu dans cet état ?

— Je dois t'annoncer une grande nouvelle, dit Maggie. Mais d'abord Gabe et moi on s'est disputés. Il m'a dit qu'il ne voulait plus qu'on vive ensemble. J'ai bien peur que cette fois ce soit terminé.

— Oh, chérie, je suis désolée. Mais, écoute, c'est peut-être mieux ainsi. »

Kathleen débitait les mots d'une traite, comme si elle lisait à toute vitesse une méthode intitulée « Se remettre d'une peine de cœur en dix leçons ».

« Je sais que cela n'a pas l'air évident, mais fais-moi confiance. L'univers fonctionne parfois de façon mystérieuse. »

En entendant ces banalités, le cœur de Maggie se serra. Elle espérait toujours que Gabe soit le bon, et que Kathleen dise autre chose, même si elle ne l'avait jamais aimé.

Alice et Kathleen avaient au moins ça en commun : elles n'hésitaient pas à dire ce qu'elles pensaient à leur interlocuteur, même si ça devait lui faire de la peine. Elles en tiraient même une certaine fierté.

« Qu'est-ce que tu voulais me dire ? » demanda Kathleen

Maggie s'appuya contre le comptoir. Elle ne pouvait pas s'empêcher de penser que Kathleen cherchait à raccourcir leur conversation. Comment avait-elle pu croire que ce soit une bonne idée de parler à sa mère ? Kathleen partirait probablement au quart de tour en apprenant la nouvelle. Elle allait sans doute lui reprocher de foutre sa vie en l'air. Maggie ne la voyait pas se mettre à stériliser des biberons, ni à tricoter des petits chaussons de sitôt.

« Je voulais te dire que j'allais quand même partir dans le Maine, sans lui.

— Intéressant. Et pourquoi donc ?

— Je ne sais pas. Je me suis dit que ça me ferait peut-être du bien et, en plus, j'ai pris des vacances.

— Vas-y, cours retrouver les bras accueillants de ta douce grand-mère.

— Ouais, c'est ça. Tu vois, j'irais bien voir ma mère, mais elle a les coudes dans la merde.

— Tu sais qu'il y a toujours de la place pour toi ici, dit Kathleen, sans insister cependant.

— Tu me manques.

— Toi aussi. Tu es à peu près la seule chose qui me manque ici. Comment vont tes plaques rouges ?

Maggie baissa les yeux.

— Elles sont parties d'un côté, et de l'autre elles ont pâli. Ça n'a pas duré longtemps.

— Oui, ça se passe souvent comme ça.

— Comment as-tu su ce que c'était ? Qui t'a appris ?

— Personne. Je suis une mère, c'est tout. Tu seras comme ça un jour.

C'était le moment ou jamais pour annoncer la nouvelle, mais elle avait la bouche sèche, les mots ne sortaient pas.

— Va t'allonger un peu puis va faire un grand tour à pied. Pense un peu à toi, d'accord ? Appelle-moi quand tu veux. Et dis-moi quand tu seras arrivée dans le Maine demain.

— Promis.

— Et transmets mes meilleurs vœux à Malice.

— Maman…

— Pardon. Alice. »

Plus tard, dans l'après-midi, Maggie se reposait sur son canapé quand elle entendit un bruit dans le hall. Elle s'imagina Gabe en train de monter les marches, une valise à la main. Elle se leva rapidement et regarda dans le judas.

Sa voisine, Rhiannon hissait une bibliothèque dans l'escalier. Simplement vêtue d'un tee-shirt crasseux et d'un short, elle était superbe. Elle ne s'était probablement même pas douchée. Ses bras musclés semblaient tout droit sortis des pages d'un magazine. Maggie rédigea un mémo mental : « Faire des exercices pour les bras ».

Malgré son désir de retourner dans son lit, elle sortit la tête : « Tu as besoin d'aide ?

— Tu peux ouvrir ? C'est pas verrouillé. »

Maggie laissa sa porte entrouverte et poussa celle de Rhiannon. L'appartement était conçu exactement comme le sien mais au lieu de la porcelaine peinte à la main de sa tante Clare, du canapé taché et de son fauteuil assorti, qui provenaient d'un emprunt longue durée de sa mère, on y trouvait de magnifiques meubles d'adultes, et une rangée d'élégants vases en verre soufflé sur le rebord de la fenêtre. Maggie aperçut un pot pourpre de crème parfumée au citron, une petite fiole d'huile de noix de coco, de l'exfoliant au miel d'amande et des patchs aux graines de café pour les yeux, alignés le long du lavabo de la salle de bain. Il y avait également des lotions spéciales pour les genoux, les mains, les cuticules, la gorge, les paupières. Elle se demandait lesquelles Rhiannon utilisait vraiment et si jamais elles jouaient le moindre rôle dans sa beauté.

La douche de Maggie, elle, abritait la moitié d'un savon avec un cheveu collé dessus et le dernier shampoing soldé chez Duane Reade, avec le soin assorti. Le couvercle du flacon avait été arraché pour qu'elle puisse y plonger ses doigts et racler les dernières gouttes, plutôt que de marcher jusqu'au drugstore, quatre pâtés de maisons plus loin, pour en racheter.

« J'ai trouvé ça dans la rue. C'est sublime, tu ne trouves pas ? dit Rhiannon en calant la bibliothèque en bois contre son petit foyer.

Le meuble eut aussitôt l'air d'être là depuis toujours.

— C'est beau, concéda Maggie.

— Ça te dit une tasse de thé ?

— Non merci.

— Un whisky ?

— Ah, non. Bon, d'accord pour une tisane.

Rhiannon se dirigea vers la cuisine et dit par-dessus son épaule :

— Du nouveau sur le dossier Gabe ? »

Maggie lui avait raconté l'histoire il y avait quelques mois — qu'ils étaient amoureux, mais qu'ils se disputaient tout le temps, que Gabe avait tendance à mentir. Rhiannon la jugeait moins sévèrement que la plupart des amies de Maggie, peut-être parce qu'elle était passée par là.

« Pas de nouvelles de lui, répondit-elle.

— Qu'est-ce qui s'est passé ?

— Il a dit que finalement il ne voulait plus qu'on emménage ensemble.

Rhiannon sortit une tête de la cuisine.

— Il a dit *quoi* ?! »

Soudain, Maggie se mit à parler à toute vitesse, ses mots fusaient, entraînés par son élan.

« Oui. Et on devait partir dans le Maine demain, mais maintenant je vais devoir y aller toute seule et j'ai vraiment peur parce qu'il y aura ma dingue de grand-mère là-bas, et il ne m'a toujours pas appelée, et je ne peux pas m'empêcher de regarder mon téléphone, parce que je voudrais qu'on règle tout ça. »

Elle sentait qu'elle ne pouvait plus s'arrêter de parler. Elle se rendit compte qu'elle allait le dire finalement, à quelqu'un qu'elle connaissait à peine.

« J'ai vraiment besoin qu'il vienne. Parce que je l'aime. Et puis, il y a un autre truc.

Oh non, nous y voilà.
— Je suis enceinte. »

Rhiannon la dirigea vers le canapé, elles s'assirent toutes les deux. Des plaques rouges grimpaient le long des bras de Maggie, des excroissances rouges et gonflées, invisibles trois minutes plus tôt, et qui semblaient vouloir rester pour toujours. Qu'avait-elle fait pour mériter ça ?

« Pourquoi ? Tu as du retard ?
— C'est pire. J'ai fait un test.
— Ils ne sont pas toujours fiables.
— Et je suis allée faire une prise de sang.
— OK. Bon et qu'est-ce que dit Gabe ?

Elle se tut, en voyant l'expression de Maggie. Puis elle reprit :
— Il ne le sait pas.
— J'attendais le bon moment pour lui dire. Je croyais qu'à la plage dans le Maine, ce serait plus facile, et… c'est une longue histoire, finit-elle par dire en prenant sa tête entre les mains.

Elle se mit subitement à rire.
— Je n'arrive pas à croire que je te l'ai dit… Je ne l'ai dit à personne encore.

Rhiannon serra sa main.
— Je suis contente que tu l'aies fait. On va trouver une solution, ne t'inquiète pas. »

Maggie aurait préféré que Kathleen soit avec elle. Mais peut-être que dans ces moments-là, il était illusoire de se tourner vers les membres de sa famille. Ils étaient trop pris dans leurs propres histoires, trop proches, pour vous dire ce que vous aviez besoin d'entendre. Peut-être que c'était pour cette raison que sa mère avait fini par partir, pour qu'on la voie telle qu'elle était.

« Je fais des crises d'urticaire.
— Ah oui, c'est affreux. Pendant mon divorce, j'en faisais tout le temps. En fait, j'en avais aussi le jour de mon mariage. Je crois que c'était un signe… Il faut que tu prennes de la Clarityne. Ne bouge pas, j'en ai. »

Rhiannon se rendit dans la salle de bain et ressortit avec une petite boîte dans une main et un flacon de pilules dans l'autre.

« J'ai aussi du Valium. Tu en veux ?

— Je crois que ce n'est pas un truc à prendre quand tu es enceinte.

— Merde, oui. Désolée, je fais de mon mieux.

Maggie sourit.

— C'est gentil.

— On s'en fout de la gentillesse. Je te dois bien ça.

— Pourquoi ?

— Tu m'as sauvé la vie le jour de mon divorce, Maggie. Est-ce que tu sais cela au moins ? Si on n'était pas sorties dîner, je ne sais pas ce qui me serait arrivé. Je n'ai pas beaucoup d'amis ici. »

Rhiannon ne lui avait pas semblé particulièrement désespérée ce soir-là. Elles avaient bien dîné, bu un verre de vin, ri de leurs vies et de leurs histoires d'amour pathétiques. Maggie avait peine à croire qu'elle ait fait quoique ce soit d'extraordinaire pour elle.

« Tu le gardes, alors ? »

Maggie sentit sa poitrine se serrer. À chaque fois qu'elle s'était imaginée enceinte, elle n'avait jamais pensé répondre à cette question. Mais la réponse vint immédiatement :

« Oui, sans hésiter. »

Rhiannon acquiesça :

« D'accord. Je peux te prêter ma voiture pour aller dans le Maine si tu veux.

— Tu en as une ?

— Je ne m'en sers jamais. Je la garde juste au cas où j'aurais besoin de m'enfuir loin d'ici.

— C'est sympa. Je n'ai même pas le permis. Mais bon, ce n'est pas grave. Je vais prendre le bus, je pourrais dormir, lire un peu.

Rhiannon avait l'air pensive.

— C'est loin ?

— Cinq heures.

— Ce n'est rien. Je t'emmène demain et je reviens. J'ai cours mercredi après-midi.

— Tu es complètement dingue !

« — Non, pas vraiment. Je ne suis jamais allée en Nouvelle-Angleterre. J'adore les voyages en voiture. Et ça fait des semaines que je suis ici. Je commence à avoir la bougeotte.

Maggie leva un sourcil.

— Et puis tu seras peut-être contente d'avoir de la compagnie, dit Rhiannon. En plus c'est férié demain, ça me dit bien d'aller à la plage.

— Vraiment? Si tu es sûre que ça te ne dérange pas... Je suis un boulet.

— Ne t'en fais pas. Ce sera moins cher à deux. »

Rhiannon la voyait-elle déjà comme une jeune mère sans argent, économisant le moindre penny pour les biberons du bébé. Et d'ailleurs, était-ce si loin de la réalité? Elle paniqua en pensant à l'argent et se fit une promesse : « Accepter énormément de travail en free-lance, le plus possible pendant les sept prochains mois. Et trouver des gens qui avaient besoin d'aide pour rédiger leur profil pour les sites de rencontres. » Peut-être pourrait-elle mettre une annonce sur Craigslist. La pensée de devenir une entremetteuse célibataire et enceinte lui donnait tout de même sérieusement envie de vomir.

« Qu'est-ce que tu en dis?

— Si tu es sûre que ça ne te dérange pas. Mais prends la nuit pour y penser quand même. Je peux prendre le bus, vraiment.

— Sûrement pas. Dis-toi que je suis ton chauffeur personnel! »

KATHLEEN

Kathleen prépara la boîte en bois. Elle étala une première couche de feuilles humides, puis de la terre. Elle tapota sur l'ensemble pour égaliser la surface.

Elle repensa au conseil qu'elle venait de donner à Maggie une heure plus tôt : de la racine d'ortie et... *oh! n'oublie pas de te débarrasser de ton affreux connard de petit ami pété de fric une bonne fois pour toutes! Et surtout, arrête d'attendre qu'il se décide à s'engager, comme tu le fais depuis le début.* Mais elle n'avait rien dit de tout cela. Quand elle était franche, elle blessait Maggie. Chaque chose en son temps, se dit-elle. Et pourtant, c'était dur de voir la chair de sa chair se torturer pour un homme qui n'en valait pas la peine. Elle avait volontairement écourté la conversation pour ne pas révéler le fond de sa pensée.

« Hé, Kath, je crois que ça va comme ça », dit Arlo.

Dans son énervement, elle avait exagérément tassé la terre. Il fallait qu'elle recommence. Vingt-quatre boîtes attendaient encore devant elle.

« Il faut qu'on prenne un putain de stagiaire.

— Calme-toi. Ça va aller pour Maggie.

— Ce n'est pas Maggie le problème, dit-elle, en sachant bien que c'était faux.

Puis elle ajouta :

— Désolée. Je ne suis pas dans mon assiette aujourd'hui.

Il haussa les épaules.

— Tu n'y peux rien si ta famille te tape sur les nerfs.

— Maggie ne me tape pas sur les nerfs. Les autres, oui, mais pas Maggie. »

Elle n'arrivait pas à croire que Gabe ait rompu avec sa fille la veille de leur départ en vacances. Kathleen n'avait jamais aimé ce type. Elle aurait voulu que Maggie sorte avec des amies pour l'oublier, ou vienne lui rendre visite en Californie. Mais, bizarrement, elle préférait aller dans le Maine. La compagnie d'Alice ne pouvait pas lui faire du bien. À cette idée, Kathleen devenait nerveuse. Elle imaginait déjà sa mère donner de mauvais conseils à Maggie *(Il est très bien! Tu es grosse! Reprends un verre!)*. Et si Alice était dans un de ses bons jours. Elle pouvait également se montrer beaucoup plus cruelle et lui faire de la peine.

Kathleen aurait aimé être là pour l'aider. Mais rien sur terre ne pouvait la décider à aller dans le Maine. L'endroit était indissociablement lié à Alice. Là-bas, tout lui rappelait ce qu'elle tentait d'oublier.

Alice avait élevé trois enfants qu'elle avait eus jeune, juste après la mort atroce de sa sœur. Pas étonnant qu'elle se soit mise à boire. Alice se refusait à en parler. La réaction de sa mère était un cas classique de la culpabilité du survivant. Pourquoi Alice avait-elle décidé d'avoir des enfants aussi rapidement? Tout le monde se serait bien mieux porté si elle avait attendu.

Cinq ans plus tôt, après la mort de son frère Michael, Alice était tombée dans une profonde dépression. C'était le plus jeune de la fratrie. Son mari était décédé ainsi que la plupart de ses amis et des membres de sa famille. Kathleen avait alors longuement parlé à Alice — un des rares moments où elles avaient été proches. Elle l'avait convaincue de partir avec elle et Maggie, pour faire un stage de yoga aux Bahamas pour le nouvel an, comme le lui avait chaudement recommandé une amie des Alcooliques anonymes.

Cela faisait longtemps que Kathleen rêvait de partir ainsi, en immersion. Elle avait craint que ce voyage soit un peu trop « retour à la nature », même pour elle, mais elle adorait la sérénité que peut apporter le yoga. On lui avait raconté que lors de ce type de séjour, on se sentait réellement connecté aux éléments, à la nature… Chaque jour, il y avait des cours obligatoires et une conférence dans l'après-midi, donnée par un maître swami. Kathleen le trouvait extrêmement impressionnant. Il avait développé les cinq points du yoga, en s'attardant sur le plus important : « Nous devenons ce que nous pensons. »

Elle, Maggie et Alice, côte à côte, trois générations de femmes, se transmettant pouvoir et sagesse… Mais au moment où elles débarquèrent, elle se rendit compte de son erreur. Le swami demanda à inspecter leurs bagages. Kathleen avait expressément demandé à sa mère de n'amener ni caféine, ni alcool. Lorsqu'il ouvrit sa valise, il tomba sur deux Ziploc® pleins de sachets de thé, trois bouteilles de vin rouge, une grande bouteille de rhum et un blender. Un blender!

« Mais qu'est-ce qui t'a pris? demanda Kathleen, mortifiée.

— À quoi ça rime les Bahamas sans cocktail?! Voilà ce qui m'a pris, répondit Alice, avec un grand sourire enjôleur en direction du swami.

— Grand-mère! dit Maggie, l'air amusé. Tu es incorrigible! »

Alice refusa de les accompagner aux cours de yoga et de méditation, bien que Kathleen ait payé pour elle. À la place, elle se promenait pendant des heures sur la plage. Quand Kathleen lui dit qu'elle aurait tout aussi bien pu rester dans le Massachusetts, Alice lui lança, venimeuse :

« Figure-toi que j'aurais bien aimé y rester! »

Elle se fâcha ensuite avec le swami qui lui reprochait de fumer et, bien loin des sourires charmeurs du début, lui lançait désormais des regards noirs.

« Quand même, on *paye* pour venir ici! Il n'a qu'à m'envoyer dans le bureau du proviseur, si ça lui chante. »

Maggie s'esclaffa. Apparemment, elle aussi trouvait ce voyage ridicule.

Une nuit, Kathleen tomba sur Alice et Maggie sur la plage. Elles buvaient du rhum mélangé à du jus d'ananas bio. Elles riaient; elle se sentit furieuse à l'idée d'être le rabat-joie de service.

« Je ne sais même pas pourquoi vous êtes venues toutes les deux. Vous me faites passer pour une idiote devant un homme que je respecte énormément.

Maggie se leva :

— Oh, maman, s'il te plaît, ne te fâche pas.

— Ça va, dit-elle sèchement. Je vais me coucher. Il y a une séance de méditation à l'aube, mais j'irai seule parce que j'imagine que la gueule de bois vous empêchera de vous lever. »

Elle marcha à grands pas vers les bungalows. Maggie resta sur la plage. Kathleen se sentait stupide. Était-elle allée trop loin ? Elle n'aimait pas que Maggie et Alice passent du temps ensemble. Sa mère était une sorte d'Hannibal Lecter, il ne fallait pas devenir trop proche d'elle, même s'il était parfois difficile de résister à son charme. Il lui était arrivé de confier des choses à sa mère et de les reprendre en pleine figure quelques heures plus tard.

Lorsqu'elles rentrèrent des Bahamas, Kathleen appela Alice pour mettre les choses au point.

« Tu sais, je t'ai invitée pour t'aider à t'en sortir.

— Je n'ai pas besoin d'aide. Ce que vous trouvez dans ces réducteurs de têtes, ces gourous et la méditation, moi, je l'ai dans la religion. Il faut que j'aille plus souvent à la messe, c'est tout.

— Tu y vas déjà tous les jours.

— J'y vais pour tous les dimanches que tu as ratés ces vingt dernières années. »

Kathleen se dit que, au moins, elle lui avait tendu la perche.

À la fin de chaque réunion des Alcooliques anonymes, avant le café, ils se tenaient par la main et récitaient le *Notre Père : Notre Père qui êtes aux cieux, que votre nom soit sanctifié…* L'adolescente méfiante qui sommeillait en Kathleen se réveillait immanquablement à ce moment-là : ces mots étaient liés à l'air épicé et à la musique sinistre de l'église catholique. Ils lui évoquaient d'innombrables dimanches matins passés sur un banc d'église avec ses parents, son frère et sa sœur, coiffée d'un chapeau ridicule, jetant un œil nerveux aux stations du chemin de croix sur les murs. Elle ne comprenait rien à la messe en latin, bien que, à force, elle en ait retenu l'intégralité. Elle venait là chaque semaine, attendant que le temps passe, en pensant à l'enfer, aux pancakes à venir et aux garçons de son lycée. La peur seule soutenait la foi de Kathleen. Elle passait la plupart de son temps à chercher les lacunes du dogme. Pas de sexe avant le mariage, à moins que vous n'ayez sérieusement l'intention de vous marier. Interdiction de boire pendant le carême, sauf occasion extraordinaire.

Ces dernières années, elle en était venue à détester l'Église. Elle connaissait un homme qui avait expliqué à la télévision qu'il avait été violé pendant qu'il était enfant de chœur. Il s'appelait Robert O'Neil. Il était dans sa classe en primaire. Kathleen se souvenait de lui — des taches de rousseur, vêtu de pantalons de velours et de pulls tricotés main, les dents légèrement écartées. Elle bouillait de colère à la pensée de l'enfer qu'il avait enduré, enfant. Il était traumatisé. Il repoussait sa femme. Il était effrayé à l'idée de laisser ses propres enfants s'asseoir sur ses genoux.

La paroisse d'Alice avait fermé ses portes deux ans plus tôt. Elle avait eu autant de peine que si quelqu'un de proche était mort. Kathleen la comprenait. Après tout, c'était douloureux de voir disparaître la communauté qui vous avait entouré toutes ces années. Mais si cette paroisse fermait, ainsi que des dizaines d'autres, c'était à cause des procès intentés à l'église de Boston par les victimes des prêtres pédophiles. Kathleen avait tenté d'en discuter avec sa mère, mais Alice ne voulait rien entendre. Bien qu'elle passe son temps à critiquer le monde entier, elle se refusait à blâmer l'Église catholique.

Jusqu'à ses vingt-cinq ans, Kathleen avait toujours pensé que les croyances religieuses de sa mère étaient inventées de toutes pièces, une simple manière pour elle de prendre des poses et de jouer au drame. Est-ce qu'elle avait vraiment besoin d'aller à l'église *tous les jours* avec ce voile blanc ridicule ? Elle ne le faisait sans doute que pour culpabiliser ses enfants et mettre en lumière leur manque de dévotion. Du moins, c'est ce que pensait Kathleen.

Mais une année, à Pâques, son oncle Timothy lui avait raconté une histoire. Il était en permission pendant la guerre et il s'était vanté devant ses frères et sœurs d'avoir vu un spectacle donné par Marlène Dietrich pour leur escadron en Italie.

« J'avais été le premier des frères à embarquer. Les autres n'étaient pas encore partis, mais cela n'allait pas tarder et je voulais qu'ils soient regonflés à bloc. C'était avant la mort de Mary. Et donc, je n'arrêtai pas d'en rajouter sur la beauté de Dietrich. Elle était allemande, mais c'était quelqu'un de bien aussi, elle avait tourné le dos à Hitler qui avait interdit tous ses films. Bon, passons, j'étais en train de raconter à quel point elle était sexy, et comment les types se montaient la tête, s'imaginant ce qu'ils pourraient faire s'ils avaient cinq minutes avec elle. »

Kathleen essaya de voir la bande de jeunes gens en rut qui étaient aujourd'hui ses vieux oncles chauves.

« Alice avait alors demandé : "Qu'est-ce que tu veux dire ? Qu'est-ce que tu ferais ?" et Mary avait coupé : "Eh bien, ils coucheraient avec elle !" »

Il s'arrêta, avala une gorgée. C'était une des rares fois où quelqu'un mentionnait sa tante. Il n'y avait pas de photo d'elle, personne ne racontait jamais rien sur elle. Kathleen en voulait plus.

« Et d'un coup, continua oncle Tim, Alice s'est précipitée hors de la pièce en pleurant.

— Pourquoi ?

— Personne n'a compris. Je pensais que cette histoire lui plairait. Elle avait toujours été folle de ces vieilles stars de cinéma. Quoi qu'il en soit, on n'a pas fait attention. C'était tout à fait le genre d'Alice de faire une grande scène comme ça. Mais le lendemain, elle m'a dit qu'elle avait prié pour moi toute la nuit, pour moi et le reste des âmes de l'escadron. Elle disait qu'on irait en enfer pour avoir des pensées comme celles-là.

— Quel âge avait-elle ?

— Vingt ans et des poussières. Tu vois, elle était encore innocente, dit oncle Tim. Un flirt par-ci par-là, mais qui n'allait pas très loin. Elle disait qu'elle ne voulait pas se marier, jamais. Je pense surtout que tout ce qui entourait les relations entre hommes et femmes la terrorisait. On ne dirait vraiment pas quand on discute avec elle, parce qu'elle a toujours l'air si sophistiquée mais, au fond, je crois qu'elle n'a pas changé. Toute sa vie, elle a demandé de l'aide à Dieu et elle a sincèrement attendu l'arrivée des renforts… Autant que je sache, depuis que mes frères et moi sommes partis à la guerre, elle n'a pas raté la messe une seule fois. Elle veut vraiment être meilleure. »

Kathleen se rendit soudain compte que l'église était comme une scène pour Alice, l'endroit où elle se tenait bien, où les autres la voyait telle qu'elle voulait être vue. Au fil des années, elle avait pris en charge les cours du dimanche, les distributions de nourriture, les levées de fonds pour les prêtres à la retraite et la kermesse de Noël. Personne, à la paroisse, ne pouvait imaginer sa cruauté à la maison. Ils la voyaient tous comme une sainte.

Elle veut vraiment être meilleure.

Kathleen avait repensé à cela le jour de l'enterrement de son père, alors qu'elle regardait Alice les yeux fixés sur le prêtre comme si ses mots pouvaient lui fournir une explication, une réponse. Elle enviait la foi de sa mère, surtout à ce moment précis.

Ils étaient dans le Maine quand il leur avait annoncé qu'il était mourant ; c'était l'une des dernières fois où Kathleen s'était rendue dans cette maison. Toute la famille était partie pour le week-end de Labor Day[21], tout se passait étonnamment bien — pas d'explosion, ni de paroles malheureuses, ni de scène où quelqu'un (le plus souvent Kathleen) claquait la porte pour aller s'installer au motel. Ann Marie et Alice avaient préparé un grand dîner : des steaks grillés, du maïs, une salade de pommes de terre, des tomates et des concombres du jardin. Après quoi, les enfants étaient restés sous le porche à faire griller des marshmallows au barbecue, comme ils le faisaient depuis qu'ils étaient petits.

Daniel avait mis une main sur l'épaule de Kathleen.

« Viens faire un tour avec moi s'il te plaît. »

Ils s'étaient dirigés vers la plage, elle avait tourné la tête en direction du cottage. C'était un moment parfait. Le soleil s'était couché, la famille était rassemblée dans l'endroit qu'ils aimaient

---

21. Jour férié américain, le premier lundi du mois de septembre.

le plus au monde. Patrick, Ann Marie, Clare et Joe buvaient des bières, installés dans des chaises de plage, pendant que les enfants se tenaient près des braises. Alice était encore de mauvaise humeur. Elle s'agitait autour d'eux en ramassant nerveusement les nappes en papier et les assiettes en carton, mais personne ne lui prêtait vraiment attention.

« Ça va, l'alcool ? » lui demanda son père.

Il ne manquait pas de lui poser la question à chaque réunion de famille. Elle était pourtant sobre depuis près de quinze ans.

« Ça va papa, merci. »

Elle se demandait pourquoi il ne posait pas la même question à Alice, mais elle connaissait la réponse. Pour Alice, arrêter de boire n'avait pas vraiment été un choix ; elle en voulait à Daniel pour cela.

« Je suis fier de toi.

Ils marchaient vers le rivage, et lorsqu'ils atteignirent l'eau, il enleva ses chaussures.

— Quelle belle soirée.

Et avant qu'elle puisse répondre, il ajouta :

— Mon trésor, je dois te dire quelque chose.

— D'accord, dit-elle en regardant les étoiles apparaître.

— Je suis mourant. J'ai un cancer.

Elle le regarda et vit, pour la première fois, des larmes dans ses yeux. Son cœur se mit à battre plus vite.

— Tu es sérieux ?

— Je l'ai appris mardi. Le docteur m'avait demandé de passer un examen il y a deux semaines, et, pour être honnête, j'avais un mauvais pressentiment. Mais j'espérais me tromper. Quoi qu'il en soit, j'avais raison, comme toujours.

Il fit un clin d'œil.

— Papa… un cancer de quoi ?

— Pancréas. Le même que ton oncle Jack.

Sa tête se mit à tourner.

— Comment est-ce arrivé ?

— Eh bien, tu te souviens, je t'avais dit que j'avais des douleurs dans la poitrine ?

— Oui.

— Ça s'est mis à me faire de plus en plus mal. Je me réveillais la nuit et la douleur m'élançait dans tous le dos. Ta mère pensait que j'avais une attaque chaque foutue nuit. Je me disais que c'étaient peut-être des brûlures d'estomac. Quoi qu'il en soit, Alice m'a tanné pour que je voie le docteur Callo. Il m'a envoyé faire une échographie, ce que je trouvais exagéré, mais ensuite, il m'a dit que c'était un cancer. Puis il y a eu un autre examen pour savoir à quel stade j'en étais. Et c'était plié. »

Elle voyait bien qu'il faisait de son mieux pour avoir l'air enjoué, comme si un ton léger pouvait adoucir la violence de la nouvelle.

« Pourquoi tu ne m'as rien dit ?

Il haussa les épaules.

— Je ne voulais pas t'inquiéter.

Elle entendait presque son cœur taper contre ses côtes.

— Et maintenant ?

— Maintenant, on attend.

— On attend quoi ?

— Il n'y a plus grand-chose à faire, ma chérie. Mes poumons sont touchés. Ça s'est étendu partout ; je n'ai quasiment aucune chance de rémission.

— Quasiment aucune chance, c'est déjà mieux que pas de chance du tout. Tu ne peux pas laisser tomber. Ils font des choses incroyables de nos jours. »

Elle sentait l'hystérie monter en elle. Son père était le seul être sur terre à donner un sens à sa vie.

Il pressa son épaule.

« Écoute-moi. J'y ai beaucoup pensé. Je ne veux pas de tout ça — pas d'hôpital, de tubes, de conneries de chimio. Je veux juste continuer comme ça. Ça va, vraiment. C'est ce que je veux.

Il fit un geste en direction du cottage.

— Je veux que vous soyez tous ensemble, je veux voir le sourire de ta mère aussi souvent que possible.

— Qu'est-ce qu'elle dit de tout cela ? Pourquoi n'a-t-elle pas essayé de te ramener à la raison ?

— Elle l'a fait, crois-moi. Et d'ailleurs, elle est vraiment furieuse. Mais, maintenant, je veux qu'on fasse comme si rien ne s'était passé, OK ?

— Non, non… Tu es en train de me dire que ni la chimio, ni la chirurgie…

— Non. Les rayons pourraient réduire un peu la tumeur, mais pas énormément. La chirurgie n'est plus envisageable. C'est allé trop loin pour cela. De toute façon, je n'y ai jamais cru. Mon père avait l'habitude de dire qu'une fois qu'ils t'ouvrent, c'est fini. Je crois que c'est un peu vrai. Ça doit être lié à l'air qui rentre. »

Elle se demanda s'il n'était pas intellectuellement diminué, si ce n'était pas un de ces moments dans la vie où l'enfant devait faire le contraire de ce que lui disaient ses parents. Il poursuivit :

« Kathleen, si je pensais qu'il y avait ne serait-ce qu'un brin d'espoir, je le ferai. Mais le docteur a expliqué très clairement que ce n'était pas le cas. Je le connais depuis toujours. Je lui ai demandé : "Jim, si c'était vous…", et avant même que j'aie terminé ma phrase, il m'a dit : "J'essaierai simplement de profiter le mieux possible du temps qu'il me reste à vivre." Avec un peu de chance, je pourrais avoir encore une bonne année. »

À ces mots, Kathleen sentir un voile noir l'envelopper. Elle voulait pleurer dans son pull comme elle l'avait fait si souvent ces dernières années quand la vie devenait trop difficile. Elle savait pourtant qu'elle devait être forte.

« Je comprends que tu ne veuilles pas de la chimio », dit-elle doucement, se rappelant les derniers jours de sa marraine, Eleanor, trop faible et malade pour marcher. « Mais il y a des approches naturelles aussi. L'homéopathie a fait de gros progrès. »

Il émit un grognement.

— Non merci. J'ai prévu de me mettre aux cigares et de manger des steaks crus roulés dans le sel comme le faisait ma mère. Des tartares, cela s'appelle. En revanche, je vais passer mon tour sur les chants et tout ça. »

Elle se mit à rire, malgré la situation. Elle lui avait offert un CD de chants grégoriens irlandais quelques années plus tôt, et il en avait fait des gorges chaudes.

« OK, pas de chants grégoriens, dit-elle. Bon, en tout cas, je ferai des recherches. Peut-être que ça t'aidera à te sentir mieux. » Puis elle se mit à pleurer, à grosses larmes.

Il la serra contre lui.

« Je vais le dire à ton frère et à ta sœur maintenant.

Elle acquiesça.

— Encore une chose, Kathleen, ta mère a vécu des choses difficiles dans sa vie. J'ai toujours voulu lui faciliter l'existence, ne pas ajouter à sa peine. Je ne sais pas comment elle va s'en tirer toute seule. Toi aussi, ma chérie. Dans mes rêves, j'imagine que vous vous entraidez... En tout cas, c'est ce que j'aimerais. »

C'était bien son père : s'inquiéter pour Alice, alors qu'il annonçait à Kathleen qu'il était mourant. Elle se représenta le futur sans lui et dut s'asseoir.

Il avait toujours désiré qu'elle comprenne Alice. Il lui avait raconté l'histoire de la tante que Kathleen n'avait jamais connue, morte jeune dans un incendie. Alice s'était toujours sentie coupable de son décès. Lors d'une dispute d'adolescente, Kathleen l'avait mentionné à Alice pour la blesser. Daniel s'était alors mis en colère, et Kathleen s'en était voulue pendant des années. Ni Maggie ni Clare n'étaient au courant.

« Je prendrai soin d'elle, dit Kathleen sans conviction. Même si la seule chose qu'on ait en commun, c'est de t'aimer et d'être les pires des ivrognes.

Il sourit en secouant la tête.

— Tu vas voir, vous n'êtes pas au bout de vos surprises. »

Cette phrase la terrifia. Elle avait déjà vu trop d'Alice en elle-même — sa mesquinerie, ses jugements trop durs, son caractère ombrageux. Elle s'interdisait de prononcer certains mots, car elle entendait alors la voix de sa mère. Même l'odeur un peu acide de sa peau quand elle se réveillait chaque matin était celle d'Alice, et ce, malgré tous les savons ou les lotions du monde. Sans parler de l'alcool, bien sûr. Elle préférait ne pas trop connaître leurs autres points communs, quels qu'ils soient.

Ce soir-là, Kathleen veilla tard. Elle fit des recherches. Rien de tout cela n'avait de sens pour elle. Quand elle lisait : « Votre pancréas fait à peu près quinze centimètres de long et ressemble à une poire vue de profil », elle sentait la rage monter. Ce petit machin de rien du tout, cette petite poire recourbée, allait tuer son père, qui était tout pour elle ?

La table de sa cuisine, déjà envahie par les magazines, les journaux, les chaussettes dépareillées, les emballages de plats cuisinés, était recouverte de pages imprimées sur le thème du cancer et d'une douzaine de livres sur les médecines naturelles empruntés à la bibliothèque.

Kathleen pleurait quand elle avait sa fille au téléphone. Maggie venait de s'installer à New York et disait à sa mère qu'elle allait revenir. Kathleen lui ordonnait de rester, même si elle souhaitait secrètement qu'elle abandonne le galeriste trop vieux qui lui servait de petit ami à l'époque pour venir la retrouver.

Kathleen avait plus que jamais besoin d'un verre. Alice était-elle dans le même état ? Elle se souvenait de la façon dont un verre de vin arrondissait les angles, colorait ses pensées et lui donnait de l'espoir. Mais elle était incapable de ne boire qu'un ou deux verres de vin, même s'il lui arrivait parfois de se convaincre du contraire.

Elle se mit à fréquenter les Alcooliques anonymes deux fois par jour. Elle apportait des thés et des herbes à son père, achetés chez un guérisseur très connu de Chinatown. Elle plaça un pot rempli de pierres vertes sur sa table de nuit. Selon certains, elles avaient le pouvoir de ramener les morts à la vie. Elle alluma des cierges pour les chakras auprès de son lit. Ces bougies devaient soi-disant débloquer les points de tension du corps et permettaient aux globules blancs d'accomplir leur travail. Chaque matin, comme d'habitude, elle méditait deux heures entières, mais au lieu de se concentrer sur elle, désormais, elle se focalisait sur l'intérieur du corps de son père, entrait en contact avec le cancer pour qu'il rétrécisse et disparaisse.

Sa famille — Daniel y compris — se moquait d'elle. Elle riait aussi comme pour dire : *je sais que c'est absurde, mais soyez indulgents.* C'était de la superstition, mais pourquoi ne pas tout essayer ?

Au début du mois d'octobre, Alice frappa chez Kathleen, un paquet emballé de papier d'aluminium dans les mains.

« Qu'est-ce que c'est ? » demanda Kathleen, en lui ouvrant la porte.

Elle était agacée, Alice n'avait même pas téléphoné pour s'annoncer. Elle était encore en pyjama et n'avait même pas pu terminer sa méditation du matin.

« Un gâteau au café que je t'ai acheté chez Fruit Basket. Encore frais. Délicieux.

— Un gâteau au café que tu m'as acheté ou un gâteau au café que vous avez à moitié mangé avec papa et dont vous ne voulez plus ?

— Tu as toujours aimé ça.

— Tu n'as pas répondu à ma question.

— Très bien, tu n'en veux pas. De toute façon, tu as pris du poids ces temps-ci. C'est compréhensible, vu les circonstances, mais quand même, il faut que tu fasses attention. »

Kathleen inspira profondément. Elles s'installèrent dans la cuisine. Aussitôt, Kathleen vit la pièce à travers les yeux d'Alice. Elle n'avait jamais été particulièrement ordonnée, mais depuis que son père était malade, cela s'était aggravé. Il y avait des assiettes en équilibre précaire au-dessus de l'évier. Elle n'avait pas sorti les poubelles depuis une bonne semaine, et le bac en plastique débordait. Un des chiens avait pissé sur le sol en lino, et Kathleen s'était contentée de recouvrir la flaque d'un morceau de Sopalin, en se disant qu'elle aurait bien le temps de s'en occuper plus tard.

« Tu veux quelque chose maman ?

— Non, je ne vais pas rester. Ton père a besoin de moi.

— Je te suivrai de près alors. J'avais prévu de venir le voir.

Alice scrutait la pièce d'un air méfiant. Kathleen sentait la tension monter.

— Cet endroit est une porcherie, éclata Alice au bout d'un moment. Mais comment est-ce que tu peux supporter ça ?

— J'y arrive. C'est l'essentiel.

— Tu laisses les gens entrer et voir ce…

— Eh bien, disons que la plupart des gens attendent d'être invités avant de faire irruption sans prévenir avec un gâteau au café à moitié entamé.

— Excuse-moi de ne pas être Emily Post[22]. Mon mari a un cancer.

— C'est vrai ? Je n'étais pas au courant. »

Alice soupira, se redressa et sourit, comme pour signaler qu'elle rassemblait ses forces. Elle prit le ton exagérément calme du personnel des hôpitaux psychiatriques.

« C'est la raison pour laquelle je suis là.

— OK. Qu'est-ce que tu veux ?

— Comme tu le sais, ton père est têtu comme une mule. J'y ai beaucoup pensé et je suis persuadée que tu es la seule qui puisse le raisonner et le convaincre de suivre une chimio.

Kathleen sourit.

— C'est exactement ce que je me disais à ton sujet. Avant de m'apercevoir qu'il avait raison. »

Elle eut un élan de tendresse pour sa mère à ce moment et lui saisit la main. Alice la retira brutalement :

— Qu'est-ce qui te fait dire ça ?

— Son cancer est trop étendu, maman. Tu le sais. Tous ces trucs ne feraient que l'affaiblir davantage.

— C'est ce qu'il pense, dit Alice. Mais on peut toujours faire quelque chose. Ils disent que c'est trop tard, mais je le vois tous les jours, et il va bien. Pour l'instant, rien n'a vraiment changé, Kathleen. Je sais que ce n'est pas trop tard. Je t'en supplie, essaie de le convaincre de suivre une chimio. Si ça ne marche pas, quel mal y aura-t-il ? Au moins, on saura qu'il a tout essayé.

— Je ne peux pas, dit Kathleen ; je veux respecter sa volonté. Et puis, je ne suis même pas sûre que le docteur Callo sera d'accord. Nous devons simplement espérer que tout ira pour le mieux et tenter de rendre papa heureux. »

---

22. Auteure d'un célèbre guide des bonnes manières.

Elle croisa le regard de sa mère. Son humeur avait changé, si rapidement que Kathleen ne pouvait dire quand c'était arrivé.

Alice se leva soudain.

« Donc, tu me dis que je suis censée rester là et le regarder mourir ? Et ne jamais mettre les pieds dans une foutue chambre d'hôpital ? Rester allongée à ses côtés en lui disant : "Bonne nuit, chéri, j'espère que tu ne seras pas mort quand je me réveillerai." C'est bien ça ?

— Je sais que c'est dur, dit Kathleen.

— C'est tout toi ! s'écria Alice, hors d'elle. Tes tisanes ridicules et tout le reste ! Tu l'as dissuadé de se faire soigner !

— Ce n'est pas vrai ! Je sais que tu cherches un coupable, mais ce n'est la faute de personne ! Et je refuse de recevoir ta colère alors que nous devrions tous lui envoyer notre énergie !

— De l'énergie ! de la concentration ! Kathleen, il a besoin de médicaments, bon sang ! Il a besoin de médecins ! Si tu n'essaies pas au moins une fois de discuter avec lui de son traitement, je ne te le pardonnerai jamais. »

Kathleen haussa les épaules, feignant l'indifférence. Alice était coutumière de ce genre de délires. Le lendemain, ce serait oublié. Pourtant, juste après le départ d'Alice, elle pleura un long moment.

Lorsqu'elle se rendit chez ses parents dans l'après-midi, elle entra dans leur chambre, son père s'était endormi. Tout ce qu'elle lui avait amené les semaines précédentes — les pierres, les vitamines, les bougies et les tisanes — avait disparu.

Son état se détériora rapidement. Sa peau prit une teinte jaunâtre, tout comme le blanc de ses yeux. Il était nauséeux en permanence et ne parvenait pas à garder la nourriture. Ils se sentaient tous impuissants. Daniel avait toujours été joyeux mais, pour la première fois, il était mélancolique. Chacun voulait l'entendre rire à nouveau, peut-être plus pour leur bien que pour le sien. L'humeur sombre de Daniel mettait tout le monde profondément mal à l'aise.

Ils se rassemblèrent tous autour de lui. Ils regardèrent une quantité indécente d'épisodes des Three Stooges[23] et de Jackie Gleason[24] en vidéo. Ryan chanta à Daniel ses chansons préférées de Dean Martin. Maggie lui envoya des livres entiers de devinettes et de charades irlandaises. Ann Marie prépara plus de soupe que ce qu'un être humain pouvait engloutir en une vie entière et s'occupa d'Alice — elle lui amenait des cadeaux et l'invitait régulièrement à déjeuner.

Il n'était jamais seul. Ils se retrouvaient dans la maison de leur enfance, pour dîner, cinq ou six fois par semaine. Ils restaient autour de son lit. Ils regardaient de vieilles photos du cottage dans le Maine — une nuit, il dit tristement : « Je ne le verrai plus jamais. » Ils s'efforçaient de rire à ses blagues et l'écoutaient raconter les mêmes histoires interminables. En temps ordinaire, ils le coupaient : « Papa tu peux abréger ? On n'a pas toute la journée. »

Kathleen voulait profiter de la moindre seconde avec lui. Parfois, elle aurait aimé être seule, sans les autres. Elle se disait que c'était le pire moment du deuil : la personne que vous aimez le plus est encore en face de vous, mais plus pour longtemps.

À la fin, il ne pesait plus que quarante-quatre kilos.

Il survécut à Thanksgiving et à Noël. Peu après le début de l'année, alors que Kathleen regardait par la fenêtre de sa cuisine pour voir une neige légère tomber sur l'allée, son téléphone sonna. C'était terminé.

Patrick et Ann Marie réagirent au quart de tour, comme on pouvait s'y attendre. Elle appela les pompes funèbres et emmena une Alice ébranlée choisir un cercueil. Il contacta l'avocat pour s'occuper du testament.

Le jour même de la mort de son père, il avait appelé un avocat. Kathleen y pensait encore avec horreur. *Comment a-t-il été capable de faire un truc pareil ?* Patrick fut celui qui l'appela pour

---

23. Trio de comiques américains très célèbres dans les années trente et quarante.
24. Acteur comique américain des années quarante.

l'informer que Daniel lui avait presque tout légué — à part la maison, la propriété dans le Maine, sa retraite et quelques économies, qui revenaient à Alice.

« Il avait trois cent mille dollars, et il t'a tout donné, dit Pat. Clare et Joe reçoivent le chariot de golf. Moi, je récupère la montre de grand-père et les Ping de papa.

— Des Ping?

— Ce sont des clubs de golf. Cela fait beaucoup d'argent, Kath. Papa et toi, vous avez tout manigancé tous les deux, jusqu'au bout. »

Comme s'ils avaient pu être de mèche. La vérité, c'est que son père n'avait jamais parlé d'argent, et qu'elle n'avait jamais pensé à en demander. Trois cent mille dollars, cela représentait cinq ans de salaire pour Kathleen, plus que suffisant pour payer les frais d'université de ses enfants. Mais si son frère pensait qu'elle se réjouissait, il se trompait. Lui et sa femme attachaient tellement d'importance aux biens matériels. Tout ce que Kathleen voulait, c'était que son père soit encore là.

Après son décès, elle prit une semaine de vacances. Elle passa cinq jours au lit, ne se levant que pour aller aux toilettes et boire un verre d'eau. Elle ne releva pas le courrier, n'alluma pas la télévision, ne mangea rien. Elle ne voulait parler à personne — à part Maggie qui venait se lover contre elle dans le lit, et caressait ses cheveux. Elles n'échangeaient pas un mot. Kathleen remerciait l'univers que sa fille soit là, sa création, la seule dans cette foutue famille à la comprendre un tant soit peu.

Lors de la veillée funèbre, Ann Marie éclata en sanglots hystériques, ce qui rendit Kathleen folle.

« J'ai envie de la gifler, souffla-t-elle à Maggie.

— Maman... dit d'abord Maggie. »

Mais peu après, le volume des sanglots d'Ann Marie augmenta, et Maggie elle-même leva les yeux au ciel. Elle colla ses lèvres à l'oreille de Kathleen :

« Tu crois qu'elle pleure à cause de grand-père ou des Ping? »

Une centaine de personnes assistèrent aux funérailles le lende-main, malgré la neige. Kathleen parvint à peine à enfiler sa robe bleu marine, celle que Maggie avait choisie car elle n'avait rien de noir.

Après la messe, ils se rendirent chez Pat et Ann Marie. La maison était bondée, ce qui était vraiment une tradition stupide. Kathleen ne voulait parler à personne. Elle reconnaissait à peine le quart de ces visages. Ils mangèrent des sandwiches au jambon et des lasagnes dans des assiettes en plastique. Tous ces inconnus s'approchèrent, un par un, pour dire maladroitement à quel point ils étaient désolés, à quel point Daniel était un homme bon.

Ils se rassemblèrent, burent à n'en plus finir, et partirent dans des rires tonitruants. Pourquoi fallait-il toujours que les Irlandais transforment les funérailles en beuverie entre copains de facs ? Le temps passa, et elle se demanda si elle devait rester encore. D'expérience, elle savait que cela durerait toute la nuit.

Bien sûr, à l'échelle de l'humanité, il y avait des gens bien plus malheureux. Mais, à ce moment précis, elle s'en fichait. Elle se rendait bien compte qu'elle se comportait comme une enfant mais qui s'en souciait ? Son père était mort.

Quand Ann Marie apporta le dessert et le café, Kathleen prit un éclair et s'installa sur le canapé de la salle télé avec Ryan et quelques gamins qu'elle ne connaissait pas. Ils regardaient des dessins animés, elle prétendit les surveiller. S'ils avaient mis le feu à ses cheveux, elle ne l'aurait sans doute même pas remarqué.

Elle regarda le générique d'un truc étrange intitulé *Ren & Stimpy*.

« Est-ce que vous aimez *Bob l'éponge* ? demanda gentiment Ryan aux enfants. C'est juste après.

Un petit garçon se tourna vers Kathleen avec un grand sourire.

— Il vit sous la mer dans un ananas.

En tout cas, c'est ce qu'elle comprit.

— Oh, génial ! » répondit-elle.

Kathleen les enviait. Ils étaient encore trop jeunes pour souf-frir de la perte de quelqu'un. Ils étaient là parce qu'on les y avait traînés et se fichaient pas mal de savoir si c'était une première communion ou un départ en retraite.

Par la porte qui menait à la salle à manger, elle vit Alice qui se tenait le long du bar dressé pour l'occasion. Elle se servit un verre de vin rouge puis en but la moitié en une seule gorgée.

Kathleen sursauta. Elle n'avait pas vu sa mère boire un seul verre depuis qu'elle était petite.

Elle se releva et gagna le hall d'entrée pour chercher Maggie et Clare. Elle ne les vit pas et se dirigea vers Alice.

« Maman ! Qu'est-ce que tu fais ?

— Je bois un verre, tu ne vois pas ?

Elle était ivre. Ses lèvres et ses dents étaient violacées. Combien de verres avait-elle bu ? Kathleen ressentit le besoin pressant d'aller en parler à son père.

— Peut-être que tu devrais aller au lit.

— Au lit ? Il n'est que six heures. Je ne suis pas une vieille gâteuse, Kathleen.

Quelques personnes se rassemblèrent autour d'elles. Kathleen dit, plus bas :

— Je ne veux pas dire que…

— Quoi ? Tu l'as tué et maintenant tu veux que je meure aussi, c'est ça ?

Kathleen recula d'un pas.

— Non seulement, tu as eu *tout* son argent, enfin presque tout, cela ne te suffit pas, il te faut le reste !», lui dit Alice.

Kathleen dut faire appel à tout son calme pour ne pas la frapper. Elle fit demi-tour et se fraya un chemin à travers la foule, jusqu'à ce qu'elle tombe sur Maggie et Christopher. Elle les tira par l'arrière de leurs chemises comme s'ils étaient deux enfants qui venaient de traverser la rue sans regarder. Une fois dans la voiture, elle ouvrit la bouche.

« Je ne veux plus adresser la parole à cette femme, dit-elle.

— Qu'est-ce qu'elle a encore fait, cette garce ? » dit Christopher.

Dans d'autres circonstances, elle aurait relevé son langage et l'aurait sûrement réprimandé, mais, à cet instant précis, elle lui en fut reconnaissante.

Le lendemain, Alice appela et laissa plusieurs messages, sur le ton du bavardage, comme si l'enterrement n'avait été que le mariage d'un cousin éloigné.

« Rappelle-moi pour qu'on puisse discuter du lifting que s'est fait faire Mary Clancy... Les œufs mimosa préparés par Ann Marie ne semblaient pas très frais, non ? »

Ce dernier commentaire, anodin, dirigé contre une autre, montrait qu'elle s'en voulait mais, fidèle à ses habitudes, elle préférait ne pas dire un mot de leur dispute.

Kathleen passa des mois entiers sans lui adresser la parole. Thanksgiving amena une sorte de trêve : elles devaient se retrouver côte à côte à table chez Ann Marie.

Mais le ressentiment perdurait encore aujourd'hui.

Quelques mois après la scène qui avait eu lieu lors de l'enterrement de son père, Kathleen rencontra Arlo. La ferme en Californie était le rêve de toute sa vie et, quelques semaines après leur première conversation, ils s'étaient mis à en parler sérieusement. À ce moment-là, elle avait déjà plus ou moins décidé, sans en être complètement sûre, qu'il était temps de quitter le Massachusetts où demeuraient tous les fantômes de sa vie. Maggie était installée à New York, et Chris, à Trinity. À quoi bon rester à Boston ? Les Kelleher pensaient qu'elle était folle. « Utiliser l'argent de papa pour monter une ferme qui recyclerait des excréments de vers de terre... » On aurait juré la chute d'une des blagues qu'ils aimaient inventer sur Kathleen. *Qu'est-ce qu'elle va encore inventer ?*

Elle connaissait Arlo depuis six mois quand ils s'installèrent pour de bon en Californie. Avec le recul, Kathleen s'émerveillait d'avoir réussi à prendre un tel risque, mais elle aurait sauté sur n'importe quelle occasion pour partir. Arlo ne s'était jamais marié. Il avait vécu avec une femme qui s'appelait Flora pendant sept ans, elle appelait parfois pour prendre de ses nouvelles. Cela ne plaisait pas trop à Kathleen, mais elle tentait de passer outre. Elle était même allée dîner avec Flora et Arlo dans un joli restaurant éclairé à la bougie dans la montagne et avait écouté, presque avec plaisir, Flora parler de son studio de poterie à Portland, de sa vie passée à sortir avec des fans des Grateful Dead, de ses années avec Arlo. « On pensait qu'on était des âmes sœurs parce que nos noms forment une anagramme. » Toute cette soirée se mit à valoir le coup quand Kathleen entendit Arlo décrire leur vie, paisible, heureuse. Et c'était la vérité.

La distance entre les Kelleher et elle y était pour beaucoup. Pour la première fois de sa vie, sa famille chaotique vivait à l'autre bout du pays. Elle n'avait plus à en faire partie tous les jours. Et puis, de toute façon, elle n'en faisait plus partie. Des histoires à dormir debout, des disputes et des malentendus lui parvenaient de temps à autre, via ses enfants, Clare ou Alice (elles avaient fini par enterrer la hache de guerre). Kathleen se surprit parfois à regretter cette ambiance.

La culpabilité — ce qui subsiste du catholicisme quand vous avez abandonné tout le reste —, était toujours présente. Quand Kathleen avait promis à son père de s'occuper d'Alice, elle n'avait pas pensé une seconde que ce serait si dur, voire impossible. Elle savait qu'une femme dans sa situation n'était pas censée s'installer à l'autre bout du pays. Vous deviez au contraire rester proche de vos enfants et de vos parents vieillissants, vous deviez sacrifier vos années d'âge mûr pour leur confort. Peu importe ce qu'ils avaient pu vous faire subir. Peu importe.

MAGGIE

Maggie et Rhiannon s'étaient organisées pour partir dans le Maine mardi. Quand elle se réveilla, Gabe ne l'avait toujours pas appelée. Elle se rendit compte à quel point elle avait cru dur comme fer qu'il finirait par venir. Elle se sentit écrasée de tristesse, mais parvint tout de même à se traîner vers la douche pour ne pas être en retard. La politesse avant tout, se dit-elle. Quand avait-elle appris à être si sérieuse ? C'était peut-être à force de regarder sa mère, puis de faire tout le contraire de ce qu'elle voyait. Ou bien s'agissait-il de l'influence de sa tante Ann Marie ? Maggie se dirigea vers la porte d'en face avec un sac de voyage sur une épaule contenant la moitié de sa valise d'origine. Son séjour serait beaucoup moins long que prévu.

Elle frappa, et Rhiannon apparut dans une robe moulante en coton qui s'arrêtait à mi-cuisses. (« Tes genoux devraient organiser une fête et inviter ta jupe à les rejoindre », avait coutume de dire son grand-père quand elle portait une robe qu'il jugeait trop courte.)

Les vêtements n'avaient jamais tellement intéressé Maggie. Les New-Yorkaises l'impressionnaient avec leurs corps parfaitement sculptés et leur obstination à sortir sous une pluie battante en talons aiguilles. Si cela ne tenait qu'à elle, elle préférerait que tout le monde se promène dans un sac à pommes de terre, histoire de ne pas placer la barre trop haut.

Son jean taille 38 lui avait paru parfaitement ajusté quand elle l'avait enfilé ce matin. Maintenant, il la serrait comme une peau de serpent avant la mue, et il lui était impossible d'oublier qu'elle était enceinte. (Même si, avant sa grossesse, la taille 38 était déjà un peu juste).

Elles prirent la route à neuf heures et quart et s'arrêtèrent pour se ravitailler dès neuf heures trente. Rhiannon fit le plein d'essence pendant que Maggie poussait la porte de la station-service pour payer et prendre le petit déjeuner.

« Quelque chose de très sucré avec neuf cents grammes de gras, demanda Rhiannon, à sa grande surprise.

— Ça me va parfaitement! »

Maggie parcourut les allées de la boutique. Les haut-parleurs laissaient filtrer une version instrumentale de « Open Arms » du groupe Journey [25]. Gabe avait hurlé cette chanson à la fête d'anniversaire de l'un de ses collègues dans un karaoké, complètement ivre mort.

Elle ne savait plus trop où elles étaient. Peut-être dans le Queens. Elle décrocha un sac plein de mini-beignets recouverts d'une poudre brillante.

L'homme derrière le comptoir arborait une croix de la taille d'une brique autour du cou. Elle pensa au minuscule crucifix qu'elle avait porté enfant ainsi qu'à ceux que tante Ann Marie portait encore. Ce genre de croix discrète, toujours cachée sous un pull ou une chemise disait « J'aime Jésus Christ ». Le modèle de l'homme clamait haut et fort : « Je veux que vous *sachiez* que j'aime Jésus Christ. »

« Belle journée, pour partir. Vous avez de la chance de ne pas rester coincée là. »

Elle hésita un instant à pointer son doigt sur sa tête et à lui dire : « Et vous, vous avez de la chance de ne pas être coincé là. »

25. Journey est un groupe de rock qui vend énormément de disques aux États-Unis, sans être connu en Europe. Impossible d'échapper à Journey en Amérique du Nord.

Elle se contenta de sourire. Dans la voiture, Maggie ouvrit le sac de donuts et en tendit un à Rhiannon.

« En voiture Simone ! », lui dit-elle.

C'était vraiment gentil de la part de Rhiannon. Mais elle ne pouvait pas s'empêcher de penser qu'elle devrait être avec Gabe en ce moment, en train de rouler à toute allure, de rire et de chanter les airs qui passaient à la radio. Elle se mordit la lèvre pour ne pas pleurer.

« Bon, dit Rhiannon gaiement. Sur une échelle de un à dix, où situerais-tu ton envie de te suicider ?

Maggie sourit :

— Je préfère ne pas répondre.

— Je sais ce que tu ressens, dit Rhiannon. Je suis tombée enceinte alors que j'étais encore mariée avec Liam. Un ou deux jours plus tôt, il m'avait battue. Je l'ai quitté sur-le-champ.

C'était la première fois que Maggie entendait cette histoire.

— Il te frappait ?

— Oui, c'est arrivé une fois ou l'autre.

Elle en parlait naturellement, comme si de rien n'était. Soudain, les frasques de Gabe lui parurent totalement anodines, en comparaison.

— Qu'as-tu fait ? demanda Maggie.

— J'ai avorté. Je ne lui en ai jamais parlé.

Maggie inspira profondément.

— Wouah !

— Ouais. Je pensais à toi hier soir. Tu es courageuse. Je suis heureuse que tu me l'aies raconté. Moi, je ne l'ai jamais dit à personne. Pourtant, la logique, c'est quand même que tu le racontes à quelqu'un : ta meilleure amie, ta mère ou ton mari. Bon, dans mon cas, mon mari était clairement hors jeu. Je n'avais pas parlé à ma meilleure amie depuis un an. Et ma mère et moi n'avons jamais abordé un sujet plus grave que les résultats des tournois de tennis. »

Maggie ne savait pas quoi répondre. Ses relations avec sa mère allaient trop loin dans l'autre sens. Un jour, alors qu'elle était adolescente et qu'elle passait le week-end chez son père, Kathleen avait non seulement lu le journal intime de Maggie, mais également ajouté des commentaires dans la marge : *Tous ces sentiments négatifs que tu éprouves au sujet de ton corps sont très banals. Tu dois apprendre à les voir comme des effets secondaires de notre culture merdique. Ce connard ne vaut même pas que tu t'intéresses à lui. Il me rappelle un type avec qui j'ai couché à la fac et qui s'est révélé être gay.*

Kathleen partageait. Tout. Et trop, beaucoup trop. Vingt ans de sobriété et une carrière dans la psychologie ne l'avaient pas guérie. À trente-deux ans, Maggie tentait encore d'ériger ce que sa psy appelait « les frontières entre deux générations ». À plusieurs reprises, Kathleen était venue à New York sans prévenir. Elle était restée dans l'appartement minuscule de sa fille, dormant dans son lit avec elle deux ou trois semaines d'affilée. Cela rendait Maggie folle, mais elle ne trouvait jamais le cœur de lui dire de partir ni d'aller à l'hôtel comme le feraient des parents normaux. Et au moment de la séparation, elles finissaient immanquablement par pleurer toutes les deux.

« J'ai toujours souhaité qu'il y ait un peu plus de distance entre ma mère et moi. Elle m'a toujours confié bien plus de choses que je ne voulais en savoir sur sa vie privée, dit Maggie.

Elle se sentit aussitôt coupable mais poursuivit :

— Parfois, je donnerais un bras pour avoir une mère qui ne parle que de tennis.

— Pourquoi tu ne lui as pas dit au sujet du bébé ? demanda Rhiannon.

— Son opinion va m'influencer, et je veux d'abord savoir ce que j'en pense. Tu trouves cela stupide ?

Rhiannon fit non de la tête.

— Vous avez quand même de la chance d'être aussi proches. Avant de quitter la maison, j'ai vraiment essayé de faire parler ma mère. J'ai tenté de supprimer tout ce qu'il y avait de convenu entre nous, qu'elle se batte un peu avec ce qu'elle ressentait. Tu sais, ces choses tristes qui arrivent dans toutes les familles. Mais elle ne l'a pas fait, ou plutôt, elle n'y est pas arrivée. »

Maggie se demanda ce que Rhiannon entendait par « choses tristes ». Elle voulait en savoir plus, mais son amie reprit sur un ton différent, pour changer de sujet :

« Tu crois que c'est un trait de caractère purement écossais, ou tu connais des gens comme ça ?

— Non, non, ma grand-mère est pareille. Son sujet de conversation préféré, c'est les serviettes en papier soldées chez Bounty. »

Elles roulèrent un moment en silence, en écoutant NPR [26]. Maggie se mit à penser à Gabe. Lui arriverait-il encore de se réveiller la tête sur sa poitrine ? Et est-ce qu'elle arriverait à retourner dans leurs endroits favoris sans lui : le cinéma de Brooklyn Heights, qui n'avait que cent cinquante places et servait des *egg cream* [27], ou la vieille pâtisserie italienne de Carroll Garden dans laquelle un gâteau noir et blanc aussi gros que votre tête ne coûtait qu'un dollar. Elle s'imagina en train de pousser un landau sur Court Street, dans le froid, entourée d'étrangers.

Elle se tourna vers Rhiannon et, sans réfléchir, lui demanda :

« Tu avais envisagé d'être mère célibataire ou pas ?

— Pas une seconde, répondit-elle, c'est pourquoi je te trouve extraordinaire.

— Ou peut-être complètement dingue, dit Maggie.

— Si Gabe te le demandait, tu reviendrais avec lui ?

— Je ne sais pas trop, dit Maggie alors qu'elle pensait tout le contraire. J'étais persuadée que l'on finirait ensemble.

— Écoute, je sais que ce que je vais dire peut te sembler dur — mais je pense sincèrement que tu peux trouver mieux. Le mariage ne ferait qu'empirer les choses, crois-moi. Tu penses que c'est la solution miracle, que ça va combler les vides, faire disparaître les boutons sous le fond de teint. En fait, c'est tout le contraire.

— Je sais », dit Maggie.

Dans tout New York — dans le métro, à la cantine de son bureau —, les hommes de son âge portaient désormais une

26. Radio d'information américaine.
27. Boisson de Brooklyn composée de chocolat, de lait, de sirop et d'eau gazeuse.

alliance, les mêmes qui n'étaient « pas prêts à s'engager » au moment où elle avait rencontré Gabe, et qui avaient visiblement fini par se laisser convaincre.

Aussi bizarre que cela puisse paraître, Maggie avait un désir viscéral de se marier, en dépit de tout ce qu'elle avait vu. À chaque fois qu'elle entendait une mauvaise nouvelle — une collègue dont le père s'était fait virer, l'emphysème d'un ami de sa mère —, la première question qui sortait de sa bouche était invariablement : « Il est marié ? » Comme s'il s'agissait de la preuve ultime de sécurité, comme si votre conjoint allait prendre soin de vous pour toujours, au lieu de vous en vouloir parce que vous avez perdu votre travail ou parce que vous avez fumé pendant toutes ces années.

Un peu malgré elle, il arrivait parfois à Maggie d'envier sa grand-mère et même toutes les femmes de cette génération pour qui l'amour, le mariage et les enfants, semblaient automatiques, comme un dû.

« Malgré tout ce qu'il m'a fait subir, je crois que je l'aime encore, dit-elle.

— Humm, dit Rhiannon. L'amour est une garce.

— J'ai une théorie : les choses que l'on aime sont celles qui nous font le plus de mal, dit Maggie.

— Oh, je crois que je vois. Continue. »

Maggie s'expliqua. Selon elle, ce qui animait, égayait, menaçait puis finalement détruisait les êtres humains n'était qu'une seule et même chose : l'amour. Pas forcément l'amour romantique, mais l'amour de quelque chose qui donnait un sens à votre vie. Sa mère était amoureuse de l'alcool. Quand les autres personnes se contentaient d'un verre ou deux au dîner, Kathleen buvait au point de se détruire. Son oncle Patrick et sa tante Ann Marie aimaient le statut social, l'argent, les apparences — ce qui finirait par les ruiner un jour, si ce n'était pas déjà le cas.

Quant à Maggie, ce n'était pas l'alcool qu'elle aimait, bien qu'elle en redoute le pouvoir. Elle n'aimait pas non plus l'argent. Elle était heureuse tant qu'elle avait de quoi se payer un toit et

rembourser son emprunt d'étudiante, tant qu'elle gagnait suffisamment pour élever un enfant.

La passion dispendieuse de Maggie avait toujours été les
hommes. Elle s'intéressait à quelqu'un puis soudain devenait
complètement accro. Elle le voulait pour elle seule. Elle s'épuisait à construire un petit cocon autour d'eux, pour les mettre
en sécurité mais surtout pour le garder près d'elle. Elle perdait
tout intérêt pour son travail et ses amis, bien qu'elle prétende le
contraire. Le reste du temps, elle était raisonnable, sérieuse. Mais
les hommes faisaient ressortir sa part de folie. Gabe n'avait pas
été le premier. Avant lui, il y avait eu Martin, un galeriste de cin-
quante-deux ans, rencontré pendant une réunion d'orientation
lors de sa dernière année de fac. Elle lui avait envoyé ses nouvelles
avec son CV. Martin lui avait dit ce qu'elle rêvait d'entendre.
« Vous n'êtes pas faite pour être galeriste. Vous êtes écrivain. »

Il était beau, charmant et connaissait les gens les plus intéres-
sants de la ville. Cette nuit-là, ils avaient dîné dans un café du
Village aux lumières tamisées, qu'elle n'arriva plus jamais à retrouver par la suite. Au moment de partir, ses longs doigts caressèrent
son cou alors qu'il l'aidait à mettre son manteau. Ils se rendirent à
son appartement — étonnamment petit pour un homme de son
âge — et firent l'amour dans son lit. Il semblait apprécier sa jeunesse, faisant courir ses mains sur ses cuisses et sa poitrine, répétant
à l'envi qu'il n'avait jamais touché une peau aussi douce. Elle pensa
que son âge — les légères rides autour de ses yeux quand il souriait,
la force et l'assurance de ses mains — lui convenait bien mieux que
tous ces étudiants boutonneux de Kenyon.

Son diplôme en poche, elle s'installa chez lui. Il l'aida à trouver
un travail dans un petit journal littéraire dont s'occupait l'un de
ses amis. Leur liaison dura une année. Quand ce fut terminé, elle
se sentit vidée et solitaire. Elle rencontra alors Chad Patterson,
qui avait deux ans de moins qu'elle, un type du Wisconsin venu
à New York pour devenir acteur. Il squattait sur des futons chez
des amis et elle l'invita à venir chez elle, surtout parce qu'elle
détestait dormir seule. Cet arrangement avait tout pour tourner
au désastre et c'est ce qui arriva rapidement : trois mois après leur

rupture officielle il dormait encore sur son canapé. Un soir, elle le trouva enroulé dans les jambes d'une grande blonde rencontrée à une répétition de *Baby with the Bathwater*. C'est alors qu'elle trouva le courage de le flanquer dehors.

Elle avait tenté de faire une thérapie, de lire tous les livres possibles et imaginables, mais rien ne semblait jamais changer. Même sa psy lui faisait parfois sentir que toute amélioration serait illusoire. Après tout, elle venait d'une famille d'ivrognes, des handicapés émotionnels, aigris par la rancune. À d'autres moments, elle se disait que chercher sans cesse à s'améliorer était surtout valable pour les immortels. S'améliorer, pour quoi faire ?

Elles s'arrêtèrent pour déjeuner sur une aire de repos dans le Massachusetts. Maggie était quasiment sûre d'avoir déjà fait halte ici des dizaines de fois avec sa famille, bien que toutes les aires de repos du Massachusetts soient strictement identiques. Partout, on retrouvait la même odeur d'antiseptique, les mêmes employés qui s'ennuyaient à mourir, le même parking soigneusement délimité, la même station-service.

Elles mangèrent d'immenses tranches de pizza et regardèrent passer les gens. Maggie pensa au bébé, même si c'était difficile de l'imaginer comme une personne. Elle s'était rendue sur un site Internet qui faisait fureur auprès des futures mamans. Chaque semaine, une comparaison vous donnait la taille de votre bébé. *Votre bébé est un pois chiche,* avait-elle lu deux semaines plus tôt. Et, ces derniers jours, *votre bébé est gros comme une cacahouète.*

Elles finirent de déjeuner, et Maggie vomit aussitôt, pour la quatrième fois en deux jours. Elle se demanda pourquoi on appelait ça les nausées matinales, puisque apparemment cela pouvait vous frapper à peu près n'importe quand.

Lorsqu'elles furent installées dans la voiture, Rhiannon demanda :

« Il n'y aura que toi et ta grand-mère dans le Maine ?

— Oui. En fait, on sera chacune dans une maison séparée, mais c'est sur la même propriété.

— Ça a l'air bien. »

Maggie sourit.

— Oui, je sais. Nous sommes une grande famille de catholiques irlandais. Alors j'imagine qu'en théorie, on a besoin de beaucoup de pièces.

— Des Irlandais… Pourquoi les Américains veulent-ils toujours venir d'ailleurs ? » demanda Rhiannon.

Elle avait sans doute raison. Les grands-parents de Maggie, tante Ann Marie, oncle Pat, étaient particulièrement obsédés par leurs racines, mais toute la famille Kelleher devenait folle quand on parlait de l'Irlande, Maggie y compris. La musique, l'histoire, la danse, les légendes tristes… Même sa mère avait cédé à cette folie celtique, avant de finir par se moquer du reste de la famille.

Ils portaient tous des *claddagh ring*[28] et non des alliances, Ann Marie et Pat dormaient dans un lit avec les mots ELLE et LUI gravés dans le bois et séparés par un trèfle.

Ses cousines Patty et Fiona avaient été forcées de prendre des cours de claquettes. Elles participaient à des compétitions tous les étés au festival irlandais de Stonehill. Dans le cottage du Maine, Patty portait ses gillies[29], lacées à mi-mollet, une tenue de bain d'un goût plus que douteux, mais qui rendait cependant Maggie folle de jalousie.

Depuis son enfance, Maggie n'avait eu que des amis irlandais. Lorsqu'elle passa son premier mois de mars dans l'Ohio, elle découvrit que tout le monde ne s'habillait pas en vert de pied en cap, et que le corned-beef n'était pas obligatoire le jour de la Saint-Patrick.

Pat, Ann Marie et leurs enfants, partaient régulièrement en Irlande — Patty envoyait toujours à Maggie des bonbons locaux qui arrivaient complètement fondus dans le Massachusetts. Lors de ces visites, oncle Pat avait déterré des cousins éloignés qui vivaient dans le comté de Kerry. Ils leur faisaient joyeusement visiter les alentours de Boston, ils dormaient dans la chambre d'amis et rentraient chez eux avec des polos des Red Sox, et plu-

28. Bague irlandaise traditionnelle donnée en gage d'amitié ou d'amour.
29. Chaussures de danse irlandaises.

sieurs kilos de café du Dunkin' Donuts dont ils étaient apparemment complètement fous.

Toutes ces histoires amusèrent beaucoup Rhiannon.

« Est-ce qu'il y a quatre-vingt-sept cousins de chaque côté ?

— Ma mère en a quarante, je crois. Ça se réduit avec les jeunes générations. Du côté de mon père, on en compte dix, dit Maggie. Mais nous ne sommes pas tellement proches d'eux. Du côté de ma mère, la famille était très soudée. Complètement dingue mais soudée.

— Et il y a combien de cousins de ce côté ?

— Seulement quatre. Mais j'ai toujours eu l'impression qu'ils étaient plus nombreux. »

Elle pensait souvent à eux. Les enfants de Patrick et d'Ann Marie : Patty, Fiona et Little Daniel (sa mère ironisait souvent sur ces prénoms, « des noms de paysans irlandais »). Le fils unique de Clare et Joe s'appelait Ryan, un hommage à quelqu'un que Maggie ne connaissait pas.

Tout petit, Little Daniel était déjà très beau, charmeur et un peu arrogant. Dès que les adultes détournaient la tête, il se montrait cruel envers ses plus jeunes cousins. Quand il se mit à travailler dans la finance, l'immobilier ou un autre domaine incompréhensible, il devint un vrai frimeur. À Thanksgiving, il lui avait donné sa carte, mais le mystère demeurait entier. Maggie pensait qu'un métier sérieux devait pouvoir se décrire en un seul mot : *écrivain, docteur, enseignant,* avaient un sens. Sûrement pas *Vice-président — Marchés de capitaux obligataires.*

La sœur de Little Daniel, Fiona, était très calme, un peu garçon manqué, peu sensible à son apparence, toujours engagée dans plusieurs causes, même au lycée. Maggie se demandait si Fiona était vraiment heureuse : elle était encore dans les Peace Corps à l'âge de trente ans. Selon Kathleen, Fiona était gay et vivait à l'autre bout du monde pour avoir la paix et ne pas avoir à le dire à sa famille. Maggie aurait aimé écrire une lettre à Fiona pour lui dire : *Tu es ma cousine, et je t'aime ! Tu as le droit d'être lesbienne. Personne ne va te juger.*

Mais les parents de Fiona préféraient sans doute ne rien savoir. Ils pensaient encore que Kathleen irait en enfer pour avoir divorcé.

Patty, leur grande sœur, était plus âgée que Maggie de quatre mois. Elles se ressemblaient énormément lorsqu'elles étaient enfants et racontaient souvent qu'elles étaient de « vraies » sœurs (*pauvre Fiona,* se dit Maggie, un peu trop tard). Elles jouaient au basket, aimaient écrire et flirter avec les garçons. Enfants, elles portaient toutes les deux la moitié d'un cœur en pendentif, et passaient des heures, après l'école, à écouter de la musique ou à piquer des gâteaux dès qu'Ann Marie avait le dos tourné.

Elles ne se parlaient quasiment plus. Patty menait désormais une impressionnante vie d'adulte : un mari, trois enfants, une maison dans une banlieue résidentielle. On n'avait cessé de les comparer toutes les deux et, aujourd'hui encore, Maggie ne pouvait s'empêcher de compter les points entre elles.

Enfin, il y avait son cousin Ryan, un prodige de la comédie musicale, qui allait bientôt loger chez elle pour son audition à la NYU, après les vacances. (Maggie l'adorait. Quand il n'avait que quatre ou cinq ans, elle l'avait emmené au cinéma. Pendant le générique, il demanda à aller aux toilettes. Maggie eut peur de le laisser seul, mais il répondit qu'il avait l'habitude, que les toilettes étaient fermées et qu'aucun pervers ne pourrait le kidnapper. Par précaution, elle se tint tout de même près de la porte. Après seulement trente secondes, il se mit à chanter d'abord doucement, puis à pleins poumons, les paroles de « Shuffle Off to Buffalo [30] ». Maggie gratta doucement à la porte. Les gens passaient et riaient. Elle tenta d'ouvrir mais Ryan avait tiré le verrou. Une file d'attente se forma. Il émergea seize minutes plus tard, ravi. « Il y a un miroir en pied, là-dedans ! »)

Comparé aux autres garçons de la famille, le frère de Maggie, Chris, avait tout du raté. Il n'avait jamais réussi à trouver un boulot correct après la fac. Il travaillait comme « agent marketing de terrain ». En gros, il faisait le planton devant l'université, en dis-

---

30. Célèbre chanson des comédies musicales de Broadway dans les années trente.

tribuant des flyers pour annoncer l'ouverture d'un nouveau fast-food ou des soldes dans un magasin du coin. Parfois, il pouvait être carrément inquiétant. Quand il déraillait, Kathleen accusait toujours ses oncles, Joe et Pat. Pourquoi n'avaient-ils pas été plus proches de ce gamin ? Maggie ne pouvait s'empêcher de penser qu'ils avaient déjà leur propre fils à élever et que Chris avait un père après tout.

Perdue dans ses pensées, Maggie revoyait, posée sur le piano de ses grands-parents, à Canton, une vieille photo des six petits enfants sur la plage. Quelle leçon pouvait-on tirer du parcours de chacun ? Elle avait dit à Rhiannon qu'ils étaient proches et, dans sa tête, c'était vrai. Mais les choses avaient tellement changé.

Quand elle vit le panneau familier BIENVENUE DANS LE MAINE, elle se sentit chez elle. Elles firent une pause à Shop'n Save sur la Route 1 pour faire quelques courses. La boutique avait adopté l'enseigne Hannaford au milieu des années quatre-vingt-dix mais les Kelleher l'appelaient toujours par son nom d'origine. Entre ses rayons, elle se sentit à la fois en sécurité et solitaire.

Sur la route du cottage, elle repéra des lieux familiers — la pharmacie vieillotte, le *Lobster Pound*[31] et le piano-bar, où les touristes passaient, en fin de soirée, pour voir des imitateurs de Judy Garland chanter à tue-tête.

Elles passèrent devant Ruby's Market, et Maggie se rappela combien Gabe avait aimé ce magasin l'été dernier, combien elle avait été heureuse de l'emmener ici. Ils avaient discrètement écouté le couple de propriétaires se plaindre de leurs petits-enfants ingrats, partis s'installer dans la grande ville (ils désignaient ainsi Portland, située cinquante kilomètres au nord).

Très vite, elles atteignirent le croisement de la route où les initiales M.A. étaient gravées dans un tronc d'arbre à côté d'un trèfle maladroit. Maggie dit à Rhiannon de tourner à gauche.

---

31. Les *Lobster Pound* sont une institution du Maine. Ce sont des restaurants plus ou moins rustiques, certains composés d'une simple cabane, accolés à la plage, où on peut déguster des homards élevés sur place.

« Là ? » demanda Rhiannon incrédule, comme le faisaient souvent les nouveaux venus car l'entrée ressemblait à un chemin de terre s'enfonçant dans les bois. Elles empruntèrent Briarwood Road, et le sable soulevé par la voiture voleta en une fine brume entre les pins.

« C'est tellement beau ! », dit Rhiannon.

Elles arrivèrent quelques minutes plus tard. L'estomac de Maggie se serra comme à chaque fois qu'elle voyait le cottage, ses bardeaux érodés, ses chaises de plage posées contre la porte d'entrée et l'océan au loin.

La voiture d'Alice n'était pas là. Alors qu'elles déchargeaient les courses, Maggie entendit un moteur s'approcher

« Je crois que je sais qui c'est. Prépare-toi ! »

Alice tourna sans mettre son clignotant et se gara le plus près possible de la voiture de Rhiannon, bien qu'il y eût assez de place sur la pelouse pour sept véhicules. Quand elle sortit, elle prit un air perplexe.

« Maggie ?

Elle regarda Rhiannon. On aurait juré que, sans Gabe à côté d'elle, elle ne pouvait reconnaître sa petite-fille.

— Grand-mère, voici mon amie Rhiannon. Rhiannon, ma grand-mère : Alice. »

Rhiannon tendit la main. Alice la serra brièvement, et Maggie se rendit compte qu'elle aurait dû la prévenir. Elle n'y avait même pas pensé.

« Je ne comprends pas, dit Alice qui tentait visiblement de retrouver ses esprits. Où est Gabe ?

— Il ne vient pas, dit Maggie.

Elle croisa le regard de sa grand-mère, qui semblait totalement décontenancée.

— On s'est disputés. On a plus ou moins rompu. J'ai essayé de te le dire quand je t'ai appelé, mais…

— Non, tu ne m'as rien dit ! Je m'en serais quand même souvenue. Et je n'aurais pas acheté ces muffins hors de prix qu'il aime tant si j'avais su. Je n'en veux pas chez moi. Qu'est-ce que je vais en faire maintenant ?

— Désolée, dit Maggie qui rougissait de honte. Je peux te rembourser. »

Que pouvait bien penser Rhiannon ? Une petite-fille qui remboursait sa grand-mère pour une boîte de gâteaux à cinq dollars ?

Soudain, Alice se métamorphosa, comme si elle s'était subitement raisonnée.

« Oh, ne dis donc pas n'importe quoi ! Vous venez quand même dîner, j'espère ? Je n'ai pas fait un meatloaf pour rien. Ton amie peut dormir dans la chambre d'amis du cottage, les draps sont sur le lit.

— Elle repart ce soir. Elle m'a seulement accompagnée.

— À New York ? Ce soir ? Mais c'est ridicule. Restez au moins pour dîner, d'accord Diana ?

— Rhiannon, rectifia Maggie.

— Oui, avec plaisir, dit Rhiannon. Voulez-vous qu'on apporte quelque chose ?

— Non, ce n'est pas la peine », dit Alice doucement.

Maggie se demanda si sa gêne était visible ou si Rhiannon trouvait sa grand-mère charmante comme c'était souvent le cas avec les étrangers.

Maggie s'apprêta à parler, mais Alice lui tournait déjà le dos et marchait vers la maison. Elles se dirigèrent vers le cottage.

« Ta grand-mère est magnifique, dit Rhiannon dans la cuisine, alors qu'elle déballait les courses.

— Merci », dit Maggie.

Elle ne trouvait rien d'autre à dire quand les gens faisaient des commentaires sur la beauté d'Alice. *Merci d'être étonnée qu'un membre de ma famille soit particulièrement beau et, par extension, de trahir ce que tu penses de mon physique.*

À Kenyon, elle était sortie avec Christian Taylor, le fils de deux intellectuels de Cambridge pendant plus d'une année. Ses parents n'avaient pas trouvé grand-chose à dire à sa mère quand ils s'étaient rencontrés. Mais à la remise de diplômes, après les présentations avec Alice, la mère de Christian avait pris Maggie à l'écart : « Votre grand-mère est superbe, très exotique. Est-ce qu'elle a du sang égyptien ? »

Du côté de la mère de Maggie, les Kelleher, et les Doyle, du côté de son père, avaient émigré du comté de Kerry en Irlande vers Dorchester, dans le Massachusetts trois générations plus tôt. La plupart des rejetons du clan n'étaient pas allés plus loin que les faubourgs de Boston. Alors, du sang égyptien…

Avant de retrouver sa grand-mère, Maggie demanda à Rhiannon si elle avait emporté un gros pull pour se promener sur la plage, un peu plus tard dans la soirée. Elle voulait lui montrer le magnifique ciel étoilé, qui ferait toujours une bonne diversion après les horreurs qu'Alice ne manquerait pas de proférer pendant le dîner.

Rhiannon n'avait rien prévu.

« Ce n'est pas grave, dit Maggie. Le placard dans l'ancienne chambre de mes grands-parents est plein à craquer. Sers-toi. Mais évite le vieux pull vert dans le tiroir du bas. Il est pour moi.

— OK, dit Rhiannon se dirigeant vers la chambre.

Un moment plus tard, elle appela :

— Eh, les tiroirs sont vides ! »

Maggie la rejoignit. Des grains de sable crissaient sous ses pieds. Lorsqu'elle vit les tiroirs qui s'ouvraient sur le papier aux motifs de coquillages, son estomac se serra. Elle se dirigea vers l'armoire pour trouver la robe de bain rose qu'Ann Marie avait laissé trois ans plus tôt et le tas de couvertures tricotées par sa grand-mère. Vide également.

Maggie pensait au pull vert que son grand-père lui avait donné lors d'une balade matinale chez Ruby's Market, quand elle était au collège. Elle avait été furieuse de devoir le porter jusqu'à Briarwood Road. Dès leur retour, elle l'avait fourré au fond d'un tiroir. Aujourd'hui, elle avait pris l'habitude de le ressortir tous les étés et de l'enfiler pour aller boire son café dehors. Elle savait que c'était ridicule mais l'idée que quelqu'un d'autre — un de ses cousins, ou pire, un de leurs amis — l'ait pris, lui donna envie de pleurer.

« On a cherché un pull dans le cottage, mais tous les tiroirs sont vides », dit-elle à Alice lorsqu'elles arrivèrent pour le dîner.

Elles se tenaient toutes les trois dans la cuisine, pas très à l'aise, pendant que le meatloaf refroidissait sur le rebord de la fenêtre. La salade de pommes de terre était protégée par du papier aluminium. Maggie espérait qu'elle ne se décomposait pas dans le congélateur depuis l'été dernier. Avec Alice, tout était possible.

« Je peux te prêter un cardigan, mais il risque d'être trop petit, dit Alice.

— Merci, ça ira. Où sont passées les affaires ?

— J'en ai donné. C'était trop encombré.

— Tu te souviens s'il y avait un pull vert appartenant à grand-père ? demanda Maggie.

— Chérie, je me souviens à peine de ce que j'ai mangé au petit déjeuner, dit Alice, d'une voix affectée. J'ai fait un peu de ménage dans ma maison et celle d'à côté, c'est tout.

— Je comprends, dit Maggie. Eh bien, si jamais tu retrouves ce pull vert, peux-tu le…

— Allons manger, coupa Alice. On pourrait dîner dehors, qu'en dites-vous ? »

Elle avait déjà mis la table. Elles y apportèrent donc les plats et s'assirent. En plus du meatloaf et de la salade de pommes de terre, il y avait des tomates provenant du jardin d'Alice. Elle avait aussi découpé une banane et placé les tranches dans une assiette avec une dizaine de myrtilles. Rhiannon déplia sa serviette sur ses genoux et se tint très droite. Elle semblait un peu intimidée par Alice.

« Mangez, mangez, dit Alice. Allez, servez-vous, on est entre nous ici. »

Rhiannon prit une cuillère de pommes de terre, quelques myrtilles et tomates et une belle tranche de meatloaf — au moins le quart de ce qu'Alice avait préparé. Une portion normale, mais Maggie savait qu'Alice était probablement atterrée. Par solidarité, elle se servit une part de même taille et évita le regard de sa grand-mère.

Alice but son vin, puis se servit une minuscule part.

« Je croyais qu'on pourrait le resservir cette semaine, mais c'est la vie. Vous n'avez pas mangé aujourd'hui ?

— Au contraire, on n'a fait que ça depuis qu'on a pris la route ce matin, plaisanta Rhiannon.

— Mon Dieu, Shannon, vous avez un appétit d'ogre! Mais c'est vrai que vous pouvez vous le permettre.

— C'est Rhiannon, corriga Maggie.

Alice l'ignora.

— Alors, comment vous êtes-vous rencontrées toutes les deux?, demanda-t-elle avec un sourire forcé.

— Nous sommes voisines.

— Oh, je vois. D'où êtes-vous, ma chérie? Vous avez un accent charmant. Presque irlandais, n'est-ce pas?

— Je suis écossaise.

— Merveilleux! Mon mari s'est rendu en Écosse une fois, pour affaires, il m'avait ramené une écharpe. Elle grattait mais était très belle. Maintenant, ma chérie... — elle regarda Maggie et s'arrêta pour entretenir le suspense —, je meurs d'envie de l'apprendre : qu'est-ce qui s'est passé avec Gabe? »

Le cas de l'Écosse semblait réglé. Des milliers d'années d'histoire et de culture réduites à une écharpe qui grattait, affaire classée.

(Même si vous étiez très proche de votre grand-mère, vous ne pouviez pas surmonter le fossé des générations : vous ne pouviez pas lui annoncer que votre petit ami prenait de la cocaïne, que vous aviez oublié votre pilule et que, par conséquent, vous étiez tombée enceinte. Pas à votre grand-mère. Donc vous procédiez par euphémismes. Peut-être qu'Alice faisait de même pour d'autres raisons.)

« Je l'ai surpris en flagrant délit de mensonge, dit Maggie.

— Ça ne ressemble pas à Gabe.

— Malheureusement, si.

— Oh, dit Alice en souriant. Il a l'air tellement charmant. Tu me diras, ce sont souvent les pires. Bon, en tout cas, je suis désolée Maggie. Tu as parlé à ta mère récemment?

— Oui, on a parlé hier, pourquoi?

— Je me demandais juste si elle savait pour toi et Gabe. Elle ne m'a rien dit.

Alice changea brusquement de sujet.

— J'ai dit à Patrick que je voulais faire nettoyer la gouttière du cottage cette semaine et le seul Mexicain qu'on puisse trouver dans le Maine va venir s'en occuper. Mort me l'a recommandé, et il n'est vraiment pas cher, alors…

— Grand-mère, on ne peut pas dire ça ! coupa Maggie.

— Quoi ? Il est sans-papiers. Il est content de trouver du travail, rétorqua Alice. De toute façon, ces gens-là ne mangent que du riz et des haricots, ils n'ont pas besoin de beaucoup d'argent.

Maggie serra les dents, mais Rhiannon se mit à rire.

— Cet endroit est sublime », dit-elle.

La maison était splendide, mais Maggie avait toujours trouvé qu'elle ne cadrait pas avec ses grands-parents. Elle ressemblait plutôt aux photos des magazines de design : de grandes chambres, chacune à un étage différent, reliées par des escaliers. La cuisine était en Inox, immaculée, et les équipements de salle de bain paraissaient ridiculement modernes. On s'attendait à trouver un couple de top-modèles suédois à l'intérieur, occupés à organiser des fêtes somptueuses avec des rappeurs et des starlettes de la téléréalité.

« Merci, dit Alice.

Elle baissa la voix comme si elle s'apprêtait à révéler un secret croustillant :

— Rhiannon, vous avez une peau superbe.

— Merci. Mon ex-mari avait coutume de dire…

— Votre ex-mari ? Vous étiez mariée ?

Alice toussota.

Était-ce le mot même de divorce ou refusait-elle de croire qu'une fille aussi jeune avait déjà été mariée ?

— Oui, même moi j'ai du mal à y croire !, dit Rhiannon en éclatant de rire.

— Ne vous inquiétez pas. Jolie comme vous êtes, les hommes ne tarderont pas à se presser à votre porte de nouveau.

Maggie nota que sa grand-mère ne s'était pas montrée aussi optimiste à son égard.

— Est-ce que Maggie vous a expliqué que sa mère avait divorcé également ? demanda Alice, comme si Rhiannon et Kathleen partageaient un hobby distrayant, l'aviron ou les concours de jonglage. Mais on peut dire que cela ne lui a pas réussi. Elle a pris du poids après, n'est-ce pas Maggie ? »

Maggie ne voulut pas trahir sa mère et se contenta de reprendre des pommes de terre. Elle désirait désespérément changer de sujet.

Alice saisit la bouteille de vin.

« Quelqu'un veut un verre ? Maggie tu n'as pas touché au tien ! Tu ne l'aimes pas ? Tu préfères du blanc ? J'en ai ouvert si tu veux.

— Non merci, ça va.

Alice fronça les sourcils.

— Tu as arrêté de boire ?

— Non, j'ai un peu la gueule de bois à dire vrai, mentit Maggie puisque c'était la seule raison acceptable pour ne pas boire dans la famille Kelleher.

Alice emplit le verre de Rhiannon et le sien pour terminer la bouteille.

— Eh bien, moi aussi, si je ne fais pas attention. Ne le dis pas à ta mère ou elle me traînera en cure avec cette actrice minable, comment s'appelle-t-elle déjà ?

— Le meatloaf est délicieux, grand-mère, dit Maggie à la recherche d'un terrain neutre.

— Oui, tellement fondant, dit Rhiannon.

— C'est parce que je mets autant de ketchup que de Worcestershire, déclara Alice avec un sourire ravi.

Soudain, elle frappa la table de sa main.

— Mon Dieu, j'ai oublié les rolls ! cria-t-elle en se précipitant vers la cuisine.

Maggie se tourna vers Rhiannon.

— Qu'est-ce que je t'avais dit ? souffla-t-elle.

— Quel personnage ! s'exclama Rhiannon.

Alice revint avec une corbeille de rolls dans une main et une nouvelle bouteille de vin dans l'autre.

— Ils sont simplement un peu brûlés. »

Rhiannon et Alice burent la seconde bouteille pendant que Maggie orientait la conversation vers des thèmes inoffensifs — les échafaudages aperçus devant l'église, les films qu'elles avaient vus ou voulaient voir, les prévisions météo de la semaine.

Alice ouvrit une troisième bouteille de vin à la fin du repas. Maggie écarta son verre encore plein. Rhiannon également. Alice ne remplit que le sien et but une longue gorgée.

« Maggie m'a dit que vous lisiez beaucoup, dit Rhiannon. Vous avez lu des choses bien récemment ?

Alice claqua ses lèvres.

— Oui ! Une biographie fantastique de Vincent van Gogh. Absolument fascinante.

— Ça a l'air intéressant, dit Rhiannon. À Amsterdam, un musée entier lui est dédié, c'est fantastique.

Alice hocha la tête comme si elle le savait depuis longtemps.

— Vous savez, il y a un musée à deux kilomètres d'ici, à Perkins Cove. »

Maggie y était allée une fois ou deux, enfant. C'était loin d'être le musée Van Gogh. Mais elle voulut préserver Alice et ajouta :

« C'est vraiment très joli ; il surplombe l'océan.

— Autrefois, une colonie d'artistes s'était installée ici, poursuivit Alice.

— Ah bon ?

Maggie en entendait parler pour la première fois.

— Oui. Elle était très vivante quand on a construit ici.

— Vous aimez les artistes ou ils vous agacent ? demanda Rhiannon.

Alice rit.

— M'agacer ? Non, quelle idée… On les a bien connus. Je peignais autrefois.

— Ah bon ?! s'étonna de nouveau Maggie.

— Oui, tu sais bien…

— Non, je ne le savais pas.

— Si, Maggie, tu le savais.

Maggie venait de l'apprendre, elle en était certaine. Elle se promit d'en parler à sa mère la prochaine fois.

— Pourquoi avez-vous arrêté ? demanda Rhiannon.

Alice leva les bras au ciel.

— Qui a le temps ? Entre ça ou ça… »

Entre *quoi* ou *quoi*? se demanda Maggie. L'heure du cocktail et le début de *Masterpiece Theater*[32]?

« Tu devrais t'y remettre, dit Maggie. Je suis sûre qu'il y a de très bon cours à Boston. Ça pourrait être amusant, cet hiver.

— Pitié, je suis trop vieille, dit Alice.

— Tu n'es pas trop vieille pour quoi que ce soit, dit Maggie. Elle aurait aimé que Daniel soit là.

— Je suis sûre que grand-père aimerait te voir peindre à nouveau, dit-elle.

— Allons, répliqua Alice sévèrement.

— Il n'aimait pas vous voir peindre? » demanda Rhiannon.

Elle pensait de toute évidence que c'était une question anodine, mais Maggie se raidit, tendue par la tournure que prenait la conversation.

« Mon mari n'a jamais dit quoi que ce soit de méchant à qui que ce soit, surtout pas à moi, dit Alice. Si j'avais voulu peindre, il m'aurait laissé faire.

— Oh, je ne voulais pas…

— Je ne veux pas parler de lui. Ça suffit.

— Mais pourquoi, demanda Maggie? Tu ne crois pas que cela nous ferait du bien justement. On l'aimait tellement toutes les deux.

— J'étais sa femme, dit Alice sèchement. Tu ne peux pas dire que tu l'aimais comme je l'aimais.

— Bien sûr, dit Maggie en tentant d'ignorer la morsure laissée par cette dernière réplique, trop gênée pour regarder Rhiannon. Je sais bien que personne ne l'aimait comme toi. Mais voilà, tu ne veux jamais parler de lui…

— Que veux-tu savoir exactement?

— Tout! Comment t'a-t-il demandée en mariage? Où s'est déroulé votre premier rendez-vous? Je ne sais même pas comment vous vous êtes rencontrés.

---

32. Émission de télévision diffusée dans la région de Boston et proposant des adaptations littéraires et des téléfilms sur des biographies célèbres.

— Comment on s'est rencontrés ? dit Alice atterrée, comme si Maggie lui avait demandé quelles étaient ses positions sexuelles préférées.

— Oui, comment as-tu rencontré grand-père ? Je n'ai jamais entendu cette histoire.

— Parce qu'il n'y a pas d'histoire.

— Il y en a toujours une.

— Il n'y a pas d'histoire, dit Alice fermement. Mon frère Timmy nous a présentés. Voilà.

— Et qu'as-tu pensé de lui ? Ce fut le coup de foudre ?

— Peut-être que ta grand-mère n'a pas envie d'en parler, Maggie, dit Rhiannon.

Même si elle avait raison, Maggie se sentit légèrement trahie par la remarque de son amie.

— Tu ne veux vraiment pas en parler ?

Les yeux d'Alice s'élargirent.

— Je ne pense pas que ce soit une conversation appropriée pour un dîner, dit la même femme qui venait de boire une bouteille et demie de vin, après avoir abordé si élégamment le travail au noir des Mexicains et la prise de poids postdivorce de sa propre fille dans les dix premières minutes de la conversation.

— Vous avez assez mangé les filles ? Parce que moi, je suis épuisée. »

Affaire classée, une nouvelle fois, comme l'été dernier avec Gabe. Un mur venait à nouveau de se dresser.

Rhiannon se leva et se mit à empiler les assiettes.

« Je ferai ça plus tard, dit Alice.

— C'est la moindre des choses, répondit Rhiannon. Alice et Maggie la suivirent en silence dans la cuisine.

Le sac de muffins qu'Alice avait acheté pour Gabe traînait sur le plan de travail.

— Veux-tu que je les emporte ?

— Non, ne t'inquiète pas. Ils vont sécher mais je les réchaufferai au four. »

Un léger crachin s'était mis à tomber, Maggie et Rhiannon renoncèrent à leur promenade sur la plage. Maggie ne voulait pas que son amie parte. Sa mère et sa grand-mère étaient aussi égoïstes et butées l'une que l'autre. Seul le caractère doux et gentil de Daniel avait pu les assouplir. Comment trouverait-elle le même équilibre si Gabe refusait de venir ?

« Pourquoi ne viens-tu pas prendre une tasse de thé au cottage avant de repartir ?

— Oui, pourquoi pas. Je crois que ta grand-mère m'a un peu bourré la gueule. Pardon, je ne sais pas ce que j'ai, je ne parle jamais comme ça d'habitude ! »

Elles se tenaient près de la fenêtre de la cuisine. Maggie distinguait Alice sous son porche, parlant au téléphone. Qui pouvait-elle bien appeler ? Sans doute Ann Marie.

« Je n'aurais pas dû venir, dit Maggie. Je vais me sentir seule quand tu seras partie. Et ma grand-mère... je ne sais pas trop si je peux lui faire face.

— Elle n'est pas si méchante, dit Rhiannon.

— Je devrais peut-être appeler Gabe.

— Tu crois vraiment que c'est une bonne idée ?

— Non. Si ? Je ne sais pas. Je n'arrive pas à croire que je n'ai pas de nouvelles de lui.

— Si je te dis quelque chose, tu me promets de ne pas le prendre mal ?

— Bien sûr.

— Tu te souviens quand vous êtes venus dans mon restaurant avec Gabe pour dîner ?

Maggie acquiesça et sentit son cœur se serrer, pressentant ce qui allait suivre.

— Pendant que tu étais aux toilettes, il a mis ses mains sur mes fesses et a plus ou moins essayé de m'embrasser. Il était ivre. Je ne voulais pas t'en parler, mais je vois que tu gardes espoir. Franchement, ça me fait peur. Ce n'est pas un type bien. Tu mérites mieux. »

Cette histoire mit en lumière ce qu'elle essayait de se cacher depuis des jours : Gabe n'allait pas revenir et élever cet enfant avec elle.

Maggie repensa à toutes les fois où elle avait parlé de Gabe à Rhiannon et se sentit idiote. Évidemment, Gabe voulait coucher avec Rhiannon, quel homme ne le voudrait pas ? Elle regretta de les avoir présentés.

« Je vais me coucher, dit Maggie. Tu ne devrais pas conduire. Tu peux dormir dans la grande chambre, OK ?

Rhiannon sembla étonnée de son ton abrupt, mais se contenta de dire :

— D'accord. Je partirai tôt demain matin.

Maggie se dirigea vers la salle de bain.

— Je suis désolée. J'aurais sans doute mieux fait de me taire.

— Sans doute », coupa Maggie.

Elle referma la porte derrière elle, submergée par la culpabilité. Elle n'était jamais méchante, envers personne, encore moins une amie. Face au miroir, elle se mit à pleurer.

Maggie ne parvint pas à dormir. Elle attendit que Rhiannon se couche, se leva et traversa le salon pour regarder l'écran de son téléphone portable. Pas de réseau. Finalement, elle obtint deux barres en se déplaçant vers un coin de la cuisine. Elle composa le numéro, le cœur battant. Pendant une seconde, elle se dit qu'elle allait lui laisser un message, mais il finit par décrocher.

Elle entendit des voix en train de rire en arrière-plan, des voix de femmes.

« Hé, Mag, salut », fit Gabe.

C'était triste et pathétique de quêter du réconfort auprès de la personne la moins indiquée pour vous en donner. Un peu comme boire de l'eau salée pour se désaltérer.

« Salut, dit-elle.

— Attends, je n'entends pas — je sors.

Puis il y eut un grand brouhaha, les cris et les rires finirent par s'évanouir.

— Ça va ? demanda-t-il. Sa voix était faible. Elle l'entendait à peine. Elle se baissa, pour tenter d'avoir plus de réseau.

— Ça va, dit-elle. Je dois te dire quelque chose.

— Allô ? Tu appelles de chez toi ? Je t'entends très mal.

— Non, je suis dans le Maine.

Elle tenta d'avoir l'air naturel, espérant le choquer.

— Hein ? Je ne t'entends pas !

— Je suis dans le Maine.

— Ah bon ? Toute seule ?

— Non. (Impossible de mentionner le nom de Rhiannon sans pleurer à nouveau.) Mon frère et des amis sont venus.

— OK, cool. Dis bonjour à Chris.

— Comment ça va à New York ?

Et aussitôt, malgré sa colère, elle ne put s'empêcher d'ajouter :

— Tu me manques.

— Je suis dans l'East Hampton, en fait. Tu me manques aussi.

Son estomac se serra et soudain sa tristesse se changea en colère, les deux sentiments allaient toujours de pair avec lui.

— Pourquoi ?

— Pourquoi tu me manques ?

— Pourquoi tu es dans les Hamptons ?

— Ah ! les parents d'une copine de classe de Hayes ont une super baraque au bord de la mer, et il y allait avec des potes, et puis je n'ai rien à faire pour les deux semaines à venir, parce que, bon, tu sais... Bref, je me suis dit que je pouvais y aller. »

Tout ce qu'elle avait imaginé s'effondra brutalement. Il n'était pas recroquevillé dans son canapé, à attendre son retour. Jamais il ne serait venu chez elle, ni demain, ni le surlendemain, ni aucun autre jour.

« C'est splendide, ici. D'ailleurs, on va faire un tour en bateau cette nuit.

Il avait la voix du type qui passait les meilleures vacances de sa vie.

— Qu'est-ce que tu voulais me dire ? demanda Gabe.

— Laisse tomber, dit Maggie. Je dois y aller. J'entends la voiture de Chris.

— OK. Écoute, je suis désolé pour l'autre jour. Mais on dirait qu'il vaut mieux qu'on se laisse un peu de temps, pour que les choses se calment. D'accord ?

— Bonne nuit, Gabe. »

Elle raccrocha, folle de rage. Elle résista à l'envie de le rappeler sur-le-champ et alluma son ordinateur. Son oncle Pat avait installé le haut débit l'été dernier, même s'il n'y avait toujours ni télévision, ni un réseau de téléphone portable correct.

Elle commença à écrire un e-mail. Quand il fut terminé, elle ne se donna pas la peine de le relire et cliqua sur ENVOYER.

Gabe,

Il y a deux choses dont je voulais te parler et que je n'ai pas réussi à te dire au téléphone. D'abord, je viens de me rendre compte à quel point tu es néfaste pour moi. Cette idée est enfin entrée dans mon cerveau, au forceps. C'est un peu grâce à toi. Je t'en suis reconnaissante. Clairement, j'en avais besoin. Ensuite (et je reconnais que, compte tenu du point précédent, cela complique la donne), je vais avoir un enfant. Quand j'y pense, ce sera le mien. Mais je sais que, techniquement, il ou elle sera aussi à toi. Tu as le droit de savoir, donc je te le dis. Je ne pense pas que tu mérites beaucoup plus. S'il te plaît, laisse-moi seule pour le moment. Tu pourras me contacter quand je serai prête.

ALICE

Après le dîner, Alice sortit pour téléphoner à Ann Marie.
« Ta nièce est arrivée aujourd'hui. Et sans Gabe.
— Ah bon?
Ann Marie avait l'air distraite.
— À la place, elle est venue avec une fille.
— Qu'est-ce que vous entendez par "une fille" » ?
— Une fille qui vit à côté de chez elle, susurra Alice comme si Daniel était tout près et risquait de la surprendre en train d'échanger des ragots avec sa belle-fille.
— Comme une petite amie? demanda Ann Marie. Deux secondes, mère... Chéri, tu pourrais regarder la télévision à côté? Merci. »
Cela n'avait même pas effleuré Alice que Maggie et Dieu-sait-comment pouvaient être en couple. Non, ce n'était pas le cas, elle en était certaine. Enfin, Alice avait toujours été très naïve sur ces sujets. Un jour, elle avait fait remarquer à Daniel à quel point c'était touchant de voir tous ces frères se promener deux par deux dans Ogunquit[33]. Il avait hurlé de rire.
Elle se contenta de répondre.

33.   La ville d'Ogunquit est connue pour son importante communauté homosexuelle.

« Pour être honnête, je ne suis pas sûre. C'est étrange. Maggie se fait accompagner par cette fille qui repart ce soir. Mais, je vois bien qu'elle n'est pas partie. Je ne suis pas aveugle.

— C'est bizarre.

— Kathleen a vraiment tout raté avec cette enfant. J'aurais bien aimé faire quelque chose pour elle. Maintenant, c'est probablement trop tard.

Elle fulminait encore après leur conversation du soir, mais n'avait pas envie de rentrer dans les détails avec Ann Marie.

— Vous prenez toujours trop sur vous, dit Ann Marie. Vous ne pouvez rien faire. Les enfants deviennent ce qu'ils doivent devenir. J'y ai beaucoup pensé récemment.

— Eh bien, je remercie Dieu tous les jours que vos trois enfants aient pris le bon chemin.

— Ils ont aussi leurs hauts et leurs bas », se contenta de dire Ann Marie.

Voilà pourquoi elle aimait autant sa belle-fille. Elle restait modeste alors que, vraiment, ses enfants étaient des anges. Et s'ils avaient si bien tourné, c'était sans doute parce qu'Ann Marie refusait de leur trouver des excuses, comme pouvaient le faire les deux filles d'Alice pour leur progéniture. Alice avait envoyé à Christopher et Maggie un chèque de vingt dollars à chacun de leurs anniversaires sans jamais recevoir la moindre carte de remerciement.

Little Daniel, lui, envoyait toujours une carte pour l'anniversaire de sa grand-mère et, parfois, des fleurs pour la fête des Mères. C'était toujours un adorable garnement, un garçon charmant. Il était vif comme un furet, le portrait craché de son père, et fiancé à une fille délicieuse, une catholique, Dieu soit loué. Elle était italienne, pas irlandaise, mais il ne fallait pas trop en demander.

La fille de Patrick et Ann Marie, Fiona, était une sainte. Alice aimait à penser que si Fiona avait eu le même âge qu'elle, elle aurait choisi la voie du couvent. Et d'ailleurs, pourquoi pas ? Même si, Alice avait détesté les religieuses dans son enfance. Elles la frappaient sur les doigts et l'obligeaient à écrire de la main droite, sa main gauche attachée à l'arrière de sa chaise.

Il n'empêche... Une petite fille dans les ordres serait un vrai motif de fierté aux réunions de la légion de Marie. Le fils de Marie Daley n'était que diacre, et elle ne cessait de s'en vanter. On aurait juré qu'il était évêque ou cardinal !

Patty, la fille aînée d'Ann Marie et Patrick, avait fait du droit et travaillait énormément, malgré ses trois jeunes enfants. Elle s'était mariée avec un Juif, une union qui avait presque tué Ann Marie. Elle ne le disait jamais, mais Alice le sentait. Toujours est-il que les enfants d'Ann Marie et Pat seraient toujours ses préférés, surtout l'espiègle Little Daniel.

Maggie restait la plus difficile de ses petits-enfants. Quand elle baissait la garde et qu'elle avait quelques verres dans le nez, elle pouvait vraiment être drôle. Elle avait un solide sens de l'humour, comme Daniel. Mais, la plupart du temps, on aurait dit qu'elle se forçait et cette raideur agaçait Alice. Maggie cherchait toujours à désamorcer les conflits, c'était son obsession. Pas très étonnant puisque sa mère l'avait collée sur le divan d'un thérapeute dès l'école élémentaire. Après la mort de Daniel, quand Alice s'efforçait de ne penser ni à lui ni à Kathleen, Maggie appelait tous les jours, réglée comme une horloge. Alice tentait de se raisonner, se disait que sa petite-fille était animée d'une bonne intention et demandait à Dieu de l'aider à être patiente. Mais rien que le son de sa voix dans le combiné suffisait à l'agacer.

Daniel avait adoré sa petite-fille, comme il avait adoré sa fille. Une fois, Maggie devait avoir six ou sept ans, Alice s'était levée pour prendre un verre d'eau et l'avait trouvée dans le cottage en train de pleurer au beau milieu de la nuit.

« Que s'est-il passé ? demanda-t-elle.

— J'ai entendu un bruit qui m'a fait peur, cela m'a réveillée.

— Tu l'as dit à tes parents ?

Alice regarda en vain vers leur chambre.

— Ils dorment, dit Maggie, qui continuait à pleurer.

— Tu penses que c'était un fantôme ? demanda Alice.

Elle avait dit cela comme une plaisanterie, mais le visage de Maggie devint grave.

— Oh grand-mère, j'aimerais bien voir un fantôme. Comme ça, on aurait moins peur de la mort. Si je vois un fantôme, ça veut dire qu'on continue à vivre. Enfin, plus ou moins. D'accord ?

Alice était médusée. Aucun enfant ne parlait ainsi.

— Retourne te coucher, dit-elle sévèrement. Tout va bien. Cela devait être le vent dans les dunes. »

Quand elle retrouva Daniel, Alice se sentait tellement secouée qu'elle le réveilla pour lui raconter toute l'histoire. Daniel se contenta de rire, à moitié endormi.

« Cette petite a oublié d'être bête », conclut-il avant de se rendormir aussitôt.

Après sa conversation avec Ann Marie, Alice regagna la cuisine. Elle se servit un verre de vin puis se mit à la vaisselle. Peut-être devait-elle être plus gentille avec Maggie. Après tout, elle était en pleine rupture. Elle n'avait pas l'air dans son assiette. Mais pourquoi grands dieux avait-elle amené cette fille sans prévenir ? Pourquoi fallait-il qu'elle parle de Daniel devant cette Écossaise ?

Alice ne faisait pas vraiment de différence entre ses petits-enfants et ses enfants. Ainsi, elle priait pour Clare quand elle pensait aux ambitions et aux déceptions de Ryan, ou pour Kathleen, pour toutes les bêtises de Chris. Mais elle rejetait également la faute sur ses filles. Comment ne pas le faire ? Kathleen n'avait aucun respect de la vie privée, il était donc normal que sa fille ne comprenne pas où était le mal quand elle s'installait à la table d'Alice et l'interrogeait sur les pires moments de sa vie.

Alors comme ça, Daniel aurait aimé la voir peindre à nouveau ? Quelle petite sotte. Alice avait eu envie de la gifler. Qu'est-ce qu'elle pouvait en savoir ? Daniel était un homme merveilleux, elle l'avait aimé tendrement. Mais il n'avait jamais souhaité qu'elle devienne autre chose qu'une mère, qu'une bonne femme au foyer. Voilà pourquoi il avait insisté pour qu'elle arrête de boire, ou qu'il avait préféré consulter sa fille sur le traitement de son cancer plutôt que son épouse.

Tu ne crois pas que ce serait bien si on parlait de lui ? Mais quel culot ! Devant une parfaite étrangère de surcroît. Alice préférait ne pas savoir quel serait le sujet de son prochain roman. En tout cas, elle n'allait pas mettre son âme à nu tout ça pour satisfaire les velléités littéraires de Maggie. Sa rencontre avec Daniel, la perte de sa sœur, resteraient ses secrets. Cela ne regardait personne. Maggie l'avait obligée à y penser avec ces questions stupides. Et elle détestait y penser.

Alice retourna vers le porche pour fumer une cigarette. Au loin, les vagues se fracassaient contre les rochers. C'était le moment favori de Daniel, il s'asseyait là avec une tasse de thé à la menthe et écoutait le bruit des vagues. Il lui manquait, elle ressentait son absence au creux de son ventre.

Peu après, elle alla dans la salle de bain et alluma la radio pour mettre un fond sonore. Elle enfila une chemise de nuit en coton et enleva son dentier, le brossant doucement avant de le placer dans un verre d'eau sur le bord du lavabo. Une acquisition récente. Au moins Daniel n'avait-il pas vécu assez longtemps pour assister à ce spectacle.

Alice tira ses cheveux vers l'arrière et se démaquilla. Sa peau était devenue terriblement sèche en vieillissant. Elle était fine comme du papier et semblait se déchirer au moindre choc. Elle enfonça ses doigts dans un pot d'Eucerin, comme elle le faisait tous les soirs, puis étala la crème sur la peau de ses jambes craquelées. Demain, elle déjeunerait avec le père Donnelly. Peut-être qu'il lui remonterait un peu le moral.

Elle éteignit la radio et alla au lit. Il était devenu trop grand pour elle seule. Les souvenirs affluèrent, et elle dut laisser la lumière allumée, comme une enfant apeurée.

Le tournoi de foot de l'université de la Sainte-Croix de Boston, à Fenway Park, tombait le 28 novembre 1942, deux jours après Thanksgiving. Les frères d'Alice, Timmy et Paul, ainsi que beaucoup de leurs amis, étaient en permission pour deux semaines et ne tenaient pas en place. Ils parcouraient la ville en uniforme, et toutes les filles se retournaient sur eux. Ses autres frères n'étaient pas rentrés : Jack était sur l'*USS Augusta,* quelque part au large des côtes d'Afrique du Nord ; Michael, qui n'avait que quinze ans, se battait dans le Pacifique. Officiellement, il était trop jeune, mais il avait réussi à s'enrôler dans l'armée, pour ne pas rater cette grande aventure.

Avec deux des quatre garçons à la maison, sa mère, qui vivait dans la peur de les perdre tous au front, avait organisé un Thanksgiving d'anthologie : de la dinde en sauce, une purée de pommes de terre au beurre, un gratin, et le gâteau aux pommes de Mary en guise de touche finale. Le lendemain, ils ne pouvaient plus avaler une seule bouchée.

Les garçons espéraient tous aller à l'université de Boston, après la guerre. Ils étaient depuis toujours de fervents supporters des Eagles. Cette année, le Boston College était invaincu et gagner ce match revenait à décrocher son billet pour le Sugar Bowl. Mais lors d'un coup de théâtre qui mit ses frères dans tous leurs états (ils avaient très certainement perdu énormément en pariant sur ce match), Holy Cross gagna, à 55 contre 12.

Alice s'en fichait éperdument, elle n'avait même pas accompagné les garçons au match. Toute la journée, elle s'était apprêtée pour rencontrer Daniel Kelleher au Cocoanut Grove, le soir même. Mary ne l'accompagnait pas. À la dernière minute, son Henry lui avait trouvé des billets pour un spectacle au Shubert.

« Tu vas m'obliger à y aller seule ? s'était plainte Alice le matin dans la salle de bain alors qu'elles faisaient leur toilette.

— Tu ne seras pas toute seule, il y aura les garçons là-bas.

— Mary, tu as intérêt à nous retrouver après ton spectacle.

— Oui, oui, on verra ce que veut faire Henry.

— Henry ! Henry ! Il n'y en a que pour lui !

Alice sortit et claqua la porte derrière elle.

— Allons, Alice…, lui lança gentiment Mary.

Elle partit peu après.

— Bonne chance pour ce soir », dit-elle en pinçant la joue d'Alice.

Alice passa l'après-midi à se faire une beauté, toute seule, ce qui était mille fois moins amusant. Mais au moment de partir, elle savait que c'était réussi. Sa robe argentée tombait parfaitement sur ses hanches et dissimulait ses chaussures un peu abîmées. Elle appartenait à Mary et était un peu grande pour elle.

Alice avait noué un ruban bleu autour de sa taille pour l'ajuster. Elle portait les gants favoris de Mary en daim gris et son manteau de vison. C'était un cadeau d'Henry, mais Mary ne le mettait presque jamais. *Qui va à la chasse perd sa place,* se dit Alice. C'était l'hiver. Il fallait tout de même se couvrir.

Elle ne possédait pas une seule robe mettable pour se rendre au Cocoanut Grove. Tout le monde serait en tenue de soirée, et elle n'allait quand même pas essayer de dissimuler un vieux tailleur sous des colliers de perles, comme le lui avait suggéré sa mère. Ses frères l'avaient invitée. Un compagnon d'équipage de Tim avait un frère plus âgé, nommé Daniel, qui avait fréquenté Holy Cross. Il était en permission chez lui pour une semaine. Timmy s'était mis en tête que ce grand frère se devait d'épouser l'une de ses sœurs.

Pendant des semaines, il avait écrit à Alice en lui expliquant à quel point Daniel était merveilleux. Même s'il n'avait pas fréquenté l'université de Boston, il était gentil, drôle et malin comme un singe. Et patient comme un ange, avec ça. (*Parfait pour une casse-pieds comme toi!* avait-il écrit.)

Alice lui avait rétorqué : *S'il te plaît tellement, pourquoi ne l'épouses-tu pas? Très drôle,* avait répondu Tim quelques semaines plus tard. *Accompagne-nous au match du Boston College à la fin du mois, et on ira danser quelque part.*

N'ayant aucune intention de rencontrer un prétendant dans le froid glacé et le vent d'un match de football, elle avait convenu de retrouver les garçons plus tard, au Cocoanut Grove. En fait, elle avait accepté l'invitation parce qu'elle mourait d'envie d'y retourner.

Alice s'y était rendue à deux reprises, une fois pour voir Joe Frisco [34] et l'autre, Helen Morgan [35]. Elle adorait cet endroit — le grand bar ovale derrière la scène, la vaste piste de danse entourée

---

34. Comédien très populaire dans les années quarante et cinquante, connu pour ses danses excentriques.

35. Comédienne et chanteuse américaine des années quarante et cinquante, connue pour ses *torch songs* (chansons d'amour dramatiques).

de tables recouvertes de draps blancs. La pièce était entourée de palmiers. En été, le toit s'ouvrait pour permettre aux couples de danser sous les étoiles.

Elle arriva à sept heures et demie, pile à l'heure, et se glissa à travers la porte tambour telle une star de cinéma. Elle portait un rouge à lèvres rouge vif que sa tante Rose lui avait envoyé de New York à Noël. Elle avait imité la coiffure de Veronica Lake dans *Le voyage de Sullivan*.

À l'intérieur du club, des centaines de personnes se tenaient pressées les unes contre les autres : des douzaines d'hommes séduisants en uniforme, des femmes magnifiquement vêtues. La pièce était bondée, toutes les tables, réservées. Alice chercha ses frères du regard, en tentant de se frayer un passage. Elle jeta un œil sur la piste de danse bondée mais ne vit personne. Elle fit durer les banalités d'usage avec la fille rousse qui tenait le vestiaire, simplement pour se donner une contenance : *Oui, il faisait vraiment froid dehors. C'est vraiment dommage pour le Boston College. L'équipe entière devait être là ce soir, au grand complet, pour fêter leur victoire, mais avait annulé, et c'était dommage, vraiment, parce que la rousse en pinçait sévèrement pour l'arrière du Boston College depuis une éternité.*

Quand elle revint vers la piste de danse, les garçons n'étaient toujours pas arrivés. Elle resta donc seule au bar, se sentant idiote. Elle se promit de faire assassiner ses frères dès qu'ils se montreraient. Elle tenait les gants de Mary dans une main et s'amusait à les agiter avant de se rendre compte qu'on risquait de la prendre pour une entraîneuse. Elle les posa sur le bar en chêne et se mit à compter les minutes, de plus en plus mal à l'aise.

Il était huit heures moins dix quand ils se décidèrent à apparaître, saouls comme des barriques et flanqués de deux étrangers. Les frères d'Alice étaient de grands gaillards. Les deux types qui les accompagnaient avaient l'air d'épouvantails en comparaison — plutôt petits et frêles, avec des cheveux couleur de paille. Ils parvenaient à peine à remplir leurs uniformes.

« La voilà! cria son frère Paul, beaucoup trop fort. Même au milieu de la cohue, quelques personnes se retournèrent pour la dévisager.

— Vous êtes en retard, siffla-t-elle, alors que les garçons s'approchaient. J'attends ici depuis des heures.

— Oh, ça va, n'en fais pas trop, dit Paul. Nous n'avons que quelques minutes de retard, et crois-moi tu n'aurais pas aimé nous voir avant que l'on prenne un verre. Tim était en larmes! »

Ils éclatèrent d'un grand rire.

À ce moment précis, elle pensa que ses frères allaient devoir retourner sur le front, comme tant d'autres jeunes hommes dans cette pièce. On entendait tous les jours parler de garçons tombés sous les balles. Et pourtant, ils parvenaient encore à s'attrister pour le résultat d'un match de football, et à s'habiller pour aller danser. La vie ne s'arrêtait pas pour autant. L'un des épouvantails tendit une main :

« Daniel Kelleher, dit-il. Ravi de vous rencontrer. »

« Est-ce qu'il est beau? avait-elle demandé à son frère Timmy lors du dernier Thanksgiving. Il avait pouffé avant de dire : « Il ressemble à Clark Gable, ça te va? »

Visiblement, il s'était moqué d'elle.

« Je peux vous offrir un verre? demanda l'épouvantail.

Elle commanda un gin-tonic avec du citron.

Il se dirigea vers le bar, et elle en profita pour attraper Tim par la manche.

— Comment as-tu pu oser? siffla-t-elle.

— Mais de quoi tu parles?

— Il est affreux!

— Ne sois pas si snob. Donne-lui une chance, OK?

Daniel revint quelques minutes plus tard avec un verre de liquide transparent sur un tas de glaçons.

— Voilà qui devrait nous permettre de briser la glace », dit-il, fier de sa plaisanterie.

Alice le détesta sur-le-champ. Elle saisit le verre et se tourna vers les autres pour bien lui signifier qu'elle n'était pas intéressée.

« Ah, ce sont vraiment de mauvais perdants », dit Daniel en riant.

Elle plissa les yeux. Il pensait sans doute également à ses propres frères, mais elle n'appréciait pas du tout qu'il parle des siens de cette façon.

« Ne jamais sous-estimer le pouvoir des Crusaders, continua-t-il, ravi. 55 à 12, comment vous vous sentez les gars ? Ça fait mal, hein ?

— Il n'y a rien de pire qu'un mauvais gagnant, dit Alice.

Et elle avala son gin d'un trait.

— Oh, oh, dit Timmy. Ne l'écoute pas. Elle est dure avec nous également.

— Non, elle a raison, dit Daniel en souriant. Ce n'était pas des manières de gentleman.

— Eh bien, j'imagine que je te dois un verre, dit Timmy.

— Tu me dois plus que ça, mais on en parlera quand ta sœur ne sera plus là, répondit Daniel en riant.

Alice vida son verre.

— Timothy, un autre gin-tonic. Tu me dois un verre aussi. »

Timmy se dirigea vers le bar, et les autres garçons se mirent à parler de football.

Daniel se tourna vers elle.

« Vos frères m'ont dit que vous travailliez dans un cabinet d'avocats. Ça doit être intéressant.

— Non, pas tellement.

— Allez ! Si je faisais ça, j'essaierai de fouiller dans tous les dossiers pour trouver les scandales. Qui fait un procès à qui, tout ça.

Elle n'y avait jamais pensé. Ce n'était pas une mauvaise idée.

— Je fais des économies pour partir à Paris quand la guerre sera terminée, dit-elle, ce qui était quasiment vrai. Je vais être peintre. En tout cas, j'aimerais bien.

— C'est bien d'avoir un rêve, reprit-il. Ma mère nous l'a toujours dit. »

Ce n'était pas un stupide *rêve*, quelqu'un avait payé pour son œuvre, mais il ne s'arrêtait plus.

« Ça fait six mois que j'entraîne les recrues au tir sur le navire où je suis embarqué. Eh bien, c'est assez ennuyeux par moments. Avant, j'étais junior dans une compagnie d'assurances, et c'était aussi ennuyeux que cela en a l'air. Dire qu'il faudra y retourner un jour… J'ai un rêve aussi. Je veux frapper comme Ted Williams [36]. Pour m'aider à tenir, je pense à ça. Sur le bateau, je m'attire toujours des ennuis avec mes coups imaginaires.

Il mima le geste du batteur au beau milieu du club.

— Hé, avez-vous entendu parler du frère de Ted Williams? Je crois qu'il ne fait rien de bien de sa vie. Le pauvre Ted achète une maison toute neuve et la meuble. Son frère se ramène, gare un camion devant l'entrée, et vole tous les meubles. Tous! Il a même pris la machine à laver. Il a tout vendu après. Vous vous rendez compte?

Alice le regarda, impassible. Elle voulait rentrer.

— Mon Dieu, je suis désolé. Quand je suis nerveux, j'ai tendance à parler beaucoup trop. Est-ce que je peux dire que vous êtes magnifique?

Ses doigts jouaient avec ses manches de chemise.

— Votre frère m'avait dit que vous étiez une beauté, mais là… Wouah! Comment a-t-il pu imaginer qu'un type comme moi pourrait sortir avec une fille comme vous? »

Tu l'as dit, pensa Alice, mais elle lui sourit en retour.

Quand Timmy revint, elle but rapidement son second verre de gin-tonic, puis encore un autre. Elle se sentait légère et se mit à se balancer au rythme de la musique. Elle n'avait pas dîné — elle ne mangeait jamais avant un rendez-vous. Ce Daniel n'était pas le genre de type pour lequel vous aviez besoin de vous affamer mais, finalement, il n'était peut-être pas si mal.

Il l'invita à danser. C'était un air entraînant, « Ne reste pas sous le pommier » dans une version encore meilleure que celle de Glenn Miller qui passait souvent à la radio. Elle fut agréablement surprise en découvrant que Daniel n'était pas si empoté qu'il en avait l'air. Il la prit par le dos, et elle sentit la chaleur de sa main sur sa colonne vertébrale. Il la fit tourner encore et encore jusqu'à ce qu'elle ait le vertige. Après un moment, Alice saisit son bras et lui dit :

« Il faut que je m'assoie. »

36. Joueur de base-ball des années quarante, star de l'équipe des Red Sox de Boston.

Il l'attira hors de la piste. Ses frères étaient partis au cinéma pour effacer l'humiliation de la défaite. Alice n'arrivait pas à croire qu'ils l'avaient plantée là. Mais c'était pourtant la réalité. Il n'y avait plus de sièges libres au bar. Daniel s'approcha d'un groupe en uniforme de l'armée de l'air. Il prit un soldat par le bras.

« Hé, est-ce que tu laisserais ta place à une dame ? »

Le jeune homme sauta sur ses pieds — il était grand avec des cheveux de jais et des épaules larges. Si seulement Daniel Kelleher pouvait lui ressembler un petit peu…

« Tout le plaisir est pour moi », dit-il en se levant.

Alice faillit le prendre par le bras et lui dire qu'elle n'était pas avec ce type, en tout cas, pas vraiment. Elle s'imaginait déjà raconter à ses amies, des années plus tard, comment ils s'étaient rencontrés alors qu'elle était au beau milieu d'un rendez-vous affreux, organisé par ses imbéciles de frères. À ce moment-là, l'amour de sa vie lui avait offert sa chaise. Mais l'homme disparut dans la foule immédiatement.

« Est-ce que je peux vous offrir quelque chose ? demanda Daniel. Un autre verre ? De l'eau ? »

Elle savait qu'elle ferait mieux de passer à l'eau, ou de dîner pour ne pas rester l'estomac vide, mais Alice se contenta de dire :

« Je prendrais bien un autre verre de gin. »

À cet instant, alors qu'il se penchait pour attirer l'attention du barman, Alice vit sa sœur en train de discuter avec une femme plus âgée, magnifiquement habillée. Mary avait les joues roses, et elle portait une robe vert émeraude qu'Alice n'avait jamais vue auparavant. La portait-elle sous son manteau ce matin ? Ou bien Henry la lui avait-il offerte aujourd'hui ?

Elle était en train de rire. Alice trouvait que sa sœur ressemblait maintenant à un de ces membres de la haute société. Elle se sentit mal à l'aise. Un peu plus tard, Mary la repéra à son tour. Elle embrassa la femme sur la joue et fit de grands gestes en direction d'Alice. Mary se mit à traverser la foule alors que l'orchestre changeait de style et se lançait dans un morceau langoureux, un des préférés d'Alice, « Moonlight Serenade ».

À mi-chemin, Mary entraîna quelqu'un attablé avec des hommes élégants et des femmes richement vêtues : c'était Henry. Elle lui murmura quelque chose à l'oreille, et il se leva. Ils s'avancèrent lentement vers le bar.

« Te voilà ! dit Mary alors qu'elle arrivait au niveau d'Alice. Elle embrassa sa sœur et jeta un œil surpris à Daniel. Je t'ai cherché partout. Où sont les garçons ?

— Ils sont allés au cinéma, dit Alice. Qu'est-ce que tu fais là ?

— Tu m'as demandé de venir. Et justement, on a retrouvé des amis d'Henry. Coup de chance, ils avaient une table.

Puis, elle regarda vers Daniel.

— Voici l'ami de Timmy.

— Daniel Kelleher, dit-il en tendant son bras et en serrant vigoureusement la main d'Henry comme s'il se saisissait d'un marteau. Ravi de vous rencontrer…

— Henry. Et voilà Mary bien sûr.

— Ma sœur, rajouta rapidement Alice.

— J'ai entendu parler de vous, dit Mary.

Sa timidité habituelle semblait s'être envolée.

— En bien j'espère, dit Daniel.

— Oh oui.

Elle se tourna vers Alice et lui sourit.

— J'aime beaucoup ta robe.

— Oui, elle est à toi, je sais. Je voulais…

— Non, vraiment, elle te va très bien. Tu peux la garder. »

Cette phrase excéda Alice. Comment sa sœur osait-elle lui parler avec autant de condescendance ? Elle essaya de se remémorer l'épître aux Philippiens — de l'humilité avant tout.

Henry et Daniel se tenaient au milieu d'un essaim d'hommes qui tentaient tous de commander à boire au bar.

« C'est l'enfer, ici, dit Daniel.

Henry aborda un barman en smoking.

— Charles, pouvez-vous nous aider ?

— Absolument », monsieur Winslow.

Daniel devint écarlate.

« Comment ça se passe ? demanda Mary à Alice lorsqu'elles se retrouvèrent seules.

— Ce rendez-vous est clairement un désastre, dit-elle avec un sourire conciliant. Je ne remercie pas mes frères.

Mary baissa la voix et regarda par-dessus son épaule, s'assurant que Daniel ne pouvait pas entendre.

— Il n'a pas l'air si mal. Tu prêtes trop d'attention aux apparences.

— Tu reconnais donc qu'il est affreux !

Mary sourit.

— Chut ! Mais non ! Un peu terne, peut-être…

— Je vise un peu mieux que ça, figure-toi.

— Bon d'accord, sourit Mary. C'est vrai que vous n'êtes pas très bien assortis.

— Je lui ai dit que je voulais devenir artiste, et il s'est mis à rire.

— Ah bon ?

— Oui, plus ou moins. D'ailleurs, il a sans doute raison. Cela n'arrivera probablement jamais.

Mary hocha la tête.

— Tu lui as raconté que tu avais vendu une de tes peintures ?

— Oh, ne sois pas idiote, dit Alice.

— Cette robe te va à ravir, en tout cas. Bien mieux qu'à moi. »

Les hommes revinrent avec des boissons, et Mary et Daniel se mirent à discuter de la Navy, plus particulièrement du sens de l'humour très particulier de Timmy. D'après Daniel, leur frère s'était pris une belle raclée pour avoir rasé le sourcil gauche d'un camarade pendant que celui-ci dormait, ivre mort.

« Et pourquoi pas les deux sourcils, demanda Mary ?

Alors que Daniel allait répondre, Henry attrapa doucement le poignet d'Alice pour attirer son attention.

— Dites-moi jeune fille, je peux vous dire un secret ? lui murmura-t-il à l'oreille.

— Bien sûr.

— Je crois que je suis un peu saoul.

— Moi aussi. Tu parles d'un secret.

— Non, je ne voulais pas parler de ça. Le secret, c'est que je vais demander votre sœur en mariage demain sur la plage. J'ai la bague sur moi. Il tapota sa poche et lui fit un clin d'œil. Je suis allée la chercher cet après-midi avant de la retrouver au théâtre. Vous êtes la seule à le savoir, avec ma sœur. Mon père veut que je dirige une branche de son entreprise à New York pendant un an ou deux, donc on va sans doute s'installer là-bas après le mariage. »

Alice s'efforça de sourire et de dire qu'il s'agissait d'une nouvelle merveilleuse. Après tout, c'était ce qu'elle voulait. Mais elle sentit la colère monter dans ses veines. Pourquoi Mary aurait-elle droit à l'amour, au grand amour même, et pas elle? Pourquoi Mary aurait-elle le droit de devenir libre et riche, de vivre comme elle l'entendait, de rencontrer des gens fascinants? Alice avait pensé qu'Henry serait leur chance à toutes les deux. Une fois encore, elle s'était montrée trop naïve. Elle se retrouvait avec ce type terne au possible tandis que Mary s'apprêtait à vivre comme Isabella Steward Gardner, à New York en plus.

Alice savait que sa rage et son entêtement n'étaient pas fondés, mais le savoir n'y changeait rien. Un rêve, voilà comment Daniel avait décrit ses projets. Peut-être qu'il avait raison. Elle se sentit stupide.

« Je vais demander sa main à votre père le matin pendant que vous serez à la messe, j'avoue que cela ne me ravit pas plus que cela, poursuivit Henry. Si jamais vous arriviez à la retenir une demi-heure de plus que d'habitude. Peut-être que vous pourriez aller prendre un petit déjeuner toutes les deux.

— Aucun problème, dit-elle d'un ton trop enjoué.

Puis elle se tourna vers les autres :

— Je vais rentrer.

— Quoi? Déjà? Reste avec nous. Il n'est pas si tard.

— Allez, restez, dit Daniel.

— Non, vraiment, merci.

— Allez, je t'offre un verre, dit Mary.

— Arrête de me prendre de haut comme ça, siffla Alice à sa sœur, répétant mot pour mot ce que son père avait dit quelques semaines plus tôt.

Mary fronça les sourcils.

— Qu'est-ce qui te prend ?

Alice se sentit aussitôt coupable.

— Descendons », poursuivit sa sœur.

En bas, il y avait le Melody Lounge, un bar sombre avec des alcôves le long du mur où Alice avait laissé Martin McDonough l'embrasser devant tout le monde une nuit d'été, dans un élan patriotique. Il devait partir le lendemain en Allemagne. Malgré tout son dévouement et son soutien aux soldats américains, elle lui avait tout de même demandé d'arrêter au bout d'un moment.

Alice jeta un œil à la table où Henry était assis. Évidemment, sa sœur n'avait pas daigné lui présenter ses nouveaux amis si sophistiqués. Elle pressentit qu'une fois intégrée dans ce monde, Mary ignorerait Alice et les siens. C'était inévitable. New York était à des heures de Boston. Pourquoi Mary ne lui avait-elle rien dit ?

« Non, vraiment. Je préfère rentrer.

— Oh, Alice !

Elle l'ignora et se tourna vers Daniel :

— S'il vous plaît, pouvez-vous aller chercher mon manteau. »

Il avait l'air gêné mais s'exécuta. Elle attendit son retour, en silence, avec Mary et Henry. Alice eut subitement honte quand Mary remarqua son vison sur le bras de Daniel. Aucune des deux sœurs ne fit de commentaire à ce sujet.

Alice enfila le manteau.

« À bientôt », dit-elle sèchement.

Elle se dirigea ensuite vers la sortie sans attendre de réponse. La foule devenait de plus en plus dense. Chacune des tables était pleine à craquer. Il était quasiment impossible de se déplacer. Daniel la suivait de près, attentif à ne pas la perdre de vue.

« Vous devriez être plus gentille avec votre sœur, dit-il, tentant de se faire entendre par-dessus le vacarme des voix, de la musique et des verres qui s'entrechoquaient.

— Vous ne savez rien de nous.

— C'est vrai. Vous avez raison. Ralentissez. Je vous raccompagne.

— Me raccompagner ? J'habite tout près, à Dorchester, dit-elle sans reprendre son souffle. Et de toute façon, je vis chez mes parents, je suis une fille sérieuse, alors ne vous faites pas d'idées. »

Elle savait qu'il n'avait aucune pensée de ce genre en tête, mais elle brûlait d'envie de se disputer. Elle sortit par la porte tambour, et il la suivit. Dehors, l'air était glacé. Alice serra le manteau de fourrure autour de son cou.

« Je voulais vous proposer de vous aider à trouver un taxi. Vous êtes bien décidée à ne pas m'aimer, n'est-ce pas Alice Brennan ?

Elle lui adressa un sourire pincé.

— Ravie de vous avoir rencontrée, dit-il. Je suis désolé, même si je ne sais pas trop pourquoi. J'imagine qu'un autre rendez-vous n'est pas envisageable.

— C'est vrai, répondit-elle, avant de reprendre plus doucement : désolée d'avoir gâché votre soirée.

— Vous n'avez rien gâché. La soirée vient à peine de commencer. Qui sait ? Peut-être que je vais y retourner et trouver une jolie fille… et l'inviter à danser.

— Vous devriez.

Il sourit, l'air gêné.

— Raté. J'espérais vous rendre jalouse. »

Daniel héla un taxi. Elle le regarda, se dit qu'elle ne le reverrait probablement plus jamais et que, finalement, elle s'en fichait pas mal. Elle avait hâte de rentrer chez elle. Au moment où le taxi s'immobilisa devant elle, Alice aperçut Mary qui sortait du club.

Daniel ne la remarqua pas. Il avait ouvert la porte de la voiture et se tenait à côté, mal à l'aise, sa main sur le toit du taxi.

« Prenez-le, dit-elle rapidement.

Elle ne souhaitait pas qu'il reste pendant qu'elle se disputait avec Mary.

— Je prendrai le prochain.

— Non, allez-y, j'insiste.

— Regardez, il y en a un autre qui s'arrête et il va dans ma direction.

— Vous êtes sûre ? »

Alice hocha la tête. Ils se souhaitèrent bonne nuit ; elle le laissa l'embrasser sur la joue. Son taxi s'éloigna le long de Piedmont Street.

Mary s'approchait. Alice retint sa respiration.

« Qu'est-ce qui ne va pas ? demanda Mary alors qu'elle arrivait à sa hauteur. Pourquoi t'es-tu enfuie comme ça ?

Alice se contenta de la regarder, sans prononcer un mot.

— Allons faire un tour, dit Mary. Il faut que je te parle.

— Je suis épuisée, insista Alice, je veux rentrer.

— Eh bien, dans ce cas, je viens aussi dit Mary.

— Et Henry ? Tu l'abandonnes à l'intérieur ?

— Il est avec ses amis, il se débrouillera. Et, de toute façon, on se retrouve à la plage demain. Je ne sais pas pourquoi d'ailleurs, il fait un froid de canard. À l'endroit où nous nous sommes embrassés la première fois. »

Alice comprit pourquoi il avait choisi ce lieu pour sa demande en mariage ; elle aurait dû être excitée mais, à la place, elle ne ressentait aucune émotion.

— Oh, oui… tes autres amis. J'espère qu'ils ne t'ont pas vue parler à de petites gens comme nous.

— Ah, parce que c'est ça le problème ? demanda Mary. Alice si tu savais… Ils me terrifient. La plupart ne lèveraient pas le petit doigt si je me noyais, par peur de mouiller leurs pantalons.

Alice s'en voulut d'avoir pensé du mal de sa sœur.

— Ne pars pas, reprit Mary. Il s'est passé quelque chose. Il faut que je te parle.

— Quoi ?

— Henry part à New York. Il me l'a dit hier soir, enfin disons plutôt que quelqu'un a mis les pieds dans le plat. Il avait l'air vraiment irrité, et il a dit qu'on en reparlerait demain. Alice, j'ai tellement peur qu'il ne m'emmène à la plage pour m'annoncer que tout est terminé. J'ai eu cette vision de nous deux ce soir, dans ce bar, devenant peu à peu d'horribles vieilles filles, chez leurs parents jusqu'à la fin des temps. »

Elle n'avait pas l'air tellement inquiète dans le club, mais Mary avait toujours su faire bonne figure en société. La poitrine d'Alice se serra. Au matin, les inquiétudes de Mary se dissiperaient. Elle se retrouverait avec tout ce qu'Alice avait rêvé d'avoir. *D'horribles vieilles filles.* Était-ce le sort qui attendait Alice ?

Elle aurait pu rassurer sa sœur. Mais, sans réfléchir, elle dit :

« Tu n'aurais pas dû coucher avec lui. »

Ces mots la soulagèrent sur le coup, puis, à peine une seconde plus tard, elle regretta de les avoir dits. Mary se décomposa. Elle se mordit les lèvres en silence. Alice frissonna.

« Tu dois avoir froid.

Elle fouilla dans son sac :

— Tiens, prends mes gants.

— J'en ai, lança sèchement Alice.

Mais elle se rendit compte qu'elle avait laissé les gants en daim de Mary sur le bar.

— Et mince, dit-elle sans réfléchir. Je les ai laissés à l'intérieur.

— Tu avais pris lesquels ? dit Mary.

Son ton détaché prouvait qu'elle connaissait déjà la réponse.

— Les gris, en daim.

— Oh Alice, ce sont mes préférés, tu le sais. J'ai économisé pour les acheter.

Alice savait qu'elle aurait dû se sentir coupable, mais elle n'y parvenait pas.

— Va les chercher, s'il te plaît, dit Mary.

— Non, je ne retourne pas dans cette foule.

— Arrête tes caprices et va les chercher. Je nous appelle un taxi.

— Non.

— Alice !

— Pourquoi y tiens-tu tellement ? Tu sais très bien qu'Henry t'en rachètera une paire.

— Pourquoi faut-il que tu sois toujours aussi méchante ?

— Je ne suis pas méchante. J'ai mal à la tête. Et c'est toi qui tiens tellement à ces fichus gants.

Mary cilla.

— Très bien, appelle-nous un taxi, je vais les chercher. »

Sa sœur fit demi-tour, soupira et rentra dans la boîte de nuit.

Alice resta dehors, figée comme une pierre. Elle alluma une cigarette et la fuma entièrement.

Quelques minutes plus tard, un taxi apparut au coin du pâté de maisons. Elle lui fit signe et grimpa sur la banquette arrière. Elle pensait laisser Mary mais, à la dernière minute, elle se ravisa :

« J'attends ma sœur, elle sera là dans une minute. »

Elle sortit un poudrier de son sac et se regarda dans le miroir. Son maquillage avait coulé. Elle semblait avoir vieilli de dix ans depuis le début de la soirée. Mary devait prendre son temps. Alice l'imaginait à l'intérieur prolongeant des adieux interminables. Comme si elle n'allait pas revoir Henry le lendemain même.

Le chauffeur s'impatientait et Alice commençait à se sentir gênée. *Dépêche-toi, mais dépêche-toi.*

Elle se regardait encore dans le miroir, quand elle entendit un vacarme venu de l'entrée du club, puis des explosions de voix, qui ne pouvaient traduire que de la joie ou une profonde terreur. L'espace d'un instant, elle se sentit jalouse de ceux qui pouvaient participer à ce tumulte, puis elle entendit le bruit du verre brisé et le hululement d'une alarme incendie.

Le chauffeur hurla :

« Seigneur ! On doit se tirer et vite, jeune demoiselle. »

Alice regarda, confuse. De la fumée sortait des fenêtres du Cocoanut Grove. Les gens se pressaient les uns contre les autres pour tenter de sortir par la porte tambour. Ils surgissaient sur le trottoir, tous en train de hurler ou de pleurer.

Sans réfléchir, elle sauta du taxi, incapable de respirer. Le chauffeur démarra. Elle passa le trottoir en revue, priant pour que Mary soit déjà sortie.

Les secondes s'étiraient comme des heures. Elle se sentait rivée au sol, incapable du moindre geste. Les sirènes rugissaient, des pompiers la bousculèrent pour passer.

« Ma belle, il faut vous tirer d'ici et vite ! Vous risquez d'être blessée.

— Ma sœur est là-dedans ! cria-t-elle hystérique. Vous devez l'aider !

— Rentrez chez vous ! Allez prévenir vos parents. Ça va aller. Rentrez chez vous. »

Alice les regarda se frayer un chemin à l'intérieur, mais ils ne parvenaient pas à entrer. Ils poussaient le plus fort possible. L'un des pompiers hurla aux autres qui étaient en train de défaire le tuyau d'incendie :

« Bon sang, on ne peut pas entrer. Ils hurlent à la mort là-dedans. La porte doit être bloquée de l'intérieur.

— Casse-la! cria une voix

Ils prirent des haches. En vain.

— On n'a pas le temps! » hurla le premier type.

Alice était sur le point de s'évanouir. Elle voulut rentrer et attraper la main de Mary, mais l'entrée principale était bloquée par des gens empilés les uns sur les autres, comme des dominos tombés à terre. Certains réclamaient de l'aide, d'autres piétinés, asphyxiés, agonisaient dans le hall. Elle était terrifiée, trop effrayée pour être courageuse.

Les pompiers parvinrent à accéder aux fenêtres et quelques personnes purent ainsi s'échapper. Elle les regarda. Elle priait alors qu'elle scrutait les visages à la recherche de Mary.

Le chaos régnait sur le trottoir, si vide et si calme quelques minutes plus tôt. Les rescapés hurlaient pour que l'on aide leurs proches coincés à l'intérieur. Des marins et des soldats, tous en permission pour Thanksgiving, se retrouvaient à jouer les secouristes. Ils avaient échappé à la mort dans les combats au loin, mais se retrouvaient à porter des cadavres. Ils repartaient pour la quatrième ou cinquième fois dans les flammes. Certains d'entre eux ne revinrent pas.

« On ne peut pas tous les sortir, hurla un jeune homme qui portait une vieille femme dans ses bras.

Un autre bredouilla.

— Je l'ai agrippée, et son bras m'est resté dans la main.

Alice leur hurla de toutes ses forces :

— Vous devez aller chercher une fille qui s'appelle Mary! S'il vous plaît! Elle porte une robe verte! S'il vous plaît! »

Les flammes sortaient désormais du toit du club et une énorme foule était rassemblée dans la rue, bloquant le passage des camions de pompiers. Les soldats formèrent un cordon de sécurité et repoussèrent la foule vers Shawmut Avenue.

Tout était allé si vite. Alice se mit à courir vers Broadway, pensant que, peut-être, elle trouverait ses frères au cinéma. Ils seraient capables de sauver Mary, eux. Elle passa devant les fenêtres du club qui donnaient sur Piedmont Street. Des personnes avaient réussi à briser les vitres, mais ils s'étaient retrouvés coincés par les barreaux des fenêtres, à moitié saufs et à moitié condamnés, leurs visages à l'air libre et leurs corps pris dans les flammes. Ils hurlaient. Un prêtre se tenait devant la fenêtre, sur le trottoir, et leur donnait les derniers sacrements.

Alice regarda cette scène et cria le nom de sa sœur. Elle ne pouvait plus bouger.

Les blessés attendaient les secours sur le trottoir et dans le garage d'à côté. Après un moment, des ambulances surgirent, venant de Lynn, Newton, Brookline, et de la base marine de Charleston. Il n'y en avait jamais assez. Des taxis prirent en charge des victimes.

Alice vit deux hommes charger sans ménagement des blessés à l'arrière d'un camion de journaux. Elle protesta, avant de réaliser qu'ils étaient tous morts. Elle vomit dans l'égout et perdit l'équilibre. Un jeune homme en uniforme vint et la prit par le coude.

« Ça va, mademoiselle ? Il faut qu'on vous ramène chez vous. »

Elle ne conserva aucun souvenir du trajet, ni d'être montée dans le bus, ni d'avoir marché jusqu'à la maison de ses parents. Elle se trouva soudain devant l'entrée. Le calme du voisinage lui parut incompréhensible après ce qu'elle venait de voir. Puis, elle se vit en train de tourner la poignée et de rentrer, détachée de son corps comme dans un rêve.

Ils étaient assis dans le couloir. Leurs visages s'illuminèrent lorsqu'elle franchit la porte.

« Tu es vivante ! dit sa mère.

Elle n'avait jamais eu l'air aussi heureuse de la voir.

— Il y a eu un incendie affreux au Cocoanut Grove. On l'a entendu à la radio. Oh merci, Seigneur. »

Les garçons bondirent et la tinrent serrée. Même son père la prit dans ses bras. Alice se sentit terriblement aimée à cet instant, jusqu'à ce qu'elle se souvienne.

« Mary était à l'intérieur.

— Comment ça ? demanda Timmy.

Alice faillit leur raconter toute l'histoire, mais elle n'y parvint pas.

— Je l'ai croisée à l'intérieur. Je ne crois pas qu'elle soit sortie. J'étais déjà dehors quand le feu s'est déclaré. Je ne pouvais plus rentrer.

— Peut-être qu'elle est partie avant toi, dit sa mère. Tu n'en sais rien.

Alice se mit à sangloter. Elle ne pouvait pas leur dire la vérité.

— J'espère. »

Le lendemain, une pluie glaciale tombait lorsqu'ils se rendirent à la morgue. Le maire Tobin en personne lut les noms des personnes décédées. Leur père ne vint pas. Il n'y avait qu'Alice, ses frères et sa mère. À chaque nouveau nom, un hurlement de douleur s'élevait. Alice ne pouvait s'empêcher de se demander si le mari, la femme, ou le fiancé de la victime était au courant. Ils avaient peut-être passé le week-end au bord de la mer, sans allumer la radio. Elle aurait préféré qu'elle et sa mère soient dans ce cas.

Une heure plus tard, le maire parvint au bout de la liste sans mentionner nom de Mary.

« Peut-être qu'elle est encore vivante, dit sa mère pleine d'espoir. »

Alice ne demandait qu'à le croire, mais elle surprit l'expressions de ses frères. Alors, elle sut, immédiatement.

Ceux qui étaient morts en essayant d'aider avaient été empilés dans les couloirs de l'hôpital. Pendant ce temps, docteurs et infirmières s'activaient auprès des rescapés. Les cadavres étaient encore là. Alice dut se couvrir le nez avec la manche de son manteau.

Des centaines de corps étaient alignés sur des brancards, quelques-uns brûlés au dernier degré, on ne pouvait pas les reconnaître. Tous les médecins légistes de l'État avaient été réquisitionnés afin d'identifier les morts. C'était plus difficile pour les femmes. La plupart des hommes avaient leur permis de conduire dans leur portefeuille. Mais les femmes, vêtues de robes de bal, ne portaient pas de papier d'identité.

Ils arpentèrent ces salles en silence des heures durant. Alice ne regardait que les robes, pour reconnaître la tenue de Mary. De toute façon, elle n'aurait jamais pu regarder les visages. Elle avait mené sa sœur à la baguette, mais elle l'avait protégée aussi.

Maintenant, tout cela ne voulait plus rien dire. Mary était probablement morte, et c'était la faute d'Alice.

Une infirmière leur expliqua qu'ils risquaient de manquer de sang pour les perfusions. Le gouvernement avait donc autorisé l'accès à toutes les banques de sang, mises en place en cas d'attaques aériennes. Et, la police utilisait aussi des méthodes prévues pour les raids aériens. Ils attribuaient des cartes aux victimes : blanc pour les disparus, vert pour les blessés et rose pour les morts identifiés. Chacun s'était préparé à la guerre. Mais la mort avait frappé, autrement.

Alice tenta de conclure un marché avec Dieu : s'ils retrouvaient Mary vivante, elle n'espionnerait plus jamais Trudy, elle n'aurait plus de sautes d'humeur, elle apprendrait à cuisiner et serait sage. Elle regarda le ciel et Lui dit que sa sœur avait commis le pire des péchés, elle le savait, mais si seulement il pouvait la laisser vivre, Mary se rachèterait. Elle épouserait l'homme avec qui elle avait péché et élèverait une bonne famille catholique.

Dans les jours qui suivirent, ils apprirent que l'incendie avait commencé quand deux jeunes amoureux s'étaient embrassés dans un coin du Melody Lounge. La fille avait trouvé que ce n'était pas très discret, que les lumières étaient trop vives. Son fiancé retira donc une ampoule de l'éclairage au-dessus de leurs têtes, sur un câble étendu d'un palmier à l'autre. Quelques minutes plus tard — ils l'avaient oublié —, ils furent interrompus par un ami qui se moquait d'eux ou attirés sur la piste de danse. Le pianiste venait juste d'entamer le premier couplet de « Bell Bottom Trouser ».

Pendant ce temps, un barman demanda à un apprenti serveur de seize ans de remplacer l'ampoule manquante. Il grimpa sur une chaise et alluma une allumette pour y voir quelque chose. Tandis qu'il tenait l'allumette dans une main, et l'ampoule dans une autre, il mit le feu à l'un des palmiers artificiels.

Des décorations, qui venaient tout juste d'être suspendues autour du bar, prirent feu. Les flammes s'engouffrèrent le long des escaliers, déchirèrent le mince drap de soie qui montait jusqu'au toit. Des boules de feu tombèrent sur les tables, le bar, l'estrade et le sol. Sept cents personnes étaient là. Ils dansaient, flirtaient. Une minute plus tard, ils se ruaient vers les portes pour s'en sortir vivants.

La pièce s'était remplie très vite de fumée. Les portes étaient verrouillées. Les gens couraient sans but dans toutes les directions, ils hurlaient comme des démons avant de mourir asphyxiés ou écrasés. À la fin, les cadavres s'empilaient sur six mètres de haut à chacune des entrées. Puis le sol de la piste de danse s'effondra et les morts tombèrent dans le sous-sol.

Plus tard, on retrouva plus de quatre cents manteaux de fourrure, tous détruits par l'eau et la fumée. La fille rousse du vestiaire, celle qui avait un faible pour l'arrière du Boston College, gisait morte au milieu.

Le chef des pompiers déclara au *Globe* qu'il ne s'agissait pas d'un incendie particulièrement grave. Si les gens n'avaient pas paniqué et bloqué la seule sortie, s'ils avaient laissé entrer les pompiers, il n'y aurait eu qu'une poignée de victimes.

Le lourd bilan est dû à la foule affolée qui avait coincé les entrées de la boîte de nuit, expliquait le journal le lendemain. *Un nombre très élevé de personnes périrent asphyxiées, les autres furent brûlées vives.*

Quatre cent quatre-vingt-dix-neuf personnes périrent au Cocoanut Grove.

Le corps de Mary fut identifié après cinq jours de recherches, dans une morgue à Scituate. Elle avait été piétinée, son visage écrasé par les bottes d'un homme qui devait faire deux fois sa taille. Il était impossible de dire combien de temps elle avait agonisé, ni à quel point elle avait souffert.

Cette nuit-là, Alice but une demi-bouteille de whisky, dérobée dans la cachette secrète de son père sous l'escalier de la cave. Puis, elle s'évanouit. En face, le lit de Mary restait vide. Alice se tourna contre le mur. Elle se réveilla bien après la fin du dîner. Elle vomit, le whisky la brûlait comme de l'essence, le sang battait contre ses tempes. Alors qu'elle était à genoux, elle remarqua une broche en perles que sa sœur avait dû laisser tomber derrière le lavabo. Alice la saisit, s'adossa contre la baignoire, et fit courir le bijou sur sa peau.

Elle irait en enfer pour ce qu'elle avait fait, c'était une certitude. Elle mourait d'envie de le raconter à quelqu'un — sa mère, son frère Tim —, elle voulait avouer que c'était sa faute si Mary était repartie dans la boîte de nuit. D'une certaine façon, elle l'avait assassinée. Leur père pleurait, les bras sur la table de la cuisine, la tête dans les mains. Il jeta un regard furieux à Alice. Elle en fut terrifiée.

Le lendemain de la découverte du corps, elle se leva tôt, la gorge serrée et les mains tremblantes. Elle voulait cacher le journal pour retarder le moment où son père verrait le nom de Mary dans les listes. Quand Alice ouvrit la porte, une bouffée d'air glacé la saisit. Elle déplia le journal et vit en plein milieu de la première page le visage d'Henry, le Henry de Mary, sur une photo officielle de l'université.

Alice se mit à lire le premier paragraphe de l'article, la poitrine serrée : *Henry Winslow, le fils de Charles Winslow III, est mort asphyxié. M. Winslow avait survécu à un accident de bus en 1931, qui avait coûté la vie à deux de ses camarades de Harvard et au chauffeur. Il était cadre chez Winslow Shipping Enterprises. On a trouvé une bague en diamant dans la poche de sa chemise, après son admission au Boston City Hospital. Sa sœur, Betty Winslow nous a déclaré qu'il avait prévu de demander en mariage sa fiancée, le lendemain du drame. Selon des sources médicales, Mlle Brennan est également morte dans l'incendie. Elle restera pour toujours Mary, la petite fiancée.*

La peine submergea Alice. Elle eut l'impression qu'elle ne pourrait pas continuer à vivre. À la messe du matin, les prières et les sermons qui l'avaient toujours inspirée et aidée à comprendre le monde lui semblaient désormais vides. Elle ne ressentait plus rien. Quand la messe se terminait, elle ressassait toujours la même pensée : elle ne méritait plus de recevoir l'amour de Dieu, elle avait commis le pire des péchés.

Alice priait non pas pour le pardon mais pour recevoir un signe, un signal de Dieu qui lui montrerait comment se racheter. Je cesserai de toujours souhaiter mieux que ce que je mérite, promit-elle. Désormais, elle se tiendrait bien et n'attendrait rien en retour.

Le matin de l'enterrement, sa tante Emily lui dit :

« Alice, il est temps que tu grandisses. J'espère que tu vas t'occuper de tes parents et leur prodiguer quelques joies. »

Alice comprit alors que ses rêves étaient derrière elle et se contenta de répondre « oui ». Elle se demandait cependant ce que voulait dire sa tante. Comment pouvait-elle rendre ses parents heureux ? Elle s'imagina rester seule toute sa vie, en vieille fille, pas en célibataire comme elle l'avait maintes fois rêvé. Elle passerait ses journées à travailler au cabinet d'avocats et ses soirées à écouter la radio pendant que son père se saoulerait et que sa mère ferait semblant de ne rien voir. Elle consacrerait sa vie à leur préparer le dîner et à s'occuper d'eux dans leurs vieux jours. C'est ce que Mary aurait fait.

Le même matin, une lettre arriva, adressée à Mary et Alice. C'était un petit mot joyeux de leur frère Jack, écrit pour Thanksgiving, deux jours avant l'incendie.

Un petit coucou de la boîte de conserve ! Joyeux Thanksgiving ! À bord aujourd'hui, l'ambiance est à la fête, même si nous sommes loin de chez nous et que nos familles nous manquent. On a un menu royal pour le dîner, en tout cas, c'est l'impression que l'on a en lisant les noms qu'ils donnent aux plats : roulés chaud « du Liautey », jambon épicé « à la capitaine de vaisseau », et, pour le dessert, gâteau aux pommes, glace aux framboises, des cigares et des cigarettes ! Le capitaine nous a dit que nous avions survécu à tant d'attaques « pas grâce à nos dons ou à notre bonne fortune, mais sans aucun doute grâce à l'intervention de la Divine Providence ». Donc, mes chéries, ne vous en faites pas pour moi. Dieu est avec moi.

Jack

Lors de la veillée funèbre, Alice se rendit toutes les demi-heures aux toilettes pour boire de longues gorgées de vodka d'une flasque que sa tante Rose avait amenée.

Ils avaient été obligés d'opter pour un cercueil fermé. Alice en fut soulagée. Malgré tout, c'était une véritable torture de serrer calmement les mains des voisins, des cousins, des amis... « On est là pour toi. Toutes nos condoléances. »

Alice voulait leur arracher les cheveux. Elle voulait leur dire qu'ils ne pourraient jamais comprendre. Elle se demanda combien d'entre eux étaient venus pour faire partie de la tragédie, pour avoir une histoire à raconter — *J'ai connu une fille avec qui j'allais au catéchisme qui est morte au Cocoanut Grove. J'étais à sa veillée funèbre. Elle était tellement défigurée qu'ils n'ont même pas pu montrer son corps.*

Elle se tenait près du cercueil avec sa famille. Ses frères restaient de marbre, immobiles dans leurs costumes sombres, sans décrocher un mot. Sa mère ne parvenait pas à rester debout et dut s'asseoir sur une chaise pliante pendant que tante Rose lui faisait de l'air. Leur père était au bout de la file, des larmes perlaient au coin de ses yeux sans jamais tomber.

L'après-midi s'étirait. Alice tenta de se concentrer sur une fenêtre à l'arrière de la pièce, une mince tranche de ciel bleu. Sa tête brassait des pensées sombres qu'elle brûlait de hurler à haute voix. Ils étaient en train d'enterrer sa sœur cadette, et c'était sa faute à elle. Pour la plupart des gens dans le monde, c'était un jour comme les autres. Là-bas, dans d'autres villes, d'autres pays, des femmes faisaient les courses, apprenaient à leurs enfants à faire du vélo, ou se préparaient pour aller voir un film. Alice ne connaîtrait plus jamais l'une de ces journées innocentes. Elle ne le méritait d'ailleurs pas. Sa vie était terminée, tout comme celle de sa sœur.

Puis, elle les vit passer la porte : Daniel Kelleher, le type à tête d'épouvantail qu'elle avait rencontré au Cocoanut Grove et son frère. Alice quitta sa place et sentit les regards de sa famille posés sur elle. Elle longea une grande table remplie de sandwiches et de cake et retrouva Daniel, lui prit la main et lui souffla :

« Vous voulez fumer une cigarette ? »

Il serra sa main en retour, plus fort qu'elle. Bien que sa paume soit moite, Alice ne se déroba pas.

Dehors, sur le trottoir, la lumière vive l'éblouit. Elle dut plisser les yeux. Il n'était pas très beau, même de loin, mais il était là. Elle était surprise d'avoir ressenti une vague joie à son entrée dans la pièce, un sentiment qui ressemblait à de la gratitude, ou quelque chose comme ça.

« C'est gentil de venir, dit-elle en allumant sa cigarette.

— C'est normal. Vous tenez le coup ?

Elle haussa les épaules.

— Toutes mes condo…

— S'il vous plaît…

Il hocha la tête.

— Je voulais vous remercier.

— Pourquoi ? demanda-t-elle.

— Eh bien, lorsque vous avez refusé de poursuivre la soirée avec moi, vous m'avez sauvé la vie.

Elle sourit faiblement.

— Votre sœur savait que vous l'aimiez, dit-il.

— Comment pouvez-vous savoir ça ?

— Les sœurs le savent, c'est tout. Vous ne devriez pas vous en vouloir.

— Qu'est-ce qui vous fait penser que… elle se mit à pleurer.

— Oubliez cette conversation que vous avez eue. Cela n'est pas arrivé.

— Il n'y a pas que ça, dit-elle.

Elle voulut lui dire le reste mais n'y parvint pas. Elle avait besoin de quelqu'un là, maintenant, et si elle se confiait, il ne resterait pas.

— J'aurais dû être à sa place, dit-elle à travers ses larmes.

— Non.

— Je l'ai tuée.

— Écoutez, dit Daniel, plus sérieux et sévère qu'elle ne l'en aurait cru capable. C'était un accident horrible. Dans ce genre de circonstances, il est normal de se demander ce que l'on aurait pu ou dû faire. Mais ce n'est pas votre faute.

Elle renifla.

— Merci.

— Rentrons maintenant », dit-il.

Elle se demanda si elle pouvait aimer cet homme, qui avait l'air excessivement gentil, mais qui était si éloigné de ce qu'elle avait imaginé pour elle. Au mieux, il lui donnerait cette vie commune qu'elle avait tant redoutée. Ce serait sans doute à peine mieux que la vie avec ses parents, mais il fallait savoir se raisonner. Elle se rappela les mots de sa tante. *Tu prendras soin de tes parents. Il faut que tu grandisses maintenant.*

Dieu avait sans doute essayé de lui dire la même chose depuis toutes ces années. Elle n'avait pas écouté quand sa mère lui avait conseillé de cesser de prendre de grands airs. Elle avait cru que l'histoire d'amour de sa sœur influerait sur son bonheur personnel — quelle preuve d'égoïsme ! — et maintenant, Dieu lui avait enlevé sa sœur. Elle avait été punie.

Daniel la prit dans ses bras, elle s'appuya contre lui.

Six mois plus tard, ils étaient mariés. Daniel eut le droit à une semaine de permission après le mariage. Ils emménagèrent dans leur première minuscule maison, à Canton, où leur lune de miel consista à déballer des cartons et à écouter des disques de Tommy Dorsey pendant six jours. Puis il remonta sur son navire.

Daniel parlait sans arrêt et voulait faire l'amour presque tous les soirs. Alice souhaitait surtout qu'il ne la touche pas. Il lui demandait ce qu'elle aimait. En discutant avec Rita, elle apprit que c'était extrêmement rare, presque hors du commun. Mais Alice n'arrivait pas à s'imaginer prononcer les mots, même si elle les connaissait. Ce n'était pas douloureux, ni désagréable, passé les deux premières fois. Mais, cela ne rivalisait en rien avec un bon bain chaud. Quand il dut partir à la fin de la semaine, elle était presque soulagée. Elle était enceinte, mais cela ne dura pas.

Elle s'inscrivit à Sainte-Agnès, la paroisse locale, et rencontra quelques femmes de militaires. Le jeudi soir, elles priaient pour que leurs maris reviennent sains et saufs, ou pour les malheureuses dont le mari était déjà mort.

La guerre dura encore deux ans. Alice accomplit son devoir — elle garda les morceaux de graisse de la poêle à frire et les apporta chez le boucher tous les jeudis matins, elle échangea des tickets de rationnement contre du beurre, du sucre et du café chez les autres femmes du quartier, elle reprisa de vieux bas qu'elle portait depuis des années, même s'ils tombaient sur ses chevilles, elle ferma les rideaux au crépuscule quand elle allumait les lampes pour que les sous-marins allemands ne puissent pas couler les navires dans le port de Boston à quelques kilomètres de là.

Elle vivait dans un profond état de désespoir qui lui pesait physiquement. La perspective du retour du front de Daniel commençait à l'inquiéter.

Des filles de sa connaissance avaient pris des boulots, extrêmement bien payés, pour le ministère de la Défense. Elles aidaient à la construction de bombardiers avec tellement d'excitation qu'on aurait cru que James Stewart lui-même allait les piloter. Rita l'appelait le soir, piaillant d'excitation à l'idée de porter des pantalons au travail, de retirer des paillettes d'acier de ses cheveux et d'essuyer l'huile de vidange de ses joues.

Alice conserva son travail au cabinet d'avocats. Elle préférait désormais la solitude. Elle ne comprenait pas cette exubérance autour d'elle, comme si on était le jour de la parade de Thanksgiving chez Macy's. À l'heure du déjeuner, elle refusait d'aller avec les autres pour manger un sandwich chez *Brigham's* et préférait prendre le bus pour se rendre au musée Gardner. Elle passait de pièce en pièce, chacune aussi familière que sa propre maison. Elle voyait les autres femmes filer directement vers l'exposition des tapisseries ou vers la cour avec ses palmiers, ses fleurs, et ses jolies mosaïques. Elle préférait les peintures. Elle pouvait passer une heure entière à contempler le *El jaleo* de John Singer Sargent, représentant une danseuse — de flamenco supposait-elle — et des guitaristes qui l'encourageaient. Le tableau était tout seul dans le cloître espagnol, une pièce qu'Isabella Stewart Gardner avait fait construire spécialement pour cette œuvre, des années avant même de la posséder.

Un an après leur mariage, Alice fit une seconde fausse couche. Daniel pleura, mais elle se sentit soulagée. Elle lui dit pour la centième fois dans une lettre qu'elle n'était pas faite pour être mère, bien qu'il ne comprenne pas ce qu'elle voulait dire et qu'il se contente de lui répondre : « Tout le monde a des doutes, ma chérie. C'est naturel. »

Il lui écrivait presque tous les jours, lui envoyait des histoires drôles et des poèmes qu'il avait recopiés à partir d'un recueil de Yeats que son compagnon de chambrée gardait sous son lit. Il lui parla de son enfance et de ses années d'adolescence. Le temps passait, et Alice sentait qu'elle tombait amoureuse de lui. Bien sûr, elle ne pouvait pas clamer à voix haute : *Je suis en train de tomber amoureuse de mon mari.* Elle n'oserait jamais avouer une chose pareille. Pourtant, cette pensée la réconfortait.

Elle commença à redouter qu'il meure sur le front. Alice appréciait sa chance d'avoir la maison pour elle toute seule, mais elle s'y sentait parfois très seule, bien loin des soirées qu'elle avait imaginées en espionnant Trudy et ses amies célibataires.

Un soir, après le dîner, alors qu'elle était chez ses parents, Alice monta dans son ancienne chambre. Les lits jumeaux étaient faits soigneusement comme si elle et Mary allaient s'y glisser après leurs bains. Elle saisit ses peintures, placées en haut d'un placard sur une étagère. Juste à côté, elle vit son exemplaire de *Vivre seule et aimer ça.* Elle tint le livre dans ses mains pendant un moment avant de le jeter au fond du placard, derrière la vieille raquette de tennis de Mary et ses splendides robes. Sa mère l'avait bêtement suppliée de les prendre.

Alice se remit à peindre des aquarelles le matin avant de partir au travail. De petites pièces : la bouilloire ou le feutre de Daniel, un verre de vin de la veille encore teinté de pourpre. Elle peignait sur des morceaux de papier de récupération, des dos d'enveloppes de l'épicerie, qu'elle laissait sécher sur le rebord de la fenêtre avant de les aligner sur la table. Leur vue la réconfortait, elle pensait au moment où elle les montrerait à Daniel. Mais, un matin, quelques semaines après s'être remise à peindre, Alice les regarda et rougit de honte. Elle devait se débarrasser de ces rêveries enfantines, elle devait faire taire cette part d'elle-même qui pensait qu'elle méritait mieux.

Elle empila les tableaux et les jeta dans un sac en toile de jute destiné à la décharge. Elle jeta le reste des peintures à la poubelle, et se promit de ne plus s'écouter autant. C'est alors qu'elle rejoignit la légion de Marie de Sainte-Agnès. Elle cessa ses visites au musée et décida de déjeuner seule à son bureau.

Lorsque la guerre fut terminée, et que Daniel rentra pour de bon, Alice s'efforça d'être une épouse modèle : enjouée, joyeuse, bonne maîtresse de maison, prenant exemple sur ce qu'aurait fait Mary. Elle s'en sortait bien derrière les fourneaux et prenait de plus en plus de responsabilités à la paroisse. Tout était parfait. Seules ses sautes d'humeur venaient ternir le tableau. L'un de leurs premiers dimanches ensemble, alors qu'elle repassait dans le séjour en écoutant à la radio le mélo qui faisait la joie de sa mère, Daniel, installé dans un fauteuil s'extirpa de la lecture de son journal et déclara :

« C'est vraiment le paradis. Exactement comme je pouvais l'imaginer pendant que j'étais loin de toi. »

Il lui avait manqué à elle aussi, mais les larmes lui vinrent aux yeux. Elle les repoussa de toutes ses forces. Elle pensa à tout ce qu'elle avait perdu.

« Oh, mon Dieu, j'ai dit quelque chose que je n'aurais pas dû ? s'inquiéta Daniel.

— Non, désolée. Je suis un peu triste aujourd'hui, c'est tout.

— Oui, cela n'a pas dû être facile pour toi, dit-il en la prenant dans ses bras. Ta sœur, ces fausses couches... Cela va prendre un peu de temps. Et je suis sûr que c'était encore plus dur parce que ton mari n'était pas là. Mais la guerre est terminée maintenant, ça va aller mieux.

— Je sais. »

C'était ce qu'il fallait dire, pensa-t-elle.

Lors de leurs premières années de mariage, pour Daniel, une soirée réussie consistait à assister à un match des Red Sox avec ses frères et leurs femmes ennuyeuses, ou à emmener les enfants pour faire un long trajet en voiture, même si Kathleen pleurnichait et si Clare était malade à chaque fois.

Et pourtant, il faisait des efforts, beaucoup même. Et c'était encore plus douloureux pour Alice. Parfois, ils allaient danser ou se rendaient à une fête et, pendant quelques heures, elle passait un bon moment. Mais, après coup, elle pensait que sa sœur ne connaîtrait plus jamais ce genre de joie. La culpabilité finissait par tout emporter.

Un soir, dans le Maine, alors qu'elle était enceinte de Patrick depuis six mois, Daniel l'emmena dîner pendant que ses sœurs surveillaient les filles au cottage. Il lui annonça qu'il avait une surprise, et ils se rendirent au Country club de Cliff, où une foule immense s'était rassemblée sur le parking.

« Que se passe-t-il ici ?

— C'est le bal des artistes, dit Daniel avec un grand sourire. Mort et Ruby m'en ont parlé. On l'organise afin de lever de l'argent pour payer la scolarité des élèves les plus pauvres aux Beaux-Arts. Il paraît que c'est une sacrée fête ! »

Daniel n'avait jamais oublié les rêves de sa femme, il le racontait très souvent à des étrangers, des collègues, des amis. C'était embarrassant. Tous les étés, il tentait en vain de la convaincre de prendre un cours à l'école de Perkins Cove.

« Un bal ? dit Alice. Mais je ne suis pas habillée pour.

— Non, non. C'est une soirée costumée. De toute façon, on n'y va pas, on regarde juste la parade des artistes. Apparemment, ils font ça tous les ans. Je n'en avais jamais entendu parler avant, et toi ? »

Elle répondit négativement même si, chaque année, elle voyait les affiches en ville et savait qu'il était impossible d'y entrer. Elle se souvenait que les tickets coûtaient deux dollars et quarante cents. Le sextet de Herb Pomeroy devait y jouer, il y aurait des cocktails. Cette soirée promettait d'être fantastique.

« Je veux rentrer. Je ne me sens pas bien.

— Ma chérie ! Je croyais que cela te plairait. C'est une vraie soirée d'artistes, tu sais ! »

Ils sortirent de la voiture et se joignirent à cette foule pathétique qui paraissait attendre des stars de Hollywood. Enfin ils arrivèrent, ces artistes, des hommes et des femmes déguisés en pirates, en fées, en bébés géants... Ils riaient gaiement, s'imprégnaient de la douceur de la nuit, pendant un court séjour dans le Maine, avant de retourner sillonner le vaste monde. Alice était là, avec son gros ventre, et deux enfants au lit qui guettaient son retour.

Au début des années soixante, les autorités asséchèrent le lit de la rivière de Perkins Cove pour permettre à de plus grands bateaux de passer. L'opération fit remonter quelques parcelles d'or dans les alluvions et déclencha une petite ruée vers l'or à Ogunquit. Le temps du chantier, on abattit des baraques de pêcheurs pour laisser place à un parking goudronné. Les artistes ne remirent plus les pieds en ville. Chacun regretta leur départ. Sauf Alice.

MAGGIE

Rhiannon partit le lendemain matin, peu avant sept heures.

« J'espère que je n'ai pas aggravé tes histoires avec Gabe, murmura-t-elle à l'oreille de Maggie, qui était encore au lit.

— Non, tu as bien fait. Je préfère le savoir. »

Maggie mentait. Elle ne se leva pas pour raccompagner son amie. Elle s'en voulait, mais elle se sentait encore blessée par ce que Rhiannon lui avait raconté la veille. Maggie n'avait pas bien dormi. Elle allait se retrouver mère célibataire, la fille qui patiente dans la salle d'attente du docteur avec un gros ventre et pas d'alliance. Comment ferait-elle pour vivre ? Est-ce que Gabe paierait une pension alimentaire ? Peut-être que son père signerait un chèque d'un million de dollars, afin qu'elle disparaisse pour toujours en échange. Cela lui irait très bien. Elle redoutait de faire une sorte de garde partagée avec Gabe, sans qu'elle puisse contrôler ce qu'il dirait à leur enfant.

Ne pas oublier : la prochaine fois, ne pas se reproduire avec un connard. Ou au moins se marier avant.

Il n'avait pas répondu à son e-mail. Certes, cela ne faisait que huit heures, et elle lui avait demandé expressément de la laisser tranquille, mais quand même... Une heure plus tôt, elle brûlait d'envie d'aller regarder dans les e-mails de Gabe. Elle voulait juste vérifier s'il avait lu ou non le message. Puis, elle décida que ce serait sans doute un peu trop. Elle ne tomberait pas si bas. Elle finit par le faire, mais ce connard avait changé son mot de passe. Elle savait que cela n'avait aucun sens, mais elle le prit personnellement.

Maggie ne voulait pas retourner à Brooklyn. Elle était terrifiée à l'idée de reprendre sa vie, sans Gabe. Est-ce qu'elle resterait là ? Ou finirait-elle dans un appartement minable dans une banlieue des alentours ? Elle n'avait qu'une envie : passer la matinée roulée en boule sur le sol. Mais il lui fallut se lever pour vomir, puis elle se traîna sous la douche pour se débarrasser de la peur qui l'avait tenue toute la nuit.

Maggie se souvenait d'une scène avec sa mère. Elle devait avoir quatre ou cinq ans. Elles enlevaient leurs maillots, leurs corps encore couverts de sable, et se rassemblaient sous le jet d'eau. Elles riaient alors que Kathleen shampouinait le cuir chevelu de Maggie. Sa mère lui manquait.

L'eau chaude coulait sur ses épaules. Elle caressa doucement son ventre. Derrière sa peur commençait à surgir un sentiment inattendu, comme un crocus qui pointerait hors du sol au début du printemps. Elle allait avoir un enfant. Sa vie allait changer complètement.

Elle sortit de la douche et jeta un œil au miroir. La peau autour de ses yeux était terne et ridée. Elle aurait dû mettre du fond de teint, mais c'était le cadet de ses soucis. Elle décida aussi de laisser tomber son brushing : après tout, elle était à la plage, et sa vie tombait en morceaux. Honnêtement, qui essayait-elle d'impressionner ? Elle se sécha et se glissa dans un jean. Avec l'âge, on apprenait que la vie pouvait totalement basculer en l'espace de quelques jours. Et pourtant, elle était encore surprise par la tournure des événements.

Maggie jeta un œil au réveil rose sur la table de nuit. Venait-il de la chambre d'enfant de sa mère ? Elle se souvenait l'avoir vu dans la maison de ses grands-parents. Elle avait envie de rester allongée mais décida plutôt d'aller faire un tour sur la plage. Elle se dit que rester en mouvement était le plus sûr moyen de ne pas devenir folle.

Il était onze heures. Maggie était assise sur la jetée, les pieds dans l'eau froide. Un casier à homards, arraché par la marée, avait atterri sur les rochers. Ici, New York lui faisait l'effet d'une autre planète.

Autour d'elle, il y avait des flaques remplies de bigorneaux et d'algues, qui donnaient des teintes rouges et vertes à l'eau. Elle pensa aux journées d'enfance, quand Chris et son cousin Daniel venaient arracher les bigorneaux. Ils prenaient leurs coquilles et les jetaient dans des bouteilles d'eau salée. Puis ils les secouaient très fort, avec la cruauté insouciante des enfants.

L'océan s'étendait devant elle, un voilier solitaire à l'horizon. Dans son dos, le cottage et la grande maison, tous deux silencieux. Cet endroit était l'une des rares choses stables dans sa vie. L'été prochain, elle reviendrait sans doute là avec un bébé dans les bras. Elle pourrait peut-être s'installer au cottage pendant l'arrière-saison, comme l'avait fait sa mère avant le divorce. Cela ne pourrait jamais être aussi horrible que l'avait été ce printemps-là. Elle pourrait passer ses après-midi à écrire à la grande table dans le salon, son enfant dans un berceau.

Maggie regardait les eaux agitées par les vagues, une tasse de tisane à la main. Elle voulait annoncer la nouvelle à sa mère, mais l'appréhension la retenait. *Vous qui entrez ici, abandonnez tout espoir,* voilà ce que pensait Kathleen de la maternité. En tout cas, tout espoir d'une vie épanouie et indépendante. Et, oui, évidemment le pays était en guerre, les terroristes pouvaient tout anéantir à tout moment, cela semblait le pire moment pour accoucher. Mais, honnêtement, le monde avait-il jamais été un endroit meilleur ? Avait-il été une fois assez sûr pour qu'on puisse y donner la vie en toute confiance ?

Elle prit une grande bouffée d'air marin et se mit debout en époussetant le sable de ses jambes. Maggie détestait ses jambes, trop épaisses et absolument rétives à tous les appareils de musculation, merci grand-mère Dolan. En marchant derrière la plage, elle aperçut, au loin, un couple âgé qui faisait du taï-chi. Ils avaient l'air à la fois ridicules et attendrissants. Elle aurait bien aimé que Gabe soit là pour les voir. Il aurait fait leurs portraits.

Elle se dirigea vers le cottage, prévoyant de rentrer par la porte de côté pour ne pas croiser sa grand-mère. Alice était probablement installée sur le porche, une cigarette à la bouche et un livre à la main. Maggie se sentait coupable de l'éviter ainsi, mais se dit qu'elle irait voir Alice plus tard dans l'après-midi, peut-être avec des cerises de chez Ruby's Market.

Sur le chemin du retour, elle entendit un bruit répétitif. Puis elle le vit : un type très beau, aux cheveux noirs, vêtu d'un pull bleu et d'un jean. Il s'affairait avec un marteau près de la porte d'entrée.

Cela devait être l'homme à tout faire dont avait parlé Alice en termes choisis lors du dîner de la veille, bien qu'il n'ait pas vraiment l'air mexicain. Il ressemblait plutôt à l'un de ces sublimes Anglais qu'Alice aimait tellement dans les adaptations des livres de Jane Austen pour la BBC.

« Bonjour, dit Maggie, se sentant rougir.

— Bonjour, répondit-il avec un grand sourire. Quel temps magnifique !

— Oui !

— Connor Donnelly, lui dit-il en lui tendant la main.

— Maggie Doyle.

— Ravi de vous rencontrer. »

Les hommes hétérosexuels séduisants étaient rarement si amicaux. En général, soit ils vous ignoraient, soit ils se mettaient à vous draguer ouvertement. Maggie était perplexe.

« Vous avez vu ma grand-mère ?

— Oui, elle est là, devant la maison.

— Merci. »

Alice était à genoux dans le jardin. Elle s'occupait de ses roses, un chapeau sur la tête pour éviter les moustiques.

« Bonjour, dit-elle en voyant Maggie approcher.

Elle eut du mal à se relever. Maggie se précipita pour l'aider.

— C'est bon. S'il te plaît, ne me rappelle pas que je suis vieille. »

Bien qu'Alice ne veuille jamais révéler son âge, Kathleen estimait qu'elle avait dans les quatre-vingts ans. Elle avait l'air de ne jamais changer. (« Trop mauvaise pour vieillir ! » plaisantait le père de Maggie). Mais, à ce moment précis, elle avait l'air faible et fragile.

« Grand-mère, tu es vraiment très mince. Est-ce que tu manges assez ? avança-t-elle consciente du risque qu'elle prenait.

Alice eut un petit rire.

— On n'est jamais trop mince.

— D'accord, mais, tu manges assez tout de même ? insista Maggie.

Alice soupira.

— OK, tu m'as cernée. Je suis devenue anorexique à cent cinq ans. Tu sais tout maintenant.

Maggie ne put s'empêcher de rire.

— Où est passée ton amie ? demanda Alice.

— Elle est repartie à New York.

— En effet. Je l'ai vue repartir très tôt ce matin. Vous vous êtes disputées ?

— Hein ? Non !

Comment avait-elle deviné ?

— Elle a dormi là, j'ai vu sa voiture, reprit Alice.

— Oui, elle est restée tard.

Alice hocha la tête.

— C'était bien la plage ?

— Glacial mais magnifique.

— Bon, c'est bien. Tu as vu le père Donnelly en revenant ?

— Le père Donnelly ?

— Oui, c'est le prêtre de la paroisse. Une crème d'homme. Il m'aide à tout faire ici. Il m'emmène déjeuner. »

Il ne portait pas de col blanc. Les prêtres pouvaient-ils sortir sans ?

La vocation de prêtre suscitait des sentiments contradictoires. Certaines personnes leur faisaient aveuglément confiance. Et d'autres trouvaient le moindre de leurs gestes suspect. Maggie appartenait à cette catégorie. Depuis quand les prêtres venaient-ils faire du bricolage à domicile ? L'espace d'un instant, elle s'imagina qu'il avait une liaison avec sa grand-mère, dans une sorte d'histoire d'amour transgénérationnelle. Mais elle repoussa aussitôt cette pensée révoltante.

« On va dans ce nouveau restaurant à Kittery si tu veux venir, dit Alice en souriant.

Elle était de nouveau de bonne humeur. Maggie soupira, soulagée.

— Ça serait génial.

— Bien. Mais tu ne vas pas y aller habillée comme ça. »

Maggie ne voyait pas en quoi le fait de déjeuner avec sa grand-mère et un prêtre était une raison suffisante pour quitter son jean et son tee-shirt, mais elle se contenta d'acquiescer. Puis, elle ajouta :

« Je suis désolée pour hier soir, j'aurais dû te prévenir que Gabe ne venait pas et que j'avais demandé à Rhiannon de m'accompagner.

Alice fit un geste de la main comme pour chasser une mouche.

— C'est de l'histoire ancienne. »

Ils se mirent en route pour Kittery Point à treize heures pile. Assise à l'arrière, Maggie avait l'impression d'être retombée en enfance. À cet instant précis, cela ne la dérangeait pas du tout. Pendant que le père Donnelly et Alice échangeaient les dernières nouvelles sur les femmes du groupe de prière et les divers maux dont elles étaient affligées, Maggie fixait les fenêtres des maisons — blanches et bleues, ou jaune pâle avec des drapeaux américains qui flottaient dans la brise.

Ils avaient choisi un restaurant sur la plage. Ils commandèrent de la soupe de poisson, des homards et du thé glacé. Les serveuses portaient des shorts blancs immaculés et des polos roses. Sur la porte des toilettes, à la place des traditionnels Hommes et Femmes on pouvait lire Capitaines et Sirènes.

Ils choisirent une table qui donnait sur la mer.

Maggie se dit que c'était le cadre idéal pour l'une des blagues de son grand-père : *Une fille mère, un prêtre, et une vieille mégère entrent dans un restaurant...*

Le vent menaçait de faire voler leurs serviettes ; le prêtre posa une salière, remplie de grains de riz, par-dessus. Maggie se souvenait avoir posé la question à sa mère : le riz absorbait l'humidité de l'air, avait répondu Kathleen, ce qui laissait le sel sec. (*Mais pourquoi ?* se demandait maintenant Maggie. Et comment allait-elle s'imprégner de toutes ces connaissances maternelles dans les quelques mois qui lui restaient ?)

Alice se lança sur les nouvelles de la famille, pendant que le père Donnelly (« Appelez-moi Connor ») était parti chercher de la sauce tartare pour les sandwiches. Little Daniel allait se marier avec une dénommée Regina, que tout le monde semblait aimer. Il semblait pourtant ne la connaître que depuis dix minutes.

Quand Maggie le fit remarquer, Alice sourit et répondit sèchement :

« Il a toujours eu la tête sur les épaules. Lui, il sait exactement ce qu'il veut dans la vie. Professionnellement parlant, il est installé. Prêt pour la suite. »

Contrairement à moi, tu veux dire. Elle se tut, sachant pertinemment qu'aux yeux de sa grand-mère, les trois enfants d'Ann Marie et de Patrick ne pouvaient être que parfaits.

« Comment vont tante Clare et oncle Joe ?

— Et comment le saurais-je, ma petite ? dit Alice. Ils ne m'appellent jamais. Ils ont toujours été repliés sur eux-mêmes mais c'est de pire en pire. Ann Marie m'a dit qu'elle les avait invités deux fois et qu'ils n'avaient jamais répondu. C'est d'un sans-gêne incroyable !

Maggie hocha la tête.

— Est-ce qu'ils viennent dans le Maine cet été ?

— Oh, tu sais, on ne me dit jamais rien. Je crois qu'ils viennent en août, comme d'habitude.

Le père Donnelly revint avec deux cornets en papier remplis de sauce tartare.

— Merci, mon père, vous êtes un ange, dit Alice en lui adressant un sourire radieux. »

Au milieu d'hommes séduisants, elle était toujours à son avantage. Pourtant, Daniel n'avait jamais été particulièrement beau, même jeune. Maggie avait vu de vieilles photos. Dans sa famille, les femmes étaient épaisses avec des taches de rousseur. Les hommes étaient pâles et maigres. Elle se demanda pourquoi Alice l'avait choisi. Comment une personne aussi imbue d'elle-même avait-elle pu se contenter d'un époux aussi terne ?

« Mon père, pourriez-vous dire les grâces ? demanda Alice.

Maggie jeta un œil aux autres clients en shorts et sandales. *Les grâces ? Sans blague ?*

— J'en serais honoré, répondit-il.

À la grande horreur de Maggie, il étendit les bras pour saisir les mains des deux femmes. Heureusement, il parlait vite.

— Soyez loué, Seigneur, pour ces dons que nous allons recevoir de Vos mains généreuses, par le Christ notre Seigneur. Amen.

Leurs mains retombèrent. Il se tourna vers Maggie et lui demanda :

— Vous restez longtemps ?

Elle haussa les épaules, heureuse que ce soit terminé.

— Je ne sais pas encore. Sans doute quelques jours.

— C'est tout, demanda Alice ? Je croyais que tu restais deux semaines.

— Eh bien, mes plans ont changé, tu vois, et je ne sais pas vraiment ce que je vais faire.

— Elle a rompu avec son fiancé, dit Alice joyeusement. Elle se cache. »

Maggie rit, parce que c'était vrai mais aussi parce que c'était la seule façon de ne pas être énervée par cette remarque. Par ailleurs, il lui était agréable de prétendre que la rupture était le cadet de ses soucis.

« C'est le meilleur endroit pour cela », dit-il.

Il prit une bouchée de son roulé au homard, qui laissa une trace de mayonnaise sur ses lèvres. À la grande stupeur de Maggie, Alice se précipita pour la lui enlever avec sa serviette.

« Merci, dit-il.

Maggie regretta de ne pas pouvoir arrêter le temps pour appeler sa mère et lui raconter ce moment surréaliste.

— Quand devez-vous reprendre le travail ? demanda-t-il.

— Techniquement, je ne suis en vacances que ces deux prochaines semaines, mais ma supérieure nous laisse travailler de chez nous. Du moment qu'on passe au bureau une fois par mois, c'est bon pour elle.

Pourtant, je dois vraiment être à New York le 8 juillet pour mon prochain rendez-vous avec mon gynéco. Oui, mon père, je suis enceinte.

— Ça a l'air pas mal ce travail, dit le prêtre.

— Oui. Mais, bon, je dois malgré tout aller souvent au bureau.

— Que faites-vous exactement ? demanda-t-il.

— Eh bien, il s'agit d'une émission télé, euh… d'une émission de télé policière », dit-elle.

C'était vraiment bizarre de parler à un prêtre. Il fallait vous censurer en permanence. Les seules choses dont vous pouviez parler sans crainte, c'étaient : les Bisounours, Jésus et la météo.

« Et je suis écrivain aussi.

— Oh, je sais, votre grand-mère me l'avait dit. »

Vraiment ? Maggie se sentit émue à pleurer. Et presque immédiatement, elle s'en voulut : pourquoi était-il si facile de gagner son affection ? Ce n'était pas une faveur extraordinaire de la part d'Alice.

« C'est fascinant que vous soyez écrivain. Je me suis essayé à l'écriture de mon côté.

— Ah oui ?

— Oui. J'ai écrit beaucoup de nouvelles. J'en écris toujours de temps en temps. Mais, visiblement, je ne suis pas d'un bois assez dur pour ce genre de travail.

— Sûrement pas ! dit Alice. Il faut le voir avec les malades. C'est un saint !

— La sainteté mise à part, c'est malheureusement vrai. J'ai envoyé deux ou trois histoires au *New Yorker,* et j'ai reçu ces fameuses lettres de refus. Ça m'avait vraiment mis le moral à zéro. Je sais bien qu'on ne se fait pas publier au *New Yorker* comme cela, mais tout ce travail pour quoi, une lettre de refus ? Je n'ai plus écrit pendant des mois. Et évidemment, je n'ai plus jamais rien envoyé.

— Ah oui, je les connais très bien, ces lettres, dit Maggie.

301

— Je me souviens encore, j'étais devenu complètement fou. Je les collais partout sur les murs du séminaire. Les autres prêtres paniquaient.

— Oui, moi j'ai envisagé d'en faire des guirlandes en papier. » Il éclata d'un grand rire sonore. Son sourire était chaleureux. Il y avait quelque chose de suranné dans la façon dont il s'habillait. Ou plutôt *classique,* c'était le mot qui convenait le mieux.

Peut-être l'avait-elle jugé un peu vite. Il avait l'air gentil et sincère. Aussitôt, elle se souvint que ce n'était pas forcément le meilleur moment de tomber amoureuse d'un prêtre catholique.

« Vous écrivez pourtant de si beaux sermons, dit Alice.

— Oui et aucun d'entre eux n'a jamais été traité de banal, de rebattu ou de creux.

Maggie fit une grimace :

— Rien que ça ?

— Oui. C'est la seule fois où j'ai reçu une lettre personnalisée.

— Peu importent ces imbéciles ! Moi, ce qui m'intéresse, c'est de savoir ce que Gabe a *fait,* dit Alice en appuyant sur les mots.

Apparemment, elle s'ennuyait et elle était imbattable pour changer de sujet.

— Il a fait des promesses qu'il n'a pas tenues, dit Maggie.

— Il n'a pas voulu te mettre la bague au doigt, dit fièrement Alice, comme si elle venait tout juste de trouver la bonne réponse au Double Jeopardy.

— Ah non, dit Maggie.

Et bien que ce ne soit pas le public idéal pour parler de concubinage, elle reprit :

— On était censés emménager ensemble, et il a changé d'avis à la dernière minute.

Le visage d'Alice se ferma. Elle avait l'air sincèrement offensée.

— Quel petit…, commença-t-elle avant de se reprendre à la vue du prêtre. Quel rat, finit-elle par dire.

— Je croyais que tu allais dire qu'on n'était pas censés vivre ensemble avant le mariage de toute façon, dit Maggie.

— Foutaises ! dit Alice. Je crois au contraire que c'est indispensable. C'est important de bien se connaître. Et cette ville est tellement chère, pourquoi ne pas avoir un colocataire ? Du moment que vous avez deux chambres différentes.

Est-ce qu'elle plaisantait ?

— De mon temps, beaucoup de filles se sont mariées uniquement parce que leur fiancé partait à la guerre, reprit Alice. Elles connaissaient déjà à peine ces types avant de les épouser, sans parler de ce qu'ils devenaient quand ils revenaient du front. Et pour la plupart, nous ne quittions nos parents que pour partir vivre avec notre mari. Nous n'avons jamais eu la chance de vivre seules, du moins avant d'être de vieilles femmes décrépites. Les jeunes ont plus de bon sens. Même si je pense que, en matière d'amour, vous faites tout à l'envers.

— Comment ça ?

— Vous avez tous l'air de penser que vous devez épouser quelqu'un quand vous ressentez cette émotion intense que vous appelez l'amour. Puis, vous attendez que l'amour s'amenuise avec le temps, puisque la vie devient plus dure. Eh bien, ce que vous devriez faire, ce serait de vous trouver un gentil garçon, et de laisser l'amour se développer au rythme des naissances, des années et des décès, et ainsi de suite.

Maggie regarda le prêtre du coin de l'œil.

— Elle est incroyable, vous ne trouvez pas ? dit-il en serrant amicalement le bras d'Alice. Je n'arrête pas de lui dire qu'elle devrait animer un show à la télé.

— C'est ce qui s'est passé pour toi, grand-mère ? demanda Maggie en retenant son souffle. Elle se souvenait de la façon dont Alice s'était brusquement renfermée lors de leur dîner de la veille.

Alice prit un air pensif :

— Oui, d'une certaine façon. »

Visiblement, elle ne dirait rien de plus sur la question, mais c'était suffisant. Elle changea aussitôt de sujet, pour parler d'une nouvelle qu'elle avait lue sur l'inventeur des Silly Putty [37]. Maggie se sentait plus heureuse qu'elle ne l'avait été depuis des semaines.

37. Étonnante matière visqueuse, sorte de caoutchouc proche de l'état liquide.

C'était exactement pour cela qu'elle était venue. Elle envisagea de rester plus longtemps. Sinon, le cottage serait vide le reste du mois de juin. Peut-être y aurait-il d'autres déjeuners comme celui-ci et qu'elle aurait le temps d'écrire, et de se préparer. Son enfant pourrait grandir au bon air marin, sous le toit qui avait abrité les meilleurs étés de plusieurs générations.

Elle jeta un œil sur l'eau.

« C'est beau ici, dit-elle.

— Oui, dit le père Donnelly. Je n'arrive pas à comprendre comment on peut vouloir habiter ailleurs.

— Vous avez grandi dans le Maine?

— Oui, un peu plus au Nord. Dans un village à trois heures d'ici, vers Bangort.

— Ça a l'air bien.

— C'était très simple. Pas de télé ni de trucs comme ça.

— Ses parents étaient dans l'Église aussi. Son père était diacre.

Maggie se mit à fantasmer : une cabane en rondins dans les bois, un jeune homme qui lisait la Bible au coin du feu.

— Bien entendu, mes frères et moi avons fait les quatre cents coups. On avait l'habitude d'aller à toute vitesse le long des routes et de défoncer les boîtes aux lettres des gens avec nos battes de base-ball.

Maggie voulait à tout prix savoir comment il en était venu à devenir prêtre, mais elle ne se voyait pas le lui demander.

— On dirait mes trois enfants, dit Alice. Ils m'en ont fait voir de toutes les couleurs! Surtout Patrick et Kathleen. Clare était la plus calme des trois. Mais parfois, les plus calmes sont les pires. Ils font tout en douce! Elle fumait comme un pompier au lycée. Toujours par la fenêtre. Elle a fichu en l'air mes rideaux blancs. »

Maggie avait entendu maintes fois les histoires des soirées dans la maison de Canton, quand ses grands-parents étaient absents. La fois où sa mère et oncle Patrick avaient été pris en flagrant délit, une bière à la main. Une autre nuit où Daniel ne cessait de se retourner dans son lit en proie à une insomnie, il était sorti faire un tour et, une fois sur la pelouse, il avait entendu un bruit au-dessus, et avait vu un garçon escalader la treille vers la chambre de Kathleen. Elle le guidait en chuchotant, comme si elle connaissait bien le chemin : « Pose un pied à droite, maintenant à gauche. » Puis, il y avait eu la nuit où oncle Patrick était rentré de Cap Code, à minuit, complètement saoul. Il s'était engagé dans l'allée avant d'emboutir la Cadillac de Daniel à travers la porte du garage. (À chaque fois que l'histoire revenait sur le tapis, il prétendait que, dans cette lumière, la porte avait l'air ouverte). Parfois, il lui semblait que la génération précédente avait eu le loisir de commettre des erreurs, puis de rebondir. Maggie, quant à elle, avait toujours eu l'impression qu'un faux pas risquait de ruiner toute son existence.

« On torture nos parents, résuma le père Donnelly. Puis, on vieillit, on devient plus sage et on leur donne enfin l'adoration qu'ils méritent. En tout cas, c'est ce qu'on devrait faire. »

Alice était aux anges.

— J'aimerais rencontrer vos parents un jour. Ils vous ont tellement bien élevé. »

La conversation reprit son cours. Maggie cessa d'écouter pendant quelque temps. Elle contemplait un jeune enfant et son père qui lançaient un bateau miniature sur le bord de la baie. Elle se remit à suivre la discussion en entendant son nom. Ils en étaient au planning du cottage.

— La mère de Maggie, Kathleen, a le mois de juin, mais vous ne la verrez pas parce qu'elle me déteste, dit Alice.

— Grand-mère ! dit Maggie. Mais non ! Elle habite à l'autre bout du pays, c'est tout.

Le père Donnelly sourit.

— Alors Maggie, si vous avez tout le mois de juin, pourquoi ne pas le passer ici ? Il me semble que c'est l'endroit parfait pour écrire. »

Lui faisait-il la cour ? Non, c'était ridicule. La plupart des vieilles dames de cette ville, et sans doute quelques jeunes aussi, devaient être persuadées qu'il était éperdument amoureux d'elles. Finalement, un prêtre était le sex-symbol ultime : toujours constant, gentil, heureux de vous voir et d'écouter vos problèmes. Totalement inoffensif et pourtant vaguement sexuel, son vœu de chasteté produisant finalement l'inverse de l'effet voulu : tout le monde ne pensait qu'au sexe en lui parlant.

« Oui, c'est exactement ce que je me disais.

— Très bien ! dit Alice. Cela me fait plaisir que tu restes. »

Quand Alice était gentille, elle devenait quelqu'un de totalement différent. En tout cas, à ce moment précis, elle voulait que Maggie reste avec elle.

Ils rentrèrent. À l'extérieur de la ville, les maisons étaient de plus en plus miteuses, rapprochées, et, très souvent, on devinait une caravane nichée entre deux arbres.

Les maisons laissèrent la place à un champ de fleurs sauvages. Au loin, se dessinaient la façade d'une grange rouge et un silo à grain sans toit, que la foudre avait frappé l'été des dix ans de Maggie.

Très vite, la route à deux voies céda la place à un étroit chemin de poussière. Il n'y avait plus de lumière, une rangée de pins de chaque côté bloquait les rayons du soleil. Les gens du coin se rendaient-ils compte de la beauté de la région ou étaient-ils blasés ? À New York, les monuments remarquables se fondaient la plupart du temps dans le paysage. Mais, un jour, vous levez les yeux et la vue de l'Empire State Building vous coupe le souffle.

Parvenus à l'embranchement avec la Route 1, ils accélérèrent et rejoignirent les groupes de motards qui sillonnaient la route. C'était un monde complètement différent. Les arbres avaient disparu. Des lignes jaunes se dessinaient sur le goudron. Ici, la modernité criarde et le passé se battaient depuis des décennies sans que l'un ne puisse l'emporter sur l'autre. Ainsi le majestueux théâtre d'Ogunquit, avec ses bardeaux de bois blanc, faisait-il face à une rangée de motels avec piscine, décorés de néons. Il y avait un immense magasin où l'on vendait de l'alcool, des kilts faits main, un stand de hot-dog, et un bazar avec des tables jonchées de centaines de bouteilles de verre.

Ils prirent un autre tournant et, quelques minutes plus tard, arrivèrent à la fourche où Perkins Cove croise Shore Road.

« On peut aller faire un tour à Perkins Cove[38] ? dit Alice. Je n'ai pas envie de rentrer maintenant. »

Autrefois, c'était un petit village de pêcheurs. Mais, désormais, les pêcheurs de homard étaient moins nombreux que les touristes qui faisaient la queue à la boutique vieillotte de crèmes glacées et achetaient des aimants, des bougies, et autres bibelots dans les boutiques de souvenirs. Maggie acheta une boîte géante de caramels pour l'envoyer à Kathleen, et un collier de verre d'un bleu profond pour Alice.

Sur le chemin qui longeait la falaise, Alice confia au prêtre :

« Autrefois, ce n'était qu'un sentier de terre sur lequel les fermiers menaient leur bétail. Puis un habitant l'a acheté et le chemin a été construit. C'était l'année après notre arrivée. Un événement.

— Tu étais là ? demanda Maggie.

Alice secoua la tête.

— Cela peut sembler idiot maintenant, mais j'étais fatiguée, un bébé m'avait empêché de dormir toute la nuit. Il me semble que ton grand-père y était allé pourtant. »

Ils se turent alors qu'ils empruntaient le chemin, éblouis par la beauté du paysage. De l'autre côté, on voyait de belles demeures avec de larges porches. À droite, l'océan s'écrasait contre les rochers. La houle allait et venait comme une danse. Maggie et Gabe s'étaient promenés sur Marginal Way un soir de l'été dernier. Elle n'avait jamais vu une nuit aussi noire. Une chanson de Jimmy Buffett sortait du jardin de l'une des propriétés, et ils s'étaient mis à danser en riant. Elle aurait presque préféré ne jamais l'avoir emmené ici.

Alice avait mal aux genoux au moment d'arriver à Ogunquit Beach, ils hélèrent un des trolleys qui pullulaient en ville. La dernière fois que Maggie en avait pris un, c'était au mariage de sa cousine Patty, quand Pat et Ann Marie avaient loué tous ceux d'Ogunquit. Josh, le mari de Patty, était un type gentil. Il avait l'air tellement heureux ce jour-là. « Je viens d'épouser ma meil-

---

38.   Le port d'Ogunquit, typique de la Nouvelle-Angleterre.

leure amie et la femme de mes rêves », avait-il déclaré à l'assemblée, comme s'il ne pouvait pas croire à sa chance.

Quand ils remontèrent dans la voiture, pour la première fois en trois jours, Maggie oublia de regarder son téléphone. Une fois le soleil couché, elle se rendit sur la plage. À New York, on oubliait les étoiles, les lumières de la ville les rendaient invisibles. Mais ici, on aurait dit qu'il y en avait des millions. Son grand-père s'était donné un mal fou pour lui montrer toutes les constellations : les trois sœurs, le trèfle à quatre feuilles, la queue-de-cheval de Maggie. Elle ne se souvenait pas à quel moment elle s'était rendu compte que tous les noms étaient de son invention.

L'air du soir était glacial. Maggie resserra son pull sur ses épaules. Elle allait le faire, et elle allait le faire seule. C'était exaltant et terrifiant. Elle accéléra. Elle dépassa un embarcadère délabré. Elle était allée vraiment loin. Les enfants Kelleher allaient rarement à la plage publique de l'autre côté, mais Maggie continua à marcher. On était à marée basse, et tout autour de ses pieds, elle repérait des algues et de minuscules coquillages. Elle en prit un et le frotta entre ses doigts.

Au-dessus de sa tête se profilait le siège d'un secouriste. En pleine saison, deux adolescents bronzés et en pleine forme (toujours un garçon et une fille dont on pouvait raisonnablement penser qu'ils couchaient ensemble) passaient les après-midi ici, dans leurs maillots de bain rouges, prêts à donner un coup de sifflet à l'intention d'un nageur trop éloigné. Adolescentes, Maggie et Patty avaient voué un culte aux garde-côtes. Parfois, après le dîner, elles grimpaient sur la chaise et jetaient un œil à l'océan. Elles jouaient à être d'irrésistibles créatures de la plage aux cuisses parfaites.

Maggie s'approcha de la chaise et grimpa lentement au sommet pour s'y installer. Le vent fouettait son visage et jetait ses cheveux en arrière.

Au bout d'un moment, elle eut sommeil. Elle savait qu'elle devait rentrer au cottage. Mais elle décida d'attendre encore un peu. Elle se souvenait à quel point l'endroit pouvait être silencieux. Ce lieu était lié à la fois à ses meilleurs et ses pires souvenirs. C'est ici qu'elle avait été le plus heureuse aussi bien enfant qu'avec Gabe. Mais le cottage lui rappelait également les mois douloureux qui avaient mené au divorce de ses parents, passés ici entre ces quatre murs, à prier la Vierge Marie. Ils s'étaient installés au cottage car leur maison avait été vendue.

Maggie et Chris n'étaient pas allés à l'école pendant trois mois. Ils ne prenaient presque jamais de bains et ne se lavaient plus les dents. Kathleen n'avait pas l'air de s'en soucier. Oncle Patrick et tante Ann Marie avaient proposé de prendre Maggie et Chris chez eux pour la fin de l'année, mais leur mère refusait de leur parler. Pourtant, Dieu sait que Maggie en rêvait : elle adorait dormir dans le lit de sa cousine Patty, dans des draps fleuris qui sortaient encore chauds du séchoir. Sans oublier ces gaufres que leur tante servait tous les matins de la semaine.

Maggie aimait la façon dont tante Ann Marie s'occupait de la maison et semblait y prendre plaisir, plutôt que de tout remettre en cause en permanence. Kathleen lui répétait : « Ne sois pas un mouton. » Maggie détestait cette phrase. Tout ce qu'elle voulait, c'était être comme tout le monde.

Mais à l'âge de dix ans, Maggie avait déjà compris que sa mère ne pouvait pas rester seule. Ils se rendirent donc dans le Maine.

Elle se souvenait très bien de ce printemps, elle courait après son frère à travers les chambres du cottage, dans les dunes sur la plage avant de plonger dans l'océan. Ils n'arrêtaient pas de se dépenser comme pour oublier la réalité : leur père était parti sans vraiment se soucier d'eux, et leur mère se laissait dériver. Le soir, Maggie avait très peur en l'absence de son père. Ici, il n'y avait pas de réverbères pour atténuer l'obscurité extérieure, comme chez eux à Boston. Un grand drap noir uniforme recouvrait le paysage. Des papillons de nuit géants, attirés par la lumière, venaient se cogner aux fenêtres et finissaient toujours par entrer dans la maison. Elle était sûre d'entendre des pas dans le grenier au-dessus.

Le soir, le cottage était glacial. Même en portant des caleçons longs, sous une pile de couvertures, il était impossible de se réchauffer. Sur la commode de la chambre où dormaient Maggie et Kathleen — celle de ses grands-parents pendant l'été —, sa grand-mère avait mis une statue d'un enfant Jésus de Prague. Il était couvert d'une délicate robe brodée et d'une couronne dorée. Le jour, Maggie trouvait la statue amusante, elle se disait qu'il était le roi de sa ville de Barbie. Mais le soir venu, il devenait sinistre, et elle tournait son visage de l'autre côté.

Au milieu de la nuit, elle se réveillait et se retrouvait seule. Elle allait au salon, où sa mère était attablée, encerclée par les papiers, une bouteille de vin sur le sol près de sa chaise. « Ça va maman ? » lui disait-elle ou bien « Tu veux parler ? »

Sa mère lui disait tout : qu'ils étaient ruinés, que le père de Maggie était un moins que rien, qu'il avait une liaison depuis un an, que son oncle Patrick était au courant et qu'il le couvrait.

« Mon propre frère, dit Kathleen. C'est dingue, non ?

— Je n'y crois pas, dit Maggie, cachant ses mains dans les manches de sa chemise de nuit.

— Et, sans surprise, ma mère est contre moi, poursuivit Kathleen.

— Pourquoi ?

— Elle pense que je n'ai pas fait assez d'efforts, que j'aurais dû tout faire pour sauver mon mariage. Elle dit que je vais aller en enfer pour avoir refusé de me laisser marcher dessus pendant cinquante ans. Franchement, quel exemple je t'aurais donné si j'étais restée ? Je préférerais encore qu'on vive dans la rue. »

Maggie avait envie de pleurer. Elle avait entendu parler de l'enfer au catéchisme, et ses grands-parents avaient évoqué cet endroit nommé « les limbes », où les bébés non baptisés flottaient pour l'éternité, incapables de revoir leurs familles. Elle ne voulait pas que sa mère aille en enfer. Elle ne voulait pas que son père soit avec quelqu'un d'autre. Elle ne voulait pas vivre dans la rue. Elle se dit qu'il fallait agir en adulte. Elle alla voir sa mère, jeta ses bras autour d'elle et enfouit son visage dans son gros pull.

« Ça va aller ! On est là toutes les deux. Et il y a grand-père aussi. Il prendra toujours soin de nous. »

L'automne suivant, les choses s'arrangèrent. Son père se mit à payer une pension alimentaire, et ils purent s'installer dans une petite maison à Baintree. Sa mère rejoignit les Alcooliques anonymes. Elle s'excusa auprès de Maggie parce qu'elle avait été trop exigeante en lui demandant de comprendre des problèmes d'adultes.

« Mais tu ne m'as pas traitée comme une adulte, dit Maggie qui devinait que c'était ce que Kathleen souhaitait entendre.

— Si. Même si tu es mon petit pétunia, je te vois comme une amie. Mais, franchement, j'aurais pu éviter de boire devant toi comme je l'ai fait. Je me rappelle quand ma mère buvait, c'était effrayant.

— Quand a-t-elle arrêté ?

— Quand j'ai eu onze ans. En gros, ton âge. Mon père avait menacé de partir si elle n'arrêtait pas.

— Pourquoi ?

— Cela la rendait mauvaise. Si je pleurais parce que j'avais fait un cauchemar, elle me secouait très fort et me disait de me recoucher sinon les gobelins allaient venir me chercher. Une fois, elle nous a jetés tout droit dans un arbre en voiture.

— Est-ce que grand-mère est allée aux Alcooliques Anonymes aussi ?

— Non, chérie. Ce n'était pas exactement son style.

— Est-ce qu'elle est devenue moins méchante après avoir arrêté ?

— Qu'est-ce que tu en penses ? » dit Kathleen avec un clin d'œil.

Deux semaines passèrent sans un seul mot de Gabe. C'est vrai qu'elle lui avait dit de ne pas la joindre. Ironie du sort : c'était bien la première fois qu'il respectait une de ses promesses.

Le temps passa. Elle lisait, écrivait et allait de temps en temps manger avec Alice et le père « appelez-moi Connor » Donnelly. Elle allait à la plage, bien qu'il fasse encore trop froid pour se baigner. Elle appelait souvent Kathleen et son amie Allegra uniquement pour entendre leurs voix.

Chaque jour, Maggie marchait des heures pour être sûre de se sentir épuisée à la nuit tombée. Un après-midi, elle avait pris Shore Road, avait dépassé l'étang à homards de Cape Neddick, puis l'église de Connor. Elle marcha encore et encore jusqu'à se retrouver au milieu de York Beach, à huit kilomètres de la maison. Elle passa devant une boutique de tatouage, des chocolatiers, le salon de voyance, la laverie puis la confiserie. Et comme c'était ce que faisaient toujours les Kelleher à York Beach, comme un zombie, elle pénétra dans la salle d'arcades et fit quatre parties de flipper d'affilée. Elle rentra sans prononcer un mot.

D'habitude, l'air de l'océan agissait comme le plus puissant des somnifères. Mais là, exactement comme à l'époque de la séparation avec ses parents, elle ne dormait pas de la nuit.

Le soir, elle tentait de se perdre dans le travail — elle écrivit quelques profils pour les sites de rencontres, un article sur la meilleure façon de perdre ses poignées d'amour en dix étapes. Elle s'était également remise à jeter un œil aux informations, à la recherche de meurtres atroces qu'elle pourrait proposer à sa chef pour *Jusqu'à ce que la mort nous sépare*. Mais, depuis peu, elle était obsédée par les sites Internet pour futures mamans. Elle n'était enceinte que de deux mois mais elle en savait déjà trop. Au troisième trimestre, son bébé bougerait toutes les minutes. Elle sentirait les coups de l'intérieur. Ses seins grossiraient et elle aurait des vergetures. Son corps ne serait plus jamais pareil. L'accouchement pouvait durer de douze à quatorze heures. Et il y avait ensuite tout ce qui pouvait arriver au bébé. Un soir, alors qu'elle regardait les nouvelles avec Alice, elle vit un reportage sur des lits d'enfants défectueux qui avaient été retirés de la circulation parce qu'ils se renfermaient sur les enfants qui étaient morts écrasés. Si même les lits d'enfants n'étaient pas sûrs, comment arriverait-elle à passer ne serait-ce qu'une journée loin de son enfant sans paniquer?

Elle aurait trop de questions à régler quand elle serait de retour à New York, mais elle ne pouvait pas y faire face maintenant. Le Maine restait toujours le même — mêmes visages, mêmes maisons, même océan bleu. Ici, elle avait l'impression de pouvoir se laisser flotter.

Il fallait qu'elle le dise à Kathleen, maintenant. Les jours passaient et Maggie tournait et retournait les mots dans sa tête. Elle s'assit un jour et se mit à recommencer sa lettre au moins sept fois de suite. Finalement, un soir, alors qu'elle contemplait une tempête au loin, elle se mit à taper.

Chère maman,

Quand t'ai-je écrit une lettre pour la dernière fois ? Pas une carte d'anniversaire ni un mot sur le frigo, mais une vraie lettre. Je crois que c'était cet été où tu m'avais envoyée en colonie de vacances et où j'étais trop malheureuse sans toi. Je t'écrivais tous les jours et tu me répondais. Je te disais que je n'avais pas d'amis, que personne ne m'aimait. Tu me répondais que c'était scientifiquement impossible que je me sente seule, parce que tu étais là.

Cela fait plusieurs jours que je pense à t'écrire cette lettre, mais je suis sûre que je vais me dégonfler et ne jamais la poster. L'e-mail est plus facile quand vous avez du mal à dire quelque chose. Il suffit d'appuyer sur « Envoyer ». Les regrets et l'anxiété arrivent ensuite dans les dix minutes.

Je suis dans le Maine, et tu me manques. Je sais qu'on s'appelle mais comme je te le disais, je n'ai presque pas de réseau ici, et à chaque fois que je t'appelle de la ligne fixe chez Alice, je sais qu'elle écoute le moindre mot. Je suis arrivée depuis deux semaines, et le temps passe si vite. Tu te souviens comme le temps semble s'écouler différemment ici ? Un jour passe comme une heure, et les nuits paraissent interminables. (Ici, j'ai un peu peur du noir, je me rends compte qu'à New York, il ne fait jamais vraiment sombre. C'est peut-être pour cela que je m'y plais autant.) J'aime la vie simple qu'on a au cottage — j'ai encore douze jours ici et je suis déprimée à l'idée de partir. Tous les matins, je me lève tôt et je me promène sur la plage. Je vais chez Ruby's, où je prends un thé, le journal et des courses pour la journée. Je ne quitte plus le Café Amore — à dire vrai, je frôle l'indigestion de muffins à la myrtille. Puis, je rentre et j'écris pendant quelques heures, parfois je déjeune ou je dîne avec Alice. Le soir, on regarde la télé toutes les deux. C'est bien. Elle est toujours aussi dingue, mais on passe de bons moments. La plupart du temps, je me retrouve donc toute seule et ça me plaît. Il faut dire que j'ai besoin de réfléchir en ce moment.

Voilà, à chaque fois que je te téléphone, j'essaie (ou parfois j'essaie de ne pas le faire) de te dire quelque chose, mais bizarrement les mots ne viennent pas. Pourtant, je sais que je peux tout te dire, et que tu seras toujours avec moi, que tu m'aideras à prendre la bonne décision. J'ai toujours su qu'avec toi je pouvais être pleinement moi-même, quoi qu'il arrive.

Voilà ce que je voulais te dire (j'arrive à peine à l'écrire) : je suis enceinte. Inutile de dire qu'en ce moment je suis sur des montagnes russes : terrifiée, ravie, déroutée. Surtout si on voit où j'en suis avec Gabe. Mais j'ai décidé de m'en tenir à ma décision : je vais avoir cet enfant, et cela me rend heureuse. Vraiment heureuse. Alors que je suis dans le cottage, je me souviens très bien de ce printemps qu'on a passé ici, tous les trois avec Chris. Tu étais paniquée, mais regarde comment tu t'en es sortie. Je sais, évidemment, qu'il est très difficile d'élever un enfant seule. J'ai pensé à tout ce qui m'attendait. Mais je sais que tu es là, je ne serai pas perdue.

J'ai bien réfléchi, il me paraît mieux de t'écrire plutôt que de t'en parler au téléphone. Tu as le temps de réfléchir avant de réagir. Je sais que tu risques d'être inquiète, angoissée ou déçue. S'il te plaît, réfléchis un peu comme je l'ai fait avant de répondre, d'accord? Je suis dans le Maine, à l'écart et en sécurité et, pour l'instant du moins, tout est pour le mieux.

Je t'aime

Maggie

P.-S. : Sinon, j'ai l'impression qu'il se passe un truc bizarre entre grand-mère et son prêtre.

ANN MARIE

Ann Marie rassemblait des coupons de réduction, comme tous les lundis matins, quand le téléphone sonna. Sans imaginer une seule seconde ce qui l'attendait, elle cala le téléphone entre son oreille et sa joue afin de pouvoir continuer à découper un coupon offrant trois bouteilles de Windex[39] pour le prix d'une. Pratique. Elle pourrait laisser une bouteille ici, et amener les deux autres dans le Maine.

Si c'était à refaire, elle aurait demandé à Pat d'installer moins de baies vitrées dans la grande maison du Cape Neddick, c'était si salissant. Bien sûr, en contrepartie, ils avaient une vue imprenable sur la plage depuis chaque pièce. *Essaie de voir le bon côté des choses.* C'était l'une de ses devises.

Un jour, cette maison serait à eux. Elle effectuerait alors quelques aménagements. La cuisine, par exemple, était presque trop moderne. Le cottage devait rester en l'état — Pat refuserait qu'on y touche — mais peut-être pourraient-ils redessiner le jardin et prévoir une vraie cour pour les jeux des petits enfants.

« Allô ?

— Je cherche à joindre Mme Ann Marie Kelleher, dit une voix à l'accent anglais.

— C'est elle-même.

---

39. Produit ménager pour nettoyer les vitres

— Louise Parnell, j'appelle de la foire aux miniatures de Wellbright avec une très bonne nouvelle. Votre maison, numéro 2374, a été sélectionnée pour la finale de notre compétition annuelle. »

Son cœur se mit à battre. Est-ce qu'elle avait bien entendu ? C'est vrai qu'elle s'y attendait, mais elle avait passé beaucoup de temps à se raisonner, à se dire de ne pas rêver inutilement. Elle savait que la décision était prise cette semaine, mais elle n'aurait jamais pensé que ce serait un lundi (après l'église, dimanche, pendant que Pat cherchait la voiture, elle avait allumé un cierge, ce dont elle avait eu un peu honte).

« En finale ? répéta-t-elle comme si elle avait mal entendu.

— Oui. Vous pouvez être très fière. Il y avait plus de deux mille participants, et vous êtes dans les dix sélectionnés. La finale aura lieu le 1er septembre, à Londres, tous frais payés, avec un invité.

Elle se vit aussitôt main dans la main avec Steve Brewer, tous deux arpentant une rue pavée.

— C'est merveilleux, dit-elle.

Puis, elle s'empressa d'ajouter :

— Mon mari sera ravi. Il a fait un semestre d'études à Londres.

— Je pense que vous avez déjà une idée assez précise du règlement, mais nous vous posterons un courrier avec toutes les informations nécessaires.

— Oh, je vois », dit Ann Marie.

Elle connaissait quasiment par cœur la partie du site de Wellbright dédiée au concours.

Pour la finale, vous deviez présenter une nouvelle maison. Vous ne pouviez recevoir d'aide extérieure, ni utiliser un plan préétabli. Vous deviez ensuite la décorer. Le gagnant voyait sa maison présentée en couverture de *Maison de poupées magazine,* recevait un bon d'achat de cinq mille dollars chez Wellbright, et était invité à donner une série de conférences dans les foires artisanales du Royaume-Uni.

La gagnante de l'an dernier était dans le circuit depuis des décennies, elle possédait deux boutiques au Canada. Et Ann Marie qui n'était là que depuis un an ! Après avoir raccroché, elle embrassa le toit de sa maison. Elle prit le lit à baldaquin de la chambre et l'embrassa aussi.

Ne sachant pas trop quoi faire ensuite, elle poussa enfin un grand cri de joie, puis se précipita à l'étage. Raul, son coach, serait fier, elle n'avait pas couru aussi vite depuis le lycée.

« Pat ! Chéri !

Il sortit de la chambre en costume, lissant sa cravate. Il se mit à rire :

— Oui ?

— J'ai gagné ! J'ai gagné ! En tout cas, je suis en finale ! Les gens de Wellbright viennent tout juste de m'appeler.

— C'est super. »

Elle tenta de ne pas se laisser démonter par cet accueil pas du tout à la mesure de l'événement. Après tout, ce n'est pas vraiment sa passion, se raisonna-t-elle. Mais elle poursuivit :

« Ils n'ont retenu que dix finalistes sur deux mille participants ! Tu te rends compte ?

— C'est fantastique ! Je suis fier de toi.

— Et on va aller à Londres tous les deux, c'est offert !

Il acquiesça, les yeux écarquillés.

— Bonjour, je vous présente ma femme, décoratrice d'intérieur.

— Oh, je ne peux quand même pas dire ça.

— Et pourquoi ? Tu l'as construite, ils l'ont jugé, c'est bien ça ?

— Oui.

— Tu veux qu'on aille dîner ce soir pour fêter l'événement ?

— Oh oui !

— C'est notre dernière soirée ensemble avant ton départ pour le Maine.

— Je sais. J'ai tellement de choses à faire avant de pouvoir me mettre à ma maison.

— Tu vas commencer dès aujourd'hui, n'est-ce pas ? dit-il, amusé.

— Je n'ai pas beaucoup de temps ! »

Elle pensa à son planning chargé. Elle devait finir les valises, aller à la pharmacie, prendre les médicaments de sa mère et les lui apporter. Ce qui signifiait qu'elle resterait sans doute à déjeuner puis qu'elle l'aiderait à installer ses nouveaux stores. Elle avait promis à Patty d'acheter des maillots de bain pour les enfants aux soldes chez Filene. Puis elle devait rentrer, cuisiner des plats à réchauffer pour Pat et lui remplir le frigo. Il faudrait encore passer chez Alice, à Canton, pour lui prendre des affaires. Ah oui, et elle devait rendre des livres à la bibliothèque ! Et emmener la voiture à laver. Et elle devait rappeler à la voisine de penser à arroser ses plantes pendant les vacances.

Ann Marie eut un moment d'abattement. Ce n'était qu'un concours idiot. Il n'allait pas changer la vie sexuelle de Fiona, ni recoller l'existence en miettes de Little Daniel. Tout le monde s'attendait à ce qu'elle fasse tout parfaitement, et sa place de finaliste ne pouvait rien y faire. Elle n'avait jamais le temps ! Pour rien ! Elle avait besoin d'un break.

Quand Pat fut parti au travail, elle se mit à pleurer, la tête dans les mains, assise à la table de la cuisine. Parfois, il n'y avait rien de meilleur. Elle s'autorisa ces quelques minutes d'auto-apitoiement, puis se regarda dans le miroir de l'entrée. Est-ce qu'elle pleurait parce qu'elle était trop heureuse ? Ses enfants se mettaient toujours à hurler à leurs fêtes d'anniversaires, submergés par toute cette attention.

« Ann Marie Clancy, il faut te reprendre ! dit-elle à haute voix (elle aimait parfois entendre son nom de jeune fille, même si elle portait celui des Kelleher depuis trente-cinq ans). Tu es en finale ! En finale ! »

Elle se sentit un peu mieux et jeta un nouveau coup d'œil à la maison de poupée. Puis, elle appela Patty.

« Bureau de Patricia Weinstein ? »

À chaque fois qu'Ann Marie entendait ce nom, elle avait un moment de surprise, même si Patty était mariée depuis huit ans. Elle devait se forcer : *ma fille Patty Kelleher est maintenant quelqu'un qui s'appelle Patricia Weinstein.*

« C'est sa mère. Elle est là ?

— Une minute.

Patty décrocha. Elle avait l'air épuisée.

— Comment va Forster ? » demanda Ann Marie avant même de dire bonjour.

Il avait eu un mauvais rhume tout le week-end, mal à la gorge et une toux sévère. Patty l'avait appelée vendredi soir, très inquiète, et Ann Marie lui avait calmement dit de lui préparer un grog avec du citron, du miel et un trait de whisky, recette qu'elle tenait de sa mère.

« Ça va mieux, dit Patty. Il se remet.

— Et tu es sûre qu'il boit assez?

— Oui.

— Bien. Il est à l'école?

— Oui.

— OK.

Ann Marie l'aurait sans doute gardé une journée de plus à la maison pour qu'il se repose. Enfin...

— J'ai quelque chose à te dire.

— Ah bon?

— Tu te souviens que je présentais ma maison de poupée à cette grande compétition?

— Oui, plus ou moins.

— Je suis en finale! Avec papa, on va aller à Londres pour l'annonce des résultats en septembre. Ce qui signifie que je vais devoir refaire une maison entière d'ici là! C'est plutôt terrifiant comme chantier, si tu veux mon avis.

— Tu te rends compte qu'on parle d'une maison de cinquante centimètres de hauteur?

— Qu'est-ce que tu veux dire?

— Je plaisante. C'est super, maman. Félicitations! »

Ann Marie aurait bien aimé en parler un peu plus, mais Patty changea de sujet. La mère de Josh allait garder les enfants, les mardis et jeudis pendant qu'Ann Marie serait dans le Maine. Et Patty essayait de trouver une façon polie de lui demander de ne pas jurer devant les enfants.

« Josh dit qu'elle a toujours été comme ça. Elle jure comme un charretier! Je n'ai vraiment pas envie d'expliquer à Maisy ce que signifie "putain" ni pourquoi elle n'a pas le droit de prononcer ce mot en maternelle.

— Patty! dit Ann Mary par réflexe.

— Quoi ? Je ne le disais pas vraiment. J'expliquais. »

Un peu plus tard, Ann Marie prit ses clés sur le crochet de l'entrée et partit faire ses courses. Son humeur resta au beau fixe, malgré les embouteillages, les files d'attente au supermarché et les conversations stupides de ses voisines sur leurs portables.

Son enthousiasme survécut également à un après-midi passé dans l'appartement de sa mère, où les tapis sombres et le papier peint surchargé alourdissaient l'ambiance des pièces, où les photos de son enfance se couvraient de poussière : Ann Marie avec ses sœurs, à leur première communion et sur la plage, toujours avec leur petit frère Brendan en arrière-plan, qui les hantait comme un fantôme. Il aurait cinquante ans aujourd'hui. Ann Marie y pensait souvent.

Son père était né dans cet appartement à une époque où le loyer n'était que de trente dollars par mois. Il n'avait jamais vécu ailleurs.

À chaque passage dans son ancien quartier, un mélange de nostalgie et de gêne la prenait à la gorge. Les maisons de bois à trois étages avaient l'air aussi vétustes que dans sa jeunesse. Elle avait souvent emmené ses enfants ici, ils adoraient être aussi près de la plage, même si les gamins du coin les rendaient nerveux. Ils n'étaient pas faits pour ce milieu. Dehors, en face de l'établissement de bains municipaux, un groupe de vieux Irlandais discutaient en riant. Chaque année, pour le nouvel an, ils se jetaient dans les eaux glacées, et tout le monde venait les applaudir. Ann Marie leur fit signe, heureuse de rentrer chez elle.

Elle avait pensé à sa maison — qui allait gagner le grand prix, c'était sûr — toute la journée. Elle se dit qu'elle serait sans doute mieux en brique. Elle avait vu quelques modèles magnifiques, même si elles étaient rares. Elle installerait l'électricité comme elle avait appris à le faire. Elle confectionnerait des draps et des serviettes du plus beau linge de maison qu'elle réservait aux invités. La cuisine serait entièrement en blanc. Dans le salon, elle imaginait un portrait de famille au-dessus de la cheminée, avec peut-être quelques chiens de chasse en arrière-plan. Pourquoi ne pas demander à un peintre du coin de le faire ? Cela lui vaudrait bien quelques points.

Elle se sentit tellement revigorée qu'elle décida de repasser toutes les serviettes de bain de la maison, pendant qu'elle préparait à Pat deux poulets, des brocolis, un rosbif, un gratin de pâtes.

Plus tard dans l'après-midi, elle prit une douche. Puis, vêtue d'un simple peignoir, elle décida de se servir un verre de vin pour fêter ça. Elle le remplit à ras bord et but une grande gorgée.

Elle s'installa derrière l'ordinateur. Enfin. Pat ne serait pas là avant deux bonnes heures. Elle commença par quelques achats, la carte American Express en main. Pat ferait peut-être un peu la tête en voyant l'addition, mais elle lui rappellerait qu'ils avaient gagné un voyage gratuit — en fin de compte, ils économisaient de l'argent.

Un voyage gratuit. Elle se sentit étrangement fière.

Ann Marie fit tout livrer à Briarwood Road puisqu'ils seraient là-bas le mois prochain. Elle se vit sur le porche du cottage, ouvrant chaque boîte pour sortir ses trésors un par un. Elle aurait des heures pour travailler en paix, les dix prochains jours, avant que Pat et les Brewer arrivent dans le Maine. Elle se concentra sur ses achats.

Le modèle qu'elle convoitait depuis longtemps était une maison en brique de Newport de trois étages. Onze pièces, une hauteur sous plafond de vingt-cinq centimètres, seize fenêtres et un très bel escalier avec une rampe ornée.

La maison coûtait plus de mille dollars. Elle décida que cela les valait.

Elle acheta également une niche et des plantes pour le jardin, puis ajouta une tondeuse et un râteau. Elle compléta l'ensemble avec un tableau, un minuscule fer à repasser et un mixeur, pas plus grand qu'une pièce de un dollar.

Ann Marie s'imaginait le père dans cette maison en brique, qui rentrait d'une longue journée de travail. Anglais, probablement, il s'appelait Reginald. Il avait sans doute une petite moustache. Sa femme (Evelyn ?) l'accueillait tous les soirs, dans une robe rose, ses joues rosies, un sourire un peu espiègle. Les enfants étaient toujours douchés et endormis. Le dîner était sur la table. Elle attendit que la page du site Internet Puck's Teeny Tinies se charge. Elle y acheta une boîte de sablés, une bouteille de lait, une douzaine d'œufs, un panier de légumes en céramique, une boîte miniature de chocolats, dont le couvercle était à moitié ouvert. Reginald les apporterait à Evelyn pour leur anniversaire de mariage.

Une vague d'excitation saisit Ann Marie. Cette maison allait être magnifique et, aussi idiot que cela puisse paraître, elle se sentait plus belle grâce à ce projet. Elle voulait partager cette excitation avec quelqu'un, quelqu'un qui pourrait la comprendre. Elle tapa l'adresse du site de Weiss, Black, and Abrams, puis cliqua sur le nom de Steve Brewer. Mais, cette fois, elle alla plus loin et cliqua sur le lien « Envoyer un e-mail à Steve Brewer ».

Une fenêtre apparut, et elle se mit à écrire.

Hello! Le magazine Life *que tu m'avais envoyé m'a porté bonheur... Je viens d'apprendre que je fais partie des finalistes d'un des plus grands concours de maisons de poupée. Il y avait près de deux mille personnes en compétition, et j'ai gagné! Merci, amicalement. Bises.*

Pat rentra vers six heures et demie. Elle avait cliqué sur le bouton ENVOYER depuis une heure, et Steve Brewer n'avait toujours pas répondu.

Ann Marie était surexcitée. Est-ce qu'elle ne s'était pas trop vantée? Il pouvait tout simplement être occupé. En réunion. Mais pourquoi avait-il fallu qu'elle exagère autant? Et, mon Dieu, ce *Bises?* Mais qu'est-ce qui avait pu lui passer par la tête? Elle mit le *Bises* sur le compte du chardonnay. Elle mit l'ensemble sur le dos du chardonnay.

Ils partirent dîner, et Pat fit remarquer qu'elle était bien silencieuse. Puis, il raconta qu'il était tombé sur Ralph Quinn, le père d'une amie d'enfance de Fiona, Melody, à la poste. Ralph avait dit à Pat que Melody venait de se fiancer. L'humeur d'Ann Marie baissa encore d'un cran, mais elle s'efforça de sauver les apparences et de rester souriante. C'était gentil de sa part de l'emmener dîner.

Elle but encore et commanda un steak. Quand Pat évoqua le bureau, elle récita une centaine de *Je vous salue Marie* en silence, priant pour que Steve Brewer lui ait répondu quand ils seraient de retour.

Il n'avait pas écrit.

Ann Marie n'arrivait plus à réfléchir. Le vin lui était monté à la tête. Elle imagina que Lisa, sa femme, avait lu l'e-mail et tout deviné. Lisa allait appeler Pat — ou bien faire comme si rien ne s'était passé, puis gifler Ann Marie, devant tout le club de lecture à leur prochaine réunion. Et là, ils devraient déménager.

Elle pensa envoyer un second e-mail pour expliquer le premier, mais que pouvait-elle bien dire ? *Je me suis mise à boire dès cinq heures de l'après-midi, et j'ai eu envie de t'écrire.* Voilà qui ne risquait pas d'arranger la situation. Qu'est-ce qui lui arrivait ces derniers temps ?

Cette nuit-là, elle ne parvint pas à dormir. Le ronflement de Pat lui parvenait au travers des murs, et elle faillit aller le retrouver pour avoir un peu de réconfort. Au lieu de quoi, elle décida de faire bon usage de son insomnie. Cela ne servait à rien de rester plantée là. Elle alla dans son atelier et alluma. Doucement, elle se mit à préparer et installer dans le coffre tout ce dont elle avait besoin pour partir dans le Maine : des serviettes, des draps, des rubans, dans deux grands sacs de plage. C'était idiot sachant qu'elle n'avait besoin que d'un tout petit bout de tissu, mais mieux valait être sûre.

Elle espéra qu'aucun voisin ne pouvait la voir, en chemise de nuit, traînant sa machine à coudre et son pistolet à colle, sous la lumière de la lune, l'herbe fraîche sous ses pieds.

Quand elle s'éveilla le lendemain matin, Steve avait répondu : *Hé, bravo ! Tu es fantastique ! Il faudra fêter ça, le 1er juillet !*

C'était le jour de son arrivé dans le Maine avec sa femme. Ce n'était pas la chose la plus romantique qu'il puisse dire, mais bon, elle lui avait écrit sur son e-mail professionnel. Et un échange avait commencé.

Tu es fantastique. C'était déjà un premier pas.

Elle se jura de ne pas répondre immédiatement puis le fit quand même.

J'ai vraiment hâte. Je pars dans le Maine aujourd'hui pour aider ma belle-mère pour les prochaines semaines.

Elle resta quelque temps devant l'écran pour voir s'il n'allait pas écrire une courte réponse à la volée. Elle se maudissait de ne pas avoir posé de question. Il n'y avait rien à répondre à son message.

Maintenant, il fallait qu'elle soit patiente et qu'elle se concentre sur Alice, le cottage et sa maison de poupée. C'était tout ce qu'elle avait à faire pendant les deux prochaines semaines.

Sur la route du Maine, elle écouta de vieilles chansons, la vitre ouverte. C'était dur de partir, de laisser son mari, sa mère et ses petits-enfants. Mais c'était Alice qui avait le plus besoin d'elle. Elle n'avait plus personne.

L'idée de finir comme Alice, ou comme sa mère, terrifiait Ann Marie. Elles survivaient des années à leurs maris. Parfois des décennies. Elle ne pouvait pas s'imaginer vivre sans Pat. Elle n'avait jamais pu vivre seule.

Après tant d'années passées dans la compagnie des enfants, le silence lui pesait. En conduisant, elle se demandait ce qu'ils pourraient dire — Little Daniel : « Change de radio ! » Fiona : « Arrête-toi ! j'ai vu un petit chat ! » Le tout finissait immanquablement en dispute.

Alors qu'elle roulait sur la 95, avec la ceinture de sécurité qui lui sciait l'estomac, Ann Marie s'enjoignit de ne pas regarder vers le bas. C'était l'une de ses règles d'or. Dans une robe de tennis, elle se trouvait encore une jolie silhouette. Mais la vue de son ventre en position assise ne pouvait que lui faire de la peine.

Elle avait vu son coach pas plus tard que samedi. Quand Raul l'installait sur ces affreuses machines trois fois par semaine, elle transpirait, haletait et jurait qu'elle voyait son corps se transformer. Mais dès qu'elle apercevait son ventre, elle se demandait si ces séances avaient une quelconque utilité.

Ann Marie se redressa.

Jusqu'à il y a trois ans, elle avait eu de la chance avec sa silhouette. Elle l'avait toujours retrouvée après ses grossesses, et elle n'avait pas hérité de la tendance de sa mère à prendre du poids avec l'âge. Mais la ménopause avait changé la donne. Elle avait deux ans d'écart avec sa sœur Tricia, mais cela commença en même temps. Cela dit, c'était bien de connaître quelqu'un avec qui on pouvait faire la comparaison. Ann Marie estimait que Tricia traitait toute l'affaire de façon peu convenable. Elle allait sur un forum destiné aux femmes de son âge et discutait des symptômes, des hormones et de remèdes naturels toute la journée. Elle leur avait même acheté des billets pour *Ménopause : la comédie musicale.* C'était drôle, mais elle avait l'impression de porter un panneau autour de son cou : « Hé, je suis en train de me DESSÉCHER ! »

Puis, finalement, son corps s'était chargé d'annoncer la nouvelle au monde entier. D'abord, il y eut les bouffées de chaleur. Qu'elle soit à la caisse d'un magasin ou agenouillée à l'église. D'un coup, toute la partie supérieure de son corps était envahie par une chaleur intense, et elle se mettait à transpirer. C'était très gênant. Sa chevelure s'était éclaircie. Elle trouvait des mèches de cheveux dans la voiture et sur le sol de la salle de bain. Finalement, son corps inventa un million de façons de la trahir. Son ventre enflait, tandis que ses seins diminuaient. C'était sans doute là le pire des coups bas.

Cette année-là pour la fête des Mères, Pat lui offrit les séances avec Raul, et l'espace d'un instant, elle eut envie de pleurer ou de lui marcher sur les pieds : est-ce que qu'on pouvait appeler cela un cadeau ? Mais elle sourit. Elle savait que cela partait d'une bonne intention. Et ces séances avec Raul, que Pat avait renouvelées à chaque fête des Mères, étaient vraiment un don du ciel. À quoi pourrait-elle bien ressembler aujourd'hui sinon ?

Pour Ann Marie, le plus dur était de savoir qu'elle n'aurait plus jamais d'autre enfant. Elle essaya d'expliquer cela à Tricia, mais sa sœur éclata de rire : « Je ne savais même pas que tu essayais encore. »

Elle savait que c'était irrationnel. Au nom du ciel, elle était grand-mère. Mais que ce soit aussi irréversible la peinait.

Depuis la naissance de Daniel, sa première pensée de la journée allait à ses enfants, la dernière avant de s'endormir aussi. Parent, quel métier bizarre. Si vous accomplissez parfaitement votre tâche, vous vous rendez du même coup inutile. Qui était-elle en dehors de la mère de Patty, Fiona et Daniel Kelleher ? Elle y pensait beaucoup ces temps-ci.

Elle respectait les limitations de vitesse. Elle ne voulait pas donner un mauvais exemple à ses enfants. Coincée dans l'embouteillage des péages du New Hampshire, elle appela Little Daniel.

« Comment vas-tu chéri ?

— Ça va.

— Tu as envoyé des candidatures cette semaine ?

— Non, pas encore.

— Bon, nous ne sommes que mardi. Comment va Regina ?

— Ça va. On est allés à la plage de Nantasket dimanche.

— Vous avez dû passer un bon moment.

— Oui. Regina ne connaissait pas. Et nous avons mangé du homard chez *Castleman* après.

Peut-être un peu cher pour un chômeur, non ? pensa-t-elle. Mais elle se contenta de dire :

— C'est bien. Tu en as profité pour aller à la messe de Sainte-Mary tant que tu y étais ?

Il se mit à rire :

— Maman…

— C'est une très belle église, c'est tout. Je ne crois pas que tu y sois déjà allé. Ce qui signifie que tu as le droit à trois vœux. »

Elle ne savait absolument pas qui avait décrété qu'on avait le droit de faire trois vœux le jour où on entrait dans une nouvelle église. Peut-être une mère désespérée, dont les enfants faisaient une énorme colère sur le parking d'une église. En tout cas, avec ceux d'Ann Marie, cela avait toujours marché.

« Je suis en route pour le Maine. Je ferai un tour à Cliff House cette semaine pour goûter ce que prépare le traiteur. Comme ça, je dirai à Regina ce que j'ai préféré. Je ferai une présélection pour lui faire gagner du temps.

— Cool. Dis bonjour à grand-mère et dis-lui qu'on est ravis de la voir en juillet.

— Oui. Quand arriverez-vous ?

— Je ne sais pas encore. »

Elle paya au péage, puis accéléra. Ce n'était pas une bonne idée de téléphoner et d'accélérer en même temps. Elle espérait qu'aucun de ses enfants ne le ferait jamais.

« Je dois y aller, chéri. Encore une chose. Peut-être que tu devrais inviter papa à dîner un soir, cette semaine. Je suis sûre que cela lui ferait plaisir. Il va se sentir seul.

— Pourquoi pas, mais je suis un peu à court d'argent.

Elle repensa au homard.

— Dans ce cas, viens chez nous. Je t'ai fait ton plat préféré.

— Du gratin de pâtes ?

— Oui. Et au frigo, il reste du gâteau à la fraise de dimanche. Et beaucoup de vin. Viens avec Regina. J'ai laissé les magazines sur le mariage dont je lui avais parlé sur mon bureau. »

Elle raccrocha. Le type dans la voiture de derrière ressemblait un peu à Steve Brewer, le menton aigu et les cheveux en bataille.

Tu es fantastique, avait-il écrit. *Il faudra fêter ça.*

Elle souhaitait se retrouver seule avec lui pour lui expliquer ce qu'elle ressentait. Elle l'imaginait en train d'acquiescer, lui dire qu'il la comprenait entièrement et qu'elle avait fait un travail incroyable, avec les enfants, son physique, la maison, la maison de poupée, tout…

En traversant le pont sur la rivière Piscataqua, qui connectait le New Hampshire et le Maine, elle se souvint du jeu préféré de Pat sur la route : le premier à voir le pont gagnait un quarter. Quand les enfants étaient petits, on aurait dit qu'un quarter était un billet de cent dollars — à les voir se disputer et s'accuser de tricherie *(Je ne vois pas comment tu as pu voir le pont maintenant — nous sommes encore à Boston.)*

Quand Pat essaya de lancer le jeu avec ses petits-enfants, l'été dernier, Foster avait demandé : « Qu'est-ce qu'on gagne ? » « Un quarter », avait répondu Pat très excité.

Ann Marie jeta un œil dans le rétroviseur pour voir son petit-fils de six ans, se pencher : « Mais je viens de trouver deux quarters juste sous le coussin. » Puis, Maisy et lui se plongèrent dans leurs jeux vidéo et ne dirent plus un mot jusqu'à Cape Neddick. Ann Marie savait qu'elle devrait se réjouir devant tant de calme, mais elle avait également envie de les attraper par les cheveux et de leur coller le visage aux vitres. Ces enfants étaient-ils trop occupés pour prendre le temps de regarder par une fenêtre et rêver ?

Elle sortit de l'autoroute, et prit la Route 1, où il y avait encore des stations-service, le grand Shop'n Save et des feux rouges, tous les quatre cents mètres. Mais après quelques minutes, elle se retrouva à Ogunquit, où les rues étaient entourées de cafés et de boutiques de souvenirs. Elle suivit la route de Cape Neddick. Une minute plus tard, elle passa devant les maisons familières, et la grande grange délabrée au bout de Whipple Road. Elle jeta un œil aux voiliers étincelants dans le soleil, sous un ciel immaculé.

Quand elle arriva à Briarwood Road, elle accéléra. Il était presque dix heures. Alice devait tout juste revenir de l'église. Cela donnait à Ann Marie deux heures pour s'installer, préparer le repas et peut-être un peu de temps pour coudre quelques rideaux. Ses pneus crissèrent sur le sable. Elle était arrivée et retrouvait le cottage comme un vieil ami. Une bouffée d'excitation la saisit quand elle descendit de la voiture.

Ann Marie ouvrit le coffre et rassembla d'abord les éléments de sa maison de poupée. Elle poussa de sa hanche la porte du cottage puis se retrouva dans l'entrée et inspira l'odeur familière de l'océan, mêlée au parfum de la maison. Elle se dirigeait vers le salon, en pensant que la solitude avait du bon, quand elle tomba sur sa nièce assise à la table de la salle à manger, vêtue simplement d'une petite culotte et d'un tee-shirt. Elle avait pris du poids.

« Maggie », dit Ann Marie.

Elle l'avait dit doucement pour ne pas la surprendre, mais cela n'empêcha pas Maggie de sursauter et de saisir son estomac avec ses deux mains.

« Oh, mon Dieu, tu m'as fait peur !

Elle se leva en souriant d'un air penaud. Elle attrapa un short par terre et l'enfila.

— En fait, je ne t'attendais pas. Je peux t'aider ? Mais qu'est-ce que c'est ? » demanda Maggie, en jetant un œil.

Ann Marie ouvrit les bras et laissa tomber tout son matériel sur la table recouverte de papiers et de livres.

— Que fais-tu là, ma chérie ? Je croyais que tu repartais à New York le 14.

— J'ai décidé de rester un peu. Grand-mère ne t'a rien dit ?

— Non, non, elle ne m'en a pas parlé.

— Tu laisses tout ça ici ? » demanda Maggie en désignant les fournitures pour la maison de poupée.

Ann Marie prit une grande inspiration. Elle n'en voulait pas à Maggie, cela aurait été injuste de tout lui mettre sur le dos.

« En fait, j'avais dit à Alice que je viendrai ici, puisque ta mère et toi ne restiez pas.

— Mais… je lui ai dit il y a trois semaines que je resterai jusqu'à fin juin. Cela dit, on peut rester toutes les deux. Ce serait sympa. »

Elle était vraiment polie. C'était d'autant plus étonnant vu l'éducation qu'elle avait reçue. Mais Ann Marie sentait bien que la perspective d'une cohabitation inspirait aussi peu Maggie qu'elle-même.

« Oui, c'est vrai, dit Ann Marie.

— Je vais t'aider à renter tes bagages. »

Elles échangèrent des banalités alors qu'elles ramenaient ses valises, ses sacs de courses et de produits d'entretien.

« Comment vont les enfants de Patty ? Ils doivent être grands maintenant.

— Ils sont adorables. Foster a les oreilles de ton grand-père ! Je t'enverrai des photos.

— Oui, avec plaisir.

— Et le bébé va à des cours de bébés nageurs. Deux fois par semaine.

— Hein ? Mais quel âge a-t-il ?

— Un an !

— Ah bon !

— Tu n'as rien vu. Maisy a quatre ans et elle est déjà en troisième année de T-ball[40]. Elle connaît les mouvements par cœur. Elle est prête à entrer dans une équipe l'année prochaine.

Maggie haussa les sourcils. *C'est donc ça l'éducation actuelle ? T-ball dès l'âge de deux ans ?*

— Mais combien cela peut-il coûter ?

Une question vraiment étrange jugea Ann Marie.

— Je ne sais pas trop. Pas très cher. »

Maggie eu l'air abattue. Ann Marie se sentit un peu triste pour sa nièce. Elle aurait sans doute dû plus s'occuper d'elle. Elle avait toujours voulu que Maggie se sente aimée. Mais c'est vrai qu'elle avait ses trois enfants, et à chaque fois qu'elle faisait un joli cadeau à Maggie, ou qu'elle proposait de l'emmener avec eux à Disney World, Kathleen entrait dans une rage folle.

« Comment va ta mère ?

— Bien.

— Elle a beaucoup de travail à la ferme.

— Oui. Tu as vu cet article dans le *Times,* il y a quelques semaines, sur les Peace Corps ?

Ann Marie sentit ses muscles se contracter.

— Non.

— C'était vraiment intéressant, c'était sur tous les anciens. Sur le thème "Que sont-ils devenus ?" Cela m'a fait penser à Fiona.

— Oh, très bien.

— Je me suis dit que je pourrais le lui envoyer.

— C'est gentil. Je suis sûre que cela lui fera plaisir.

— Elle est partie depuis longtemps.

— Oui.

— Elle sait ce qu'elle veut faire après ? demanda Maggie.

---

40. Version simplifiée du base-ball destinée aux jeunes enfants.

Ann Marie essaya de prendre un air dégagé :

— Oh, tu sais, la mère est toujours la dernière au courant. »
Elle avait l'impression qu'elle venait d'en dire trop, mais
Maggie se contenta de sourire.

Après qu'elles eurent rentré les sacs, Maggie travailla sur son
ordinateur, pendant qu'Ann Marie lisait ses magazines sur les
maisons de poupée sous le porche. Elle essayait de se détendre
et de profiter de la vue. Mais elle avait hâte qu'Alice rentre et
qu'elles puissent s'expliquer. Elles se parlaient tous les jours au
téléphone. Comment sa belle-mère avait-elle réussi à oublier de
lui mentionner la présence de Maggie ? Ann Marie se demanda
avec inquiétude si Alice perdait la mémoire. Elle déclinait peut-
être plus vite que prévu.

Mais dès qu'Alice fit son apparition, elle fut aussitôt assurée
du contraire.

« Oh, tu es arrivée. Tu as fait bonne route ?

— Parfait. J'étais un peu étonnée de tomber sur Maggie.

— Ah bon ?

— Oui, et je crois qu'elle était étonnée aussi. Pourquoi ne
m'aviez-vous pas dit qu'elle restait ?

— Pourquoi ? dit Alice. Tu ne serais pas venue ? De mon
temps, les gens étaient contents de passer du temps à la plage
avec leur famille. Ce n'était pas une corvée !

— Ce n'est pas ce que je voulais dire.

— Viens donc voir mon jardin. Il est splendide. »

Elles dînèrent toutes les trois chez *Barnacle Billy.* La salle était
bondée de familles et de jeunes couples qui se tenaient par la
main. Quand Maggie partit aux toilettes, Alice dit à Ann Marie :

« Je sais que tu m'en veux. Je déteste ça.

— Je ne vous en veux pas.

— Si.

— Vraiment mère. Je vous promets. Ça va.

— Ce n'était pas très gentil de ne pas te le dire. Mais tu
connais Kathleen et ses enfants. Quand Maggie a dit qu'elle allait
rester, j'étais sûre qu'elle allait changer d'avis.

— Finalement, elle ne l'a pas fait.

— Non.

Alice changea de ton.

— Écoute. Je ne t'ai pas demandé de venir. Si c'est une telle corvée, pourquoi ne rentres-tu pas chez toi ? »

Ann Marie se sentit comme un enfant injustement puni. Elle avait bouleversé tous ses plans, et maintenant Alice la traitait d'ingrate.

« Mais je veux bien rester, dit-elle pour éteindre l'incendie. Je suis désolée.

Alice sourit.

— Tu resteras dans la grande maison avec moi. Je t'installerai dans la grande chambre, celle qui a la plus belle vue.

— Merci.

Maggie revint. Alice commanda deux verres de punch.

— Celle-là devient un vrai rabat-joie, comme sa mère. Elle ne boit plus un verre d'alcool. »

Maggie n'avait jamais tellement bu, ce qui n'était pas très surprenant. Dans toutes les familles irlandaises, on trouvait quelqu'un qui se méfiait viscéralement de l'alcool. Dans le cas d'Ann Marie, c'était sa sœur Susan qui n'avait jamais rien bu de plus fort qu'une O'Doul's [41] depuis la fac.

« J'essaie de faire attention, dit Maggie, pour perdre un peu de poids avant l'été.

— Bonne idée, dit Alice. Tu n'es pas au mieux de ta forme en ce moment. Mais tu es jeune. Tu vas perdre facilement. Tu as de beaux cheveux, cela dit.

— Merci. »

Maggie se tourna vers Ann Marie et leva les yeux au ciel.

Alice changea de sujet.

« Ann Marie, est-ce que tu as vu cette histoire affreuse au journal télévisé sur ce garçon noir à Dorchester qui s'est fait assassiner par les gangs ? À deux blocs de la maison où j'ai grandi. Mais quel est leur problème ? On dirait que ces Noirs ne peuvent rien faire

41. Bière sans alcool.

d'autre que s'entre-tuer. C'est plus fort qu'eux, c'est leur passe-temps préféré.

— Grand-mère! siffla Maggie.

— Quoi? C'est vrai.

Maggie avait l'air décontenancée.

— Il y a toute une histoire derrière… Une histoire d'inégalités et de souffrances.

— Je t'en prie, dit Alice. Nos ancêtres ont dû aussi affronter le racisme quand ils sont arrivés dans ce pays. Chaque fenêtre de Boston portait un panneau "PAS D'IRLANDAIS ICI". Ils étaient moins bien traités que des chiens. Mais ils n'ont jamais cherché d'excuses. Ils se sont donné du mal, exactement comme auraient dû le faire les Noirs.

— C'est différent. Les ancêtres des Afro-américains sont venus comme esclaves sur des bateaux. Nos ancêtres ont choisi de venir ici.

— Est-ce que tu crois vraiment que mourir de faim et partir pour un pays inconnu était un choix? Es-tu en train de comparer les Irlandais aux Noirs?

— Tu ne devrais pas dire les *Noirs* comme cela.

Alice eut l'air troublée.

— Comment devrais-je les appeler alors? Afro-américains? Ou bien les Nègres comme on disait dans ma jeunesse?

Le couple à la table d'à côté se mit à regarder dans leur direction.

— Tu ne devrais pas les appeler du tout. Changeons de sujet. »

Le visage d'Alice se figea, ce qui signifiait qu'elle passait du côté obscur. Les Kelleher ne savaient pas s'y prendre avec elle.

Avant qu'elle puisse répondre, Ann Marie murmura le plus rapidement possible :

« Canadiens! Tu n'as qu'à les appeler des Canadiens.

Alice marqua un temps d'arrêt pour montrer ce qu'elle pensait de cette idée.

— D'accord. Eh bien, les "Canadiens" ont besoin de se reprendre en main. C'est mieux comme ça?

Maggie hocha la tête.

— Et pourquoi est-ce que les "Canadiens" sont obligés de jurer comme des charretiers? Je suis tombée sur une horreur à la radio ce matin. Pourquoi?

— Je ne sais pas, dit Maggie de guerre lasse.

— Ann Marie? Une idée peut-être? demanda Alice.

— Aucune, mère. »

Ann Marie fit signe à la serveuse et commanda un autre punch, même si son verre était encore à moitié plein.

Avant de se coucher, Ann Marie appela Pat du téléphone qui était dans la cuisine d'Alice. Elle se sentait légèrement ivre et avait envie de se plaindre. On ne lui disait jamais rien. Elle essayait d'être gentille, mais à quoi bon dans cette famille?

Quand elle lui dit que Maggie était encore là, Pat répondit :

« Très bien, dans ce cas tu n'as qu'à rentrer.

— Non, je vais rester. Il y a tellement à faire ici. »

Elle se sentait prisonnière et savait que sa réaction était très exagérée. Elle n'avait qu'à remonter dans sa voiture et repartir. Mais que pourrait-elle faire les dix jours à venir? Patty avait trouvé quelqu'un d'autre pour garder ses enfants. Ses sœurs s'occupaient de sa mère. Finalement, elle pouvait disparaître sans que la vie de tous ces gens ne change.

« Comme tu veux, dit Pat. Tu me manques aussi. La maison est beaucoup trop calme sans toi.

Elle sourit :

— Qu'est-ce que tu as mangé au dîner?

— Je plaide coupable, votre honneur.

— Patrick!

Elle était sûre qu'il était allé au McDonald's. Elle lui interdisait le fast-food.

— Allez, promis, cela n'arrivera plus. Je suis un homme faible.

— Bon, d'accord, dit-elle.

— Little Daniel a appelé cet après-midi.

— Ah bon?

— Il dit que son vieux papa lui manque et propose de passer dîner un soir cette semaine.

Quel gentil garçon.
— Est-ce que ce n'est pas gentil?
— Je dois dire que cela m'a touché. Étonné et touché.
— Je suis contente. »

Enfin un peu de réconfort. Elle se promit que, dès demain, elle se concentrerait sur le bon côté des choses. Avant de dormir, comme toujours, elle fit sa prière. Pour ses enfants, ses petits-enfants, pour Alice, Pat et ceux qu'ils aimaient et qui n'étaient plus de ce monde. Elle fit une prière spéciale pour Maggie qui semblait tellement seule. Elle pensa à sa nièce dans le cottage juste à côté et se demanda si elle devait passer une tête et la border.

Quatre jours passèrent, plus ou moins bien. Elle se rendit à Cliff House et prit des notes abondantes sur le poulet (très bon), le bœuf (pas assez tendre), les crevettes (parfaites), afin de les transmettre à Regina. Elle courut sur la plage, donna un coup de main à Alice au jardin et discuta avec sa nièce qui semblait extrêmement abattue par sa rupture récente. Son séjour ne se passait absolument pas comme elle l'avait prévu, mais c'était la vie. Juin serait bientôt fini, Maggie rentrerait à New York, et Pat serait là — avec Steve Brewer.

Cinq jours plus tard, Ann Marie se réveilla en sursaut au son du broyeur et de la voix d'Alice. Il était six heures et demie du matin.

Alice semblait en forme, heureuse.

« Voilà, c'est ce dont je voulais vous parler. Un des gamins a peut-être laissé tomber une bille dedans, ou un autre truc.

— Une bille? » dit une voix d'homme amusée.

Ann Marie se redressa dans son lit et tendit l'oreille. Qui était là? Son cœur se mit à battre plus rapidement. Elle s'imaginait Alice ouvrir innocemment la porte à un psychopathe qui se ferait passer pour un plombier. Il finirait par les tuer toutes les deux avec une clé à molette avant de filer avec leurs bijoux.

Elle enfila une robe de chambre et descendit précipitamment.

« Mère, dit-elle, dans le dos d'Alice.

Alice et l'homme se retournèrent brusquement comme deux adolescents pris sur le fait.

— Bonjour, ma chère », dit Alice, pleine d'entrain.

Elle portait un pantalon corsaire noir, des ballerines et un gilet rouge à manches courtes qu'elles avaient achetés ensemble en solde des mois plus tôt. Elle était parfaitement maquillée.

« Tu te souviens du père Donnelly ?

— Bien sûr », répondit Ann Marie en se forçant à sourire.

Il était là, tout en noir, mis à part son col blanc. Il avait l'air d'avoir douze ans. Ainsi, elle pouvait réellement avoir vingt ans de plus qu'un prêtre… c'était vraiment décourageant.

« Comment allez-vous, mon père ?

— Très bien, merci. J'espère qu'on ne vous a pas réveillée.

— Pas du tout, dit-elle, en se dirigeant vers la cafetière.

— J'avais promis à Alice de venir jeter un œil à cet évier. Je dis la messe à neuf heures, donc j'ai préféré passer tôt.

— Il est très bricoleur, ajouta Alice, ravie.

Ann Marie hocha la tête.

— C'est gentil. Mais, mère, Pat peut s'en occuper dès son arrivée.

— Aucun problème, répondit le père Donnelly. C'est le moins que je puisse faire. »

Un dimanche par mois, la mère d'Ann Marie invitait les prêtres de leur paroisse à dîner. Elle faisait un énorme rôti, de la purée et du gâteau à l'ananas. Pendant des années, Ann Marie avait perpétué cette tradition. Sa vie entière, elle avait vu des femmes nourrir des prêtres. Libre à Alice de renverser les rôles et de faire travailler le prêtre pour elle. Tous deux se mirent en route vers l'église. Alice avait laissé sa voiture. Ce prêtre faisait-il office de chauffeur également ?

Après leur départ, Ann Marie nettoya à fond les étagères de la cuisine et passa la serpillière sur le sol. Elle prépara une salade de poulet, à partir d'un poulet froid qu'elle avait trouvé au freezer la veille, puis prit sa douche, s'habilla et s'installa à la table de la cuisine.

Elle sortit une grande serviette et du ruban rouge et se mit à fabriquer une douzaine de serviettes de toilette, en cousant le ruban elle-même. Maggie arriva, et elles mangèrent des toasts avec de la confiture de myrtilles d'une ferme du coin. Ann Marie lui parla de la compétition de maisons de poupée, et Maggie, de son nouveau roman. Elle ne mentionna pas son petit ami, et Ann Marie non plus. Elle détestait être indiscrète. Mais elle se dit qu'à l'âge de Maggie, elle-même avait déjà trois enfants. Qu'est-ce que sa nièce allait devenir ?

« Tu sais, dit Maggie, je ne crois pas qu'on se soit déjà retrouvées seules toutes les deux. »

Ann Marie se souvint d'une soirée de Noël chez eux, quand les enfants étaient petits. Kathleen et Paul, Clare et un petit ami, ses deux sœurs et leurs maris étaient venus manger chinois comme chaque année. Ils avaient tous bu énormément, et particulièrement Kathleen, qui avait ingurgité tellement de gin qu'elle s'était évanouie sur le canapé du salon dès dix heures du soir. Ce soir-là, Ann Marie n'avait pas bu, peut-être tout au plus deux coupes de champagne. Autour de onze heures, elle entendit un bruit sourd à l'étage du dessus. Elle courut vers la chambre de Patty, entendant Maggie crier. Elles s'étaient chamaillées avec les garçons, et Maggie était tombée du haut des lits superposés.

« C'est bon, avait dit Paul en riant. Ma fille est dure comme le roc. »

Comme ses deux parents étaient saouls, Ann Marie avait conduit l'enfant à l'hôpital. Elle avait bercé Maggie, pendant que patients et personnel se rassemblaient autour du bureau des infirmières pour faire le décompte jusqu'à minuit. Elle lui avait raconté des histoires et avait tenté de la distraire du défilé incessant d'ivrognes. Au bout de quatre heures d'attente, un docteur finit par dire qu'elle avait un poignet foulé et qu'il fallait mettre le plus de glace possible.

« Je crois que c'était un peu exagéré de l'emmener à l'hôpital », dit Kathleen gaiement au matin.

À cet instant, Ann Marie avait voulu emmener Maggie et Christopher le plus loin possible de cette femme.

Elle ne rappela pas cet épisode à sa nièce. Ce n'était pas plus mal qu'elle ne se souvienne de rien. Elle se contenta de répondre :

« Cela me fait plaisir de passer un peu de temps avec toi, ma chérie ».

À quoi bon en dire plus ?

Maggie prit la direction du cottage pour faire une sieste. Pourtant, elle n'était pas levée depuis bien longtemps. Ann Marie se faisait du souci pour elle. Elle lui dit :

« Va te reposer. Je te ferai signe quand il sera l'heure de manger des sandwiches. »

Peut-être qu'elle essaierait de parler à Maggie dans l'après-midi. Ou bien Ann Marie l'emmènerait chez cet antiquaire sur la Neuvième Rue, histoire d'acheter quelque chose pour son appartement qui lui remonterait le moral, un peu comme elle l'avait fait avec Patty avant qu'elle se marie.

Le père Donnelly reconduisit Alice chez elle et resta déjeuner.

« C'est presque prêt, dit Ann Marie. Donnez-moi quinze minutes.

Le père Donnelly en profita pour jeter de nouveau un coup d'œil au broyeur.

— Vous êtes trop bon ! dit-elle au prêtre alors qu'elle tranchait une tomate. Mais, vraiment, Alice n'est pas seule, vous savez.

— Aucun problème. Cela me fait plaisir. Et c'est le moins que je puisse faire vu la situation, précisa-t-il en s'activant sous l'évier à quatre pattes.

Elle mit les tomates en tranches dans un plat, découpa un oignon en morceaux, puis finit par demander :

— La situation ?

— Vous ne vous rendez pas compte ce que la générosité de votre famille signifie pour l'Église. On peut compter sur des gens comme vous, ce qui est précieux de nos jours. »

Elle sourit. De quoi pouvait-il bien parler ? Est-ce qu'Alice avait donné beaucoup d'argent à Saint-Michael ? Elle se demanda si Pat était au courant. Elle attrapa un pichet sur une étagère. Il y avait beaucoup moins de vaisselle que dans ses souvenirs ici, on était toujours en train de chercher quelque chose. Alice avait dû écouter ses conseils et se débarrasser de quelques objets.

« Est-ce que je peux faire couler l'eau ?

— Oui, dit-il en se redressant. De toute façon, il me manque un outil. Je dois aller dans ce magasin de bricolage à York et voir ce que je peux trouver. Je reviendrai plus tard.

Trois visites dans la même journée ? Ann Marie fit une prière silencieuse, espérant qu'Alice n'avait pas dilapidé tout l'héritage.

— Vous avez toujours aimé bricoler ?

— Pas avant que je rejoigne dans un séminaire où l'on pensait que la seule façon de remédier à une fuite d'eau était de multiplier les seaux en dessous.

Elle sourit mécaniquement.

— Inutile de dire qu'emménager dans cette maison sera un grand progrès en matière de confort !

Le cœur d'Ann Marie se mit à battre à toute vitesse.

— Je vous demande pardon ? »

Une pensée étrange lui traversa l'esprit. Ce prêtre avait-il une liaison avec Alice ? Ça n'était pas réaliste. Sa belle-mère était aguicheuse, certes, mais, elle n'avait jamais eu l'air tellement attirée par le sexe.

Il rougit.

« Pardon, je ne voulais pas dire ça. Nous espérons tous que cela arrivera le plus tard possible. Mais se retrouver dans l'héritage de quelqu'un, c'était inespéré. C'est extrêmement généreux de la part de votre famille, cela va sans dire. Nous sommes tellement reconnaissants.

— Bien sûr, fit-elle pour occuper le terrain tout en essayant de comprendre. Donc vous voulez dire que… »

Alice avait-elle donné leur maison ? Elle se répéta de ne surtout pas avoir l'air surprise. Mais il avait saisi. Il prit une voix posée et dit :

« Ann Marie, dites-moi que ce n'est pas la première fois que vous en entendez parler. »

De la tenue, de la tenue, Ann Marie Clancy. C'était parfois plus facile de se concentrer sur un simple mot. *De la tenue.*

« Ça va, dit-elle. Je suis sûre que…, mais elle ne trouva rien à dire.

— Je suis tellement désolé. C'était à Alice d'annoncer la nouvelle, pas à moi. J'ai mal compris. Je croyais que toute la famille était d'accord.

Elle plaqua un sourire de circonstance sur son visage.

— Ne soyez pas idiot. Tout va bien. »

Ann Marie avait l'impression qu'elle étouffait. Il fallait qu'elle s'éloigne et qu'elle parle à Pat.

« La salade de poulet! dit-elle un peu trop fort. Il lui faut du paprika!

— Du paprika?

— Oui! Regardez, c'est trop fade. D'habitude, j'en mets, mais là, je n'en ai pas. Du paprika fera l'affaire. Je vais aller en prendre au cottage. Je suis sûre qu'il y en a là-bas, j'y vais! »

Avant qu'il ait eu le temps de répondre, elle s'était ruée dehors et fonçait vers sa voiture, le seul endroit où elle pouvait espérait trouver un peu de réseau.

Elle était étonnée d'être autant en colère. Elle pensa à tout l'argent qu'ils avaient dépensé pour construire cette grande maison, aux journées où son mari était venu déblayer la neige devant le porche, aux heures qu'ils avaient investies dans cet endroit, au nombre de fois où elle s'était mordu la langue pour qu'un semblant d'entente de paix règne ici! Et c'était comme ça que sa belle-mère comptait les remercier?!

Le seigneur ne nous envoie que ce que nous pouvons endurer, se rappela-t-elle. Mais elle se sentait néanmoins sur le point de faire un arrêt cardiaque.

Elle composa le numéro du portable de Pat. Elle était trop énervée pour prendre le temps de plaisanter avec sa secrétaire. Quand il décrocha, elle lui dit tout d'une traite.

« Je suis sûr que tu as mal compris. Ma mère ne ferait jamais une chose pareille. »

Mais son mari doutait. Il était en train de réfléchir à toutes les éventualités. Car c'était très précisément le genre de choses qu'Alice était capable de faire, et ils le savaient parfaitement.

« Bon Dieu! dit-il à voix haute.

Elle sursauta.

— Je viendrai directement après le travail demain, et nous essaierons de la ramener à la raison.

Elle acquiesça.

— Bon. Mais, Maggie est là.

— Et donc ?

Ann Marie baissa encore d'un ton, comme si quelqu'un pouvait l'entendre dans la voiture.

— Tu veux vraiment discuter de cela devant elle ? »

Maggie le répéterait sans aucun doute à Kathleen, et elle ne voulait pas que la sœur de Pat s'en mêle. C'était déjà assez énervant sans ça.

« Elle part dans quatre jours, et ensuite tu seras là. Attendons pour parler à Alice veux-tu ?

— OK, dit-il. Peut-être que c'est une bonne idée de dormir, et de respirer un peu. Peut-être qu'elle n'a encore rien signé. Je dois parler à Jim Lowenthal pour savoir si tout cela est bien légal. »

C'était son avocat. Ann Marie se mit à pleurer. Elle ne voyait pas comment elle arriverait physiquement à faire face aux prochains jours, encore moins à déjeuner avec Alice et cet horrible prêtre manipulateur. Finalement, la présence de Maggie lui parut une bonne chose. Comme s'il lisait dans ses pensées, Pat demanda :

« Tu veux rentrer, et on revient ensemble le 1er juillet ? »

Elle avait envie d'accepter. Mais sa maison de poupée pouvait arriver d'un jour à l'autre. Il fallait qu'elle reste. Elle tenta d'avoir l'air optimiste et décidé.

« Non, ça va aller. C'est juste que… je ne comprends pas pourquoi ta mère nous ferait un coup comme ça. »

En prononçant ses mots, elle se rendit compte que cela ne servait à rien de s'interroger sur les motivations d'Alice. Les Kelleher étaient tous fous à lier, point final.

Ann Marie se sentit devenir folle l'espace d'un moment. Elle éprouvait le besoin de faire quelque chose de méchant. Elle se souvint de son frère qui passait ses nerfs en mettant le feu à des sacs remplis d'excréments de chiens ou en arrachant toutes les tulipes du voisin. Elle avait envie de dire à Pat que sa famille allait causer sa mort, qu'ils étaient tous fous et cruels. Mais comme c'était la famille de son mari, elle se retint d'exploser.

KATHLEEN

Kathleen s'arrêta à une station-service à huit kilomètres de Cape Neddick pour acheter des cigarettes. Depuis qu'elle avait quitté l'aéroport, elle avait déjà terminé son paquet de Marlboro light, et englouti deux barres chocolatées.

Elle n'avait pas fumé depuis la classe de première, et encore, pas plus de quelques cigarettes. Arlo serait consterné de l'apprendre mais ce salaud était bien au chaud, chez eux en Californie. Il avait été assez sensé pour ne pas avoir d'enfants, il ne connaissait donc pas cette sensation exaspérante qui consistait à s'inquiéter pour une personne sur laquelle on n'a aucun contrôle. Quelqu'un dont vous êtes responsable et qui, pourtant, n'a pas de comptes à vous rendre. Kathleen lui en voulait, de façon irrationnelle. À ce moment-là, elle en voulait à beaucoup de monde. À Maggie, parce qu'elle venait de lâcher une bombe dans un e-mail. À Arlo, qui faisait comme si tout allait bien. À Gabe, qui, sans aucun doute, était responsable de tout ce bordel. Et, plus que tout, aux Kelleher, qui trouvaient toujours un moyen pour la faire sortir de ses gonds, et de lui rappeler que, derrière les mantras des Alcooliques anonymes et le calme californien, elle était toujours la même fille en colère et dépassée par les événements. Dans ces circonstances, fumer était un moindre mal.

Kathleen conduisait lentement en essayant de se détendre. Elle se disait que la vie était bordélique, et les conflits, inévitables. Cela ne signifiait pas qu'il fallait tout laisser tomber pour autant.

Cinq jours plus tôt, quand elle avait lu l'e-mail de Maggie, elle était restée pétrifiée. Elle s'inquiétait en permanence pour sa fille à New York, pour les pickpockets, les violeurs, les maladies qui pouvaient emporter les jeunes si vite. Mais jamais, elle n'aurait pensé à ça. Maggie avait toujours été tellement responsable. Bon sang, Maggie lui avait conseillé de prendre la pilule en première année de lycée alors qu'elle-même ne l'avait jamais encore prise !

Kathleen appela Arlo, d'abord doucement, puis de plus en plus fort. Le temps qu'il arrive dans la pièce, elle était hystérique. Lorsqu'elle lui montra le texte de Maggie, il émit un sifflement et se contenta de dire :

« Pour une nouvelle !

— Je dois aller la retrouver.

— J'ai l'impression qu'elle veut que tu digères un peu la nouvelle, laisse-toi un peu de temps. On dirait qu'elle te connaît bien, dit-il avec un sourire gentil.

— Comment peux-tu rester aussi calme, putain !

Elle tenta de prendre une grande inspiration.

— Parce que ce n'est pas la fin du monde, dit-il en lui massant les épaules. Un bébé, c'est plutôt une bonne nouvelle.

Elle retira sa main.

— Je vais essayer de la raisonner.

— C'est-à-dire ? »

Elle passa en revue les possibilités, qui n'étaient pas très agréables. Maggie devrait probablement avorter, mais Kathleen n'était pas sûre que sa fille puisse affronter cette intervention. L'adoption serait sans doute un meilleur choix. Joni Mitchell l'avait fait et elle semblait s'en être remise. *Je l'ai porté mais je ne pouvais pas l'élever.* Ou quelque chose comme ça, elle ne se souvenait plus des paroles. Mais, bon, porter un enfant pendant tous ces mois puis lui dire au revoir… elle n'était pas sûre que Maggie puisse résister à cela non plus.

« Je ne sais pas. Mon Dieu. Mais pourquoi est-ce que cela arrive ? Qu'est-ce qu'elle attend de moi ?

— Je crois qu'elle voulait simplement que tu sois au courant, et que tu la soutiennes.

— Je suis sa mère. Je la connais mieux que personne.

— Et ?

— Et… rien. C'est tout.

Arlo fronça les sourcils.

— Si seulement on avait un peu d'argent à lui donner, Kath. »

Elle pensa avec culpabilité aux vingt mille dollars qu'elle avait mis de côté pour le *worm gin*. Mais ils en avaient besoin pour l'entreprise.

Ils se rendirent à une réunion des Alcooliques anonymes ce soir-là, et une femme au teint grisâtre et aux cheveux blonds raconta qu'une fois, alors qu'elle était ivre et qu'elle ne savait plus ce qu'elle faisait, elle avait laissé ses enfants pendant quatre heures dans une voiture, en plein mois d'août.

« Je les ai oubliés, racontait-elle. J'ai peur qu'ils me haïssent un jour. Je ne me serais jamais crue capable d'une chose aussi horrible. »

Arlo tenait la main de Kathleen, et elle la serra fort. Avant d'être au beau milieu des couches et des biberons, on ne pouvait imaginer à quel point la maternité pouvait vous bouleverser. Et si Maggie était tellement désespérée qu'elle revenait avec Gabe ? Et si elle ne revenait pas avec lui, comment ferait-elle pour s'en sortir dans cette ville froide qui ne pardonnait rien à personne ? Les deux options terrifiaient Kathleen. Elle savait que c'était la vie de Maggie, sa décision, mais elle ne pouvait l'accepter.

Quand Kathleen avait annoncé à Paul Doyle qu'elle était enceinte de Maggie, il avait d'abord semblé sous le choc, puis il avait conclu très naturellement : « Eh bien, on n'a qu'à se marier ! C'est ce qu'on voulait faire de toute façon. » *Ah bon ?* avait-elle pensé, avant de se sentir soulagée.

Kathleen se souvint de sa solitude lorsqu'elle s'était retrouvée en tête-à-tête avec ses enfants, après le divorce. Ce fut le plus difficile. Une idée surgit : il fallait que Maggie vienne s'installer chez eux. Ils pourraient l'aider, s'occuper du bébé. L'enfant verrait le jour au beau milieu d'une nature verdoyante où il pourrait courir, entouré d'adultes aimants qui s'occuperaient de lui. Et il mangerait la nourriture la plus saine au monde.

Sur le parking, après la réunion, elle exposa son plan à Arlo. « Tu serais d'accord ?

Il écarquilla les yeux comme s'il ne comprenait même pas qu'on lui pose la question :

— Évidemment !

Kathleen fut plus amoureuse de lui que jamais. Elle se mit à pleurer.

— Tout va bien ? demanda-t-il.

— Notre vie est terminée. On ne pourra plus marcher nus autour de la maison, on ne sera plus tranquilles. Je n'y crois pas. Pourquoi est-ce que cela m'arrive à moi ?

Il lui caressa la tête.

— Tu te rends compte que tu réagis comme si quelqu'un allait mourir ? Il faut voir le bon côté des choses. Un bébé va naître.

— Oui, d'accord, tu as raison. »

Peut-être se droguait-il à nouveau ? Mais non, même pas. C'était quelqu'un de gentil, point barre. Et il n'avait aucune idée des sacrifices que représentait un nouveau-né. Elle avait envisagé de proposer à Maggie de la retrouver dans un hôtel, près du cottage, loin d'Alice. Elle paierait le taxi.

Mais cela faisait des jours qu'elle tentait de la joindre et qu'elle tombait sur sa messagerie vocale. Elle avait répondu *RAPPELLE-MOI !* à l'e-mail de Maggie. Aucune nouvelle. Kathleen avait donc réservé un vol bien trop cher pour Boston, loué une voiture, et pris la route du nord sans en toucher un mot à sa fille, ni à sa mère. Et voilà qu'elle se retrouvait sur Briarwood Road, dévorée d'inquiétude.

On était en plein après-midi, ce qui signifiait qu'Alice était probablement rentrée de l'église et avait déjà descendu une deuxième bouteille de vin. Kathleen espérait tomber d'abord sur Maggie, afin de lui parler en tête à tête. Alors qu'elle avançait vers le cottage, elle vit trois voitures sur le parking. Celle d'Alice et deux autres. En se rapprochant, elle reconnut la Mercedes bleue.

« Et merde… » Elle gara sa voiture. La tentation d'appuyer à fond sur l'accélérateur et de rentrer dans les deux autres la traversa un bref instant.

Pat était peut-être venu pour réparer quelque chose. Il allait sans doute partir très vite. Elle ne pouvait que l'espérer.

Kathleen coupa le moteur et poussa un long soupir. Elle respira l'air de l'océan. Pendant un moment, elle se sentit presque en paix. Mais à peine une seconde plus tard, la portière passager de la Mercedes s'ouvrit, et Ann Marie sortit. Que faisait-elle là-dedans? On aurait dit un flic en planque dans sa voiture. Sa belle-sœur vint à sa rencontre :

« Kathleen, pour une surprise! » fit-elle avec un sourire forcé.

Elle avait l'air d'avoir pleuré. *Mais qu'est-ce qu'elle pouvait bien faire là?* Kathleen sentit une pierre lester son estomac.

« Tu es ici pour la journée? Pat est là aussi?

— Non je suis là pour m'occuper d'Alice pendant deux semaines, répondit Ann Marie. Je suis arrivée il y a quelques jours. »

Elle ne manquait pas d'air. Mettre au point un emploi du temps pour la maison, puis ne pas l'observer! Évidemment, les règles ne s'appliquaient pas au roi et à la reine, seulement à leurs sujets.

« Pendant mon mois? dit Kathleen sur le ton de la plaisanterie.

Elle n'avait pas franchement envie de rire et espérait qu'Ann Marie s'en apercevrait.

— Je ne me souviens pas que tu m'en aies parlé. Je plaisante…

— Eh bien, je crois bien t'avoir dit que je me faisais du souci parce qu'Alice se retrouvait seule ici. Et puis, je ne savais pas que Maggie venait.

— Mais comment est-ce possible? Chacun communique pourtant tellement bien dans cette famille. »

C'était un mauvais départ, et elle le savait. *Mon Dieu, donnez-moi la sérénité d'accepter les choses que je ne peux pas changer… Donnez-moi cette fichue force.*

Kathleen fit un effort.

« Tu es superbe. Tu as perdu du poids récemment? »

En fait, Ann Marie n'avait pas l'air différente. Un peu hagarde, peut-être.

— Merci, dit Ann Marie, Je m'entraîne avec un coach, je ne sais pas si ça fait vraiment une différence, mais c'est mieux que rien, j'imagine. Pat m'a offert les séances, il y a quelques années, mais je me suis mise à y aller plus régulièrement récemment.

— C'est gentil de sa part, dit Kathleen.

Ann Marie acquiesça.

— Oui. Il aurait pu le dire avec des bijoux, mais bon… »

Elles rirent. C'était un progrès. Une des rares choses qui les réunissaient était le manque total de tact de Pat. Bien que sa femme n'ait pas tellement de leçons à lui donner sur le sujet…

« Est-ce que tu sais où est Maggie ? demanda Kathleen.

— Oh, je crois qu'elle fait une sieste. J'allais la chercher pour le déjeuner. Tu arrives juste à temps pour la salade de poulet. »

Elle espérait que Maggie n'avait pas de nausées, n'était pas déprimée ou les deux à la fois. Et elle détestait l'idée qu'Ann Marie soit au courant de la grossesse de sa fille. Est-ce que Maggie lui en avait parlé ? Ann Marie s'amusait-elle à la narguer ?

Kathleen avait besoin de se retrouver seule avec sa fille.

« Je vais la chercher, dit-elle en se dirigeant vers la porte du cottage. On se retrouve tout de suite chez Alice.

Mais Ann Marie la devança en disant :

— En fait, j'ai besoin d'un peu de paprika. Il y en a dans la cuisine du cottage.

— Je te l'apporte.

— Non, c'est bon. Tu ne sais pas où il est. »

Kathleen soupira. Elle envisagea de laisser un mot à Maggie : *Retrouve-moi dans ma voiture, et on se tire de cet enfer.*

La porte franchie, elle eut l'impression de voyager dans le temps. Rien n'avait changé depuis dix ans, les dix années précédentes et les dix années d'avant encore. Jusqu'à l'odeur qui était restée la même. Elle pensa à Sonoma Valley, à la route familière qui coupait à travers une vigne et menait à leur maison à Glen Ellen, avec les jouets pour les chiens et les sacs d'engrais. Sa maison était là-bas maintenant.

Elle entra. La vieille casquette des Red Sox de son père, accrochée dans l'entrée depuis une éternité, n'était plus là désormais. Elle se demanda pourquoi.

Kathleen trouva Maggie dans le salon, en train de lire dans un fauteuil. Elle avait gardé un visage enfantin, et Kathleen la revit immédiatement petite dans la même position, un livre à la main. Elle sentit ce besoin irrésistible de la protéger à tout prix.

« Mag ? dit-elle.

— Maman !

Ann Marie s'agitait derrière elles.

— Oui, ta maman est là. Maggie, tu ne nous avais pas dit qu'elle venait.

Maggie se leva et serra sa mère dans ses bras.

— Je ne savais pas !

— C'était une surprise, dit Kathleen à Ann Marie en essayant d'avoir l'air joyeux, comme si ce genre d'arrivée à l'improviste était dans ses habitudes.

— Quand es-tu arrivée ? demanda Maggie.

— J'ai atterri ce matin à Boston.

— Pourquoi ne m'as-tu pas prévenue ?

— J'ai essayé. Ton portable est toujours éteint.

— Je t'ai dit, le réseau est nul ici. Tu aurais dû appeler sur le fixe.

Maggie recula brusquement.

— Tu as fumé ?

— Non. »

Kathleen s'était imaginé que sa fille serait plus heureuse de la voir. Leur complicité habituelle n'était pas au rendez-vous.

Elle devait être directe, mais polie.

« Ann Marie, est-ce que tu pourrais nous donner quelques minutes ?

Le ton était plus sec que ce qu'elle voulait.

— J'en serais ravie, dit Ann Marie. Mais Connor déjeune avec nous, et il doit retourner à l'église pour un rendez-vous, donc…

— Connor ? demanda Kathleen.

— Le prêtre dont je t'ai parlé.

— Oh. Évidemment.

Maggie poursuivit :
— C'est bon, on arrive. On se parlera plus tard. »

Alice était assise à la table de la cuisine et fumait. Elle parlait à un très bel homme en jean. Elle se lança dans une tirade dramatique quand Kathleen apparut.

« Mon Dieu ! Est-ce que tu as déjà entendu parler d'un téléphone ?
— Moi aussi, ça me fait plaisir de te voir, maman. »

Le visage de sa mère se transforma. Elle ébaucha un sourire crispé. Peut-être venait-elle tout juste de se souvenir qu'elles avaient de la compagnie, mâle de surcroît.

« Je suis surprise de te revoir, c'est tout. Tu n'es pas revenue ici depuis combien de temps ? Cinq ans ?
— Dix.

Elle n'avait pas pu oublier que Kathleen avait gardé ses distances depuis la mort de Daniel, si ?
— Je te présente le père Donnelly. Mon père, ma fille aînée, Kathleen.

Il tendit la main :
— C'est un plaisir.
— Asseyez-vous, voyons, dit Alice qui se mit soudain à jouer à l'hôtesse de maison. Ann Marie a fait cette superbe salade de poulet. »

Il y avait une bouteille de vin blanc sur la table. *Dès le déjeuner.* Ann Marie tendit un bocal poussiéreux rempli d'une poudre rouge.

« Le paprika, dit-elle d'un ton entendu au prêtre.

Elle secoua le bocal sur le plat.
— Il y en a assez, non ? dit Alice.

Elle regarda Maggie et jeta un œil en direction d'Ann Marie.
— Ce n'est pas un restaurant indien ici, ma chère. »

Maggie éclata de rire, et Kathleen les revit immédiatement sur cette plage des Bahamas en train de boire du rhum. Alice jeta un œil vers Kathleen.

« Tu es en forme. Tu n'as pas repris de poids, je vois.

Kathleen serra les dents.

— Merci.

— De mon côté, j'ai décidé de ralentir sur la soupe de poisson, dit Alice qui n'en avait probablement jamais mangé plus de deux bouchées d'affilée. On devrait sans doute tous faire ça. Bon, mais qu'est-ce qui t'a décidé à venir maintenant? Il ne reste plus que quelques jours au mois de juin, tu sais.

— Je l'ai invité, s'empressa de dire Maggie. Kathleen comprit que Maggie ne leur avait rien dit.

Pour la première fois depuis des jours, elle se sentit soulagée. Alice servit le vin. Maggie cacha son verre de sa main.

— Vous savez mon père, c'était une *dry town*[42] ici. Ma fille et ma petite-fille auraient été tout à fait dans leur élément.

— Ah bon? Je ne savais pas.

— Oui! Vous vous rendez compte? Jusqu'aux années soixante, quand on voulait sortir, il fallait aller dans ces affreux salons de thé orientaux. Quelle barbe!

— Mais tu t'en es sortie, ajouta Kathleen.

Elle se tourna vers le prêtre.

— Elle importait son whisky des magasins de liqueur du Massachusetts, jusqu'à ce qu'elle arrête de boire.

Alice lui jeta un regard sévère, puis ajouta :

— Je plaide coupable. De toute façon, à l'époque, nous n'avions jamais d'argent pour sortir. »

Ann Marie servait la salade de poulet. Elle entrechoqua brutalement la cuillère d'argent sur le plat en porcelaine.

« Attention! dit Alice.

Ann Marie ne répondit pas.

— Ça va, lui demanda-t-elle?

— Très bien. Pourquoi?

Le prêtre s'en mêla :

— Il y a peut-être un sujet dont on devrait parler avec Ann Marie.

Est-ce que sa belle-sœur couchait avec le prêtre?

---

42.   La vente d'alcool est interdite dans certains comtés ou villes des États-Unis (les *dry counties* ou *dry towns*).

— Que se passe-t-il ici ? dit Alice gaiement.

Comme si tout ceci faisait partie d'un canular élaboré. *Souriez! C'est une caméra cachée!*

— Oh rien, dit Ann Marie. J'ai laissé échapper une part de poulet, et Connor m'a vue.

Elle le gratifia d'un regard mauvais comme s'il venait de la dénoncer en face du pape. Alice souleva son assiette.

— Celle-là ?

— Oh non ! Je l'ai jetée directement à la poubelle. C'était une blague, bien sûr ! »

Kathleen soupira. Ils parlèrent de la météo, des foules sur la plage d'Ogunquit — le parking coûtait vingt dollars par jour, du vol caractérisé d'après Alice. Chaque fois qu'un sujet anodin était lancé, Kathleen serrait les poings, s'efforçant d'être polie. Alice lui demanda si elle lui avait amené de l'engrais.

« Pourquoi ? Clare me dit que tu les empiles au sous-sol et qu'ensuite tu les jettes.

— C'est complètement faux. Je n'ai pas arrêté d'en dire du bien cet été.

— Pas à moi, en tout cas.

Elle inspira profondément.

— Excuse-moi, maman, c'était gentil de ta part.

— Bien sûr, maintenant que mes plantes sont magnifiques, les lapins ont décidé que mon jardin était un restaurant ouvert vingt-quatre heures sur vingt-quatre.

— Tu devrais essayer de mettre des cheveux dans la terre, dit Kathleen. Cela marche étonnamment bien.

— Des cheveux ? Pourquoi ? demanda le prêtre.

Kathleen allait lui répondre, mais Alice la coupa.

— Oh, j'ai déjà essayé. Cela n'a pas marché du tout. J'ai aussi mis du jus de poivre de cayenne partout, et on dirait que cela ne leur fait rien.

— Ne fais pas ça, dit Kathleen, horrifiée.

Elle était heureuse qu'Arlo ne soit pas là pour l'entendre.

— Leur estomac ne le supporte pas. C'est comme si tu les torturais.

— Mais grand Dieu, c'est moi qu'ils torturent! Et de toute façon, mes lapins ont l'air d'adorer ça. Peut-être que je devrais leur préparer des sandwiches au paprika en dessert.

— Désolée, si j'en ai trop mis, dit Ann Marie. Je suis distraite aujourd'hui.

— C'est bon, je plaisantais. De toute façon, je n'ai pas faim. Alice repoussa son assiette.

— Mon père, Ann Marie a fait de délicieux gâteaux à l'avoine, vous devriez en ramener.

— Pourquoi pas? » dit Ann Marie d'une voix stridente.

Après un sorbet orange fluo (une nouvelle fois, Arlo se serait évanoui), le prêtre prit congé. Il leur promit de revenir plus tard avec la pièce qui manquait pour réparer le broyeur. La famille était réunie. Alice termina la bouteille, un verre pour elle, un pour Ann Marie.

« C'était délicieux, dit Maggie. Merci Ann Marie.

— Oui merci », dit Kathleen.

Ann Marie, absente, ne répondit rien. Puis, un moment plus tard, elle lança machinalement, comme si quelqu'un lui avait finalement soufflé sa réplique :

« Je vous en prie.

— Bon, on ferait mieux d'aller à côté, dit Kathleen en jetant un regard appuyé à sa fille. Je suis absolument épuisée.

— Vas-y, dit Maggie. Je fais la vaisselle et je te rejoins après. »

Kathleen se dirigea vers le cottage et alluma une cigarette en cachette, comme une collégienne. Elle inspira quelques bouffées avant de l'écraser. Elle entra et s'assit près de la fenêtre de la salle à manger, dans le fauteuil préféré de son père. Elle aurait donné n'importe quoi pour qu'il soit là, maintenant.

Maggie la retrouva une demi-heure plus tard. Sa fille lui fit un grand sourire :

« Enfin seules. »

Kathleen se leva et la prit dans ses bras.

Elle se força à ne pas précipiter les choses. Elle avait tout le temps de lui dire ce qu'elle avait à dire après s'être installée. Elles parlèrent de la ferme. Maggie lui expliqua qu'elle avait réussi à écrire ici. Elles plaisantèrent d'Alice et du prêtre, de la nouvelle petite amie de Chris, dont le dos tout entier était recouvert de tatouages de dessins animés de Hanna-Barbera. Mais Kathleen ne pouvait s'empêcher de penser au bébé.

Ce fut Maggie qui mit finalement le sujet sur la table. Elle montra son ventre, avec un air d'adolescente embarrassée :

« Bon, je crois qu'il faut qu'on parle de ça… »

Kathleen voulait garder son calme mais elle sentit un flot de colère la submerger. Malgré tous ses efforts, elle ne put s'empêcher d'éclater :

« Mais comment as-tu pu m'annoncer ça par e-mail ! Tu es enceinte et tu m'envoies un putain d'e-mail ?

— Tu es venue pour me dire ça ?

— Je suis venue t'empêcher de faire une énorme erreur.

Maggie fit non de la tête.

— Écoute. Je sais comment tu nous vois, Chris et moi, mais je ne suis pas d'accord avec toi, OK ? Je veux avoir ce bébé. Tu t'en es bien sortie avec nous, en tout cas, je ne pense pas que ce soit une erreur de nous avoir eus.

Kathleen eut l'impression que sa fille venait de lui planter un harpon particulièrement acéré en plein cœur.

— C'est faux Maggie. Tu étais très désirée. »

Mon Dieu. On aurait dit qu'elle parlait comme un robot. *Tu étais très désirée ? Qu'est-ce que c'est chaleureux, Kathleen, pourquoi ne brodes-tu pas ces mots sur un mouchoir, tant que tu y es.*

Elle essaya à nouveau :

« Je n'arrive pas à imaginer ma vie sans toi, Maggie, tu le sais. Et je ne le veux pas. Mais tu ne réalises pas à quel point c'est dur de s'occuper d'un enfant seule.

— Mais tu t'es occupée de nous ! dit Maggie vivement.

— Je parle de te coucher tous les soirs, et de te donner ton bain avant le dîner, et de préparer ce dîner, et de te réveiller pour aller à l'école les jours où il neigeait, quand c'était le dernier endroit où tu voulais mettre les pieds. Je parle d'être une mère célibataire. Et oui, financièrement, c'était difficile aussi. Je n'ai jamais voulu ça pour toi.

— Être mère, ce n'était pas assez bien pour toi, avoue que c'est ce que tu as toujours pensé! » explosa Maggie.

Kathleen encaissa. C'était exactement le genre de choses qu'elle aurait pu reprocher à Alice. Elle s'était donné tellement de mal pour élever différemment ses enfants. Et voilà que sa fille finissait par lui envoyer les mêmes critiques à la figure.

« Mais comment c'est arrivé? Tu prends la pilule?

— C'est une longue histoire.

— S'il te plaît, ne me dis pas que tu l'as fait exprès.

— C'est pourtant toi qui dis que l'univers a ses lois cachées.

Kathleen leva un sourcil.

— C'est bon, je gère, OK? Je ne te demande pas la permission de toute façon. Je voulais juste que tu sois au courant.

— Eh bien, merci beaucoup! Et je suppose que Gabe est de la partie, dans les starting-blocks pour être père. Je suppose que tu gères cela aussi?

Maggie gémit :

— Tais-toi s'il te plaît, maman.

— Me taire? Je ne suis pas venue pour que tu me parles comme ça.

— Personne ne t'a demandé de venir!

Elles ne s'étaient jamais parlé ainsi, pas même à l'adolescence de Maggie.

— Je crois que cela ne te réussit pas de traîner avec Alice, dit Kathleen, tentant de retrouver le ton de la plaisanterie.

Qu'est-ce qui lui prenait d'être aussi dure? Elle était venue pour aider sa fille.

Maggie sourit timidement.

— Il faut que tu comprennes à quel point tout ceci est difficile pour moi, dit Kathleen. Je veux bien être grand-mère un jour, mais pas maintenant.

C'était un mensonge. Elle ne voulait pas être grand-mère. Jamais.

Le visage de Maggie se ferma.

— De toute façon, cela ne te regarde pas. C'est fou, on dirait que c'est toi qui es enceinte ici!

Kathleen soupira.

— Bon, ça ne se passe pas comme je le voulais. Recommençons. Je veux que tu viennes avec Arlo et moi. J'y ai beaucoup pensé et je suis sûre que c'est une bonne idée.

— Non ! dit Maggie en éclatant de rire.

Kathleen était surprise. Elle était sûre que Maggie serait soulagée par sa proposition.

— Écoute-moi une seconde.

— Sans vouloir te vexer, je ne pense pas que ta maison soit un endroit sûr pour élever un bébé. Il faudrait que je lui fasse faire une combinaison de sûreté bleue ou rose.

— Qu'est-ce que cela veut dire ?

— Je reste à New York.

— Au cas où Gabe décide finalement de revenir au foyer.

— Non, dit Maggie. Mais merci de me faire confiance. Je suis enceinte. Cela ne fait pas de moi une idiote. Je suis toujours la même, je suis capable de m'en sortir.

Elles n'avaient pas entendu la porte s'ouvrir. Une voix surgit.

— Tu es enceinte ?

Elles se retournèrent. Ann Marie se tenait sur le seuil, visiblement émue.

— Tu aurais dû m'en parler, dit-elle à Maggie. Je t'aurais aidé.

Kathleen tenta de réprimer un ricanement :

— C'est exactement pour cela que je suis là. Je crois que je sais mieux que personne ce dont ma fille a besoin. »

Les Kelleher se vantaient de se rassembler à la moindre ébauche de tragédie, qu'il s'agisse d'un pneu crevé ou d'un enterrement. Sans doute était-ce l'un des bons côtés qu'offrait une grande famille, mais Kathleen y voyait surtout le triomphe de l'hypocrisie, comme s'ils essayaient tous de dissimuler les brouilles et les coups bas derrière les petites attentions et les coups de main de circonstance.

Soudain, Alice bondit dans la maison, portant ce qui ressemblait à une coiffe d'apiculteur, le voile encore sur son visage.

« Qu'est-ce que cela signifie ! dit-elle sèchement à Ann Marie. Tu as piétiné deux de mes plants de tomates.

— Mère, mais de quoi parlez-vous ? répondit Ann Marie.

— Je t'ai vue ! J'allais vers le jardin et je t'ai vue marcher dessus, et venir ici en courant. Mais pourquoi Ann Marie ? Tu sais bien le mal que me donnent les lapins !

— Je ne vois absolument pas de quoi vous voulez parler, dit calmement Ann Marie. Un accident, sans doute.

— On ne marche pas accidentellement sur un plant de tomates.

Alice regarda Kathleen.

— Dès que tu es là, tout va mal.

— Moi ? Mais qu'est-ce que j'ai à voir dans cette histoire de tomates ?

Alice soupira.

— Je n'en sais rien. Tu es comme ça, c'est tout. Dès que tu te montres, les ennuis commencent. Et Maggie s'y met en plus.

— C'est pas vrai…, soupira Kathleen.

— Je vais me promener pour me vider la tête, dit Alice. J'ai besoin d'une pause. Vous vous comportez comme une bande de "Canadiens", et je ne suis pas sûre de pouvoir le supporter bien longtemps.

— Des Canadiens ?

— Laisse tomber, dit Maggie.

Alice sortit. Ann Marie s'empressa d'ajouter :

— Maggie, je ne savais pas… Que puis-je faire pour t'aider ?

— Tu peux nous laisser ! Tu ne crois pas que si elle avait voulu que tu sois au courant, elle te l'aurait dit ?

— C'est bon. De toute façon, tout le monde aurait fini par l'apprendre, dit doucement Maggie.

Elle était toujours aussi gentille. C'était exaspérant. Ce n'était sûrement pas elle qui allait l'aider à se débarrasser d'Ann Marie. Elle était bien trop polie. Il fallait que Kathleen trouve autre chose.

« Qu'est-ce que c'est que cette histoire de plants de tomates, alors ?

Ann Marie rougit.

— Si vous me cherchez, je suis sur la plage. »

Et elle tourna les talons.

Kathleen voulait se retrouver en tête à tête avec sa fille, pour un dîner par exemple. Elle avait entendu parler d'un lieu à Portsmouth, le *Black Trumpet,* dans l'un des magazines culinaires d'Arlo. Le restaurant était dans un ancien entrepôt, et le chef ne cuisinait qu'avec des ingrédients bio venus de fermes du coin.

Elle espérait qu'elles se retrouveraient toutes les deux à une table et qu'elles pourraient enfin parler. Elle n'avait pas eu l'occasion d'annoncer à Maggie qu'elle avait prévu d'aménager une chambre pour le bébé dans son bureau actuel, ou qu'un ami fermier d'Arlo s'était mis à vendre de la nourriture pour bébé faite maison. Et puis aussi, elle s'attendait quand même à ce que sa fille témoigne d'un peu de reconnaissance. Est-ce que cette dernière se rendait compte qu'élever un enfant était sans doute la dernière chose que Kathleen avait envie de faire — mais qu'elle le ferait tout de même pour elle ? Elle espérait qu'elles pourraient discuter de tout cela autour d'un dîner. Mais quand elle en parla à Maggie, celle-ci lui expliqua qu'elle avait promis à Alice de faire une sauce pour les spaghettis.

« Si j'avais su que tu venais, je ne l'aurais pas fait, lui dit-elle en guise d'excuse. Mais, avec tante Ann Marie elles n'ont pas arrêté de cuisiner pour moi. Pourquoi ne viens-tu pas chez grand-mère pour me donner un coup de main ? »

Décidément, ici, Kathleen serait toujours la brebis galeuse. Maggie semblait s'intégrer si facilement. Pas elle. Elle n'arrivait pas à comprendre pourquoi Maggie voulait à tout prix se jeter dans la gueule du loup, après tout ce qui s'était dit plus tôt dans la journée. *Merci de dire du mal de ma vie, maintenant s'il vous plaît, laissez-moi vous préparer le dîner.* Mais c'était comme ça avec les Kelleher. Personne ne regrettait les paroles blessantes, personne ne s'excusait. Jamais. Ils se contentaient d'étouffer le tout dans de la sauce pour spaghettis, des blagues éculées et des cocktails forts.

« Tu vas te mettre à cuisiner maintenant ? Il n'est que seize heures trente. Tu ne veux pas faire un tour sur la plage ?

— Alice préfère dîner tôt. Tu veux venir ?

— Je vais rester là. J'ai un peu de travail.

— OK.

— Bon, je sais que tu vas me traiter de folle, mais j'ai l'impression que tu m'évites.

— Mais tu es dingue ! Ça fait des heures qu'on discute !

Maggie n'était pas elle-même, c'était évident. Mais Kathleen se sentait troublée elle aussi.

— Tu as raison. Désolée. Je suis un peu à cran en ce moment.

Maggie l'embrassa sur le front.

— Viens me retrouver, s'il te plaît.

— Promis. Des pâtes pour le dîner. C'est peut-être pour cela qu'Ann Marie a piétiné les plants de tomates. Elle a cru qu'on faisait comme pour le vin.

Maggie sourit largement

— Sans doute. »

Kathleen passa tous les coups de fil possibles pour son travail depuis le siège arrière de sa voiture. Elle appela Arlo, et il demanda si Maggie avait hâte de venir s'installer en Californie.

« Non, pas vraiment. Je crois qu'elle va avoir besoin d'un peu de temps pour se rendre compte que c'est la meilleure chose à faire.

— Eh bien, dis-lui qu'il y a un vieux schnock, deux chiens vieillissants, et plusieurs millions de vers qui sont impatients de la voir arriver. J'ai commencé à faire le ménage dans le bureau du haut ce matin. »

Au lieu de se sentir reconnaissante, Kathleen sentit son cœur se serrer à la pensée de son bureau confortable et plein à craquer.

« Où est-ce que tu ranges mes affaires ?

— Dans des boîtes dans la remise. Hé, Kath, ce n'est pas pour toujours, OK ? Cette histoire de bébé pourrait bien être un des trucs les plus drôles que l'on ait fait jusque-là.

— Tu es merveilleux.

— Qui sait ? On pourrait même décider d'en avoir un nous-mêmes.

— Non, là tu deviens carrément malsain.

Il demanda des nouvelles d'Alice.

— J'essaie de rester polie, mais tu sais comment ça se passe. Ann Marie est là aussi, une bonne nouvelle n'arrivant jamais seule. Elles se mettent à boire dès midi!

— Tiens le coup. »

Elle alluma une autre cigarette, jetant un œil vers la maison de ses parents pour vérifier que personne ne la voyait. Puis elle regarda le paysage autour d'elle. Elle se souvenait bien de l'océan, du sable et du cottage. Mais elle avait oublié la nature luxuriante, les pins et les bouleaux. Les oiseaux aux ailes rouge et bleue, le croassement des grenouilles. Les moustiques qui l'obligeaient à enduire ses enfants de citronnelle plusieurs fois par jour quand ils étaient petits.

Quelques minutes plus tard, le prêtre se gara.

Encore lui? Déjà? Est-ce que l'Église traversait une passe si difficile que les prêtres étaient obligés de travailler au noir comme homme à tout faire?

« J'ai ce qu'il me manquait pour le broyeur. »

Il tenait un sac en papier brun. Kathleen écrasa la cigarette en espérant absurdement qu'il n'en parlerait pas à sa mère.

« Tout va bien ici? dit-il d'un air nerveux. C'était tendu au déjeuner.

— Ah bon?

— Vous savez où sont Alice et Ann Marie? Je crois vraiment qu'il faut qu'on parle.

— Elles sont chez ma mère. »

Elle eut soudain l'impression qu'il allait se passer quelque chose d'intéressant.

— Je vous accompagne. »

L'odeur de la sauce préparée par Maggie embaumait toute la cuisine. Maggie et Alice se tenaient aux fourneaux. Elles parlaient d'un livre que Maggie voulait conseiller à sa grand-mère. Ann Marie, installée sur le canapé, cousait des morceaux de tissu, mais Kathleen ne voyait pas dans quel but. Un verre de vin vide sur la table lui faisait face.

« Mon père! dit Alice lorsqu'elle les vit.

Clairement, elle ne ressentait pas le besoin de s'adresser à Kathleen.

— Vous n'aviez pas à revenir si vite ! Vous êtes un saint !

— Ce n'est rien. Il se trouve qu'ils en avaient en stock. Et il me semble qu'on devrait discuter. Est-ce qu'Ann Marie est là ?

Alice la désigna du doigt en chuchotant.

— Elle a beaucoup bu aujourd'hui. Elle se comporte vraiment bizarrement, sur le ton d'un aparté de théâtre.

— Mère, je vous entends ! glapit Ann Marie depuis l'autre pièce, ce qui décidément n'était pas du tout son genre.

Le prêtre fronça les sourcils.

— J'ai bien peur que je sois la cause de tout ceci.

— Vous ? demanda Alice. Oh non, pas du tout !

— Eh bien, j'ai mentionné notre arrangement au sujet de la propriété à Ann Marie.

Alice eut l'air surprise.

Quel arrangement ? se dit Kathleen.

Le prêtre poursuivit :

— J'aimerais bien qu'on en parle tous ensemble.

— Très bonne idée », répliqua gaiement Ann Marie, qui se précipita dans la cuisine.

Kathleen sentit monter une bouffée d'excitation et de curiosité : une dispute — dans laquelle elle n'était pour rien, pour une fois — n'allait pas tarder à éclater devant ses yeux.

« Vous voulez en discuter, hein ? Pourquoi est-ce que vous ne commenceriez pas par m'expliquer comment vous avez réussi à intriguer pour qu'une vieille femme vous lègue notre maison de famille !

— Quoi !? s'écria Maggie.

Le prêtre se tourna vers Alice.

— Je ne comprends pas. »

Alice se rapprocha d'Ann Marie. Kathleen était persuadée que, plus que le reste de l'accusation, c'était le *vieille femme* qui l'avait énervée.

« Personne n'a abusé de personne. Et tu me fais honte devant de mon invité, lança Alice sèchement. Ce n'est pas *notre* maison de famille. C'est *ma* maison. Point. »

Ann Marie donnait l'impression d'avoir été giflée. Kathleen se sentit presque désolée pour elle. Quand elles étaient jeunes, elle avait pourtant expliqué bien des fois à Ann Marie que cela ne servait à rien de faire des efforts avec Alice. Il suffisait de lui déplaire une seule fois pour que tout s'effondre.

« Quand comptiez-vous nous en parler, Alice ? s'exclama, presque en criant, Ann Marie d'une voix aiguë.

— Vous comptiez donner la maison sans rien nous dire ? C'est ça ? Je ne vous comprends pas ! »

Comme tout ceci ne la concernait pas vraiment, Kathleen se sentit obligée de tenter d'apaiser un peu l'atmosphère. Elle prit sa voix la plus calme :

« Respirons tous un grand coup et calmons-nous, d'accord ?

— C'est facile à dire pour toi ! Tu n'as rien à faire de cet endroit ! La seule raison pour laquelle tu es venue, c'est pour convaincre Maggie d'avorter !

— Mêle-toi de tes affaires !

— Ce sont les affaires de tout le monde !

— Sûrement pas ! »

Malgré toute sa bonne volonté, Kathleen sentit sa colère monter de zéro à trente-neuf degrés en une seconde. C'était trop tard.

« Ce n'est pas parce que tu penses que tes foutus enfants sont parfaits que tu dois tenter de gagner des points en plus avec les miens. Compris ?

— Tu vis à l'autre bout du pays. Tu ne sais absolument pas de quoi tu parles.

— Fiona est lesbienne et Little Daniel est un bon à rien, prétentieux de surcroît. Fin du flash info. »

Ann Marie semblait sur le point de s'évanouir. Elle n'avait probablement jamais envisagé aucune des deux possibilités.

Alice jeta un œil suspicieux à Maggie.

« C'est vrai ? Tu es enceinte ? »

Ils se tournèrent tous vers la pauvre Maggie dont le visage et le cou étaient maintenant couverts de plaques rouges. Kathleen caressa le bras de sa fille. Le prêtre regardait ses chaussures.

« Oui, dit Maggie.

— Jésus, Marie, Joseph. Tu viens de passer tout ce temps ici et tu ne m'as rien dit!

— Oui.

Alice se raidit.

— Qu'est-ce que tu as l'intention de faire?

— Je le garde.

— Et Gabe?

— Il n'est plus vraiment dans le paysage.

Alice leva ses mains vers le ciel.

— Eh bien, nous y voilà. Le pire est arrivé. »

Elle avait l'air excessivement calme, ce qui exaspéra Kathleen. Si la même chose était arrivée aux enfants d'Ann Marie, elle aurait eu une attaque. Mais avec les enfants de Kathleen, bien évidemment, on pouvait s'attendre au pire.

« Tu m'en veux? demanda Maggie.

— Non, dit Alice.

— Parce que Maggie n'est pas un de tes petits-enfants chéris, c'est ça? aboya Kathleen. Comment peux-tu oser lui dire : "Tout va très bien, garde ce bébé".

— Tu préfères que je dise quoi? Qu'elle n'est qu'une traînée comme sa mère? Qu'elle n'a pas le moindre bon sens? Et qu'elle vient tout juste de jeter à la poubelle ses chances de devenir un véritable écrivain?

Le prêtre prit la parole.

— Alice… gémit-il, comme si ses mots lui avaient causé une douleur physique.

Les poings de Kathleen étaient fermés.

— Rien de tout ça n'est vrai. Tu t'excuses immédiatement ou on part.

— Non, je ne le ferai pas.

— Tu es pleine de venin… c'est fou, je ne suis là que depuis quelques heures, et j'ai déjà envie de te tuer!

Alice haussa la voix.

— Tu sais ce que j'ai sacrifié pour devenir mère?

— Ah oui, parce que tu allais devenir une grande artiste, c'est ça? hurla Kathleen. Grande nouvelle! Maman, tu n'avais pas tellement de talent! Aucun de nous ne t'a empêchée de devenir quoi que ce soit! C'était un stupide rêve comme on en a tous! Ouiiinn, je ne deviendrai jamais astronaute!

— Arrête, dit doucement Maggie. Tu deviens cruelle là.

Peut-être, mais Kathleen essayait uniquement de la protéger. Kathleen se tourna vers Ann Marie :

— Et toi, merci de te mêler de ce qui ne te regarde pas!

— Je fais partie de cette famille depuis trente-cinq ans au cas où tu n'aurais pas remarqué!

— Bravo, il y a vraiment de quoi se vanter. C'est une sacrée performance! Félicitations!

— Je ne demande pas grand-chose. Je m'occupe de tout ici, pendant ce temps, tu vis les rêves bizarres de ton petit ami en Californie. Et pour quoi? De toute façon, tu ne m'as jamais aimée. Tu n'as jamais pensé que j'étais assez bien pour ton frère, avoue-le. Tu n'aimes pas la façon dont je m'occupe de ta mère. Eh bien, vas-y, tu n'as qu'à t'en charger maintenant. Je m'en lave les mains! »

Ils la regardèrent se précipiter hors de la maison. Elle s'installa dans la Mercedes et sortit à toute vitesse du parking. Dans le Maine, tout le monde laissait ses clés sur le tableau de bord comme pour en rajouter sur la sécurité du lieu. À quoi bon se fatiguer à les sortir de votre sac?

« Est-ce qu'elle est en état de conduire? demanda Maggie.

— Non, répondit Kathleen.

— Eh bien moi, j'ai besoin d'un cocktail, trancha Alice.

Puis, elle sourit à Maggie.

— Ah, maintenant je comprends pourquoi tu ne buvais pas. Dieu merci.

Le prêtre enchaîna, mal à l'aise.

— Je suis désolé si je vous ai causé des ennuis. Alice, j'aimerais qu'on en reparle.

Elle poursuivit comme s'il n'avait rien dit :

— N'en parlons plus. J'espère qu'elle va revenir, je pourrais la calmer, affirma-t-elle, comme si elle était connue pour son influence apaisante.

— Venez mon père, je vous raccompagne. Vous en avez probablement plus qu'assez de nos histoires de famille pour la journée. Je suis vraiment désolée de vous avoir imposé ce spectacle.

Ils sortirent. Kathleen ne put s'empêcher d'ironiser :

— Tu étais venue chercher du réconfort au sein de la famille ?

Maggie acquiesça.

— Honnêtement, ça s'est mieux passé que prévu.

Elle regarda sa mère :

— Tu savais pour la maison ?

— Est-ce que c'est déjà arrivé que je sois au courant des projets d'Alice ?

— Tu crois qu'elle a vraiment légué la maison à la paroisse ? »

Kathleen remarqua le visage soucieux de sa fille. Sa fille unique qu'elle aimait plus que tout. Elle se pencha et se tourna vers le ventre de Maggie :

— Tu arrives dans une famille très étrange, petit. Ne me dis pas que je ne t'ai pas prévenu. »

Maggie sourit. Kathleen aurait bien aimé que ce soit aussi facile. Mais elle savait bien que ce n'était pas le cas. Au fond, elle avait envie de priver Maggie de sortie tant qu'elle n'aurait pas changé d'avis et décidé de venir en Californie avec elle. Mais après tout, elles avaient tout le temps d'en discuter plus tard. Autant savourer ces quelques minutes de paix.

« On va au restaurant ?

— D'accord.

— Dépêche-toi avant qu'Alice revienne.

— Maman ! C'est méchant.

— Allez, viens. »

Quand elles rentrèrent, la voiture d'Ann Marie était garée à sa place habituelle, comme s'il ne s'était rien passé. Soit elles s'étaient réconciliées soit elles s'étaient entre-tuées. Kathleen jeta un œil vers la maison sans réussir à deviner.

« Le couple infernal est de retour, prêt pour de nouvelles aventures. »

Maggie lui jeta un regard noir. Kathleen savait qu'elle pensait que c'était en partie sa faute. Sa fille voulait être une Kelleher envers et contre tout. Pourquoi ?

Elle pensa à leur dîner annuel de pré-Thanksgiving en Californie. Elle organisait une fête le mardi avant les vacances pour tous ses amis des Alcooliques anonymes et elle préparait un festin : deux ou trois dindes, de la purée de pommes de terre, de la garniture, de la sauce aux cranberries maison, des haricots verts. Elle achetait des tourtes à la ferme des Kozlowski et chacun apportait un plat. Maggie était venue une ou deux fois. Ils racontaient des histoires et riaient toute la nuit. Personne ne disait jamais rien de méchant. C'était le meilleur moment de la période des fêtes. Après quoi, elle se retrouvait dans le salon d'Ann Marie, entourée de sa famille, où elle se sentait comme une parfaite étrangère. Ses ongles s'enfonçaient dans le tissu du sofa, et elle rêvait de revenir dans cette grande maison californienne chaleureuse, près de la famille qu'elle s'était choisie.

Le lendemain, Kathleen se réveilla tôt et sortit pieds nus, comme ils l'avaient toujours fait quand ils étaient jeunes. Le jardin d'Alice était magnifique, il fallait bien l'admettre. Elle se promit de le raconter à Arlo.

Il pleuvait un peu, et elle offrit son visage à la pluie en marchant. Arlo adorerait cet endroit. Les dix dernières années avaient été les plus heureuses de sa vie, même si, dix ans plus tôt, à la mort de son père, elle avait pensé qu'elle ne pourrait plus continuer à vivre. Mais, assez vite, elle avait rencontré Arlo. Tomber amoureuse n'allait pas lui faire oublier ce qui était arrivé, rien ne le pourrait. Mais Arlo la protégeait, il était son confident, comme l'avait été Daniel. Parfois, elle regardait Arlo dans les yeux et se persuadait qu'elle y retrouvait quelque chose de son père. Elle voulait que Maggie connaisse le même genre d'amour.

Après avoir rencontré Arlo, Kathleen était sûre que c'était son premier mariage raté et les déceptions en tout genre, qu'elle avait connues qui l'avaient menée à lui. Si elle était restée avec Paul

Doyle, elle vivrait sans doute sur la côte sud de Boston avec un foie confit dans l'alcool, ils se chamailleraient jour et nuit, et elle pèserait probablement près de cent kilos.

Quand Paul avait eu une liaison, elle avait demandé à son père si, à son avis, Paul serait un jour un mari acceptable.

« D'après ce que j'en sais, les gens peuvent changer. Sauf que la plupart ne changent jamais. »

Il avait raison au sujet de Paul. Mais Kathleen, elle, avait changé. À trente-neuf ans, elle avait repris sa vie de zéro. Elle avait interrompu un mariage qui battait de l'aile, avait arrêté de boire et trouvé un travail qui avait du sens. Elle avait recommencé à quarante-neuf ans quand elle avait rencontré Arlo. Maintenant, à cinquante-huit ans, qui sait ce qu'elle allait faire ensuite ? Voilà une leçon qu'elle aurait bien aimé transmettre plus tôt à Maggie : si vous ne vous aimez pas, vous pouvez devenir quelqu'un d'autre. Il le faut. Évidemment, ce n'est pas tout à fait la même chose avec de jeunes enfants.

Si seulement Alice avait compris cela. Mais sa mère était trop amère et désespérée. Elle n'avait sans doute eu aucun soupirant depuis la mort de Daniel, ce qui rassurait plutôt Kathleen. Bizarrement, Kathleen était certaine que ses parents avaient vraiment été amoureux, jusqu'à la fin. Son père avait gravé les initiales M.A. dans l'écorce d'un saule, au sommet de Briarwood Road. (Un jour, alors qu'elle avait trop bu, Kathleen avait dit à ses enfants que c'était pour *Mégère Acariâtre* et non pas *Maison d'Alice*.)

La Maison d'Alice. Elle tenta de penser à ses parents jeunes, insouciants et amoureux, persuadés que la vie ne pouvait être que parfaite. Kathleen entendit des pas derrière elle. Elle serra les poings. *Faites que ce soit un tueur en série en rut et pas Ann Marie.*

« Bonjour, fit-elle d'un ton laconique.

— Bonjour, répondit sa belle-sœur. Tu sais où est Alice ? Il est trop tôt pour qu'elle soit à l'église.

— Aucune idée. Ton alibi commence comme ça ? Tu dis que tu ne sais pas où elle est, mais dans une semaine on retrouve son corps dans le coffre de ta voiture ?

— Arrête. Je suis inquiète.

La scène d'hystérie de la veille était visiblement passée, et Ann Marie était redevenue elle-même.

— Je préférais quand tu étais folle. Tu le referais rien que pour moi?

Ann Marie plissa les yeux.

— Essayons de rester aimables, d'accord? Je suis désolée de la façon dont je me suis comportée. Pat sera là dans quelques jours, tu vas partir avec Maggie, et nous aurons du temps pour nous reprendre. »

Une pensée mauvaise traversa aussitôt l'esprit de Kathleen. Le genre d'idées que Maggie jugerait enfantine et méchante. Elle ne put s'en empêcher.

« Mais qu'est-ce qui te fait dire que nous allons partir?

Ann Marie devint livide.

— Le 1er juillet est dans quatre jours.

— Et?

— Juillet, c'est notre mois.

— Eh bien, moi, j'ai le mois de juin, et tu es bien là en ce moment.

La panique gagnait la voix d'Ann Marie.

— Nous avons invité des amis, la maison sera pleine. Kathleen, tu ne peux pas rester.

Kathleen sourit :

— Tu me connais mal. »

ALICE

Alice choisit une table au soleil. Elle se dit que le père Donnelly apprécierait. Elle ne comprenait vraiment pas la fureur qu'avaient les gens à vouloir à tout prix déjeuner en terrasse, dans le vacarme des voitures, les effluves des gaz d'échappement dans leurs pancakes, mais c'était sans doute le goût de l'époque. Quand le serveur lui demanda « à l'intérieur ou à l'extérieur », elle répondit aussitôt « dehors ». Au moins, elle pouvait fumer en l'attendant. En théorie, ce n'était pas autorisé, mais personne ne lui avait demandé d'arrêter. Quand Boston avait promulgué le décret d'interdiction de fumer, quelques années plus tôt, elle avait pensé à son père. Si on lui avait demandé d'éteindre sa cigarette dans un bar, il aurait sans doute cogné le barman. Avec l'âge, les femmes avaient tendance à devenir comme leur mère mais, elle, virait plutôt du côté de son père. Mieux vaut être un vieux taureau en colère qu'une pauvre petite chose se disait-elle, même si la pauvre petite chose attire plus facilement la sympathie. Ça, c'était la technique d'Ann Marie.

La veille, le père Donnelly l'avait appelée et l'avait conviée à un petit déjeuner matinal avant la messe. Il voulait parler de la maison, il avait des questions. Elle ne pouvait s'empêcher de penser qu'on l'envoyait dans le bureau du principal. *Alice Brennan, est-ce que vous avez volé les nouveaux crayons ? Absolument pas, sœur Florence, je ne sais absolument pas comment ils ont atterri dans ma poche.*

Ils mangeaient d'ordinaire près de chez eux, mais Alice avait choisi cet endroit parce que c'était ce qui se rapprochait le plus d'une ville anonyme dans le Maine, assez loin de Briarwood Road, comme pour mettre de la distance entre elle et la scène humiliante de la veille. Elle s'était habituée à la présence du père Donnelly ces derniers mois. Elle était furieuse de s'être conduite ainsi devant lui. Et encore plus en colère contre les autres.

Ann Marie avait joué à la victime comme si Alice l'avait dépossédée de la maison de ses ancêtres. Le père Donnelly n'avait pas caché sa pitié pour sa belle-fille, Alice l'avait noté. Elle espérait parvenir à lui faire comprendre la raison de sa décision.

Ils avaient rendez-vous à huit heures, mais elle était arrivée délibérément en avance. Elle buvait un thé et scrutait le trottoir bondé, espérant être la première à le voir. C'était un jeune homme tellement gentil, poli et compréhensif. La scène de la veille l'avait sans doute scandalisé. Elle était heureuse malgré tout de pouvoir lui parler, cela lui faisait une distraction bienvenue.

Maggie était enceinte. Kathleen avait accusé Alice de ne pas s'en soucier, soi-disant parce qu'elle ne s'intéressait pas à sa fille. C'était faux. Maggie avait le culot de venir fouiner, de remuer les vieilles histoires, de poser à Alice des questions indiscrètes, sans jamais mentionner ce qui lui arrivait à elle. Et, oui, en effet, la nouvelle aurait été plus choquante venant de Fiona ou de Patty. Maggie était la fille de Kathleen après tout. En matière de décisions catastrophiques, elle ne pouvait pas faire grand-chose qui puisse choquer Alice.

Alice avait apprécié ces dernières semaines avec sa petite-fille. Elle était allée sans doute un peu loin en la traitant de traînée, surtout devant le prêtre. Dans ce genre de moment, elle sentait, presque physiquement, le regard lourd de reproches de Daniel peser sur elle. Ann Marie était convaincue que Kathleen n'était venue que pour persuader Maggie d'avorter. Si c'était vrai, Alice ne voulait plus jamais entendre parler de sa fille. Cela la rendait malade que Kathleen y pense ne serait-ce qu'une seconde. La seule chose censée à faire était d'épouser Gabe. Il était beau, il venait d'une famille aisée. Il avait l'air de la faire rire. Ce n'était pas un si mauvais parti.

Alice but une gorgée. Elle était épuisée. Après leur dispute et le départ en trombe d'Ann Marie, Alice avait raccompagné le père Donnelly à sa voiture (le plus calmement possible pour ne pas aggraver la situation). Elle lui avait présenté ses excuses. Elle ne pouvait s'empêcher de parler. Il ne fallait pas qu'il parte sur une mauvaise impression. À son retour, elle s'aperçut que Kathleen et Maggie n'étaient plus là. Peu après, elle vit leur voiture s'éloigner. Alice resta seule. Seule et en colère.

Ann Marie avait dit à Kathleen qu'Alice était désormais sous sa responsabilité, comme si elle parlait d'une vieille invalide. C'était impardonnable et pas du tout le genre d'Ann Marie. C'était une gentille, au fond. Elle ne resterait sans doute pas très longtemps en colère : Alice avait besoin d'elle, surtout maintenant avec Kathleen rôdant dans les parages.

Elle finit par appeler Ann Marie sur son portable.

« Où es-tu ? demanda Alice

— À Portsmouth. Je me suis arrêtée une minute, mais je rentre chez moi retrouver Patrick.

— Ne pars pas. Reviens s'il te plaît. Nous prendrons un verre de vin et nous parlerons. On doit pouvoir rire de tout cela, non ?

— Non.

— S'il te plaît, ma chérie, allons. Je ne peux pas supporter que tu m'en veuilles. Surtout juste après l'arrivée de Kathleen, et si on ajoute ce que tu sais au sujet de Maggie. Je me sens hystérique. J'ai vraiment peur que quelque chose de terrible arrive si tu ne reviens pas. »

Elle se mit à pleurer les larmes de crocodiles qu'elle utilisait avec sa mère étant enfant, quand elle voulait éviter une corvée, ou quand ses frères la surprenaient en train de fouiller dans leur bureau. Il y eut une longue pause. Ann Marie finit par dire :

« D'accord. Vous voulez que je vous ramène quelque chose de chez Ruby's ? Je vais passer prendre du Sopalin. »

Quand Ann Marie arriva, elle sentait l'alcool. Et bizarrement, l'eau de cologne pour homme. Elle s'excusa rapidement d'avoir été aussi cruelle, mais elle semblait encore très énervée.

« Je n'arrive pas à croire que vous ayez vendu la maison.

— Je l'ai donnée, précisa Alice.

— Je n'y crois pas.

— Oui, tu l'as déjà dit.

— Et ?

— Et, quoi ?

— Il y a une explication ? »

Alice sentit l'énervement de l'après-midi revenir, elle tenta pourtant de rester calme. Pour qui se prenait Ann Marie ? Est-ce que c'était ses affaires ? Bien sûr qu'il y avait une fichue explication, mais si elle en parlait à ses enfants, ils feraient tout pour la dissuader. Elle tenta de rester polie mais avait envie de hurler à Ann Marie d'aller se faire voir.

« Calme-toi, dit-elle. Si tu continues, tu vas t'étouffer avec ta langue. Réfléchis un instant. L'Église n'aura rien avant que je rende l'âme, et tu sais que les vieilles créatures comme moi sont éternelles. D'ici ma mort, ton fils prodige aura gagné des millions et t'aura acheté dix maisons de plage mieux que cette épave.

Ann Marie restait glaciale.

— Je suis gentille. Je ne mérite pas ça.

Alice marqua une pause.

— Je sais. Ce que je ne sais pas, c'est où ont bien pu aller Maggie et Kathleen. Bon, on se fait réchauffer cette sauce à spaghettis ?

— D'accord », dit Ann Marie d'un air sombre.

Après quoi, elles cessèrent de parler de la maison. Elles évoquèrent Maggie, et Ann Marie ne cacha pas sa colère. Elles mirent la télévision et firent semblant de se passionner pour une adaptation assez fade *d'Orgueils et Préjugés,* qu'elles avaient déjà vu un mois plus tôt.

Le téléphone sonnait toutes les heures. C'était à chaque fois Patrick, et, à chaque fois, Alice l'ignorait.

« Ne te gêne pas, réponds, lui dit Ann Marie.

— Non, je vais laisser sonner, dit Alice. C'est sans doute un de ces télémarketeurs pénibles qui appellent d'Inde. »

Le serveur revint avec une corbeille de pain. Alice demanda un bloody mary. L'endroit se remplissait. Ce serait mal élevé de garder la table et de ne rien commander d'autre que du thé. Quand il s'éloigna, elle déplia la serviette dans la corbeille et prit trois petits pots de confiture qu'elle dissimula aussitôt dans son sac. Un peu plus tard, elle appela un serveur et dit :

« Est-ce que je peux avoir de la confiture, s'il vous plaît ?

— Bien sûr madame. »

Un conducteur se mit à klaxonner, ce qui la fit sursauter. Puis d'autres l'imitèrent, et bientôt la rue tout entière ne fut plus qu'une cacophonie de Klaxon et de cris. Elle n'était jamais allée aussi loin au nord, bien qu'elle se souvienne avoir parcouru ces rues en compagnie de Rita lorsqu'elle était jeune, et d'y avoir fait les magasins. Désormais, elle ne pouvait plus tellement faire confiance à sa vue. Elle devait plisser les yeux pour déchiffrer les panneaux routiers, surtout près de chez elle où il faisait souvent brumeux et gris.

Alice sentit une main sur son épaule.

« Bonjour, dit le père Donnelly. Merci d'avoir accepté ce rendez-vous. »

Il était toujours aussi beau. Il portait son col. Deux jeunes en costume, à la table d'à côté, se mirent à le dévisager. On aurait dit qu'ils voyaient un prêtre pour la première fois Alice fut gênée d'avoir choisi cette place.

Elle se redressa et se tourna vers lui.

« Je n'étais pas sûre de savoir si vous vouliez vous installer dedans ou dehors. On peut aller à l'intérieur, si vous préférez.

— C'est très bien. C'est ravissant.

Il se pencha vers elle.

— Comment allez-vous ?

— J'ai connu mieux.

Il acquiesça.

— Je suis sûr que la journée d'hier vous a épuisée.

— Oui. Encore une fois, laissez-moi vous dire à quel point je suis désolée. Je suis confuse de m'être comportée ainsi.

Il secoua la tête :

— Pas du tout. Ce sont des choses qui arrivent dans les familles. »

Le serveur arriva avec la confiture et remplit la tasse du prêtre de café. Le père Donnelly marqua une pause, attendant qu'il s'éloigne.

« Alice, je croyais que vous aviez prévenu vos enfants, dit-il. Et bien que je vous sois éternellement reconnaissant, je commence à avoir des réserves sur votre projet de donation. Je ne veux pas être une cause de discorde.

— Ne soyez pas idiot, dit-elle.

— Votre belle-fille semblait hors d'elle hier. Je suis désolé que cela se soit passé de cette façon, mais...

— Ma belle-fille est du genre hystérique, dit Alice. Depuis toujours. Tout le monde vous le dira.

— En fait, je n'arrive pas à comprendre pourquoi vous ne l'avez dit à personne, dit-il.

— Ils vont se faire à l'idée.

— Eh bien, c'est ce que je veux dire. Je ne suis pas sûr d'aimer la façon dont cela se passe.

— Cela a été un choc momentané pour Ann Marie. Mais, croyez-moi, aucun d'entre eux ne tient vraiment à cet endroit.

— Quand même...

— Quand vous aurez mon âge, vous verrez votre vie comme un ensemble, vous verrez ce que vous avez bien fait et ce que vous avez raté. J'ai toujours essayé de bien faire, mon père, mais d'habitude, je finis par tout gâcher d'une façon ou d'une autre. Regardez !

— Quoi ?

— Mes enfants, pour commencer.

— Je pense que vous avez élevé une famille formidable, Alice. J'ai vraiment apprécié de passer du temps avec Maggie ces dernières semaines.

— Maggie est enceinte, dit-elle. Kathleen me déteste ainsi que mon autre fille, Clare. Ann Marie ne m'a tolérée que parce qu'elle voulait la maison.

— C'est faux. Et quant à Maggie…

Elle lui coupa la parole :

— Je vous en prie. Je ne veux pas parler de cela maintenant.

— Je peux vous poser une question ? dit-il finalement.

Elle acquiesça.

— Au fond, pourquoi avez-vous légué votre maison à l'Église ? Elle ne devait revenir à personne, c'était votre idée ?

— Pas du tout !

Elle était gênée qu'il pense cela.

— Pourquoi alors ?

— Cette église est extrêmement importante pour moi. J'ai beaucoup pensé à ce que vous disiez sur le fait de faire de bonnes actions en retour quand je vous ai appelé. Ce n'est qu'une petite façon d'expier. Je sais que ce n'est rien en comparaison de mon péché, mais…

— Alice, vous ne pouvez pas vous en vouloir. Il n'y a pas de péché qui tienne. C'était un incendie. Vous étiez rentrée avant qu'il ne commence.

— Ce n'est pas tout. Il y a une partie que je n'ai pas racontée. Si je le fais maintenant, est-ce que vous considérerez cela comme une confession ?

— Si vous voulez. »

Alice savait qu'elle ne trouverait pas le courage de le dire à un autre moment. Pour cette raison, elle aurait aimé que ses frères l'entendent, mais ils n'étaient plus là. Elle aurait voulu que Daniel soit là, mais lui non plus n'était plus là. Alors qu'elle commençait à dire la vérité au prêtre, elle eut l'impression de se confesser devant eux. Elle vit Mary, âgée de vingt-deux ans, et ce, pour l'éternité.

« Je ne suis pas rentrée chez moi, dit-elle calmement. C'est ce que chacun a toujours pensé, même mon mari, mais j'étais là tout le temps. C'est à cause de moi que Mary était dans le club au moment où il a brûlé. »

Il avait l'air perdu, comme s'il cherchait à savoir si elle disait vrai.

« Il y avait cette maudite paire de gants, et j'ai refusé d'aller les chercher à l'intérieur parce que j'étais en colère à cause de la demande en mariage d'Henry... Bon, je n'avais aucune raison de l'être, mais...

Elle s'arrêta.

— Tout ceci ne doit pas vous paraître très clair, si ?

Il lui fit son sourire le plus chaleureux :

— Prenez votre temps. »

Alice sentit qu'elle s'énervait. Son cœur se mit à accélérer. Elle prit une grande inspiration et reprit. Cette fois-ci, elle lui raconta tout. Elle fut étonnée de voir à quel point elle se souvenait en détail de sa conversation avec Mary, et de ce qu'elle ressentait au moment où sa sœur était rentrée dans la boîte de nuit chercher ses précieux gants en daim.

Alors qu'elle parlait, elle se retrouva soudain sur ce trottoir glacé de Boston, en plein chaos, ébranlée à la vue des morts et des blessés, trop terrifiée pour aider Mary qui agonisait de l'autre côté d'un mur en stuc.

Elle se souvint du moment où elle était rentrée dans le salon de ses parents, et du soulagement qu'elle avait ressenti en voyant ses frères. Et puis, peu après, elle leur avait dit que Mary se trouvait à l'intérieur du club. Sans pouvoir en avouer beaucoup plus.

Elle raconta à quel point Daniel la laissait insensible à l'époque, et comment elle avait été froide avec lui. Mais elle évoqua aussi la façon dont sa présence, après les faits, l'avait aidée à oublier l'horreur et semblait lui indiquer la voie vers une vie plus vertueuse. Elle confessa qu'elle n'avait jamais dit la vérité à Daniel. Personne ne la connaissait.

Le père Donnelly était trop jeune pour se souvenir que l'incendie du Cocoanut Grove avait fait la une des journaux, qu'il revenait régulièrement dans les magazines et les conversations des années après les faits. Elle lui raconta qu'elle ne pouvait s'empêcher de dévorer les articles.

Dès qu'elle lisait l'histoire d'une victime, elle ne l'oubliait plus jamais. Elle les portait toutes avec elle. Une famille à Wilmington avait perdu quatre fils. Ils étaient tous dans l'armée, en permission ce soir-là. Ils étaient enterrés côte à côte dans le cimetière de Wildwood. Des filles qui travaillaient au cabinet d'avocats avec Alice se rendaient sur leurs tombes tous les samedis matins, sans même les avoir jamais rencontrés. Clifford Johnson avait vingt-trois ans et était membre des garde-côtes. Il fut brûlé sur les trois quarts de son corps, alors qu'il avait aidé vingt personnes à s'échapper. Il passa près de deux ans au Boston City Hospital. Après des centaines d'opérations, il épousa son infirmière et rentra chez lui, dans le Missouri. Il mourut dans un incendie en 1956.

Chaque fois qu'elle lisait une de ces histoires, Alice pensait aux derniers mots qu'elle avait échangés avec Mary, et au regard de cette dernière.

Tu n'aurais pas dû coucher avec lui, lui avait-elle dit, inoculant ainsi la peur à sa sœur, alors qu'elle savait parfaitement qu'Henry allait la demander en mariage le lendemain. Elle avait laissé Mary croire qu'il ne voulait pas d'elle — par sa faute, peut-être s'agissait-il de la dernière pensée de Mary. Et elle ne saurait jamais la vérité.

À la fin de son récit, Alice regarda le père Donnelly comme s'il était un étranger. Elle se sentit totalement à nu. Ces pensées la hantaient depuis soixante ans, mais elle n'avait jamais réussi à prononcer les mots à haute voix. Et pour quel résultat ? Elle ne se sentait absolument pas mieux. Ses mains tremblaient, et elle dut les poser sur ses genoux.

Jusqu'à cette journée, tout ceci était resté entre elle et Dieu. Elle avait supposé que Sa colère serait forte, ce qu'elle méritait. Mais le prêtre avait l'air d'être sur le point de pleurer. Elle distinguait des larmes dans ses yeux.

« Alice, je suis désolé.

— Désolé ?

— Vous portez ce fardeau depuis tant années, sans aucune raison. Vous n'avez rien fait de mal.

— Bien sûr que si !

Il plaça une main sur les siennes.

— Cela m'inquiète que tout ceci vous cause encore autant de tourments. Vous n'avez jamais envisagé d'en parler à vos enfants ? »

Qu'est-ce qu'elle pourrait bien raconter à ses enfants ? Que sa sœur unique était morte à quelques heures de ses fiançailles, dont elle n'était d'ailleurs même pas au courant. Que l'événement était une tragédie, mais qu'il avait aussi été à l'origine de nouvelles règles anti-incendie dans le pays et de progrès en matière de traitement des brûlures. Qu'il était devenu désormais impossible de trouver une porte dans tout Boston qui s'ouvre vers l'intérieur ou une porte tournante qui ne soit flanquée de deux portes ordinaires depuis cette date ? Qu'elle n'avait pas croisé le regard de son mari à travers une pièce pleine de monde dans un coup de foudre réciproque, mais qu'elle n'avait vu en lui qu'une échappatoire. Que sa sœur était morte à cause du mauvais caractère d'Alice et de sa colère, deux sentiments dont aujourd'hui encore, elle n'avait pas réussi à se défaire.

« Non, dit-elle.

— Je suis sûr qu'ils vous diraient exactement ce que je vous dis là. J'en suis absolument certain. »

Elle se demanda s'il avait vraiment compris. Il était tellement jeune… Aussi jeune que certains de ses petits-enfants. Peut-être que toute la différence tenait dans cette affaire de génération. Bien qu'il soit prêtre, il n'en était pas un au sens traditionnel du terme. Il ne croyait pas aux flammes de l'enfer. Il ne croyait probablement pas à l'enfer d'ailleurs. Elle voulait quelqu'un de plus dur, qui frotterait ses péchés à la paille de fer, jusqu'au sang.

« J'ai tué ma sœur.

— Non, Alice.

Il respira profondément.

— Voilà une chose à laquelle vous devriez réfléchir. Vous m'avez dit, chez vous, l'autre hiver, qu'avant la mort de votre sœur vous n'aviez pas l'intention de vous marier ni d'avoir des enfants. »

Elle repensa à ce qu'avait dit Kathleen l'autre jour. *Tu n'avais pas tant de talent que ça… Un stupide rêve de jeunesse.* On aurait juré Daniel le soir de leur rencontre. Il poursuivit :

« La mort de Mary a été une perte atroce. Mais voyez combien de joie, combien de vies sont venues, grâce à cela, et grâce à vous. » Ces banalités doucereuses la mettaient mal à l'aise. Si elle avait eu besoin de « pensées positives », elle aurait payé une de ces femmes moitié gourou, moitié prof de gym, comme le faisait Kathleen.

« Après la mort de Mary, j'ai promis à Dieu que je ferai mieux. J'ai mis tous mes rêves d'enfant de côté et j'ai essayé, en sa mémoire, de faire tout ce qu'elle aurait fait. Mais j'ai échoué lamentablement. Mes enfants ne me respectent pas. Ils ne croient même pas en Dieu. C'est moi qui aurais dû mourir cette nuit-là.

— Vous êtes trop dure avec vous-même.

— N'essayez pas de me réconforter. Ce n'est pas ça que je cherche.

— Et que cherchez-vous alors ?

— Je veux mourir aussi près que possible de l'état de grâce, afin de pouvoir revoir mon mari et ma sœur.

Il fit non de la tête.

— Je peux vous accorder une indulgence, ici et maintenant, si cela peut vous aider, Alice. Mais vous n'avez pas besoin de donner votre maison de famille pour cela.

— Une indulgence vient après le dévouement, de soi ou de ses biens à ceux qui sont dans le besoin, coupa-t-elle sèchement comme elle l'aurait fait avec un de ses enfants. Vous ne pouvez pas me la donner — pas comme cela.

— Alice, si tout ceci est motivé par la culpabilité, je ne peux pas l'accepter. Vous le savez.

— Ce n'est pas de la culpabilité… Vous donner la maison est ma dernière chance de faire quelque chose qui ait du sens. C'est trop tard pour quoi que ce soit d'autre. »

Elle pensa à Sainte-Agnès, sa vieille église confortable de Canton qui allait être démolie en octobre. Depuis les mois qui avaient suivi la mort de Mary, c'était la première fois qu'elle avait passé autant de nuits sans dormir, à se demander comment une chose tant aimée pouvait vous glisser ainsi entre les doigts comme de l'eau.

« Comprenez bien que cette propriété est à moi et à personne d'autre, dit-elle sévèrement. Et ce, malgré toutes les scènes d'hystérie dont vous avez pu être témoin. Personne n'aime autant cet endroit que moi. Mais que je sois claire : je la brûlerais en entier pour sauver Saint-Michael. Si ça n'avait pas été pour l'Église, je ne l'aurais probablement pas fait. Je ne serais probablement pas assise ici, à vous parler. Je ne peux même pas imaginer un monde où les gens n'auraient pas une paroisse comme la vôtre pour les aider.

Il hocha la tête.

— J'apprécie. Je veux simplement être sûr que vous agissez pour de bonnes raisons.

— C'est fait, et je ne reviendrai pas en arrière. Croyez-moi, j'ai pris le temps d'y réfléchir avant de signer les papiers.

— Eh bien, dans ce cas, je vous remercie encore. Ce genre de générosité est rare de nos jours, Alice. C'est grâce à vous que nous allons survivre. »

Elle se rappela un après-midi qu'elle avait passé avec lui, quelques semaines auparavant alors qu'il prodiguait l'extrême-onction à un homme mourant à l'hôpital. Le malade avait l'air réellement réconforté. Elle espéra que ces enfants pourraient comprendre un jour ce genre de pouvoir ou, du moins, le respecter. Elle pensa que, peut-être, elle avait été trop dure avec lui ce matin.

« Non, je pense au contraire que c'est grâce à vous », dit-elle.

Et elle se sentit plus sûre que jamais de sa décision.

MAGGIE

Le lendemain de la dispute, à son réveil, Maggie trouva sa mère et Ann Marie assises autour de la table, à boire du thé. Il avait sans doute plu quelques heures plus tôt : ici et là, des flaques d'eau séchaient sous le soleil matinal. Kathleen lisait le journal, et Ann Marie collait de minuscules boutons sur des carrés de tissu bleus. Pendant un moment, on aurait pu croire qu'elles s'entendaient bien. Si tel était le cas, tout devenait possible, la paix au Moyen-Orient n'était plus qu'une question d'heures. Quoique... le drapeau blanc ne semblait pas être sorti. Quand Maggie poussa la porte, Kathleen leva les yeux de son journal et dit :

« Mag, il y a un article incroyable au sujet de Whitey Bulger dans le *Globe* d'aujourd'hui. Regarde ! »

Whitey Bulger, un truand irlandais originaire de Southie, était devenu le roi de la pègre locale grâce à ses relations louches au FBI. Son frère avait choisi une autre voie : la fac de droit pour devenir président du Sénat de l'État du Massachussetts. Les deux hommes avaient grandi dans le même quartier qu'Ann Marie. Son frère, une petite frappe parmi tant d'autres, avait même sévi dans le gang de Whitey. Kathleen adorait mentionner les frères Bulger en présence d'Ann Marie, pour le plaisir de la mettre mal à l'aise en rappelant ses origines.

« Vous saviez que Whitey Bulger avait un enfant ? On dit que ce garçon est mort très jeune d'une maladie rare. Pour certains, la violence du gang de Whitey s'explique par ce décès. Fascinant, non ? »

Ann Marie regardait fixement ses genoux, un sourire figé sur les lèvres.

Maggie détestait cette méchanceté gratuite. Elle lança un regard accusateur à sa mère. *Quoi ?* rétorqua-t-elle silencieusement, en mimant un geste d'impuissance avec ses mains.

Enfant, Maggie était fascinée par les Bulger, elle pensait que tout le monde connaissait leur histoire. Elle en parla même un jour à Gabe, et il se mit à rire si fort que sa bière lui sortit par les narines.

« Qu'y a-t-il de si drôle ?

— Whitey Bulger ?! On dirait le nom qu'un étudiant en médecine pourrait donner à sa bite ! »

Kathleen posa ses pieds nus sur une glacière en plastique qui n'avait sans doute pas bougé depuis l'été dernier.

« Ça te dit qu'on aille prendre le petit déjeuner dehors ? »

Maggie mourait de faim mais elle n'avait pas spécialement envie de se retrouver seule avec sa mère. Elle s'en voulait de lui avoir écrit. L'ambiance était bien meilleure avant son arrivée.

Kathleen voulait qu'elle s'installe en Californie. À chaque fois qu'elles se retrouvaient seules, elle remettait cette idée absurde sur le tapis. Et ce scénario était envisageable, c'était sans doute ce qui rendait Maggie encore plus furieuse. Elle était hantée par la peur de manquer d'argent. À New York, elle avait déjà du mal à gagner sa vie. Alors, avec un bébé… Qu'allait-il se passer ? Elle se retrouverait à élever un enfant seule chez sa mère, en compagnie de son hippie de petit ami, dans une ferme à vers de terre.

« Tante Ann Marie ? Ça te dit de venir petit-déjeuner ?

— Oh, non merci, ma chérie, je vais passer mon tour. J'essaie de faire attention pour le 4 juillet.

— Pourquoi ? Tu veux que Patrick pousse un sifflement en voyant ton corps sexy en bikini ? ironisa Kathleen.

Ann Marie baissa la tête vers son ouvrage.

— Mais au fait, que fais-tu ?

— Je fais une housse.

— Pour ?

— Un canapé.

— Elle est en finale d'un concours de maisons de poupée, précisa Maggie.

— En effet, dit Ann Marie. Pat et moi, nous assisterons à la finale à Londres.

Kathleen étendit les jambes.

— De la décoration intérieure ?

— Oui, en miniature.

Ann Marie avait l'air mal à l'aise.

— Des maisons de poupée, rectifia Maggie. C'est très cool. On leur a consacré une exposition au Brooklyn Museum récemment. Fantastique, ajouta-t-elle pour couper l'herbe sous le pied à sa mère.

Kathleen se tourna vers elle brusquement.

— Allez, habille-toi, et on ira petit-déjeuner, rien que toutes les deux.

— J'aimerais bien mais, vraiment, je dois travailler, dit Maggie.

— Tu m'évites ? »

C'était dit sur le ton de la plaisanterie mais Kathleen était on ne peut plus sérieuse. Elles avaient dîné ensemble la veille, et avaient fini la soirée en discutant dans le cottage avant d'aller au lit. Sa mère en avait profité pour lui exposer son plan absurde : Maggie viendrait dans le pays du vin et élèverait son enfant dans l'environnement très sain d'une ferme à vers de terre tenue par un couple d'anciens alcooliques. Fantastique, non ? Maggie avait réussi à ne pas lâcher que le mode de vie de sa mère lui paraissait complètement dingue, et qu'une visite tous les six mois suffisait à la pousser à bout. Elle n'avait pas dit non plus que la maison de Kathleen était tellement répugnante qu'elle avait peur d'y héberger ne serait-ce qu'un hamster, alors un enfant... Maggie savait tenir sa langue. Kathleen beaucoup moins. Elle était venue armée d'un arsenal de reproches et d'insultes à l'encontre de Gabe. Même si tout cela était vrai, elle ne put pas s'empêcher d'éprouver une certaine tristesse en écoutant ce tir de barrage contre son ex. Personne, à part sa mère, ne pouvait la blesser autant avec des mots. Et c'était encore pire après le dernier e-mail de Gabe.

« Où est Alice, demanda Maggie ?

— On ne sait pas, répondit Kathleen.

— Est-ce que je peux oser demander ce qui se passe avec la maison ?

Ann Marie secoua la tête.

— Je suis tellement en colère. Je parviens à peine à en parler. »

Elle n'avait pourtant pas l'air furieuse. On reconnaissait la Ann Marie de tous les jours, polie, enjouée, ni plus ni moins. Elle poursuivit :

« Alice a légué la propriété à la paroisse de Saint-Michael dans son testament !

Maggie était sidérée.

— Quand l'a-t-elle décidé ?

— Apparemment, les papiers étaient prêts depuis six mois. Mais Pat se renseigne pour savoir s'il existe un recours légal. On a quand même construit cette maison à côté, vous savez.

— Oh oui, ça, on le sait ! répondit Kathleen.

Ann Marie l'ignora.

— On doit bien avoir un droit sur cet endroit. Quoi qu'il en soit, Pat m'a demandé de rester calme pendant qu'il essaie de démêler cette histoire avec les avocats. Donc, je m'efforce de patienter », conclut-elle avec un grand sourire. »

Maggie se demanda un instant si son extrême amabilité ne venait pas d'une addiction massive aux calmants.

« Classique, dit Kathleen. Si seulement papa était encore là… »

Le souvenir douloureux de l'enterrement refit immédiatement surface. Patrick avait lu le panégyrique, Chris et Little Daniel, les prières. Ils balbutiaient, hésitants, comme des écoliers récitant une poésie. La voix de Chris s'était brisée au moment de dire : « Seigneur, *console*-nous en ce temps de deuil, comme Jésus lui-même a eu besoin de *réconfort* lors de la mort de Lazare. » « Jésus, entend notre prière », avait répondu l'assemblée, comme un chœur programmé à l'avance. Dans la bouche de Chris, « console » évoquait immédiatement des jeux vidéos et une télé

16/9. On se tournait toujours vers les hommes pour trouver de la force dans ce genre de moments, peut-être parce qu'ils avaient l'air invincibles dans leurs costumes sombres. C'était eux qui garaient les voitures devant l'église et déposaient leurs femmes et leurs filles pour qu'elles n'aient pas à marcher, c'était eux, encore, qui portaient le cercueil le long de l'allée centrale. Mais, à la fin, il revenait aux femmes, et à personne d'autre, le soin de tout remettre en ordre.

Le chœur entonna l'*Ave Maria*. Tout le monde pleurait. Cette mélodie pouvait raviver des souvenirs enfouis au plus profond de votre âme. Votre vie défilait tel un film, dans un montage de scènes réunissant tous les gens que vous aviez aimés. Maggie réalisa que sa mère était désormais orpheline. Elle pleura car elle eut soudain peur de la perdre à son tour. Elle pleura aussi parce qu'elles ne parvenaient pas à se comprendre malgré l'amour suffocant qui les unissait.

Au cimetière, un drapeau américain recouvrait le cercueil. La foule en deuil se tenait en silence tandis que deux militaires en uniforme lançaient un enregistrement de « Taps », sur un magnétophone. Ils plièrent ensuite le drapeau en formant des triangles de plus en plus petits. L'un d'entre eux le présenta à Alice : « Au nom de la patrie reconnaissante, je vous présente ce drapeau comme un signe de notre gratitude pour le service fidèle et désintéressé de celui que vous aimiez. »

Maggie se rendit compte que Daniel ne leur avait jamais parlé de la guerre. Le prêtre entama une nouvelle prière, elle regarda alors les visages tristes et se dit que ces rites catholiques, qui pouvaient paraître morbides, avaient aussi leur utilité. Grâce à eux, personne ne quittait ce monde seul. Qui viendrait après, qui se rendrait sur la tombe de Daniel chaque année? Dans le cimetière, certaines tombes, recouvertes de fleurs fraîches, étaient mieux entretenues que d'autres. Pourquoi? Ces personnes étaient-elles plus aimées de leur vivant? Ou était-ce tout le contraire : on s'occupait de leur tombe par culpabilité? Les deux explications se tenaient.

Bloquée entre sa mère et sa tante, elle pensa au bébé dans son ventre. Il aurait une vie, une enfance, une adolescence pénible, un mariage et des enfants, comme tout le monde. Ensuite, ce bébé aussi mourrait, et ses enfants, assis dans l'église, ne connaîtraient sans doute pas Maggie. En tout cas, pas autrement que sous les traits de leur grand-mère gâteuse. Ils n'auraient aucune idée de sa véritable personnalité. Kathleen, quant à elle, serait citée à de très rares occasions, dans certaines histoires de famille.

Maggie entendit des roues crisser sur le gravier, et se retourna pour voir le toit d'un camion de livraison, roulant en direction du cottage. Quelques secondes plus tard, on frappa à la porte.

Elles ne virent d'abord qu'une paire de jambes qui dépassaient d'un short brun, avec des chaussettes remontées jusqu'aux genoux. Le reste était dissimulé derrière une énorme boîte en carton, tenue à bout de bras.

« Une livraison pour Ann Marie Kelleher.

Ann Marie bondit.

— Oh merci ! Posez-le ici, s'il vous plaît. Et doucement !

Kathleen leva les yeux au ciel.

— Bonne journée, mesdames. »

Et les jambes en short disparurent. Les trois femmes contemplèrent la boîte.

— C'est un poney ? demanda Kathleen.

— C'est ma maison de poupée », dit fébrilement Ann Marie.

Elle avait du mal à cacher sa joie. Maggie la trouva touchante. Sa mère s'occupait d'une ferme de vers de terre, bon sang ! Est-ce qu'elle n'était pas la mieux placée pour comprendre qu'on puisse avoir un passe-temps ridicule ?

« Je vais chercher un couteau dans la cuisine ! poursuivit Ann Marie, avant de disparaître dans le cottage.

— Oh, non, s'exclama Kathleen. Un couteau ! Tu crois qu'elle va se faire hara-kiri parce qu'elle a réalisé le pathétique de la situation ? Une maison de poupée, à son âge...

— Maman...

— Quoi ? »

Ann Marie revint. Elles regardèrent toutes les trois à l'intérieur de la boîte. Une maison miniature en brique était lovée sur une mer de polystyrène vert. Maggie tint la boîte pendant que sa tante faisait délicatement glisser la maison pour la poser sur le sol.

« Oh, c'est magnifique ! Bien plus beau que sur la photo ! »

C'était assez charmant, il fallait bien l'avouer, le genre de chose qui transportait votre imagination, qui vous faisait croire que vous aviez grandi dans un coin de la campagne anglaise, que vous y éleviez des moutons et y lisiez de la poésie à la tombée du jour, que le mal avait disparu du paysage pour l'éternité, que le monde marchait enfin droit et avec le sourire. Peut-être que Maggie aussi se mettrait aux maisons de poupée après la naissance du bébé. Elle pourrait même ouvrir une boutique à Brooklyn avec Ann Marie. Après tout, n'importe quel New-Yorkais rêvait de posséder sa propre maison. Vu les prix de l'immobilier, les maisons de poupées allaient peut-être faire fureur.

« Il faut que je prenne une photo pour Patty ! Mon appareil est dans la voiture. »

Kathleen se pencha pour scruter l'intérieur de la maison puis tapota le fond de sa tasse de son doigt jusqu'à ce qu'une minuscule goutte de thé tombe sur le toit.

« Flûte alors ! On dirait qu'il va pleuvoir, *darling !* dit-elle d'une voix chantante.

— Mais c'est quoi ton problème ! explosa Maggie.

Elle se hâta d'essuyer la tache avec le bas de son tee-shirt.

— Oh, c'est bon, c'est de la tisane. Ça ne risque pas de faire beaucoup de mal à ce somptueux édifice. Mais pourquoi est-ce que tu m'en veux à ce point ? Écoute, je suis désolée qu'on soit parties du mauvais pied hier. Je me suis fait tellement de souci pour toi ces derniers jours. Dès qu'on s'est retrouvées seules, j'ai foncé tête baissée, ce n'était pas très malin. »

À quoi bon s'excuser ? Elle n'était pas capable de se comporter autrement. Leur lien était élastique. Il s'étirait souvent au-delà de la zone de confort, mais finissait par retrouver sa position de départ, intact.

Je suis venue pour t'empêcher de faire une énorme erreur. Voilà ce qu'elle avait dit, et ces mots avaient détruit Maggie. Elle s'en voulait de vouloir plaire à ce point à sa mère. À quoi bon ? Leur vision de la vie s'opposait de plus en plus avec les années.

« Ça va, dit Maggie.

— Pourquoi on ne quitte pas cet environnement toxique ? On pourrait aller à Boston, prendre un hôtel, et se faire une échappée mère-fille.

— Non, je dois travailler.

— Ah bon, dit Kathleen, blessée.

— Sans compter que je dois écrire un profil pour un site de rencontres. C'est pour une femme assez laide et ses deux caniches nains. Ses centres d'intérêt sont la manucure, les Bee Gees et le Pilates. Et elle insiste pour que je mentionne noir sur blanc sa jalousie maladive.

Elle voulait faire sourire sa mère. Cette dernière se contenta de commenter d'un ton morne :

— Oui, on dirait que tu es gâtée.

— Eh bien, je n'ai pas trop le choix, je vais devoir mettre de l'argent de côté.

— Sauf si tu acceptes mon offre et que tu viens à la ferme.

Maggie ignora sa remarque et se contenta de dire :

— Je crois que je vais aller m'installer à côté, chez grand-mère, comme c'est vide.

— On s'est toujours tout dit toutes les deux, non ?

C'était vrai. Ce n'était sans doute pas la façon la plus saine de fonctionner, mais elles n'avaient jamais fait autrement.

— Je sais.

— Et, donc, pourquoi est-ce que tu ne m'as rien dit ?

— Je te l'ai dit. Tu as été la première, à part Gabe.

Il lui sembla plus sage de laisser Rhiannon hors du coup.

— Mais tu le sais depuis combien de temps ?

— Un mois et demi.

— Oh, Maggie ! Un mois et demi ! Je... j'aurais aimé que tu viennes aussitôt en Californie. Et non pas que tu te rues dans le Maine, plonger la tête la première dans tout le pathos familial.

— Jusqu'à hier, il n'y avait pas tellement de pathos, tu sais.

— Donc, c'est de ma faute ?

— Ce n'est pas ce que j'ai dit.

— Tu sais à quel point je suis fière de toi et à quel point je t'aime, quoi que tu fasses. Je me demande pourquoi tu veux à tout prix te montrer loyale envers cette famille. Aucun de ces gens ne se soucie de nous. Ils te laisseront tomber, exactement comme ils l'ont fait avec moi. Quand je pense à ce qu'Alice a dit hier… »

Maggie avait oublié la tendance qu'avait sa mère à recentrer n'importe quelle conversation sur elle-même, surtout s'il était question de la famille. Elle s'était rapprochée d'Alice et d'Ann Marie ces derniers jours. Peut-être était-ce stupide, mais elle se sentait heureuse. Elle savait que sa mère voulait le meilleur pour elle. Mais à force de vouloir l'aider, la conseiller, l'aimer, elle l'étouffait.

« Personne ne me laisse tomber, dit Maggie.

Elle se redressa et prit sa sacoche, en plaçant la lanière sur son épaule avec précaution.

— Mes seins me font vraiment mal.

— Normal. Ils ont déjà grossi, tu sais.

— Ah bon?

— Oui, quand je t'ai vue hier, j'ai cru l'espace d'une seconde que tu avais fait de la chirurgie esthétique.

— Eh bien, ça ferait une très bonne version officielle. Je reviens. » Elle saisit son ordinateur.

Chaque fois qu'elle ouvrait son courrier électronique, depuis ces quatre derniers jours, elle se répétait de ne pas relire le message de Gabe. Et, à chaque fois, elle succombait.

Quand il arriva dans sa boîte e-mail et qu'elle vit son nom s'inscrire sur l'écran, elle en eut la chair de poule, comme s'ils avaient passé une soirée fantastique et qu'elle se demandait s'il allait la rappeler ou non.

Mais elle se doutait de ce qui allait suivre. Elle allait élever cet enfant seule. C'était effrayant et triste, mais elle allait s'en sortir. Les femmes le faisaient depuis la nuit des temps. D'une certaine façon, et sans savoir pourquoi, elle s'était toujours vue mère célibataire.

Mag,

Je suis vraiment désolé d'avoir mis autant de temps à répondre. Depuis que j'ai lu ton e-mail, je n'ai pas arrêté de penser à toi et au bébé. Je suis même sorti acheter une bague de fiançailles un après-midi. Une crise de panique... J'ai failli m'évanouir dans la bijouterie. Mais, si je suis honnête avec nous deux, je dois t'avouer que je ne peux pas faire cela maintenant, à ce stade de ma vie. Je ne sais pas ce que le futur nous réserve — peut-être que je finirai par grandir. Fais-moi signe quand tu rentreras à New York, on prendra un verre. Je suis désolé. Je t'embrasse. Gabe.

Du pur Gabe tout craché. *Désolé, je n'arrive pas à être un homme, ni un père pour notre enfant, mais bon laisse-moi t'offrir un café à l'occasion. Bisous.*

Malgré tout, il lui manquait. Pourquoi la logique ne pouvait-elle jamais à dominer un sentiment aussi banal que l'amour ?

Installée dans la cuisine d'Alice, Maggie décida de ne pas allumer son ordinateur, pas tout de suite. Elle appela le commissariat de Tulip dans l'Arizona, où une ex-reine du lycée, déçue par la vie, avait tiré sur son mari infidèle. C'était finalement plus apaisant que la perspective d'une énième conversation avec sa mère.

« Est-ce que je peux parler à vos relations presse ? dit-elle, connaissant déjà la réponse.

— Nos *quoi* ?

— Vos relations presses. Affaires publiques.

— Une minute. »

La musique d'attente s'enclencha, une chanteuse de country espérait vaguement que quelqu'un (son enfant ?) se mettrait à danser le jour de son enterrement. C'était une niaiserie sentimentale mais Maggie ne put s'empêcher de sentir un frisson lui parcourir l'échine. Elle détestait quand son chagrin prenait le dessus.

Pendant les dernières semaines, elle avait pensé plus d'une fois aux horreurs de l'accouchement et à toutes les choses affreuses qui pouvaient arriver à un bébé. Sans oublier les problèmes financiers qu'allait poser cette naissance. Jamais elle n'aurait les moyens ! Jamais ! Elle ne cessait d'y penser et finissait par s'en convaincre.

Gabe ferait peut-être une entrée au dernier acte pour la sauver. Un Gabe nouveau, un tout autre homme.

Alice, Kathleen et Ann Marie s'inquiétaient pour son avenir. La vie de Maggie ressemblait encore, pour quelques mois, à une ardoise blanche : elle était sans enfant, pas mariée, au seuil de cette nouvelle vie. Après l'accouchement, plus rien ne serait jamais comme avant. Elle se retrouverait sur l'autre rive, celle où on ne s'occupe plus de vous, en tout cas pas de la même façon. Elle ne pourrait plus aller au lit quand l'envie lui en prendrait, ni s'autodétruire complètement. C'était pourtant ce que sa mère et sa grand-mère avaient fait à certaines périodes. Maggie savait que c'était impossible pour elle — elle ne se le permettrait pas.

Parfois, elle se disait qu'elle aurait mieux fait de tomber enceinte à vingt-deux ans plutôt qu'à trente-deux. À l'époque, elle rêvait d'avoir quatre ou cinq enfants. Elle était encore jeune et assez naïve pour penser que c'était possible. Les mères de famille comme Ann Marie étaient de ce bois : elles plongeaient courageusement, la tête la première, dans la maternité, sans se poser de questions. Elles ne comptaient pas leur temps, parce qu'adulte elles n'avaient jamais connu le bonheur de passer plusieurs samedis d'affilée à rester au lit en regardant l'intégrale des films de Meg Ryan. Elles n'avaient jamais savouré un week-end entier passé avec un bon bouquin, vautrée sur le canapé.

Sur Internet, la dernière mode pour les jeunes mères consistait à se plaindre de leurs enfants. Des sites entiers accueillaient des litanies sur les objets cassés, les silhouettes empâtées, le mal de dos... Des groupes baptisés « les mamans qui boivent » se retrouvaient toutes les semaines dans des bars de Brooklyn. Des forums permettaient aux mères de s'épancher sur la moindre goutte de jus de pomme renversée sur le tapis, le moindre retard de la nounou, la moindre saute d'humeur. Toutes ces femmes semblaient même éprouver une sorte de plaisir masochiste à se plaindre publiquement. Mais alors pourquoi avaient-elles des enfants ? Était-ce un simple retour de balancier par rapport aux générations précédentes, ces femmes au foyer qui avaient supporté la vie de famille avec un éternel sourire aux lèvres ? Maggie ne pouvait s'empêcher de penser que ce mécontentement systématique ne faisait qu'aggraver leur situation.

Elle patientait encore au téléphone. La chanteuse de country lui expliquait désormais « qu'aimer est une erreur mais que l'amour en vaut la peine ».

De guerre lasse, elle raccrocha et posa la tête sur la table de la salle à manger. Après un bref instant, elle crut entendre des pas sur le gravier. Kathleen, à coup sûr. Elle reprit le combiné, le colla à son oreille et prétendit être au milieu d'une conversation. Elles en étaient donc arrivées là...

C'était une fausse alerte. Maggie jeta un œil par la fenêtre. Deux lapins dévoraient la pelouse.

« Merci. Au revoir », dit-elle à la personne imaginaire à l'autre bout de la ligne au cas où on la regarderait.

Elle inspira une bouffée d'air parfumé par l'océan et les pins. Juin était presque fini. Il faudrait bientôt rentrer à Brooklyn, dans son bon vieil appartement de Cranberry Street. En un sens, sa vie serait toujours la même. Tous les matins, les salariés pressés continueraient à courir vers le métro, tandis qu'elle les regarderait de sa fenêtre, une tasse de café brûlant à la main. Elle admirerait encore la femme énergique en tenue de sport qui faisait ses pompes et ses abdos sur le banc de l'arrêt de bus. Mais tant d'autres choses allaient être différentes. Si différentes qu'elle ne parvenait pas à les imaginer.

Ici, à Cape Neddick, la vie s'était mise à tourner différemment. Gabe, Rhiannon, Allegra et ses collègues de bureau, avaient été remplacées par Alice, Ann Marie et Connor. Un peu moins d'un mois était passé et pourtant ses muscles de citadine avaient fondu. Dans le Maine, il y avait assez d'espace pour s'étendre. À New York, on vivait les uns sur les autres. Vous étiez sans cesse entouré d'étrangers. Dans le métro, les odeurs de parfum, de transpiration, d'urine et de nourriture se mêlaient. Des inconnus lisaient par-dessus votre épaule, et vous ne pouviez pas vous empêcher de faire de même — chacun se mêlait de la vie des autres.

Tous les jours, la ville lui brisait le cœur : chaque matin la pauvreté, la maladie, la cruauté lui sautaient aux yeux. La brutalité de New York pouvait surgir à tous les coins de rue. Alors qu'elle attendait son train à Grand Central, elle avait vu un jeune noir frapper un vieux blanc à coups de poing et le jeter à terre. Le vieil homme avait lâché une insulte que Maggie n'aurait jamais osé prononcer.

Elle avait vu des mères tirer leurs enfants par le bras et leur hurler de se dépêcher ou d'arrêter de faire des miettes. Le lendemain, ces mêmes mères pouvaient chanter *Pat-a-cake*[43] douze fois d'affilée avec un regard émerveillé.

Un soir, elle s'était retrouvée en train de pleurer dans une rue de l'East Village après minuit. Plusieurs personnes s'étaient arrêtées pour lui demander « ça va? », aussi inquiètes que s'il s'agissait de la chair de leur chair. Mais, le jour où un type lui arracha son sac à main à la volée, elle se mit à hurler, et personne ne daigna la regarder.

Ici, les bonnes comme les mauvaises choses étaient plus facilement prévisibles. Elle aurait bien aimé rester. Elle envisagea plusieurs scénarios : elle pourrait, par exemple, trouver un boulot d'entretien à Saint-Michael ; comme dans « Eleanor Rigby »[44], elle nettoierait le riz après les mariages. Ou bien, elle écrirait un bestseller et deviendrait l'un de ces romanciers dont la notice biographique vous fait pâlir de jalousie : « L'auteur partage son temps entre le Maine et Bruges. » À défaut de s'installer ici pour toujours, elle aurait pu au moins rester jusqu'à la naissance du bébé.

Comment imaginer que la maison ne serait plus là un jour? Alice avait donc cédé l'endroit qu'ils aimaient le plus au monde. Elle s'était imaginé amener son bébé ici, elle était certaine de vieillir entre ces arbres.

Kathleen avait coutume de dire qu'Ann Marie et Pat attendaient la mort d'Alice afin de pouvoir récupérer la maison. Avait-elle agi délibérément, pour les punir? Maggie n'arrivait pas à imaginer d'autre raison.

Ann Marie croyait que Connor avait escroqué Alice, mais c'était impossible. C'était un homme bon et un prêtre honnête.

43. Célèbre comptine anglo-saxonne qui se chante en tapant dans ses mains.
44. Chanson des Beatles, sur l'album *Revolver*.

(Et, oui, elle avait un faible pour quelqu'un dont le cœur était pris par Jésus, et alors ? C'était son problème, après tout.) Une femme enceinte qui venait de se faire larguer pouvait détecter un type bien à des kilomètres à la ronde.

Un peu plus tard, Maggie décida d'aller se promener sur Briarwood Road. Elle tenta de s'imprégner du calme du lieu, de se concentrer sur la lumière du soleil qui tombait des pins, et sur le chant des oiseaux. Elle se retourna pour regarder le cottage, et la maison au loin avec l'océan qui scintillait en toile de fond.

Elle poussa la porte de Ruby's Market pour acheter une bouteille de jus de fruit. L'endroit sentait l'eau de javel.

« Comment ça va ? demanda Ruby poliment.

— Bien et vous ?

— Ça va. »

Maggie se dirigea vers les glacières dans le fond quand Mort fit son apparition, plié en deux sous une caisse de bouteilles de lait. Elle s'abstint de l'aider par peur de le vexer.

Une femme entra, Ruby lui lança :

« Evangeline ! Comment va ton rhume ? »

Ils discutaient toujours avec les gens du coin et avec Alice. Maggie aimait bien les écouter. Elle aurait voulu entrer dans leur club, bien qu'ils ne lui concèdent jamais rien de plus qu'un bonjour de courtoisie. Elle n'était qu'une estivante à leurs yeux.

« On a eu un groupe de touristes de Worchester, dit Ruby à la femme. Ils se prenaient en photo devant le magasin comme si c'était Green Acres. Ils sont rentrés et ont demandé une photo avec nous.

— C'est pas vrai !

— Ils nous ont raconté qu'ils étaient allés à la plage à York, puis qu'ils voulaient aller cueillir des myrtilles ! Bon sang, de mon temps, on vous payait pour ça. Ensuite, on pouvait se faire un peu d'argent avec les haricots verts, puis le maïs jusqu'à ce que votre dos demande grâce. Mais payer pour faire la cueillette en plein soleil !

— Pas croyable, dit la femme.

— Encore des ploucs du Massachusetts ! » trancha Mort, en posant la lourde caisse.

Ruby hocha la tête et sourit. Son regard disait qu'elle aimait cet homme ainsi que la vie qu'ils avaient eue ensemble. Ils avaient l'air totalement à l'aise l'un avec l'autre, comme s'ils se connaissaient depuis une éternité. Maggie se demanda si elle allait atteindre un jour cette sérénité. Cette question lui trotta dans la tête sur le chemin du retour.

En arrivant, elle tomba sur sa mère, la prit dans ses bras et lui proposa de déjeuner avec elle, malgré le sermon qui ne manquerait pas d'arriver.

ANN MARIE

La fin du mois de juin fut marquée par des pluies torrentielles mais, le premier juillet, le soleil se leva sur le plus beau matin d'été de la saison. Ann Marie sortit du cottage pour savourer l'air tiède et le ciel bleu. Les lys d'Alice étaient splendides. Une brise légère agitait les feuilles.

La météo des derniers jours ne l'avait pas dérangée. Elle en avait profité pour nettoyer le cottage de fond en comble. Kathleen était restée en tout et pour tout quatre jours et l'endroit était repoussant. Des journaux traînaient un peu partout, des mégots, abandonnés au fond de la poubelle de la salle de bain, laissaient derrière eux d'affreuses marques noires et une terrible odeur de tabac froid, que quarante minutes de récurage forcené parvinrent à peine à dissimuler. Kathleen était apparemment incapable de poser un verre dans l'évier après l'avoir utilisé. Il y avait des cartes de visite de proviseurs d'écoles californiennes sur le buffet (on se demandait bien pourquoi ?), des notes écrites à la main qui semblaient rédigées en chinois : *Leur rappeler que les orchidées auront des couleurs plus vives avec l'engrais... Des algues liquides = décomposition accélérée... Si nous achetons le nouveau dispositif d'irrigation, il nous faudra plus de mains ET DE DÉCHETS!!!*

Ann Marie attacha les notes avec une pince et les fourra dans le sac de Kathleen. Elle avait changé les draps, placé des fleurs un peu partout, récuré à fond le barbecue. Le frigo était rempli de champagne, de myrtilles, de pâtisseries, de viande, et d'au moins trois fromages différents. Elle avait déplacé une lampe décorée de coquillages pour la remplacer par sa maison de poupée qui occupait ainsi la place d'honneur au beau milieu du salon.

Elle voulait que tout soit impeccable pour l'arrivée des Brewer : c'était le départ officiel de « son » mois à Cape Neddick. Seul détail : Maggie et Kathleen étaient toujours dans les parages.

Kathleen refusait de partir, probablement par pure méchanceté. Elle avait avancé toutes sortes d'explications : elle n'avait pas réussi à convaincre Maggie de venir s'installer en Californie avec elle (ce qui était tout à l'honneur de sa fille), et ne comptait pas quitter le Maine avant. À la demande de Maggie, elle avait au moins consenti à quitter le cottage pour s'installer à côté.

Elle n'avait jamais vu Kathleen se tenir aussi mal que ces dernières semaines. Sa simple présence la rendait nerveuse. Elle craignait qu'elle déclenche une dispute devant les Brewer et qu'elle lui fasse honte. La grossesse de Maggie la mettait dans tous ses états et, alors qu'elle clamait qu'elle n'était venue que pour aider sa fille, pour l'instant, elle avait surtout réussi à l'énerver et à tendre l'atmosphère.

La nuit, Ann Marie se réveillait en sursaut et se demandait comment aider la pauvre Maggie. Elle voulait lui donner l'impression que même si la situation n'était pas idéale, Dieu agirait pour son bien. Combien de femmes pouvaient dire en toute honnêteté que la naissance de leur enfant était totalement voulue ? Malgré toute la préparation possible, n'importe quelle naissance apportait son lot d'impondérables. *Engendré, non pas créé,* voilà ce que disait la Bible. Elle craignait que Kathleen ne conseille à sa fille d'avorter, ou de se débarrasser du bébé dès sa naissance, comme si cette nouvelle vie n'était pas venue au monde pour une bonne raison.

La fille aînée de sa sœur, Deirdre, avait eu un mal fou à tomber enceinte. Ann Marie devrait peut-être en parler à Maggie. Elle avait dépensé près de vingt mille dollars en tests et fécondations in vitro et pris presque vingt kilos. Tout cela pour deux échecs consécutifs. Après quatre douloureuses années d'essais et de doute, Deirdre avait donné naissance à des triplés.

La mère d'Ann Marie ne l'avait pas supporté. Selon elle, l'église catholique condamnait ce genre de procédure. Elle les accusait de tuer des millions d'embryons innocents. Dieu, et lui seul, devait décider d'une vie. Facile à dire quand vous aviez donné naissance sans effort à quatre enfants, comme elle l'avait fait. Ann Marie se voyait comme une catholique modèle mais si elle n'avait pas eu d'autre solution pour avoir des enfants que de passer par les tubes d'un laboratoire, elle l'aurait fait sans hésiter. Sa mère venait d'une génération de femmes mariées catholiques qui s'étaient tournées vers l'Église en implorant de pouvoir prendre la pilule pour que leurs familles restent d'une taille raisonnable. Quand l'Église leur refusa ce droit, elles obéirent, et bon nombre d'entre elles se retrouvèrent avec douze ou quatorze enfants. Plusieurs étaient mortes jeunes, leurs corps épuisés. Ann Marie s'était souvent demandé pourquoi des hommes célibataires avaient ainsi le pouvoir de décider qui pouvait être mère, quand et dans quelles conditions. N'était-ce pas un peu absurde ?

C'était de nouveau à cause de l'Église qu'Alice voulait voir Maggie épouser son affreux petit ami. S'il s'était agi de sa fille, Ann Marie aurait sans doute pensé qu'il fallait qu'elle se marie quelles que soient les circonstances. Mais elle n'imaginait pas sa nièce s'installer pour la vie avec Gabe. Maggie serait sans doute mieux seule. De toute évidence, Kathleen pensait la même chose.

Ann Marie avait annoncé à Pat que sa sœur comptait rester, ce qui l'énerva. Mais il ne fit aucune remarque, se disant sans doute qu'il avait déjà du pain sur la planche avec Alice. Pat avait consulté son avocat : d'après lui, le titre de propriété était au nom d'Alice, elle était donc dans son droit de vendre la propriété ou de la léguer. Et ce, même si Pat avait construit la grande maison, payé les taxes et l'assurance depuis la mort de son père. Ann Marie était dans un état de fureur qu'elle n'avait jamais connu auparavant.

Alice avait évité les coups de téléphone de Pat toute la semaine et s'était comportée comme si de rien n'était. Ils étaient d'accord pour lui reparler après le départ des Brewer, ils ne voulaient pas mêler Steve et Linda à ces affaires de famille. C'était parti pour être une conversation désagréable, pas besoin d'alerter tout le voisinage.

Quand elle avait découvert l'arrangement d'Alice avec le prêtre, Ann Marie avait perdu tout contrôle. Oui, c'était elle, qui, dans un état second, avait saccagé les plants de tomates. Elle était dans le jardin en train de penser à ce qu'Alice avait fait, et, l'instant d'après, elle s'était retrouvée en train d'arracher les plantes par leurs tiges et de les briser en deux. Les tomates tombaient par terre, et elle les avait piétinées, de la pointe du pied, comme pour danser une sorte de twist.

Après la dispute, elle s'était enfuie. Finalement, c'était assez excitant de partir devant tout le monde. Mais elle ne savait où aller. Elle conduisit sans but pendant un temps puis traversa le pont de Portsmouth et gara la voiture devant un pub irlandais avant d'y entrer. L'endroit était sombre. Le sol et les murs foncés lui firent oublier la lumière du jour. Un groupe jouait dans le fond de la pièce, des hommes de tous les âges, au violon et à la cornemuse irlandaise. Ann Marie aimait cette ambiance. Ses filles participaient au concours de danse à chaque Feis [45] en Nouvelle-Angleterre. Patty remportait toujours l'or, Fiona se classait rarement en finale. La famille passait ensuite l'après-midi au festival. Ils marchaient de tente en tente, s'arrêtaient parfois pour danser le siège d'Ennis [46] avec des centaines d'autres participants. Les filles étaient heureuses, leurs nattes tressautaient. Ann Marie passait près de six mois à préparer leurs robes brodées.

Elle était déjà un peu saoule mais commanda un verre de vin blanc. Elle ne s'était jamais trouvée seule dans un bar et ne savait pas quoi faire. Elle regarda les bouteilles devant les étagères et lut les étiquettes une par une. Elle avait envie de pleurer.

Qu'on le veuille ou non, la maison était partie. Elle ne serait jamais à elle. Pourquoi Alice lui avait-elle fait ça? Elle ne comprenait pas. Un homme aux cheveux blancs, assis deux tabourets plus loin, lui lança :

45. Nom donné à des festivals de danse irlandaise.
46. Danse traditionnelle irlandaise, l'une des plus simples et des plus joyeuses.

« Oh ma chère, allez, faites un sourire. Une jolie fille comme vous ne devriez pas avoir l'air si triste. »

On ne lui avait pas dit qu'elle était jolie depuis une éternité, pas même un petit compliment d'amie sur une robe ou des chaussures. Malgré elle, elle se mit à sourire timidement.

« C'est déjà mieux comme ça », dit-il.

Il s'installa sur le siège à côté d'elle et lui prit la main. C'était le seul autre client du bar. Il avait l'air d'avoir dix ans de plus qu'elle, mais il était incroyablement beau. Et mince. Ses jambes nues étaient bronzées et recouvertes d'un léger duvet doré.

« Qu'est-ce qui vous tracasse ? Allez, vous pouvez tout me dire.

— Ma belle-famille me rend folle ! »

Ce n'était vraiment pas le genre d'Ann Marie. Les autres se plaignaient sans cesse de leur belle-famille, mais pas elle.

« Qu'est-ce que vous buvez ?

— Du pinot.

— Je crois que vous avez besoin de quelque chose d'un peu plus fort.

Il jeta un œil vers le bar.

— Deux Jameson, Christine !

— Oh non, merci, dit Ann Marie. Je ne bois pas d'alcool fort.

La fille remplit deux verres et les plaça devant eux.

— Moi non plus, sauf pour raison médicale. »

Il lui tendit un des verres et prit l'autre. Ils trinquèrent. Le whisky lui brûla la gorge. Elle but une gorgée de vin pour ôter le goût de sa bouche.

« Ça va mieux ? demanda l'homme.

— Oui, je crois. Merci. »

Il s'appelait Adam. Il avait pris sa retraite tôt, après avoir travaillé dans la publicité, et vivait désormais sur un bateau. Sa maison était quelque part sur la côte de la Caroline du Sud, mais tous les étés, il remontait jusqu'à Portsmouth à la voile et y restait quelques mois.

« Quelle vie de rêve !

— Et vous ? Que faites-vous ? »

Elle détestait quand la question venait sur le tapis, à un dîner entre collègues de Pat ou à un événement à son travail. Répondre « Je suis femme au foyer » ne la dérangeait pas quand les enfants étaient encore à la maison mais lui semblait désormais un peu idiot. Elle dit à Adam qu'elle était décoratrice d'intérieur, installée à Boston. Le mensonge lui était venu si naturellement qu'il lui semblait vrai. Et ça l'était, enfin presque. Puis elle mentionna son mari et ses trois enfants.

Lui avait divorcé cinq ans plus tôt. Il avait un grand fils en Floride, qui était toujours célibataire à trente-huit ans.

« Tous les vôtres sont en couple ?

— L'une est mariée, l'un est fiancé et mon autre fille est célibataire.

En tout cas, elle ne voulait pas en savoir plus.

— Est-ce qu'elle vit près de chez vous ?

— Cela fait plusieurs années qu'elle est en Afrique, dans les Peace Corps.

— C'est bien !

— Oui, c'est vraiment une fille étonnante. »

Elle avait désespérément besoin de Fiona, comme lorsque à certains moments, on éprouve une vive nostalgie pour une sucrerie de son enfance. Fiona avait toujours été patiente, bonne, et étrangement peu sentimentale. Grâce à quoi, elle pouvait parler calmement de l'importance des préservatifs à des écoliers dont les deux parents étaient morts du sida. De la même façon, elle pouvait bercer et gronder les petits malades comme s'ils étaient en bonne santé.

Fiona saurait s'y prendre avec Alice, elle était parfaite dans ce genre de situation. Soudain, Ann Marie se rendit compte que c'était la première fois depuis des mois qu'elle pensait à sa plus jeune fille sans évoquer aussitôt son homosexualité.

« On devrait arranger un rendez-vous avec mon fils, dit Adam en riant.

— Peut-être. »

Ann Marie se sentit un peu triste mais pas autant qu'elle l'aurait cru, finalement.

Le groupe dans le fond se mit à jouer une chanson qu'elle connaissait, « Le ruban de velours noir ».

« C'est une de mes préférées. J'ai entendu les Dubliners la jouer en live dans les années quatre-vingt.

— On danse ?

— Oh non ! dit-elle en souriant.

Il lui tendit la main :

— Allez… Si c'est une de vos préférées ! »

Elle se leva, embarrassée et flattée. Ses filles l'auraient catalogué dragueur, mais elle le trouvait gentil. Il mit sa main dans son dos, elle plaça la sienne sur son épaule, et ils se mirent à danser. Depuis combien de temps n'avait-elle pas été aussi proche d'un inconnu ? Les musiciens les applaudirent. Leurs voix montèrent, et Adam entonna le refrain : « *Ses yeux brillaient comme le diamant, elle ressemblait à une reine, avec ses cheveux sur les épaules, liés d'un ruban de velours noir.* »

Ann Marie voulut chanter aussi, mais n'osa pas. Si Pat avait été là, à la rigueur. Elle ferma les yeux, et revit leur lune de miel. Ils avaient parcouru le comté de Kerry dans une Peugeot de location. Ils avaient traversé l'Irlande en chantant, s'étaient arrêtés dans les pubs de villes minuscules. Chaque habitant leur rappelait une connaissance à Boston. Pat avait retrouvé la trace de parents à Killarney. Quand ils se rencontrèrent, chacun serra très fort Ann Marie comme si elle faisait aussi partie de la famille. « Bienvenue chez nous ! »

Ann Marie avait tellement rêvé de la suite : des enfants, une maison. Mais elle n'avait jamais pensé à ce qui viendrait après. Des femmes de sa connaissance étaient heureuses de voir leurs grands enfants quitter le nid. Ann Marie, elle, se sentait inutile. Elle avait peut-être encore trente ans à vivre et ne voyait aucunement comment elle allait occuper tout ce temps.

La voix du barman s'éleva par-dessus la musique :

« Madame ? Votre téléphone ! »

Ann Marie ouvrit les yeux et vit son portable allumé en train de sonner.

— Excusez-moi », dit-elle à Adam.

En s'éloignant, elle se sentit subitement un peu bête. Elle prit le téléphone et vit que le numéro d'Alice s'affichait. Elle inspira profondément. Alice ne présenta aucune excuse, mais elle demanda à Ann Marie de rentrer. Tout simplement parce qu'elle ne voulait pas se retrouver seule avec Kathleen.

« J'ai vraiment peur que quelque chose de terrible n'arrive si tu ne reviens pas. »

Ann Marie savait qu'elle se faisait manipuler, et qu'elle n'avait aucun intérêt à voir Alice, mais elle accepta néanmoins.

Elle se rappela soudain qu'il n'y avait plus de Sopalin et se dit qu'elle pourrait passer par Ruby's Market sur le chemin du retour. Elle demanda à Alice si elle n'avait pas besoin d'autre chose. Pourquoi fallait-elle qu'elle soit toujours aussi accommodante, même après ce qui s'était passé !

Que pouvait-elle bien faire? Rentrer chez elle, et ne plus jamais adresser la parole à sa belle-mère? Dans toutes les familles, il y a deux catégories de personnes : ceux qui en sont capables, et les autres.

Elle dit à Adam qu'elle partait. Il tenta de la persuader de rester pour une danse ou un verre, mais le charme était tombé, et Ann Marie voulait désormais retrouver la maison sur la plage. Il lui demanda sa carte.

« Je suis dans l'annuaire. Et j'ai un site. Ann Marie Clancy. »

En prononçant ces mots, elle se rendit compte de l'absurdité de son mensonge et rougit. Même s'il s'en rendit compte, il ne dit rien et se contenta d'ajouter :

« C'était un plaisir de danser avec vous, mademoiselle Clancy Designs. »

Le 1er juillet, vers trois heures, Pat l'appela depuis le péage du New Hampshire pour lui dire qu'il serait là dans une heure et que les Brewer le suivaient. Ann Marie inspecta une dernière fois le cottage pour s'assurer que tout était parfait. Elle ouvrit une bouteille de vin afin de l'aérer. Elle mit des escalopes au four. Elle les avait enrobées de bacon le matin et avait préparé des fraises au chocolat fondu pour le dessert.

Il lui restait une dernière chose à faire avant leur arrivée. Elle saisit la carte qu'elle avait achetée à Shop'n Save, sur la table dans le hall, et alla chercher Maggie. Elle voulait la donner à sa nièce la veille mais n'avait pas trouvé le bon moment. Et puis Kathleen n'était jamais très loin de Maggie.

Elle la trouva assise contre un grand pin, à l'entrée de la propriété. Elle prenait des notes dans son carnet. Ann Marie se demanda ce qu'elle pouvait bien écrire.

« Maggie ! Il fait un temps magnifique, tu ne trouves pas ? Juillet vient d'arriver, la météo le confirme. Cela fait des années que je n'ai pas eu aussi chaud ici. »

Ann Marie repensa au planning du cottage et se sentit un peu coupable. Avec Pat, ils avaient pensé au départ faire tourner les Kelleher, année après année. Finalement, cela s'avéra plus compliqué que prévu. Ils voulaient juillet pour eux. Et comme Clare avait un fils encore à l'école, cela semblait logique que le mois d'août lui revienne, ce qui laissait juin pour Kathleen, Maggie et Chris.

« C'est agréable. On dirait qu'on va enfin pouvoir se baigner sans risquer l'hypothermie.

Maggie sourit.

— Ton oncle et nos amis arrivent. Ils vont être là d'une minute à l'autre.

— Je suis désolée que ma mère insiste tant pour rester. Je partirais bien mais je n'ose pas la laisser toute seule. Elle ne restera pas plus d'un jour ou deux, j'en suis certaine. Tu sais comment elle est.

— Ça va. Écoute, ma chérie, je voulais te donner cela, dit-elle en lui tendant maladroitement l'enveloppe.

Maggie arracha le papier et sortit la carte. Un hochet rose et bleu, avec le mot FÉLICITATIONS.

— Merci.

Elle avait les larmes aux yeux.

— Tu es la première à me féliciter.

Une seconde plus tard, elle riait.

— Je suis vraiment sensible en ce moment. Un rien me fait pleurer.

— C'était pareil pour moi, dit Ann Marie. Et pour Patty. Vous devriez en parler toutes les deux. Elle a vraiment l'habitude, maintenant. Et son grenier est plein à craquer de vêtements de bébés. Ils n'en veulent pas d'autre, donc tout est pour toi. La prochaine fois que tu viendras à Boston, on ira les chercher.

— Merci.

— Patty viendra la semaine prochaine, donc, si tu es dans le coin...

Elle pria pour que Maggie et Kathleen soient parties à ce moment.

— Ne t'inquiète pas. Je fais tout pour faire partir ma mère.

Maggie ouvrit la carte et vit une page de catalogue pliée en quatre.

— Qu'est-ce que c'est?

— Un cadeau pour toi.

Maggie déplia la page, un sourire rêveur aux lèvres.

— Une poussette?

— Oui, mais attention, c'est le Bugaboo Bee, dit Ann Marie.

Elle pointa la description du doigt.

— Regarde : "Ce modèle totalement moderne répond à tous vos besoins. Compact et complet pour des parents qui vivent à cent à l'heure." Cela m'a paru bien pour toi. Je l'ai fait livrer à ton appartement. Elle doit t'attendre là-bas.

— Oh, mon Dieu, dit Maggie, regardant la feuille de papier brillant. C'est beaucoup trop. Merci. »

Ann Marie avait tenté de rayer le prix, mais ses gribouillis attiraient encore plus l'attention dessus : six cents dollars. Voilà ce que cela coûtait de nos jours.

« Je dois y aller, ma chérie. J'ai mis des escalopes au four. Viens tout à l'heure pour faire la connaissance de nos amis.

— Oui, dit Maggie.

Elle serra fort Ann Marie dans ses bras.

— Merci.

— Je t'en prie. »

Elle se demanda par quel miracle Maggie était devenue une fille aussi gentille, douce et polie. Peut-être parce qu'elle avait dû s'en sortir toute seule exactement comme Ann Marie dans sa jeunesse. Sans réfléchir, les mots sortirent naturellement de sa bouche :

« Tu peux venir vivre avec Pat et moi, maintenant ou quand le bébé sera là. Je m'occuperai de toi. Si tu veux, bien sûr.

— C'est vraiment généreux de ta part, dit Maggie. Je vais voir comment les choses se présentent. »

Ann Marie rentra pour enfiler l'une de ses robes Lily Pulitzer, vert tendre avec des bourgeons roses imprimés. Elle n'avait même pas enlevé l'étiquette. Elle l'enfila et se trouva assez jolie. Un peu de gloss, de mascara, et elle attendit ses invités.

Un peu plus tard, leur voiture s'avança enfin dans l'allée. Ils sortirent en riant. Leur bonne humeur modifia l'énergie calme des lieux.

« Bonjour! Bienvenue!

— Ann Marie! s'exclama Linda en la prenant dans ses bras. Cet endroit est incroyable!

— Oh, tu es gentille », répondit-elle du ton modeste qu'elle avait appris à prendre des années plus tôt quand ils avaient emménagé à Newton.

Steve arriva derrière sa femme, un grand sac de voyage sur chaque épaule. Il salua maladroitement Ann Marie, gêné par les sacs, puis lui dit :

« Tu es magnifique. L'océan te va à ravir.

Elle ressentit cette émotion habituelle et si particulière.

— Entrez! J'ai fait des escalopes, il y a des fraises, un plateau de fromage et une bouteille de vin, dit-elle.

L'espace de quelques secondes, elle se demanda ce qu'elle éprouverait si elle l'embrassait.

— Décidément! Nous sommes reçus comme des rois!

Pat était derrière Steve. Quand il arriva, il la serra longuement dans ses bras.

— Tu m'as manqué », dit-il.

Elle inspecta son visage rapidement. Il avait visiblement mangé au fast-food. Ses joues étaient bouffies, il s'était empâté. Elle lui en parlerait plus tard.

« Moi aussi », se contenta-t-elle de dire.

À l'intérieur du cottage, ils laissèrent leurs sacs dans le hall et s'installèrent dans le salon où Ann Marie servit un verre de vin à chacun. Elle disposa les hors-d'œuvre sur un grand plat en argent, une idée tirée du dernier numéro de *Maisons et Jardins*.

Steve s'était installé sur le tabouret du piano, le fauteuil était pourtant vide et la place ne manquait pas sur le canapé à côté de sa femme. Il faisait courir maladroitement ses doigts sur le clavier.

« Tu joues ? demanda Pat.

— Oh oui ! À peu près comme Ray Charles. Tu devrais entendre ma version de "Heart and Soul" ! »

Pat se mit à parler de la circulation, et Linda fit l'éloge du gruyère servi, en demandant à Ann Marie où elle l'avait trouvé. Ann Marie répondit chaleureusement. Elle se sentait pourtant vaguement irritée : aucun d'entre eux, pas même Steve, n'avait remarqué sa maison de poupée, qui trônait pourtant sur la table. Elle prit les devants.

« Il est arrivé quelque chose de très drôle quand le livreur d'UPS a apporté ça.

Les conversations s'arrêtèrent.

— Ah bon ? Quoi ? demanda Pat.

Et mince. Rien de notable n'était arrivé.

— Cela ne passait pas à travers la porte, tenta-t-elle d'improviser. On a dû la monter sur le toit et la faire passer par le Velux.

— Comment est-ce que… ? commença Pat, et Steve le coupa.

— Est-ce le modèle destiné à la finale de ce concours que tu as gagné ?

Enfin ! Elle acquiesça, heureuse.

— C'est magnifique, dit-il.

— En effet, reprit sa femme.

— Merci. J'en voulais une en brique, elles sont assez rares.

— C'est vrai ? demanda Linda. Oh, j'adore la petite niche dans la cour ! »

Ann Marie l'avait peinte en gris la nuit d'avant, et elle avait confectionné un minuscule os en argile que l'on pouvait discerner si on regardait à l'intérieur.

« J'ai encore beaucoup de choses à faire à l'intérieur. Cette semaine, je m'occupe des rideaux, des tapis et de la pelouse.

— On dirait que cela t'a donné beaucoup de travail, apprécia Steve. J'espère que tu prendras quand même le temps de profiter des vacances.

Puis il leva son verre et dit :

— À une semaine inoubliable ! »

Ils trinquèrent, Ann Marie se sentit reconnaissante et heureuse. En quelques minutes, la tension des derniers jours se volatilisa.

Le lendemain, Steve et Pat partirent jouer au golf. Ann Marie et Linda firent la grasse matinée puis décidèrent d'aller à la plage. Pour la première fois depuis très longtemps, Ann Marie ne se donna pas la peine d'inviter Alice. De toute façon, elle n'aurait pas accepté — Alice ne mettait presque jamais les pieds à la plage. De plus, Ann Marie avait l'impression qu'elle les évitait : elle restait cachée dans la grande maison d'à côté, quand elle n'était pas à l'église. Elle n'était toujours pas passée pour saluer les Brewer. Ann Marie acceptait cette situation d'autant plus facilement qu'elle se sentait sur le point de hurler à chaque fois qu'elle voyait le visage de sa belle-mère. Pourtant, ne pas l'inviter lui semblait presque inconcevable.

Elles posèrent leurs chaises sur le sable et s'installèrent près des dunes pour ne pas avoir à bouger, à marée montante. Elles avaient posé entre elles un sac rempli de flacons d'écran total, de bouteilles d'eau et de magazines. Une bouteille de vin blanc et deux verres en plastique complétaient l'ensemble.

« Quelle chance vous avez d'avoir ce paysage pour vous tous seuls ! » dit Linda en regardant le rivage et en dénouant son paréo.

Elle avait l'air en meilleure forme que l'an dernier. Ses jambes étaient sculptées, ses bras semblaient également plus fermes. Ann Marie décida de garder son short.

« Ce doit être tellement bien de faire un saut dans la maison, et de manger un morceau ou de se changer quand on en a envie.

Ann Marie reprit :

— Oui et surtout avec les petits-enfants. On peut les laisser faire une sieste dans le cottage, et amener le babyphone sur la plage.

— Comme c'est pratique !

Elles se recouvrirent d'écran total.

— Quelle chance, n'est-ce pas, d'avoir une peau d'Irlandaise ! dit Linda en riant.

— Ne m'en parle pas. Alors, qu'est-ce qui s'est passé dans le quartier pendant que j'étais ici ?

— Pas grand-chose, dit Linda.

Elle tendit la main vers la bouteille de vin.

— Je peux ?

— Je t'en prie.

Il était onze heures. Et alors ? C'était les vacances.

Linda se servit un verre.

— Si, maintenant que j'y pense ! Il paraît que le mari de Joséphine serait en train de la quitter.

— Ted ? Non !

— Oui. Et je n'ose même pas te dire pour qui.

— Oh, mon Dieu, qui donc ?

— La baby-sitter. Elle est en deuxième année, à Tufts.

— Non ! Pauvre Josie !

— Je sais. J'ai dit à Steve que s'il m'humiliait de la sorte un jour, on ne retrouverait même pas son corps. »

Elles éclatèrent de rire. L'espace d'une seconde, Ann Marie se demanda si Linda se doutait de quelque chose au sujet de Steve et elle. Était-ce sa façon de lui dire « chasse gardée » ? Bizarrement, cette pensée déclencha chez elle des frissons d'excitation. Elles parlèrent de leurs enfants, des voisins et constatèrent à quel point l'été passait vite.

Puis, elles sortirent une pile de magazines et commentèrent les photos de célébrités. Une heure agréable s'écoula. Et, comme si elle avait deviné qu'Ann Marie était heureuse, Kathleen arriva pour tout ruiner.

Ann Marie ne l'avait pas remarquée jusqu'à ce que Linda dise d'un ton incertain :

« Bonjour... »

Elle vit alors Kathleen se diriger vers elles. Elle portait une serviette élimée roulée sous le bras, de celles qui venaient des placards du cottage. Ann Marie ne les utilisait jamais. Elle en achetait de nouvelles, chaque automne pendant les soldes, et les ramenait chez elle la saison d'après. Elle avait envie de hurler à Kathleen d'aller voir ailleurs, au lieu de quoi, elle fit les présentations à contrecœur :

« Kathleen, ma belle-sœur.

— Oh! dit Linda une main sur le cœur. Je ne savais pas que vous vous connaissiez. Pendant une minute, j'ai eu peur !

On se connaît, oui, et c'est bien ça qui fait peur, pensa Ann Marie.

— Qu'est-ce que tu fais là? demanda-t-elle d'une voix qui se voulait joyeuse.

— Je fais un tour. Ça ne te dérange pas que je fasse un tour sur la plage? Bon, c'est vrai, on est en juillet.

Et voilà, c'est parti.

— Pourquoi ne resteriez-vous pas un peu avec nous? demanda Linda.

Kathleen haussa les sourcils, surprise.

— OK.

Elle étala sa serviette et s'assit le dos tourné à l'océan.

— Un peu de vin? demanda Linda.

Ann Marie se raidit, effrayée par ce qui allait suivre, mais finalement le coup ne partit pas.

— Non, merci, répondit sa belle-sœur poliment.

Merci? Elle avait retrouvé le sens de ce mot dans le dictionnaire?

— Où est Maggie? demanda Ann Marie.

Elle se tourna vers Linda :

— Ma nièce.

— Ma fille, rectifia Kathleen. Elle est chez Alice, elle travaille. Il fallait que je sorte. Entre Maggie qui parle au téléphone de victimes de meurtres et Alice qui fume comme une cheminée sur le porche. Eh bien, on va dire que j'étouffais! Alors, dites-moi, comment vous connaissez-vous?

Ann Marie lui avait déjà expliqué qu'elles étaient voisines, mais elle recommença.

— Nous vivons dans le même quartier.

— Ah, des Newtoniens, dit Kathleen.

Peut-être fallait-il la connaître pour identifier son ton sarcastique, mais Linda dit gaiement :

— C'est vrai ! Nous sommes dans le même club de lecture et nous sommes au conseil féminin de notre country club. Sans oublier la soirée vins et fromages que nous organisons avec les autres mères du voisinage une fois par mois.

Kathleen ramassa une poignée de sable et la fit s'écouler dans ses doigts.

— On dirait que vous aimez passer du temps loin de vos maris.

— Oui ! Entre filles. Il faut bien, de temps en temps. Vous ne trouvez pas ?

— Oh, je ne sais pas. Moi, j'aime passer du temps avec mon partenaire. »

Et voilà ! On y était. Kathleen était impolie avec l'invitée d'Ann Marie. Elle ne pouvait pas s'en empêcher. Et pourquoi avait-elle utilisé ce mot *partenaire ?* Comme si elle était lesbienne.

« Kathleen n'est pas mariée, donc elle ne voit pas les choses tout à fait comme nous. Son petit ami est charmant.

— Merci, dit Kathleen.

Puis elle regarda Linda dans les yeux.

— Je déteste cette expression, *petit ami.* Cela fait dix ans qu'on vit ensemble mais, dans la famille, tout le monde nous traite encore comme si on venait de se rencontrer, ou comme si notre couple ne devait pas durer.

Linda ne savait pas trop comment répondre.

— Je disais à Ann Marie à quel point j'étais jalouse de cette plage. C'est magnifique.

Kathleen haussa les épaules :

— Je vais bientôt rentrer chez moi.

Ann Marie fut soulagée. Kathleen avait réussi à ne pas parler de la donation d'Alice.

— Quand as-tu prévu de partir, finalement ? demanda-t-elle espérant que Linda ne sentirait pas la tension entre elles.

— Je ne sais pas encore », dit Kathleen en lui lançant un regard menaçant, qui semblait lui dire : *Attends un peu.*

Le silence s'installa. Quand Kathleen allait-elle se décider à les laisser ? Quelques minutes passèrent avant que sa belle-sœur se lève.

« Bon, les filles, c'était sympa, mais je vais finir par faire cette promenade.

— Ravie de vous avoir rencontrée, dit Linda. À tout à l'heure. »

Sauf si tu te noies, pensa Ann Marie. Elle adressa à Kathleen son plus beau sourire forcé car Linda les regardait. Quand leurs maris rentrèrent, en début d'après-midi, ils ramassèrent le matériel de plage et se dirigèrent vers la maison. Ann Marie se rinça dans la douche extérieure, il faisait enfin assez chaud pour cela. Elle regarda le ciel. Pas un nuage. Elle enleva son maillot de bain et le mis à sécher.

Ils décidèrent d'aller faire un tour le long de la côte et d'y manger un morceau. Linda voulait photographier un phare, ils laissèrent donc les voitures à York. C'était un endroit superbe, au-dessus d'une falaise herbeuse, avec une maison victorienne au toit rouge et aux ornements en bois couleur cannelle. Ann Marie avait pour projet d'en faire une réplique. Elle imagina un phare qui fonctionnerait avec une pile et qui enverrait un signal toutes les minutes. Restait à rendre l'effet de l'eau. Il lui faudrait se surpasser. Ses yeux croisèrent ceux de Steve, et ils se sourirent chaleureusement. Elle aurait voulu lui parler de cette idée. Il avait mentionné leur échange d'e-mail, en parlant de la compétition de la maison de poupée. Elle se sentait reconnaissante. Leur flirt était la dernière chose qui la maintenait à flots ces temps-ci.

« Quand a-t-il été construit ? demanda Linda, l'œil dans le viseur de l'appareil.

Ann Marie haussa les épaules, mais Pat répondit :

— En 1879. »

Mais comment pouvait-il savoir cela ? Elle avait épousé un homme tellement intelligent et débrouillard. Elle prit la main de Pat et dit :

« Où les emmène-t-on déjeuner, mon cœur ? »

Ils atterrirent dans un nouveau restaurant à homards, sur la plage de Kittery, où Ann Marie et Maggie étaient allées avec cet hypocrite de prêtre quelques semaines plus tôt. Après le déjeuner, Pat alla leur chercher des milk-shakes pour le dessert, et Linda se dirigea vers les toilettes. Pour la première fois, Ann Marie se retrouvait seule avec Steve.

« Merci encore de nous avoir invités. C'est vraiment très agréable.

Elle sourit mais aurait préféré qu'il ne parle pas à la première personne du pluriel.

— Nous sommes heureux de vous avoir.

— Pat m'a dit que sa mère et sa sœur vous avaient donné du fil à retordre. Comment peut-on être méchant avec une fille adorable comme vous ? »

Il lui serra la main. Le corps tout entier d'Ann Marie répondit. Elle n'avait pas ressenti une telle sensation depuis, depuis... Elle aurait fait n'importe quoi pour rester une heure, seule avec lui. Mais, déjà, Linda revenait.

Les deux jours suivants se passèrent tranquillement, et pourtant Ann Marie était tendue. Pat aussi, elle le sentait. Tandis qu'ils allaient prendre leur petit déjeuner au *Cove Café,* montraient à leurs amis la maison qui ressemblait à un gâteau de mariage et la propriété des Bush devant laquelle stationnait un agent des services secrets, alors qu'elle emmenait Linda chez ses antiquaires favoris (au passage, elle avait trouvé une armoire qui allait parfaitement avec le bureau dans l'ancienne chambre de Patty), elle se sentait nerveuse. Elle attendait que les Brewer s'en aillent, elle voulait savoir ce que ferait Alice quand Pat lui parlerait de la propriété, elle redoutait aussi ce que Kathleen pouvait déclencher.

Mais, le 4 juillet, Ann Marie essaya de se sortir tout cela de la tête, parce que c'était son jour de l'année préféré (Noël excepté, bien sûr). Depuis qu'elle connaissait Pat, ils n'avaient pas raté une seule fois le feu d'artifice du 4 juillet, à Portsmouth. Quand ses enfants étaient petits, elle les habillait en rouge, blanc et bleu, et leur donnait des drapeaux américains à agiter. Elle préparait toujours un grand pique-nique, et ils mettaient un point d'honneur à arriver tôt pour trouver le meilleur emplacement possible.

À sept heures, le champ tout entier était jonché de couvertures, serrées les unes contre les autres, dans un gigantesque patchwork.

Ann Marie, Steve et Linda passèrent le début de la journée à prendre le soleil, et à plonger brièvement dans l'océan quand ils avaient vraiment trop chaud. L'eau était trop froide pour y rester longtemps. Vers quatre heures, Ann Marie laissa les autres sur la plage et se dirigea vers la maison, pour se préparer. La lumière du soleil l'avait presque enivrée, et la tête vidée, elle se servit un grand verre d'eau qu'elle but, le regard perdu par la fenêtre.

Elle prépara un sablé avec des fraises, des myrtilles, et de la crème fouettée maison sur le dessus, pour imiter le drapeau américain. Elle avait acheté des bâtonnets de poulet grillés, et préparé des salades de pommes de terre et de pâtes, et du houmous. Elle mit le tout dans un panier avec des sprays antimoustiques, des jumelles, un matériel de pique-nique et un grand paquet de chips.

Elle voulait paraître sous son meilleur jour pour Steve. De toute évidence, le maillot de bain ne l'avantageait pas, mais aujourd'hui elle avait une chance de briller. Elle enfila un nouveau chemisier et des sandales bleues assorties. Puis elle se maquilla légèrement, pas trop pour que son mari ne remarque rien.

Un moment plus tard, les autres arrivèrent pour se préparer.

« On amène deux ou trois bouteilles de champagne ? demanda-t-elle à Pat.

— Prends en quatre. Ma mère vient.

— Oh ! Et pourquoi ?

Il avait l'air coupable et ajouta :

— Je suis passé l'inviter. Elle vient tous les ans. »

À sa façon de parler, on pouvait croire qu'il se justifiait, ce qui faisait d'Ann Marie une épouse indigne. Alice était sa mère. Bien sûr qu'il fallait l'inviter.

« Évidemment. Je suis simplement étonnée qu'elle accepte, elle donne plutôt l'impression de nous éviter.

— Elle doit se dire qu'on n'osera pas l'assassiner au milieu d'une telle foule. »

Un commentaire qu'Ann Marie aurait plutôt imaginé dans la bouche de ses belles-sœurs. Elle fut attristée qu'ils en soient arrivés là.

« Eh bien, on fera au mieux. »

Elle prit une bouteille de chardonnay au frigo, se servit un verre rempli à ras bord et le but très vite pour ne pas se faire surprendre. Ils ne prirent qu'une voiture, car ils savaient qu'il serait difficile de se garer. Alice, Linda et Ann Marie se tenaient les unes contre les autres à l'arrière de la voiture de Pat.

« J'ai dit à Maggie et Kathleen de nous retrouver après le dîner, dit Alice. Je ne pense pas que l'on trouve de tels feux d'artifice en Californie. »

Ah bon ? Donc, maintenant, elle utilisait Kathleen comme couverture ? Riche idée. Mais Ann Marie se contenta de répondre « Génial ! »

Elle sentait déjà les effets du vin, qui, combiné aux longues heures de soleil, lui était monté droit à la tête. Elle descendit la vitre pour trouver un peu d'air.

À l'arrivée, ils se dirigèrent lentement vers Market Square encerclés par la foule. Ann Marie essaya de se changer les idées. Elle se souvint que rien d'affreux n'était encore arrivé, et, qui sait, Alice pouvait encore changer d'avis. Mais c'était peut-être la dernière fois qu'ils venaient tous ici. Tout semblait terriblement fragile et temporaire désormais.

Comme si elle devinait ses pensées, Alice lui glissa :

« Reprends-toi ma chère. Tu te comportes comme une vraie trouble-fête. »

Elle était visiblement de mauvaise humeur, comme cela lui arrivait parfois. D'habitude, son ton cassant terrifiait Ann Marie qui devenait immédiatement douce et obéissante, mais, pour la première fois, elle s'en fichait complètement.

« Une hôtesse maussade ennuie tout le monde, continua Alice, qui cherchait clairement la dispute.

Ann Marie l'ignora. Ils atteignirent le coin du champ, et elle dit de sa voix la plus enjouée :

— Cet endroit a l'air parfait. »

Ils étalèrent la couverture, et elle se demanda pour la première fois si Alice avait raison — les Brewer remarquaient-ils que sa famille était un échec total et qu'elle-même perdait complètement pied? Peut-être. Mais, une fois encore, Steve lui avait dit qu'elle était ravissante, et tous les deux l'avaient complimentée sur sa cuisine. Elle fit sauter le bouchon du champagne.

« Des bulles! » dit-elle à Steve et Linda.

Ann Marie avait tellement envie d'un verre qu'elle n'arrivait pas à verser le champagne assez vite. Elle s'en servit enfin un, le but en une minute et en remplit aussitôt un autre. Elle voulait mettre une myrtille dans chaque verre, mais cela lui était sorti de l'esprit. Et zut!

Une heure plus tard, toutes les bouteilles étaient vides. L'obscurité commençait à tomber, et le groupe se mit à jouer. Ann Marie espérait qu'elle était la seule à tenir le compte. Elle avait bu une bouteille et demie à elle seule. Elle ferma les yeux. Elle se sentait faible, mais ce n'était pas désagréable. Elle ouvrit le Tupperware qui contenait le houmous et y plongea un grand morceau de pita. Un morceau tomba sur la couverture, et elle le remarqua à peine. Ses yeux croisèrent ceux de Steve.

« Oups, dit-il.

Il lui fit un grand sourire :

— Hé, merci! On s'est régalés ce soir. »

Pat était en train de taper sur les touches de son téléphone. Soit il essayait frénétiquement de conclure un contrat pour le bureau, soit il essayait d'éviter sa mère. Alice radotait sur un présentateur qui avait une liaison avec la directrice — mariée — de la station de télévision locale, et Linda était coincée à l'écouter. Elle hochait la tête comme si c'était l'histoire la plus intéressante qu'elle ait jamais entendue. À moins qu'elle ne soit réellement captivée. Alice avait un don pour hypnotiser les gens. Elle avait fasciné Ann Marie en son temps.

Ann Marie repensa à sa vie, avant qu'elle épouse Pat. Elle était une fille totalement différente. À quoi aurait ressemblé son existence si elle avait épousé quelqu'un d'autre? De tous les chemins possibles, elle avait pris celui-là. Était-ce par courage, stupidité ou autre chose, mais quoi?

L'alarme des pompiers retentit pour indiquer qu'il ne restait plus que trente minutes avant le début du feu d'artifice. Steve se leva.

« Excusez-moi une minute, dit-il regardant Ann Marie dans les yeux.

Il lui fit un clin d'œil. Personne ne le remarqua.

— Vous me gardez ma place? »

Il traversa la foule, et elle fut soudain frappée. Ce clin d'œil! Il voulait qu'elle le suive?

« Je ferais mieux de courir aux toilettes avant que les festivités ne commencent », dit-elle, sans s'adresser à personne en particulier.

Elle se sentait incroyablement fébrile, comme une lycéenne avant un rendez-vous. Elle se leva. Ses jambes flageolaient. Elle avait vraiment trop bu. Elle écarta des familles et des couples de tous les âges et s'agrippait aux épaules d'étrangers quand ils passaient assez près d'elle.

Elle trouva Steve en train de faire la queue aux toilettes, derrière une bande d'adolescents qui se collaient des bâtons lumineux dans la bouche, leurs joues s'illuminant de bleu. Il sourit en la voyant.

« Ah! enfin un peu de compagnie adulte. »

Son cœur tambourinait. Il fallait qu'elle se calme. Elle regretta de ne pas avoir apporté du champagne. Elle remarqua un pins en forme de drapeau sur sa veste et l'effleura du doigt.

« J'aime bien ça, dit-elle.

Elle était si près qu'elle sentait son haleine sur sa joue.

— Merci. Je l'ai eu quand nous avons emmené les enfants à Washington. Il faut bien faire preuve d'un peu de patriotisme parfois, non? Mais regardez-vous! Vous êtes Miss America ce soir! »

C'était le signal! Ann Marie mit les mains sur son visage. Elle se pencha vers lui et l'embrassa. L'espace d'un instant, elle sentit la chaleur de ses lèvres et y glissa doucement sa langue — tout se déroulait comme elle l'avait imaginé. Mais il la repoussa durement.

« Ann Marie! Qu'est-ce que vous faites?

Il tourna la tête à droite et à gauche comme s'il cherchait à s'échapper.

— Je croyais... » bredouilla-t-elle.

Puis, tout s'effondra. La maison était partie, et ses enfants s'acharnaient à la décevoir. Elle ne serait jamais débarrassée de sa belle-mère, ni de Kathleen. Il n'y avait plus qu'une seule personne dans sa vie qui lui donnait envie de se lever le matin, mais elle avait gâché cela aussi. Elle voulait se réveiller et découvrir que tout ceci n'était qu'un mauvais rêve. Elle voulait disparaître sur-le-champ.

« S'il vous plaît, lui dit-elle sans trop savoir ce qu'elle voulait lui demander.

— Vous avez trop bu, dit-il.

Les traits de son visage s'étaient soudain durcis.

— Je retourne voir les autres, d'accord ? Ça va aller toute seule ? »

Elle hocha la tête, abattue. Son ventre se tordit de terreur alors qu'il partait précipitamment. Il lui sembla qu'elle ne pourrait pas tomber plus bas, mais elle vit soudain Kathleen, à cinq mètres d'elle, qui la dévisageait, bouche bée. Évidemment, elle avait assisté à toute la scène.

Ann Marie voulut s'enfuir en courant. Venait-elle de ruiner son mariage en l'espace d'un instant ? Finirait-elle sa vie dans un triste appartement de cinquante mètres carrés ? Pat lui laisserait-il la maison ?

Elle s'avança vers Kathleen. Elle se mit à parler très vite, presque sans respirer :

« Oh, mon Dieu ! S'il te plaît Kathleen ! Ne dis pas à Pat ce que tu viens de voir ! »

Kathleen se redressa. Son expression changea. Et, peut-être pour la première fois depuis qu'elles se connaissaient, il lui sembla y déceler un peu de chaleur.

« Mais je n'ai rien vu. J'attends que Maggie sorte de ces toilettes dégoûtantes. Elle est là-dedans depuis une heure !

Pouvait-elle la croire ?

— S'il te plaît. Je peux t'expliquer.

— Ah, la voilà, fit Kathleen. Bon alors, où êtes-vous installés et qu'est-ce que vous avez apporté pour le dessert ? »

Le lendemain, Ann Marie se réveilla avec un mal de tête épouvantable. Alors qu'elle prenait une aspirine avec son café, Steve lui dit :

« Je crois que l'on a tous un peu bu hier soir. Je ne me souviens même plus très bien de la soirée. »

Sa générosité ne fit qu'aggraver sa culpabilité. Elle ne demandait qu'une chose : que les Brewer s'en aillent, au plus vite. Elle commença à casser des œufs machinalement pour préparer une quiche.

Ann Marie savait que cela ne servait à rien, mais elle ne cessait de se repasser les événements de la veille dans sa tête. Pourquoi avait-elle bu autant de champagne ? Comment avait-elle pu si mal interpréter les signes ? Ou peut-être ne s'était-elle pas trompée ? C'était simplement le moment qui était mal choisi. Mais dans ce cas, elle avait tout gâché pour de bon.

Toute la soirée, Kathleen s'était montrée bizarrement gentille, discutant comme une adulte civilisée avec Linda et Steve, ne cherchant presque pas la bagarre avec Alice, et clamant haut et fort que le feu d'artifice de Portsmouth était l'un des plus beaux qu'il lui ait été donné de voir. Elle en faisait des tonnes pour lui signifier que son secret était bien gardé. Mais Ann Marie connaissait bien sa belle-sœur. Avec cette information, Kathleen pouvait déclencher le chaos à tout moment.

Après le petit déjeuner, bien que tout le monde soit rassasié, et malgré sa terrible gueule de bois, Ann Marie décida de préparer un gâteau aux trois baies. Au moins, les courses la sortiraient un peu. Elle tomba sur Alice dans le jardin.

« Kathleen et Maggie sont parties, dit Alice.

— Ah bon ? Quand ?

— Tôt ce matin. Kathleen a ramené Maggie à New York. Et je n'ai pas l'impression que cette petite ordure de Gabe va se montrer.

Ann Marie acquiesça gravement. C'était réconfortant de penser aux mauvaises décisions des autres.

— Kathleen m'a dit de te dire qu'elle en avait ras le bol de l'océan et qu'elle avait décidé de ne plus rester dans tes pattes, dit Alice, en levant les yeux au ciel. Celle-là… »

Ann Marie espéra un moment que Steve inventerait une urgence liée au travail et s'enfuirait, mais ce ne fut pas le cas. Il ne l'évita pas non plus comme elle l'avait prévu. Pendant les trois derniers jours, il fit comme s'il ne s'était rien passé. À chaque fois qu'il caressait les cheveux de sa femme ou qu'il lui prenait la main, Ann Marie revivait l'épisode humiliant. Chaque nouvelle journée la rapprochait de la confrontation avec Alice. Avec Pat, ils chuchotaient le soir dans leur lit. Tous deux avaient hâte que ce soit terminé. Ils savaient aussi que les mots qu'ils emploieraient seraient déterminants. Il ne fallait pas mettre Alice sur la défensive, ni l'agresser. Ils devraient plutôt souligner la grande générosité de sa donation tout en précisant gentiment qu'elle leur briserait le cœur si elle continuait dans cette direction.

Les Brewer finirent par partir le 7 juillet. Ils n'avaient sans doute pas encore atteint l'autoroute quand Pat et Ann Marie frappèrent à la porte d'à côté. Ils trouvèrent Alice assise à la table de la cuisine. Elle fumait et lisait un roman policier qu'Ann Marie avait emprunté à sa mère et lui avait prêté.

« Maman, est-ce qu'on peut te parler une minute ? demanda Pat.

Il avait l'air d'un enfant terrifié. Alice était d'humeur charmeuse.

— Mais bien sûr, mes chers. Asseyez-vous ! Pat, est-ce que tu veux une bière ?

— Non merci.

Elle leur désigna le livre :

— Il est très bien.

— Oui, j'ai trouvé aussi, dit Ann Marie.

— Écoute, reprit Pat. Tu souhaites léguer la propriété à l'Église. On aimerait bien en discuter.

Alice leva les yeux au ciel.

— Pitié, pas encore ça !

— Mère, nous trouvons que c'est un geste fantastique de votre part, dit Ann Marie. Nous savons ce que représente l'Église pour vous. Mais nous tenons tellement à cet endroit.

— Je sais, dit Alice. Mais ce n'est pas comme si j'allais la donner dans la seconde. Si je vis aussi longtemps que les femmes de ma famille, vous en avez encore pour dix ans avec moi ! »

Avec la chance que j'ai, tu vas probablement vivre encore trente ans, pensa Ann Marie. Alice poursuivit :

« Dix ans ! Vous en aurez plus qu'assez de cet endroit à ce moment-là.

Pat l'interrompit.

— Pense à la position dans laquelle cela nous met, maman. Aucun de nous ne veut penser au nombre d'années qu'il te reste à vivre. On te veut là, pour toujours. »

Il avait l'air sincèrement ébranlé. *Les mères sont vraiment de drôles de créatures,* se dit Ann Marie. *Les enfants les aiment même quand il n'y a plus aucune raison.*

« J'ai pris cette décision il y a six mois, expliqua Alice. Je ne vais pas revenir dessus pour un vague attachement sentimental. Crois-moi, ce n'est pas facile pour moi non plus.

— Pourquoi est-ce que tu ne nous as rien dit, demanda Pat ? Et que serait-il passé si ce prêtre n'avait pas... ?

— Il a un nom, coupa Alice.

— Que ce serait-il passé si le père Donnelly ne l'avait pas dit à Ann Marie accidentellement ? Comptais-tu nous en parler un jour ?

— Évidemment.

— Quand ?

— Mais quand le moment serait venu !

Elle soupira.

— Je ne voulais pas précipiter les choses. J'espère que vous le savez. J'y ai beaucoup réfléchi. Mais je trouve que cet endroit n'est plus ce qu'il a été. Regarde, toi et tes sœurs, vous ne supportez même pas de vous y trouver au même moment.

— C'est faux, s'écria Patrick. Maman, on aime tous cet endroit. Nos enfants et nos petits-enfants l'adorent. S'il te plaît, ne le donne pas.

Il suppliait maintenant, mais Alice resta de marbre.

— Je refuse que vous me fassiez ce chantage, lança Alice. Et, de toute façon, je ne vois pas comment je pourrais revenir voir le père Donnelly pour lui dire que je fais machine arrière. L'Église en a besoin.

— Et si on donnait un demi-hectare à Saint-Michael ?

— C'est bon, restons-en là, trancha Ann Marie. Elle ne changera pas d'avis.

— C'est vrai, dit triomphalement Alice, comme un politicien qui venait de remporter le débat. Changeons de sujet. À quelle heure arrivent Patty et Josh demain ? »

Ce soir-là, Ann Marie et Pat partirent à la grande plage publique d'Ogunquit pour prendre un peu le large. Ils restèrent dans le grand parking, près des douches, sans se donner la peine de sortir de la voiture. Ann Marie se dit qu'ils avaient vraiment été gâtés d'avoir leur plage privée à quelques mètres seulement de leur porte.

Elle pensa à ces déprimantes maisons de location dans lesquelles se rendaient ses sœurs à Cape Cod. Il fallait amener son ketchup et sa moutarde, ainsi que ses serviettes au début de chaque semaine, et jeter les sachets de thé et les paquets de crackers des étrangers qui étaient venus la semaine d'avant. Et ces affreux bibelots, censés apporter une touche personnelle ! Ils sentaient le rance et étaient empilés les uns sur les autres. Les voix des locataires d'à côté vous parvenaient de la fenêtre ouverte.

À part leur famille et leurs meilleurs amis, personne d'autre n'était jamais venu dormir à Briarwood Road, ou n'y avait pris ne serait-ce qu'une douche. Et bientôt, la propriété appartiendrait à quelqu'un d'autre. Cela semblait impossible. Elle avait l'impression qu'un proche venait de mourir.

Pat expliqua que, dans quelque temps, ils pourraient s'acheter une maison à eux. Mais elle savait bien qu'ils ne pourraient jamais s'offrir rien d'aussi bien que Briarwood Road. Et certainement pas en bord de mer. Pat l'avait fait estimer, et elle valait 2,3 millions de dollars. De toute façon, ce n'était pas le sujet. On parlait de *leur* maison de famille. Ann Marie et son mari avaient fait autant que chacun, plus même, pour l'entretenir. Et maintenant...

Installée sur le siège du passager, Ann Marie se mit à pleurer. Pat lui caressa l'épaule.

« Je suis désolé qu'elle soit comme ça. J'aimerais bien faire quelque chose pour la changer, si c'était possible.

— Ce n'est pas ta faute, dit-elle.

— Si seulement mon père était encore là. C'était le seul à pouvoir lui parler. Enfin, lui et toi. »

Il suivit des yeux une mère et deux garçons. Les gamins portaient des pelles, des seaux et des serviettes. Ils avançaient précautionneusement sur le bitume chaud en essayant de ne pas se brûler la plante des pieds.

Ann Marie se tourna vers son mari.

« Je me sens perdue, Pat.

— Cette année n'a pas été très facile.

— Non.

Il haussa la voix, essayant de prendre un ton plus enjoué.

— Eh bien, moi, par exemple, j'ai vraiment hâte d'aller à Londres et de te voir empocher ta médaille d'or.

Elle sourit faiblement :

— Et après ?

— Et après, qui sait ? J'ai comme l'impression qu'un nouveau chapitre commence pour nous deux.

L'idée la fatiguait un peu mais un espoir timide germa en elle.

— On pourrait retourner en Irlande après Londres. Ce serait comme une seconde lune de miel.

Il fit une grimace suggestive, et elle éclata de rire.

— Je repensais justement à ce voyage. Oui, j'adorerais.

— Tu m'as beaucoup manqué pendant que tu étais ici avec ma mère. Cela m'a fait réfléchir.

Ils restèrent quelques minutes en silence, chacun perdu dans ses pensées, certaines évidentes pour l'autre, d'autres inavouables.

— On va boire un verre quelque part ?

Elle essuya ses larmes.

— D'accord. »

Ils sortirent de la voiture et s'éloignèrent en se tenant la main.

Patty et Josh débarquèrent le lendemain. Leur voiture était tellement pleine que Josh ne voyait même plus la route dans le rétroviseur.

« Nous voilà ! dit Patty, un bébé sur la hanche.

— Viens voir mamie », lança Ann Marie en prenant l'enfant dans ses bras.

La chaleur du petit garçon agit comme un baume. Elle n'avait pas vu ses petits-enfants depuis dix-sept jours, soit treize jours de plus que leur plus longue séparation. Et tout ça, une nouvelle fois, pour le bien-être d'Alice !

« Il y avait du monde sur la route ? demanda Pat.

— Pas vraiment », dit Patty avant de saisir son téléphone dans sa poche.

Son père tout craché. Ann Marie devait se refréner pour ne pas lui hurler d'éteindre ce foutu machin.

« Toujours pas de réseau ici ? demanda-t-elle.

— Pourquoi est-ce que vous avez mis autant de temps ? Je croyais que vous deviez partir à sept heures.

— On est parti à sept heures et on a battu le record mondial des pauses pipi. Sans rire, cinq arrêts pour faire cent vingt kilomètres. J'appelle le Guinness, je crois qu'on tient quelque chose.

Maisy et Foster bondirent dans la maison comme des pois sauteurs.

— Mamie !

Ann Marie les étreignit de son bras libre.

— Tu leur as manqué, dit Patty.

Elle ajouta à voix basse :

— Et ils ont appris tout un tas d'expressions intéressantes avec leur autre grand-mère.

Foster ajouta fièrement :

— Notre mamie Joan nous a laissé boire du tonic !

— Comment ça, du tonic ? dit Ann Marie en fronçant les sourcils.

— Du coca et de la root beer [47].

— Cela va te pourrir les dents. C'est ce que tu veux ? gronda Ann Marie, passablement énervée.

— Non.

— On a déjà mis nos maillots de bains, dit fièrement Maisy.

---

47. Boisson gazeuse parfumée à la réglisse, à la vanille et à la racine de sassafras.

L'été dernier, elle prononçait *mao de bain*.

— Ils sont sous nos vêtements, tu vois ? »

Elle souleva son tee-shirt pour montrer le maillot une pièce mauve à pois qu'Ann Marie avait acheté aux soldes chez Filene, quelques semaines plus tôt.

« J'ai dormi avec mon maillot de bain, ajouta-t-elle avec délice.

— Ne dis pas ça à Mamie, ironisa Patty.

Maisy continua :

— Foster dit que l'eau sera peut-être trop froide pour moi, comme la dernière fois, mais j'ai dit non, parce qu'une fois qu'on est dedans, on s'y habitue. »

Ann Marie sourit. Où Maisy avait-elle entendu cette phrase ? Ils l'avaient tous répété pendant des années. Ses enfants l'appelaient sur la plage alors qu'elle tentait de lire un magazine tranquillement. *Allez, maman, viens nager ! Viens ! Tu seras bien quand tu seras dedans !*

« Papy, tu nous emmènes à la plage ?, dit Foster en tirant sur le short de Pat. On peut t'enterrer dans le sable comme l'autre fois ?

— Une minute, vous deux ! dit Patty. On laisse mamie et papy s'habituer à l'invasion avant de commencer à demander des choses.

Josh arriva, croulant sous le poids des sacs, des chaises de plage, et d'une glacière.

— Foster, va aider papa, dit Patty.

Il s'exécuta. Père et fils revinrent un moment plus tard, Foster avec les mains vides.

— Il dit qu'il a trouvé l'équilibre parfait, et que ça ne marcherait plus si je prenais un sac, annonça Foster.

— OK, dit Patty. En tout cas, c'était gentil de ta part de proposer.

— Quand est-ce qu'on verra les ours ?

Maisy se cacha les yeux, comme si les ours étaient à la porte.

— Je ne veux pas les voir du tout, s'il vous plaît ! Je ne veux pas les voir du tout !

Tout le monde éclata de rire. Un moment plus tard, Maisy se mit à danser d'un pied sur l'autre.

— Tu veux encore aller aux toilettes, ma puce ? demanda Josh.

Elle fit non de la tête, puis oui.

— Papa, il faut que tu m'aides à enlever ce maillot.

— Oui, laisse-moi poser tout ça. »

Ann Marie remarqua qu'ils demandaient autant à Josh qu'à Patty. Elle n'avait jamais laissé Pat s'occuper des enfants autant qu'elle. L'éducation restait son domaine. Tout de même, c'était bizarre qu'un père emmène sa fille aux toilettes, surtout avec la mère dans la même pièce.

« Little Daniel et Regina arrivent pour dîner, dit Patty.

— Ah bon ?

— Oui, ils viennent de m'appeler dans la voiture. Ils t'ont appelée aussi mais sont tombés sur le répondeur.

— Je suis ravie ! Où va-t-on ? »

Un débat s'ensuivit pour savoir s'il fallait prendre la route de la côte pour aller à Kennebunkport, ou rester à la maison et préparer des hot-dogs et des hamburgers sur le gril.

Ann Marie était de la meilleure humeur possible. Elle avait toute sa famille autour d'elle. Une semaine de vacances commençait dans la maison familiale. Elle savait que tout s'évanouirait en un éclair et fit une prière silencieuse. « Seigneur, laissez-moi apprécier le temps qu'il me reste. »

KATHLEEN

Le 5 juillet, Kathleen alla trouver sa fille encore endormie. Elle lui secoua doucement l'épaule.

« Mag, réveille-toi, il faut y aller, chuchota-t-elle.

— Où ça ? demanda Maggie, les yeux encore fermés.

— Chez toi. Je te ramène à New York.

Maggie ouvrit un œil.

— Pourquoi part-on au milieu de la nuit ?

— Il est sept heures du matin, dit Kathleen.

— Mais, pour toi, sept heures du matin, c'est le milieu de la nuit ! Tu peux me dire ce qui se passe ?

— Je te le dirai dans la voiture. File prendre une douche. Je veux qu'on s'en aille avant qu'Ann Marie se réveille.

— Tu lui as fait du mal ?

— Mais non ! Au contraire. Allez, viens. »

Kathleen était restée debout toute la nuit à se demander ce qu'elle devait faire. Écrire un mot à sa belle-sœur en lui assurant que son secret serait bien gardé, et rester quelques jours de plus pour que tout ait l'air normal ? Coincer ce connard de Steve Brewer en tête à tête et lui dire que s'il ne la fermait pas il aurait de ses nouvelles ? Ou bien tout simplement partir, en envoyant à Ann Marie un message implicite : oublions cet épisode idiot. Si les rôles avaient été inversés, Kathleen aurait préféré qu'Ann

Marie parte. Elle n'avait jamais ressenti le besoin de protéger sa belle-sœur auparavant. C'était une sensation étrange, c'était agréable de se sentir mûrir. Elle avait hâte d'en discuter avec Arlo.

Elle l'avait appelé avant d'aller dormir, sans parler d'Ann Marie. Elle lui avait dit :

« J'ai compris quelque chose ce soir. J'ai enfin compris que Maggie ne veut pas venir vivre avec nous.

— Et qu'est-ce que cela te fait ?

Elle y repensa.

— Je suis triste, je suis paniquée. Mais aussi soulagée.

— Elle va y arriver, tu sais.

— Je sais.

— Et puis, souviens-toi qu'entre l'avoir avec nous et ne pas la voir du tout, il y a une zone grise. Tu peux faire des allers-retours pendant un temps. Peut-être qu'elle pourra amener le bébé cet été. On trouvera une solution.

— Oui.

— Tu as élevé une fille intelligente et courageuse. Elle te ressemble. »

Décidément, Maggie n'avait rien à voir avec la fille qu'elle était à son âge. Pendant vingt ans, elle avait fait semblant d'être quelqu'un d'autre. Il lui avait fallu tellement plus de temps pour se trouver. Maggie, elle, avait marché tout droit vers la bonne direction : sa carrière, la ville où elle vivait, même les hommes qu'elle fréquentait étaient exactement ceux qu'elle avait voulus. Il fallait lui reconnaître ça. Kathleen était fière, même si c'était sans doute moins dû à l'éducation qu'elle lui avait donnée qu'à l'époque où Maggie était née, un temps où l'on disait aux filles qu'elles pouvaient enfin agir comme elles l'entendaient. Dieu sait que cela n'avait pas été le cas pour Kathleen, encore moins pour Alice. Elle s'imagina le monde dont hériterait sa petite-fille, forcément mieux qu'aujourd'hui. Cette pensée la réjouit profondément.

La veille, elle avait accepté à contrecœur d'aller avec Maggie voir les feux d'artifice de Portsmouth, après le dîner. À peine arrivée,

Maggie eut envie d'aller aux toilettes. Elles choisirent ce qui paraissait être la file d'attente la plus courte. Elles se parlaient à peine. Au restaurant, Kathleen avait à nouveau plaidé sa cause : Maggie devait venir s'installer en Californie et vivre avec eux. Une fois de plus, sa fille avait refusé. Elle s'était même montrée un peu méchante. Kathleen se demanda si c'était l'influence d'Alice, ou celle de toutes ces hormones qui envahissaient le corps de sa fille adorée.

« Ta maison est une porcherie, lâcha Maggie, alors que Kathleen réglait l'addition. Je n'arrive pas à imaginer pire endroit pour qu'un enfant s'y promène à quatre pattes.

— Les bébés ne partent pas se promener à quatre pattes le jour de leur naissance que je sache.

— OK. Eh bien, je n'imagine pas pire endroit pour un enfant, qu'il marche ou pas. Merde, Gabe avait peur de dormir chez toi.

Maggie s'excusa un peu plus tard, mais le mal était fait. Sa maison n'était pas *si sale,* si ?

— Eh bien, désolée d'avoir choqué ce cher Gabe avec ma crasse. »

Elles ne prononcèrent plus un mot pendant le reste du trajet. Mais près des toilettes mobiles, Kathleen dit :

— Quand mon frère était à Notre-Dame, il s'était fait suspendre du lycée avec des copains parce qu'ils avaient renversé des toilettes comme celles-là.

— C'est horrible, s'écria Maggie.

— Oui. En fait, Pat était un vrai garnement avant qu'Ann Marie arrive et censure absolument tout ce qui était drôle chez lui.

— Je ne sais pas si j'appellerais ça "drôle".

— Oui, un point pour toi.

— Et j'imagine assez Chris en train de faire ça.

— Je sais. C'est flippant, mais c'est vrai.

Elle passa son bras autour des épaules de Maggie. Maggie se tut jusqu'à ce que son tour arrive.

— N'essaie pas de me renverser! dit-elle en jetant un regard par-dessus son épaule.

— Il ne fallait pas dire que ma maison était bordélique! répondit Kathleen en lui tirant la langue. »

Elle attendit une éternité. Des couples d'adolescents s'embrassaient. Des groupes de filles couraient en pouffant. De jeunes parents poursuivaient leur progéniture. Des parents plus âgés lisaient sur des couvertures, en mangeant des pizzas ou des sandwiches pendant que leurs enfants tapaient des messages sur leurs téléphones mobiles. Un groupe de jeunes filles faisait un concours pour savoir qui enfournerait le plus grand nombre de bâtons lumineux dans sa bouche. Charmant.

Kathleen jeta un œil aux toilettes dans lesquelles Maggie était rentrée. Pourquoi est-ce que c'était si long? Elle se demanda si tout allait bien. Elle s'imagina un homme armé tapi derrière la porte, puis une main gantée sur la bouche de Maggie.

Elle écarta cette pensée.

Quand ses enfants étaient petits, la peur du kidnapping lui valait une attaque de panique par semaine. À l'épicerie, elle tournait la tête dans tous les sens, en cherchant Chris, le cœur battant, les pires scénarios en tête, puis elle finissait par tomber sur lui, un paquet de biscuits Oreo dans les mains, qu'elle lui achetait avec soulagement. Une récompense pour ne pas s'être laissé enlever et ne pas avoir ruiné leurs vies à tous les deux.

Kathleen jeta un œil vers la plage. Quand elle leva les yeux, elle remarqua l'ami de son frère, Steve Brewer, deux files plus loin. Pourvu qu'il ne la voie pas. Elle n'avait aucune envie de faire la conversation avec une personne qui fréquentait son frère et sa belle-sœur de son plein gré.

Et comme s'il suffisait de penser à elle pour la faire apparaître, Ann Marie émergea de la foule. Elle titubait et avait l'air passablement ivre. Pas un peu pompette ou juste au-dessus de la limite. Non, vraiment saoule. Kathleen s'était un peu adoucie avec Ann Marie cette semaine. Cela avait commencé au moment où elle avait piétiné les plants de tomates d'Alice. Elle avait marqué d'autres points lors du scandale avec le prêtre.

Ann Marie s'approcha de Steve avec un large sourire et lui dit quelque chose à l'oreille. Elle effleura le revers de sa veste. Son visage était dangereusement proche du sien, comme s'ils étaient deux amants sur le point de s'embrasser. Alors que cette pensée venait de lui traverser l'esprit, elle vit sa belle-sœur se pencher et planter ses lèvres sur celles de Steve.

« Oh, mon Dieu ! » s'exclama Kathleen à voix haute.

Elle étouffa son cri de sa main droite. Elle en avait presque le vertige comme si elle regardait le dernier épisode de son soap opera préféré. Sa belle-sœur avait une liaison avec le mari de sa voisine. C'était presque trop bon. Elle eut une vision furtive d'eux, serrés les uns contre les autres face aux feux d'artifice. *Alors Ann Marie et Steve, quand vous êtes-vous mis ensemble ?*

Elle se souvint du moment où elle avait découvert l'infidélité de Paul, des années auparavant. Ann Marie avait déclaré, sûre de son bon droit : « Je crois vraiment qu'il faudrait que tu essaies de recoller les morceaux avec ton mari. »

Qu'est-ce qu'elle avait pu se sentir stupide et désemparée à ce moment-là ! Et maintenant, le destin lui offrait cette scène en cadeau. Peut-être que si vous attendiez assez longtemps, toutes les erreurs de votre vie finissaient par se réparer d'elles-mêmes, d'une façon ou d'une autre.

Soudain, Steve recula brutalement. Elle n'entendait pas ce qu'il disait, mais visiblement, il avait été surpris, et pas dans le bon sens du terme. Ils échangèrent quelques mots, et il partit en courant, laissant Ann Marie sur place, en larmes. Encore un gentleman capable d'abandonner une femme saoule au milieu de la foule.

Kathleen se sentit aussitôt désolée pour elle. L'expression bouleversée du visage d'Ann Marie libéra en elle une vague de pitié. Cet air de honte, cet embarras… Kathleen se sentit fière en se rendant compte que, au fond, elle ne voulait rien de plus. Ann Marie n'était pas parfaite. Le savoir lui suffisait. Elle n'allait pas s'amuser à jouer les maîtres chanteurs.

Ann Marie l'aperçut. Et merde ! Kathleen espérait presque qu'elle s'en irait. Mais, non, elle s'approcha.

« Oh mon Dieu ! S'il te plaît, Kathleen, ne dis pas à Patrick ce que tu viens de voir ! »

Elle prononça cette phrase d'une traite.

Kathleen dut se souvenir qu'Ann Marie était ivre et que cela jouait sans doute. Mais elle avait envie d'être gentille. De retrouver, non pas sa partie Kelleher, mais cette version plus ancienne d'elle-même qu'elle avait laissée un jour au bord du chemin.

« Mais, je n'ai rien vu, dit-elle. J'attends que Maggie sorte de ces toilettes dégoûtantes. Elle est là-dedans depuis une heure !

Sa belle-sœur n'eut pas l'air convaincue.

— S'il te plaît. Je peux tout t'expliquer.

Maggie finit par sortir des toilettes.

— Ah, la voilà », dit Kathleen en lui faisant signe.

Elle voulait montrer de la façon la plus claire possible qu'elle n'était pas une menace. Elle prit sa voix la plus suave, celle qu'elle prenait pour charmer un proviseur de lycée.

« Bon alors, où êtes-vous installés et qu'est-ce que vous avez apporté pour le dessert ? »

Le reste de la soirée fila à toute vitesse. Kathleen se sentait presque étourdie. Maintenant, quoi qu'il arrive, ce serait elle l'adulte. Que c'était bon. Elle discuta avec cet hypocrite de Steve de golf et des Grateful Dead. (Les fans de ce groupe étaient surprenants, on imaginait une horde de vieux hippies et voilà que surgissaient des hommes installés, vêtus de polos Brooks Brothers et Nantucket Reds [48].) Elle parla à Linda d'un voyage qu'ils prévoyaient de faire à San Francisco. Elle fit semblant d'adorer le dessert trop sucré et brillant, elle hurla à chaque feu d'artifice jusqu'à ce que Maggie la prenne par la manche et lui dise : « Maman, tu me fais un peu flipper. On dirait que tu t'amuses vraiment ! »

Pendant que Maggie prenait une douche, Kathleen boucla les valises. Elle n'avait pas pris beaucoup d'affaires. Elle portait le même tee-shirt délavé d'Arlo depuis trois jours.

Maggie finit par sortir dans un nuage de vapeur.

« Tu as fait le lit ? demanda-t-elle.

— Oui.

— Tu as lavé les draps ?

48. Deux marques de vêtements américaines plutôt BCBG, très éloignées du look des hippies des Grateful Dead.

— Non! C'est quoi cette obsession avec les draps? Tu crois que j'ai sacrifié un animal pendant mon sommeil ou quoi?

Maggie soupira.

— On se retrouve en bas. »

Kathleen tomba sur Alice dans la cuisine, en train de faire la vaisselle. Parfaitement maquillée et coiffée, elle était élégamment vêtue d'un pantalon bleu marine. On aurait dit qu'elle se rendait à un enterrement.

« On y va, dit Kathleen.

Alice fronça les sourcils.

— Ah bon? Et où ça?

— Je ramène Maggie à New York.

— C'est vrai? »

Kathleen ouvrit le frigo et sortit un pichet d'eau. En dessous, un sachet de thé gouttait dans une saucière.

« Maman... Peut-être que tu peux commencer une nouvelle vie et arrêter de réutiliser les sachets de thé...

— Je n'aime pas gaspiller, dit Alice. Bon alors, est-ce que Maggie est revenue à la raison? Ils se remettent ensemble?

— Non, Dieu merci.

— Comment peux-tu dire ça? C'est toujours mieux pour un enfant d'avoir ses deux parents mariés. Tu sais comment les enfants appellent les enfants sans père?

— Maman, on n'est plus en 1951...

— Je sais bien, merci. Mais si elle ne se remet pas avec Gabe, pourquoi repart-elle à New York, alors?

— Pour commencer à se préparer j'imagine, dit Kathleen.

Alice jouait avec l'embout du robinet de l'évier.

— Voilà, maintenant ce truc ne marche plus, et le broyeur non plus. Et grâce à la dernière scène d'Ann Marie, le père Donnelly ne risque pas de remettre les pieds ici de sitôt. »

Aucune d'entre elle n'en mentionna la raison. Kathleen n'était pas sûre de savoir ce qu'elle pensait de la décision d'Alice, mais le reste de la famille était visiblement furieux. Encore une situation inextricable, du Alice pur jus.

« En parlant d'Ann Marie, tu pourrais lui transmettre un message ?

— Ça dépend, répondit Alice d'une voix méfiante, comme si Kathleen était un représentant de commerce qui tentait de lui refourguer un aspirateur hors de prix.

— De quoi ?

— Du message ! Tu ne peux pas t'attendre à ce que je sois d'accord pour dire quelque chose avant de l'avoir entendu.

Kathleen haussa les épaules.

— Oh, d'accord. Dis-lui que je suis enfin prête à quitter la plage. Promis, je ne serai plus dans ses pattes.

— Je ne comprends pas.

— Dis-lui ça, tout simplement.

— D'accord. »

Dans la voiture, Kathleen raconta l'épisode du baiser à Maggie. Il le fallait. Elle était déjà étonnée d'avoir réussi à le garder pour elle aussi longtemps.

« Tu ne peux pas en parler à Arlo, dit Maggie.

— Pourquoi ? Il ne vendra pas la mèche.

— Je sais, mais tu me l'as déjà dit. Puis à lui, et après paf ! Tu te retrouves à le raconter à tante Clare. Et ça y est, la bombe est lâchée dans la famille. C'est dangereux.

— Mais quelle sainte-nitouche ! Pourquoi faut-il que tu sois toujours aussi rabat-joie ? demanda Kathleen, même si elle savait que sa fille avait probablement raison.

— Promets-moi, dit Maggie.

— OK, je promets. Motus et bouche cousue.

— Je ne comprends toujours pas pourquoi on est parties si vite, s'étonna Maggie.

— Il était temps. Et puis, je ne vais plus essayer de te supplier de venir habiter avec moi.

— Ah bon ?

— Oui. Tu as fini par me convaincre que ma maison était une porcherie, et qu'aucune personne digne de ce nom ne voudrait venir y vivre avec nous.

— Désolée.

Kathleen sourit.

— Ce n'est rien. Tu es une jeune femme extraordinaire, Maggie. Si tu veux rester à New York, eh bien, je respecte ta décision et je ferai tout pour t'aider.

Maggie se mordit la lèvre.

— Merci.

— Est-ce qu'au moins tu as remarqué à quel point j'ai été impeccable vis-à-vis d'Ann Marie ? »

Maggie ne répondit pas. Kathleen se tourna vers elle. Elle s'était endormie. Elle repoussa une mèche de cheveux derrière l'oreille de sa fille et continua à conduire.

Quand elles arrivèrent à Brooklyn, un énorme carton bloquait l'entrée de l'appartement. Kathleen pensa d'abord à Gabe. Elle regarda l'adresse.

« Il y a marqué Bugaboo. Qu'est-ce que ça peut bien être ?

Face à la gêne de Maggie, Kathleen se dit qu'il s'agissait peut-être d'un genre de sex-toy.

— C'est un cadeau de tante Ann Marie.

— Tu te mets aux maisons de poupée !

— Non ! C'est une poussette.

— Une poussette ?

— Oui, le dernier modèle en plus. Je crois que ça coûte dans les six cents dollars.

— Eh bien, ça a l'air pratique, pas encombrant du tout. Sympa de sa part d'avoir laissé le prix dessus.

— Elle ne l'a pas fait. Je l'ai vu dans le catalogue. »

Kathleen sentit sa mansuétude envers Ann Marie s'effriter quelque peu. Elle se dit qu'elle allait sans doute raconter le baiser à Clare. À personne d'autre. Clare ne le répéterait pas, de toute façon. À part à Joe, bien sûr. Des pas résonnèrent dans l'escalier et une sublime créature, affublée de jambes d'un kilomètre de long, les salua.

« Maggie ! s'écria-t-elle. Tu es rentrée ! »

Kathleen se souvint de la première fois où elle était allée voir sa fille à l'université : elle s'était sentie heureuse et rassurée de voir que Maggie s'était construit sa bande là-bas, qu'elle avait plein d'amis dont Kathleen n'avait jamais entendu parler. Il en allait de même à New York. Sa fille s'en sortait bien toute seule. L'indépendance lui réussissait, exactement comme à Kathleen.

« Salut, Rhiannon. Je te présente ma mère. Maman, Rhiannon. C'est ma voisine. Elle m'a emmenée dans le Maine.

— Oh, dit Kathleen. Enchantée.

— De même. J'ai beaucoup entendu parler de vous.

Kathleen n'était pas sûre d'aimer ce ton.

— Comment ça va par ici, demanda Maggie ?

— Rien de neuf. Je suis allée sur Governor's Island pour la première fois hier.

— Cool. Écoute j'aurais dû t'appeler plus tôt, mais je n'étais pas vraiment en état comme tu peux l'imaginer. »

C'était bizarre de voir ces mots sortir si facilement de sa bouche, alors qu'elle parlait à une vague connaissance dans le couloir.

« Je suis désolée d'avoir réagi comme ça l'autre fois.

— Oh non c'est moi. En fait, je n'aurais jamais dû t'en parler. J'avais vraiment trop bu. Je n'ai pas réfléchi.

— Cette information essentielle m'a évité de me traîner à genoux devant lui en le suppliant de me reprendre. »

Mais de quoi pouvaient-elles bien parler ? Elles tombèrent dans les bras l'une de l'autre. Rhiannon mit une main sur le ventre de Maggie.

« Hello, petit voisin ! »

Ainsi Maggie l'avait annoncé à cette fille en premier. Kathleen essaya de ne pas réagir. Une fois à l'intérieur, elle lui demanda :

« Mais de quoi parliez-vous ?

Maggie soupira :

— Elle travaille dans un restaurant où nous sommes allés dîner un soir, avec Gabe. Apparemment, pendant que j'étais aux toilettes, il lui a mis une main aux fesses et a essayé de l'embrasser. »

Dans ce genre de moment, Kathleen regrettait vraiment de ne plus boire. Autrefois, elle aurait volontiers descendu une demi-bouteille de gin, puis se serait rendue chez ce petit connard, et aurait réduit sa voiture en bouillie, ou lui aurait calmement demandé de descendre dans la rue pour lui casser la gueule à coups de sac à main. *Ah... le bon vieux temps.*

« Il craint vraiment, dit Maggie.

— C'est le moins qu'on puisse dire. »

Elle se sentait soulagée que Maggie soit assez intelligente pour ne pas revenir vers lui. Mais elle était triste aussi pour sa fille. Qu'elle le veuille ou non, elle serait liée à Gabe pour le reste de sa vie.

« Je peux te demander quelque chose ?

Kathleen n'attendit pas la réponse de Maggie.

— C'était un accident ou tu as fait exprès de tomber enceinte ?

— Un peu entre les deux. Je crois qu'on peut dire que j'ai tenté le diable. Je me sentais coincée... J'avais besoin qu'il se passe un truc, d'une façon ou d'une autre. Cela doit te sembler totalement absurde.

— Tout va bien se passer, dit Kathleen, probablement plus pour elle-même que pour sa fille.

Maggie acquiesça :

— Je n'ai pas tellement le choix. »

Elles déjeunèrent de ce qui, dans les placards de Maggie, se rapprochait le plus d'un repas : crackers et soupe à la tomate. Maggie parcourut ses e-mails puis sortit la poussette de son emballage. Elles regardèrent de vieux épisodes de sitcoms à la télévision, bien que Kathleen n'ait pas tellement la tête à ça. Elle ne pouvait s'empêcher de penser à l'avenir.

À trois heures, Maggie dut passer un coup de fil pour son travail, et Kathleen partit faire un tour dans le quartier. Brooklyn Heights était magnifique avec ses rangées de maisons en pierre brune, parfaitement restaurées. Elle alla jusqu'à la promenade, où la vue du pont de Brooklyn et de Manhattan lui coupait toujours le souffle. Elle se sentait presque jalouse de ne pas avoir découvert cet endroit à vingt ans. Pas étonnant que Maggie ne veuille pas partir.

À six heures, elles eurent de nouveau faim. Elles commandèrent un dîner thai. Pendant que Maggie payait, Kathleen passa en revue l'appartement de sa fille. Elle avait trouvé l'endroit mignon la première fois — « un charmant petit nid », avait-elle dit —, mais c'était des années plus tôt. À cette époque, Maggie n'avait besoin que d'une chambre pour écrire deux ou trois romans à succès avant de déménager dans une grande maison de campagne, avec un mari riche et plus âgé. Dans la minuscule cuisine, les fenêtres étaient incapables d'arrêter les courants d'air, si bien qu'il ne servait pas à grand chose de les fermer Le long câble d'alimentation orange du frigo passait par-dessus une série de clous, pas très loin du plafond. Une demi-heure plus tôt, la poignée de la salle de bain était restée dans la main de Kathleen. La poussière semblait pouvoir rentrer ici par toutes les ouvertures même pour une maniaque de la propreté comme sa fille. Et restait le problème de ces cinq étages à gravir. Cinq !

Maggie avait dit qu'elle installerait un berceau et une table à langer dans le salon, mais l'horrible poussette jaune d'Ann Marie occupait déjà un quart de la place. On pouvait donc oublier cette idée.

Quand Maggie revint, un grand sac en papier dans les mains, Kathleen lui dit :

« Je crois qu'il faut qu'on te trouve un appartement plus grand.

— Je peux à peine payer le loyer de celui-ci…

— Assieds-toi. Je voudrais te dire quelque chose.

Sa fille avait l'air nerveuse, mais elle obéit.

— Tu veux de nouveau me kidnapper ?

— Non. Tu n'as pas à venir en Californie.

— Tu veux emménager ici ?

— Non, mais merci de faire cette tête !

— Désolée.

— Je veux revenir cependant, avec ton autorisation, quand le bébé sera là pour t'aider les premiers temps.

— Oui, ça me ferait plaisir.

— Tu sais que ton bonheur est la chose le plus importante pour moi ? Même si je peux être vraiment égoïste par moments, je sais.

Maggie se mit à rire et Kathleen poursuivit :

— Bon. Je n'arrive pas à aller droit au but, j'aurais dû le faire dès le début.

— Faire quoi ?

— J'ai quelques économies pour la ferme.

— Je ne peux pas accepter.

— Si, tu peux. C'est vingt mille dollars. Cela me ferait vraiment plaisir. »

Elle regretta aussitôt sa proposition. Pour son père, le désintéressement avait l'air si facile. Mais Kathleen ne serait jamais aussi bonne que lui, et c'était impossible pour elle de donner ses économies sans penser à l'achat du *worm gin,* à l'assiduité avec laquelle elle avait mis de l'argent de côté, mois après mois. La ferme allait bien, mais il faudrait des années pour qu'elle puisse se développer si elle donnait cet argent.

Elle se sentait désolée pour Arlo. Il n'avait aucune idée de la somme. Son père l'avait souvent dépannée quand elle avait eu besoin d'argent, et elle lui en était reconnaissante. Mais elle ne lui avait jamais demandé ce qu'il aurait fait avec l'argent. Pour la première fois, elle se demanda comment Alice l'avait vécu.

« Je ne pourrais pas, dit Maggie. Oh, maman, je te rembourserai !

— Non, c'est un cadeau. Et, franchement, j'aurais aimé pouvoir te donner plus.

Elle se sentit vraiment généreuse. Maggie avait besoin d'elle, et elle était là. Son père aurait été fier.

— Tu peux utiliser l'argent pour faire tabasser Gabe aussi. Ou acheter des couches. Enfin, ce dont tu as le plus besoin.

— Ça fait beaucoup de couches.

— Je crois que tu ne te rends pas compte. »

Elle resta une semaine. Le temps d'aider Maggie à trouver un appartement plus grand, avec deux chambres, près d'un parc, un peu plus loin dans Brooklyn. Des enfants dominicains couraient dans tous les sens. Un camion de glaces faisait le tour du bloc, jouant son petit refrain. Finalement, le loyer était moins cher que celui de son précédent appartement. Si Alice mettait un jour un pied ici, elle objecterait probablement que le quartier n'était pas sûr. Mais elle ne viendrait sans doute jamais. À Maggie de faire le premier pas si elle voulait que son enfant rencontre sa grand-mère. Mais Maggie le ferait probablement. Elle avait hérité de l'attachement de Daniel à la famille : une personne ne compre-nait vraiment la vie qu'en s'imprégnant de l'existence de ceux qui l'avaient précédée.

Elles firent des cartons en écoutant des CD des Beatles. Elles mangèrent de très nombreux repas à emporter, Kathleen sentait qu'elle prenait un peu plus de poids chaque jour. Elles achetèrent des vêtements de grossesse sur des sites Internet, et Kathleen fut agréablement surprise de voir qu'ils ressemblaient à de vrais vête-ments. Les ridicules salopettes et robes chasubles que les femmes enceintes devaient porter à son époque avaient enfin disparu.

Elle accompagna Maggie à son rendez-vous chez le médecin et dut s'excuser une minute pour aller pleurer dans les toilettes. Elle aurait tellement aimé que Maggie soit accompagnée d'un fiancé, attentionné et beau, qui lui tiendrait la main. C'était ce qu'elle méritait. Quand elles sortirent, la salle d'attente était bondée de femmes enceintes qui portaient d'énormes bagues de fiançailles. Maggie faillit flancher, puis elle haussa les épaules.

« Et quand je ne serai pas là pour t'accompagner ? Tu iras seule ?

— Je peux demander à Allegra. Peut-être que je devrais faire un grand dîner et annoncer la nouvelle d'un coup à tous mes amis.

— Et pourquoi pas ? » dit Kathleen dont le cœur se gonfla à l'idée que cette jeune femme indépendante et courageuse était sa fille.

Elles dormaient dans le lit de Maggie. Kathleen avait peur de partir même si Arlo lui manquait, ainsi que ses chiens, le travail à la ferme et les repas préparés avec les légumes de son jardin. Sans parler du yoga. Pourtant, à Brooklyn, il suffisait de lever les yeux pour tomber sur une dizaine de cours, mais elle ne pensait pas au même yoga que ces jeunes femmes de vingt-six ans habillées de tenues dernier cri. Non, elle voulait rester assise dans le jardin avec Arlo à regarder les montagnes au lieu d'apercevoir une rangée de taxi, à travers des vitres sales.

Elles pleurèrent toutes les deux au moment de se quitter.

« J'ai peur, dit Maggie.

— C'est normal. Tu peux changer d'avis quand tu veux et venir nous retrouver.

— Merci. Je t'aime !

— Je t'aime, aussi. »

Quelques heures plus tard, Kathleen était assise, pieds nus, à la table de sa cuisine. Arlo lui servait du thé au gingembre. Elle lui avait raconté tout ce qui s'était passé. Il avait préparé un vase de fleurs et un gâteau au potiron portant l'inscription BIENVENUE ! Kathleen se sentait en paix. Les chiens se tenaient autour d'elle comme pour lui dire : *Tu es exactement là où tu dois être.*

ALICE

Alice l'avait observé toute l'après-midi. Il avait le poil roux, à la différence des autres. Il s'était arrêté un instant et avait jeté un regard vers elle comme pour vérifier qu'elle était bien assise sur le porche et qu'elle le regardait.

Elle lui adressa un geste amical et but une gorgée de vin. Il repartit dévorer la pelouse.

Quelques jours plus tôt, elle avait décidé de faire la paix avec la famille de lapins qui traînait là depuis le début de l'été. Ils avaient surmonté toutes les épreuves auxquelles elle les avait soumis depuis le mois de mai. À la fin, elle ne pouvait qu'admirer la motivation qu'il fallait pour briser une barrière et s'enfiler toute une bouteille de poivre de cayenne liquide, dans le simple but d'atteindre un bon morceau de laitue. Ils avaient mérité la paix.

Finalement, elle était comme eux. Elle semblait déranger tout le monde autour d'elle alors qu'elle tentait simplement de survivre. Ces derniers jours, elle était même allée jusqu'à leur laisser quelques carottes sur l'herbe près de la voiture. Les lapins n'y avaient pas touché. Ils flairaient sans doute un piège, ce n'était pourtant pas le cas.

Lui, c'était le père, en tout cas Alice l'avait identifié comme tel, car il était le plus grand. Elle se faisait du souci pour les bébés avec cette chaleur. Buvaient-ils assez d'eau ? Selon le père Donnelly, c'était le mois d'août le plus chaud dans le Maine depuis 1893. Il évoquait cette date avec un immense respect dans la voix, comme s'il parlait de l'Antiquité. Pour Alice, 1893 était l'année de naissance de sa mère et ne lui paraissait pas si éloignée que cela.

À quoi bon lutter pour éloigner les lapins, il ne restait plus grand-chose dans son jardin. La saison des fraises et des haricots verts était déjà passée. Les lilas étaient tous fanés et jaunis. Quant aux tomates, eh bien, il ne lui restait plus qu'à en replanter au printemps prochain.

Kathleen avait fini par rentrer en Californie. Elle était partie brusquement, avec Maggie, le lendemain des feux d'artifice du 4 juillet. Alice s'était demandée si elle les avait offensées d'une façon ou d'une autre. Elles étaient tellement sensibles toutes les deux. Mais Kathleen l'avait assurée qu'elles étaient prêtes à partir et qu'elle avait beaucoup à faire pour aider Maggie.

Oui, c'est vrai, restait la corvée de trouver un père pour cet enfant, entre autres.

Pendant le mois qui s'était écoulé, Maggie avait envoyé à Alice une lettre par semaine, réglée comme une horloge. Récemment, elle lui racontait qu'elle avait déménagé dans un quartier plus familial de Brooklyn. Le loyer coûtait moins cher que le précédent, et l'appartement était deux fois plus grand, avec une vaste chambre et une autre plus petite pour le bébé. Elle avait commencé à annoncer à ses amis qu'elle était enceinte, et sa responsable lui avait dit qu'elle pourrait ne travailler que trois jours par semaine après l'accouchement. Elle n'avait pas vu Gabe depuis qu'elle était rentrée, mais prévoyait de prendre un café avec lui sous peu, pour parler logistique. Évidemment. Un rendez-vous dans un café avec l'homme qui vous avait engrossée. Quant à la logistique, il était peut-être un peu tard pour en discuter, non ?

Maggie écrivait qu'elle était enceinte de quinze semaines. Ses nausées ne se calmaient pas. Elle avait lu que le bébé avait maintenant des cheveux. Est-ce que ce n'était pas à la fois étrange et merveilleux de penser qu'une mèche de cheveux bruns poussait sur la tête de quelqu'un dans votre ventre ? Alice se sentait mal à l'aise à la lecture de ces lignes. De nos jours, les femmes en savaient bien trop sur ces questions. Maggie ajoutait que dans cinq semaines elle connaîtrait le sexe de l'enfant. Si c'était un garçon, elle voulait l'appeler Brennan, le nom de jeune fille d'Alice. *Un petit mâle nommé comme notre intrépide grand-mère!* Alice n'avait pu s'empêcher de sourire.

Elle répondit à Maggie sur une petite feuille de papier pour ne pas se laisser trop de place et éviter les dérapages. Elle ajouta dans l'enveloppe une carte de l'église pour expliquer qu'elle avait fait dire une messe. Alice s'inquiétait énormément pour Maggie. Cette dernière se comportait comme s'il suffisait d'acheter un mobile et des petits chaussons pour être prête à élever un enfant. Mais Alice préférait tenir sa langue.

Patty, la fille d'Ann Marie et Pat, était venue passer deux semaines ici avec sa progéniture. En voyant Patty et Josh courir après leurs trois marmots, elle avait pensé à ce qui attendait Maggie : les nuits sans dormir, les maladies infantiles, les disputes avec un enfant de deux ans qui ne veut rien entendre.

La seule fille de Patty, l'arrière-petite-fille d'Alice, s'appelait Maisy et avait quatre ans. Comment pouvait-on appeler son enfant ainsi, franchement ? Maisy, c'était bon pour un chien à la rigueur, pas pour une petite fille. Quoi qu'il en soit, cet été, Maisy avait jeté son dévolu sur Alice. Dès qu'elle avait un moment pour boire tranquillement son thé, assise sur le porche, elle entendait une voix suraiguë derrière la porte : « Grand-mère Alice, est-ce que je peux m'asseoir avec toi ? » Maisy débarquait en maillot de bain, une pelle en plastique à la main.

« Elle t'aime vraiment beaucoup », disait Patty avec attendrissement. Ce à quoi Alice ne pouvait évidemment rien répondre. Comment expliquer qu'elle désirait qu'on la laisse tranquille ? Les relations avec Ann Marie étaient déjà assez tendues. Que Dieu lui pardonne, mais cet enfant lui tapait sur le système. Si seulement Patty avait un peu de bon sens pour se rendre compte qu'elle ne souhaitait pas jouer à la fichue baby-sitter. Quand ils furent partis, elle tomba sur les restes d'un biscuit à l'avoine, à moitié dévorés et recouverts de fourmis, sous l'une des chaises du porche.

Alice était seule depuis dix jours d'affilée, quatorze si on ne comptait pas la dernière visite d'Ann Marie qui n'avait duré que deux heures. Alice lui avait demandé si elle voulait aller déjeuner quelque part. Non. Ann Marie avait beaucoup à faire à la maison. Alice supposa qu'il fallait décoder « Je vous en veux encore. »

Le silence dans la maison ne la dérangeait pas le moins du monde. Les événements de l'été l'avaient épuisée. Et quand Clare avait appelé pour dire que Ryan était en répétition pour trois semaines, et qu'ils ne viendraient pas avant le 21, Alice s'était sentie presque soulagée. Son petit monde avait retrouvé sa taille habituelle, comme avant l'arrivée des femmes Kelleher avec leurs drames, leurs histoires et leurs disputes sans fin.

Maintenant, elle se contentait de regarder le père des lapins détaler dans ses buissons de rhododendrons, pour retrouver sa famille.

« Adieu ! » dit-elle à voix haute.

Elle se sentit heureuse d'avoir fait la paix.

La bouteille de cabernet était à moitié pleine. Oui : *à moitié pleine*. Quel optimisme, n'est-ce pas ? Daniel en aurait fait des gorges chaudes.

« Qu'est-ce que tu en dis ? Tu as toujours pensé que je ne regardais pas le bon côté des choses. Je viens tout juste de te prouver le contraire. »

Elle se servit un autre verre de vin.

Juste après la mort de Daniel, elle ne pouvait pas s'empêcher de lui parler à voix haute, en lui racontant ce que devenaient les enfants ou ce qu'elle faisait de ses journées. Elle avait fini par s'arrêter. Mais ces temps-ci, elle s'était surprise à reprendre ce dialogue solitaire. Elle lui avait même confié à quel point elle en avait assez d'avoir Maisy dans les pattes, et avait ajouté : « Je ne te raconte cela que parce que je sais que tu ne peux pas me répondre et me réprimander pour mon mauvais caractère. »

Elle lui avait dit aussi : « Je n'ai pas de nouvelles de Patrick et d'Ann Marie depuis trois jours. Ils ne manquent pas de culot. Ils n'ont pas eu ce qu'ils voulaient, donc ils me punissent. C'est comme ça qu'on doit traiter sa mère ? »

Elle refusait d'éprouver le moindre regret au sujet de la maison. C'est vrai qu'elle ne s'attendait pas à ce qu'ils en fassent une telle histoire, du moins pas à ce point. Patrick et Ann Marie étaient les plus énervés, mais même Clare l'avait appelée en larmes en apprenant la nouvelle. Alice leur confirma que, de toute façon, il n'y avait plus rien à faire. Saint-Michael comptait sur cet argent.

Ann Marie avait encore demandé comment elle avait pu leur faire ça, comment elle pouvait se contenter de donner leur maison de vacances à l'Église... Comme si l'Église n'était rien pour Alice, alors qu'elle avait été son seul soutien tout au long de sa vie, la seule qui ait donné un sens à son existence. Lui léguer sa maison était la moindre des choses.

Elle prit une gorgée de vin. Au loin, des éclairs zébraient le ciel. Alice espérait qu'un orage viendrait rafraîchir l'atmosphère, mais la pluie ne venait pas.

Pour le 15 août, l'Assomption, elle s'était levée tôt afin de se rendre aux célébrations de la légion de Marie. Elle était chargée des gâteaux à la cannelle et avait fait le voyage tout spécialement jusqu'à une boulangerie de Wells.

Elle portait un tailleur parme qu'elle étrennait pour l'occasion et elle apporta un soin particulier à son maquillage ainsi qu'à sa coiffure. Elles devaient toutes se retrouver avant la messe pour préparer la cérémonie.

En marchant vers la voiture, Alice se souvint qu'autrefois, les mères catholiques — la sienne, celle de Daniel, de Rita, de tout le monde — croyaient que les eaux du 15 août étaient bénies et qu'elles aideraient chaque femme en mal d'enfant à tomber enceinte. Les premières années de son mariage, au moment où elle avait tous ces problèmes, Alice avait été forcée de se rendre sur les rives de Nantasket Beach. Avant de se plonger dans l'eau, elle avait observé des douzaines de jeunes épouses de soldats, qui toutes attendaient le même miracle, en s'immergeant avec la détermination de saintes dans les eaux glaciales de la Nouvelle-Angleterre. C'était une année avant la naissance de Kathleen. Daniel l'avait surnommée « leur plus grand bonheur » dès le jour de sa naissance.

Au volant de sa voiture, Alice se dirigea vers Saint-Michael. À la radio, elle tomba sur le hit-parade irlandais, le préféré de Daniel. Elle le laissa et monta même un peu le volume. Cinq minutes plus tard, elle entra dans le parking. La porte de l'église était ouverte. L'odeur de l'encens emplit ses poumons. Les bancs étaient déserts, le bâtiment n'en paraissait que plus imposant. Il restait encore une demi-heure avant le début de sa réunion et une heure avant la messe.

Elle s'installa à sa place habituelle et s'agenouilla sur le coussin de velours rouge. Elle saisit son chapelet dans son sac à main, et jeta un œil au vitrail qui représentait Jésus sur la croix.

Les grains roulaient entre ses doigts, tandis qu'Alice priait pour Maggie et Ann Marie, et pour tous les membres de sa famille, les vivants comme les morts. Elle pria aussi pour son âme, pour que lui soient pardonnées ces choses qu'elle ne parvenait pas à effacer. Elle répéta encore et encore, les mots qu'elle avait appris si longtemps auparavant, qui lui avaient apporté le réconfort quand personne d'autre ne le pouvait.

Quand elle eut terminé et qu'elle arriva au dernier grain de son chapelet, elle recommença au début. Elle pria jusqu'à ce qu'elle entende des pas derrière elle, qui remontaient lentement dans l'aile, jusqu'à ce qu'une voix familière l'appelle.

« Alice ? Alice, c'est l'heure. »

REMERCIEMENTS

Je suis redevable, pour leur contribution à ce livre, à ma merveilleuse éditrice Jenny Jackson ainsi qu'à mon incroyable agent Brettne Bloom.

Je tiens également à remercier un millier de fois Hilary Black, Lauren Semino ainsi qu'Eugene et Joyce Sullivan, pour avoir lu et avoir réussi à insuffler autant de vie et de profondeur à mon manuscrit. Merci aussi à Laura Smith et Joshua Friedman pour m'avoir permis de le publier, pour m'avoir choisie, et pour tout ce qu'ils ont fait d'autre.

Je tiens à remercier, pour leur hospitalité, tous les habitants de Knopf, de Vintage, de Kneerim et de Williams, et, en particulier, Andrea Robinson, Jill Kneerim, Hope Denekamp, Leslie Kaufmann, Nicholas Latimer, Russell Perreault, Sara Eagle, Kate Runde et Abby Weintraub.

Dans mes recherches, les archives du Boston Globe m'ont été d'une aide précieuse en me fournissant des informations concernant l'incendie du Cocoanut Grove. Une visite rendue à la famille Held-Semino m'a, quant à elle, donné l'idée du cottage, et Larry Ravelson m'a orientée vers le livre de John Bardwell Ogunquit by the Sea, qui m'a beaucoup aidée.

Dorothy Joyce, M. Patricia Gallagher, Lawrence et Florence Sitterle ont été de vrais puits de science concernant la Seconde Guerre mondiale et les années quarante.

Quant à Beth Mahon, Noreen Kearney et Caitlain McCarthy, elles ont eu la gentillesse, en me faisant part de leurs nombreux souvenirs d'enfance, de m'expliquer comment, en tant qu'Irlandaises catholiques, elles avaient ressenti le fait de grandir dans le Massachusetts.

Merci encore à tous ceux qui m'ont généreusement hébergé dans des lieux si inspirants : Jane Callanan, Amanda Millner-Fairbanks, Sudhir Venkatesh, Karla Adam, et Bennet Morris. Vous m'avez accueillie à bras ouverts dans vos adorables maisons et avez passé sous silence l'accidentel massacre de vos plantes d'intérieur qui fut le mien.

Aux nombreuses personnes de ma famille, et qui sont tout pour moi, merci encore.
Merci maman, papa, Caroline, Trish, Dot, Jon, Jane, Mark, Mark Jr., Nancy, Michael, Pauline, Michael Jr., Richie, Tracie, Eugene. Merci aux Troy, aux Joyce, aux Gallagher, aux Radford, et à tous les autres.
Enfin, merci à toi Kevin Johannesen, pour m'avoir apporté tant d'amour, d'éclats de rire, de joie et de franchise.

Comment ai-je pu être si chanceuse ?

Direction artistique : Jérôme Feigean

Achevé d'imprimer en avril 2013
par l'Imprimerie Darantiere à Dijon-Quetigny
Dépôt légal : mars 2013
Numéro d'impression : 13-0437
ISBN : 978-2-919547-13-5
Imprimé en France.